the country's racial divide see color of one's skin. Contrast the
wider or the cultural abyss deeper. black students from Howard Uni-
The spectacle that unfolded in versity in Washington shown
Room 103 in downtown Los Ange- cheering the verdict with the
les during the past year served as a stone-faced disbelief of white
mirror for a society split into ever- UCLA students, and you have a

★ ★ ★ ★ ★
JEFFREY TOOBIN
AMERICAN CRIME STORY

O POVO CONTRA O.J. SIMPSON

CRIME SCENE® DARKSIDE

snapshot of U.S. race relations in Hicks, executive director of the
1995. Multicultural Collaborative in Los
 After a famous black man was Angeles "We have to take from
charged with killing two whites in this trial the reality that race plays
a city rife with ethnic tensions, it a powerful part in everything that

Copyright © 1996, 1997 by Jeffrey Toobin
Todos os direitos reservados.
Publicado mediante acordo com a
Random House, uma divisão da
Penguim Random House LLC.
Título original: The Run of His Life:
The People v. O. J. Simpson
Tradução para a língua portuguesa
© Lucas Magdiel, 2016
Tradução do Posfácio
© Fábio Fernandes, 2016

Diretor Editorial
Christiano Menezes

Diretor Comercial
Chico de Assis

Gerente de Novos Negócios
Frederico Nicolay

Editor
Bruno Dorigatti

Design e Capa
Retina 78

Designer Assistente
Pauline Qui

Revisão
Fabrício Ferreira
Isadora Torres
Mayra Borges
Ulisses Teixeira

Impressão e acabamento
Coan Gráfica

DADOS INTERNACIONAIS DE CATALOGAÇÃO NA PUBLICAÇÃO (CIP)
Angélica Ilacqua CRB-8/7057

Toobin, Jeffrey
  American crime story : o povo contra O. J. Simpson / Jeffrey Toobin ; tradução de Lucas Magdiel. — Rio de Janeiro : DarkSide Books, 2016.
  496 p. : il.

  ISBN 978-85-66636-84-6

  Título original: *The run of his life : the people v. O.J. Simpson*

  1. Simpson, O. J., 1947 - Julgamentos criminais
  2. Processos (Homicídio) I. Título II. Magdiel, Lucas

16-0197   CDD 364.152

Índices para catálogo sistemático:
    1. Julgamentos criminais

Todos os direitos desta edição reservados à
DarkSide® Entretenimento LTDA.
Rua do Russel, 450/501 - 22210-010
Glória - Rio de Janeiro - RJ - Brasil
www.darksidebooks.com

the country's racial divide seemed wider or the cultural abyss deeper. The spectacle that unfolded in Room 103 in downtown Los Angeles during the past year served as a mirror for a society split into ever-

color of one's skin. Contrast the black students from Howard University in Washington shown cheering the verdict with the stone-faced disbelief of white UCLA students, and you have a

★ ★ ★ ★ ★

JEFFREY TOOBIN
AMERICAN CRIME STORY

O POVO CONTRA
O.J. SIMPSON

CRIME SCENE®
DARKSIDE

snapshot of U.S. race relations in 1995.

After a famous black man was charged with killing two whites in a city rife with ethnic tensions, it

Hicks, executive director of the Multicultural Collaborative in Los Angeles. "We have to take from this trial the reality that race plays a powerful part in everything that

À minha jornalista favorita,
MARLENE SANDERS,
minha mãe

GARY LEONARD/CORBIS/LATINSTOCK

Nicole,

Bem, parece que o pior já passou.
Mesmo que você pense o contrário,
quero que saiba que assumo total
responsabilidade por tudo. Aconteceu,
e estou fazendo todo o possível para
garantir que não aconteça de novo.
Mas, cedo ou tarde, a gente vai ter que começar
a planejar nosso futuro. Adorei o tempo
que passamos juntos no último fim de semana.
Sei que pra você talvez não tenha sido grande coisa,
mas ficou claro que podemos nos dar bem.

Eu te amo, e a única coisa importante para mim
é não te perder. Vamos deixar o passado
na memória. Vamos lutar juntos
(pela primeira vez) para cultivar nosso futuro,
nossa vida a dois. Não se esqueça que te amo.

— O.J.

Carta de O.J. Simpson para Nicole Brown Simpson,
após optar por não contestar as acusações de violência doméstica em 1989.

SUMÁRIO

SPORTS FINAL

★★★★★

'I will pursue as my primary goal in life the killer or killers who slaughtered Nic
— O.J. SIMPSON

O.J. SET FR

As wh
looks
found

By William Carl
Aurelio Rojas and Tho
Chronicle Staff Wri

Los Angeles
In the end, O. J. Simp
his future determined i
ple words quietly uttere
Angeles Superior Co
"Not guilty. Not guilty.

As clerk Deirdre
spoke, the courtroom
Lance Ito sat riveted —
rest of the nation, which
near standstill for 2
while an estimated

SUMÁRIO

JEFFREY TOOBIN

PRÓLOGO:
O QUE SABIAM OS ADVOGADOS...........15
01 LINDA DE MORRER...........................27
02 CASO DE POLÍCIA............................38
03 PROFISSÃO: O.J. SIMPSON................54
04 "NÃO POSSO PROMETER JUSTIÇA"....81
05 "O SR. SIMPSON NÃO APARECEU".....97
06 POR UM FIO....................................127
07 A RAÇA EM JOGO 159
08 INCIDENTE HUMANO TERRÍVEL........173
09 O SR. COCHRAN PERGUNTA.............184
10 TERAPIA DE GRUPO.........................198
11 A EQUIPE DOS SONHOS....................221
12 UMA VISITA DE LARRY KING............239
13 A CULPA É DA FAYE........................254
14 VALEU, CARL..................................270
15 UMA PALAVRA SUJA E OBSCENA......282
16 "NÃO POSSO FICAR, MERITÍSSIMO"...306
17 "NOS ÚLTIMOS DEZ ANOS..."...........322
18 O MAIS HABILIDOSO DO TRIBUNAL...344
19 SÍNDROME DE ESTOCOLMO..............358
20 MUITO APERTADA............................373
21 "VOZ DE PRETO".............................386
22 CAIU DO CÉU..................................399
23 "LIBERTEM O.J.!"............................417
EPÍLOGO:
"AGORA JÁ POSSO DIZER A VERDADE"..440
POSFÁCIO: "FEIOS PRA BURRO"..........451
FONTES E BIBLIOGRAFIA 491
SOBRE O AUTOR................................494
AGRADECIMENTOS.............................495

O POVO CONTRA O.J. SIMPSON

PRÓLOGO

O QUE SABIAM OS ADVOGADOS

Um após o outro, os Jaguar, as BMW e um ou outro Porsche pararam na Avenue of the Stars [principal avenida do distrito de Century City, em Los Angeles, Califórnia] para entrar em comboio na garagem subterrânea quase deserta. Seus proprietários, cerca de duas dúzias dos melhores advogados de West Los Angeles, cumprimentavam-se com sorrisos meio acanhados. O grupo era formado quase exclusivamente por homens, todos brancos e na casa dos cinquenta; eles refletiam a cultura na qual tinham prosperado, uma em que não se vê virtude no excesso de trabalho e na qual passar o fim de semana no escritório é um sacrilégio. Apesar disso, ali estavam eles, em uma gloriosa tarde de sábado, no dia 25 de junho de 1994, renunciando ao golfe e à família para uma reunião em uma torre comercial de Century City. Assim como todo mundo, eles queriam tirar uma casquinha daquele caso — a defesa de Orenthal James Simpson contra as acusações pelo assassinato de sua ex-mulher Nicole e do amigo dela, Ronald Goldman.

Além disso, compareceram ali a pedido de Robert Shapiro, principal advogado de Simpson. Muitos desses indivíduos, que estavam entre os mais chegados a Shapiro, nunca souberam exatamente o que pensar do amigo. Podiam listar rapidamente alguns de seus defeitos: ele tinha o ego inflado, era egocêntrico e sentia-se excessivamente confortável com as ambiguidades morais de sua profissão. "Bob tomaria drinques com Hitler", costumava dizer a mulher de um dos advogados presentes na reunião. Riam de seus incessantes compromissos sociais — Shapiro tinha três smokings, e conta-se que, certa vez, recusou um convite para almoçar com um dos advogados, Alvin Michaelson, explicando, sem o menor toque de humor: "Só almoço com pessoas que têm alguma serventia para mim. Faz parte do meu expediente. Almoço com clientes, juízes e promotores públicos". No entanto, esses advogados também conheciam outro lado de Shapiro, o de amigo generoso. Alguns anos antes, quando a esposa de Roger Cossack, outro advogado ali presente, morreu depois de uma terrível luta contra o câncer, Bob Shapiro foi a primeira pessoa a chegar à casa de Cossack para confortá-lo depois do funeral. Quando a Receita Federal começou a investigar dezenas de atletas profissionais que teriam sonegado impostos sobre os ganhos que obtinham com sessões de autógrafos, muitos vieram correndo atrás de Shapiro em busca de orientação. Ele, por sua vez, indicou diversos amigos para o serviço e, consequentemente, contribuiu para a expansão das casas de vários deles. Lembravam-se muito bem disso e, portanto, responderam a seu chamado.

Naquele sábado, Shapiro cumprimentou os colegas com seu característico abraço de urso e conduziu-os para uma sala de conferência, de onde, olhando com atenção pela janela, era possível avistar a Bundy Drive, uma rua residencial do bairro de Brentwood, localizada a pouco menos de cinco quilômetros no sentido oeste. Treze dias antes daquele encontro, Nicole Brown Simpson e Ronald Goldman foram assassinados nessa mesma rua, junto aos degraus em frente à casa dela. Duas pessoas que passeavam por ali tarde da noite com seus cachorros se depararam com a cena macabra: ao pé da escada estava o corpo de Nicole. Tinha um corte que ia da garganta às vértebras. A alguns passos de distância, estava Ronald, cujos ferimentos fatais no tronco e no pescoço evidenciavam um ataque brutal. Na semana seguinte, Shapiro foi contratado para representar o principal suspeito do caso, O.J. Simpson, ex-marido de Nicole e, além disso, um homem muito famoso. Em 17 de junho, dia em que combinou com Shapiro de se entregar à polícia, o ex-astro do futebol americano desapareceu. Em seguida, praticamente todo o país acompanhou pela televisão o momento em que Robert Kardashian, amigo de Simpson, leu o que parecia ser uma carta de suicídio deixada pelo suspeito. No final, Simpson não tirou a própria vida. Ele acabou se entregando no mesmo dia após uma surreal perseguição de carro pelas autoestradas do sul da Califórnia, transmitida ao vivo pela televisão.

Tecnicamente, o espaço onde os advogados se reuniam não pertencia a Shapiro. Como não tinha uma sala de reuniões exclusivamente sua, Shapiro tomou uma emprestada da grande firma de advocacia que lhe alugava o espaço. Com toda a pressão que sofria por conta do caso Simpson, Shapiro viria a usá-la com tanta frequência que acabou cedendo e incorporando a sala ao acordo de sublocação. Como a maioria dos advogados criminalistas, mesmo os mais conhecidos, Shapiro administrava um negócio enxuto. Contava com uma secretária e dois jovens advogados como associados. Todo mês, ele mesmo preenchia à mão cada um dos cheques para cobrir as despesas do escritório, inclusive a folha de pagamento dos funcionários. Nos últimos anos, não tivera problemas para honrar essa folha de pagamento — os negócios iam bem —, mas Shapiro sempre teve consciência do grande dilema do advogado criminalista: por mais bem-sucedido que seja o advogado, ele nunca poderá contar com uma clientela cativa. Sempre será necessário encontrar novos clientes. A busca de clientes — para si próprio e para seus amigos — era um importante pretexto para o encontro que tinha orquestrado naquela tarde de verão.

Ao convocar os participantes por telefone no início da semana, Shapiro disse que queria discutir o caso Simpson. A audiência preliminar [na qual o juiz decide se há provas suficientes para levar o réu a julgamento] começaria na quinta-feira seguinte, 30 de junho, e, antes disso, Shapiro queria trocar ideias com os melhores cérebros do ramo. "Por favor, me ajudem", dizia. "Preciso de conselhos."

Os advogados vieram correndo, como previra Shapiro, pois sabiam muito bem que o próprio convite já era um presente. O caso Simpson já havia se tornado uma sensação nacional. No competitivo e fofoqueiro meio jurídico de Los Angeles, Shapiro percebeu que seu conclave seria (na verdade, já era) o principal assunto das rodas de conversa. Nenhum advogado perderia a chance de mencionar que tinha recebido uma ligação de Robert Shapiro para tratar do caso Simpson. Amigos, colegas advogados e especialmente clientes (e, de modo ainda mais especial, *possíveis* clientes) ficariam impressionados. O alto escalão da área de defesa criminal funciona quase inteiramente com base na indicação — ou seja, advogados são contratados porque outros advogados os recomendam —, e Shapiro sabia que seus convidados naquele sábado não esqueceriam tão cedo de seu voto de confiança. E o gesto apropriado de gratidão seria indicá-lo futuramente para um contrato lucrativo.

Depois que os advogados se acomodaram em volta da grande mesa oval, Shapiro deu início à reunião com uma pergunta.

"Então", disse. "Quem de vocês acha que O.J. é culpado?"

Todos congelaram. Depois de um momento de silêncio, alguns deram risadinhas nervosas, outros reviraram os olhos. Foi assim, de supetão, que Shapiro deixou patente a estranheza daquela reunião. Advogados de defesa falam uns com os outros sobre seus casos o tempo todo, não raro com uma franqueza brutal. Meu cliente deve ou não fechar um acordo? Meu caso é julgável? Será que consigo ganhar? Em discussões como esta, a culpa é um pressuposto básico; advogados criminais experientes — os bem-sucedidos — alimentam poucas ilusões. Esses bate-papos são privados; os casos normalmente não são de conhecimento público. Porém, o caso sobre o qual Shapiro falava estava a ponto de se tornar o processo judicial de maior repercussão pública da história americana. Essa não era — ou pelo menos assim parecia — o tipo de pergunta que um advogado criminalista experiente desejaria ver respondida em um contexto quase público.

Mas a pergunta de Shapiro tinha razão de ser. Ainda que, como o advogado de Simpson, ele fosse agora mais famoso que qualquer um dos seus amigos reunidos em torno daquela mesa, ele ainda era um deles. Ainda sabia como funcionava o jogo. Não tinha mais ilusões em relação a esse cliente do que em relação a qualquer outro. Os holofotes nunca o cegariam para a realidade.

Depois do silêncio constrangedor provocado pela pergunta, Shapiro tratou rapidamente de apresentar dois dos convidados — Skip Taft e Robert Kardashian, que eram, para os propósitos do anfitrião, as pessoas mais importantes daquele encontro. Taft e Kardashian também eram advogados, mas havia um detalhe importante. Taft era gerente de negócios de O.J. — o homem que decidiria, entre outras coisas, quanto Shapiro receberia pelo serviço. Kardashian conhecia Simpson há trinta anos, e nos dias que se seguiram aos assassinatos, o advogado surgiu como conselheiro e amigo mais próximo do acusado. Já corria um boato de que esses dois homens haviam mediado a substituição do antigo advogado de Simpson, Howard Weitzman, por Shapiro. A dupla era o foco das atenções, afinal, era para eles que Shapiro promovia aquela demonstração de força jurídica.

Quase todos os outros já se conheciam. Essa era, como eles às vezes brincavam, a máfia judaica de West Los Angeles. (Taft e Kardashian estavam entre os poucos não judeus na sala.) De fato, enquanto o grupo se acomodava em volta da mesa, Alvin Michaelson sussurrou para a pessoa ao seu lado: "Deve ter sido assim em Apalachin" — a infame reunião de chefes da máfia na região norte do estado de Nova York, em 1957. Era um grupo notoriamente fechado, e as conexões entre seus integrantes geralmente remontavam a décadas. Roger Cossack, que estava entre os amigos mais antigos de Shapiro presentes no encontro, candidatara-se com ele para ingressar na fraternidade Zeta Beta Tau (zbt), da Universidade da Califórnia, no início da década de 1960. (O caso Simpson transformaria a vida de Cossack tanto quanto a de Shapiro; Cossack tornou-se o especialista local da cnn na cobertura do julgamento, e, depois do caso, abandonou a carreira de advogado e mudou-se para Washington a fim de estrear seu próprio programa jurídico, transmitido diariamente no canal por assinatura.) Quando os promotores começaram a examinar o comportamento de Kardashian após os assassinatos, ele contratou Michaelson como seu advogado. Mais tarde, ao ser processado por difamação no caso Simpson, Shapiro pediu a Larry Feldman — outro participante da reunião — que o representasse. (Feldman foi alvo de chacota naquele sábado, pois, como tinha que ir a um casamento depois da reunião, apareceu no escritório de Shapiro de smoking; o anfitrião, por sua vez, presidiu o encontro vestido com um conjunto de moletom de grife, todo branco.) Patricia Glaser era uma das poucas pessoas especializadas na área de contencioso cível presentes na reunião. Era sócia da grande firma de advocacia conhecida então como Christensen White Miller Fink and Jacobs. Um ano e meio depois, terminado o julgamento de Simpson, Glaser seria incorporado ao nome da firma, juntamente com o mais novo associado — Robert Shapiro. Outro irmão de fraternidade de Shapiro na zbt, Mike Nasatir, também estava lá, junto com seu sócio de longa data, Richard Hirsch. Cerca de quinze anos antes, tinham contratado como estagiária uma estudante de direito da Southwestern Law School, Marcia Kleks. (Ela mais tarde casou-se com Gordon Clark e passou a usar o nome do marido.) Johnnie Cochran, que não fazia parte do círculo social de Shapiro, não foi convidado.

"Chamei-os aqui hoje porque todos vocês sabem como defender um caso", disse Shapiro, "e porque não tenho receio algum de pedir a ajuda de vocês."

Na prática, entretanto, Shapiro fez poucas perguntas, e embora se mostrasse satisfeito por ter conseguido reunir todos aqueles advogados renomados, não deu muita atenção ao que tinham a dizer. O nível de confiança de Shapiro era espantoso: ele tinha a solução para O.J. Simpson. Seu cliente seria julgado e absolvido, prometeu.

A estratégia estava definida. Shapiro foi pego desprevenido apenas uma vez. Michael Baden, o eminente médico-legista a quem Shapiro tinha contratado como especialista no caso, mencionou na reunião que os resultados da autópsia das vítimas indicavam a possibilidade de Nicole e Ronald terem sido assassinados por mais de uma pessoa. Robert Shapiro fez uma pausa para pensar nas implicações disso. "Sendo assim", ele perguntou ao grupo, "quem ajudou O.J. a cometer o crime?"

A sala mergulhou em novo silêncio e a reunião não demorou a terminar. Shapiro levou vários dos participantes para jantar no Nicky Blair's, um respeitável ponto de encontro em Hollywood, hoje fechado. Algumas almas mais resistentes encerraram a tarde com bebidas na propriedade de Beverly Hills do produtor de cinema Robert Evans, amigo e ex-cliente de Shapiro, a quem este livrara das acusações de envolvimento nos famosos assassinatos do Cotton Club [casa noturna nova-iorquina], ocorridos em 1983.

Um dos convidados de Shapiro que não conseguia esconder sua satisfação por estar naquela reunião era Marshall Grossman, que, embora desfrutasse de considerável sucesso na área de contencioso cível, nunca tinha atuado em um caso criminal; por isso, o glamour e a agitação em torno do caso Simpson exerciam forte atração sobre ele. No entanto, mais tarde, ao refletir sobre o que tinha ouvido na reunião, Grossman hesitou. Sim, ele já enfrentara casos desafiadores antes, mas estava claro que o caso de Shapiro assumiria proporções muito maiores do que o julgamento de um único réu. Se os planos de Shapiro saíssem conforme esperava, o caso acabaria por envolver (e provavelmente consumir) toda a cidade de Los Angeles. No final, Grossman decidiu que este tipo de espetáculo público não era de seu feitio.

A perspectiva de que Grossman desempenhasse um papel importante no caso Simpson havia gerado um *frisson* entre seus colegas de escritório, e ele achou que deveria explicar sua decisão a eles. Às 11h12 do dia 6 de julho de 1994, Grossman enviou um e-mail para toda a empresa, no qual dizia: "Estou enviando esta manhã uma carta ao advogado responsável pelo caso informando-o da minha decisão" de não tomar parte na equipe de defesa. O caso Simpson, continuou Grossman, "carrega em seu bojo um risco elevado de semear a discórdia racial em nossa comunidade, uma situação para a qual não desejo contribuir. Em vez disso, prefiro me colocar à disposição para assumir um papel conciliatório, se necessário".

• • •

Johnnie L. (só "L") Cochran Jr. adorava aparecer em programas [televisivos de notícias e entrevistas] como o *Nightline*, o *Today*, o *CBS Evening News* e o *NBC Nightly News*. Nos dias que se seguiram aos assassinatos em Brentwood, chegou a participar de todos eles, e os produtores desses programas estavam felizes em recebê-lo. Cochran era um advogado negro, desenvolto, bem-sucedido, telegênico — o sonho de qualquer produtor de televisão. Em menos de uma semana após os assassinatos, Cochran chegou a se tornar consultor remunerado do *Today*.

Assim, na noite de 17 de junho de 1994 — data em que o país inteiro acompanhou pela TV a perseguição policial a O.J. Simpson e Al Cowlings pelas ruas de Los Angeles — Cochran foi chamado para analisar os eventos do dia no *Nightline*. O que os telespectadores não sabiam é que a posição de Cochran no caso era bem mais complicada do que a de outros juristas que davam as caras na mídia para analisar o caso. Cochran tinha conhecimento pessoal sobre o que estava acontecendo nos bastidores, pois era amigo de Simpson (ainda que, em circunstâncias normais, não fosse seu confidente, era certo que o conhecia de longa data). Desde o dia do crime, Simpson mantinha contato telefônico com Cochran para tratar da sua situação e pedir ao advogado que se juntasse à sua equipe de defesa. Quando estava no ar, Cochran mostrava-se cauteloso e sutilmente favorável à defesa. Tanto que seu comentário na citada edição do *Nightline* reiterava o que vinha dizendo em todos os programas: "Acho que é importante que todos os americanos entendam que, embora se trate sem dúvida de uma tragédia, por enquanto ainda devemos presumir que ele seja inocente".

Longe das câmeras, no entanto, Cochran, assim como Shapiro, podia se dar a liberdade de ser mais franco e direto. Em 17 de junho, por exemplo, durante um intervalo do *Nightline*, transmitido dos estúdios da emissora ABC, em Los Angeles, ele fez uma avaliação da situação que divergia bastante da apresentada aos telespectadores do programa. "O.J. está em profunda negação", Cochran disse a um amigo. "É óbvio que foi ele. Se alegasse capacidade reduzida, talvez conseguisse sair dentro de um prazo razoável." Na semana seguinte, depois de viajar para Burbank para cumprir seu compromisso matinal no *Today*, Cochran voltaria a expressar — novamente em off, apenas entre amigos — os mesmos sentimentos.

Porém, nos dias que se seguiram, conforme continuava a ouvir as súplicas de Simpson, o advogado descobriu que o réu não tinha interesse em se declarar culpado. Ele queria ser submetido a julgamento e sair vitorioso — e queria que Cochran o representasse. Cochran sentiu-se dividido. Ele gostava de trabalhar na TV; era fácil, lisonjeiro, pouco estressante e, além do mais, ganhar centenas de dólares por cada aparição no *Today* não era nem um pouco ruim. Mas como poderia recusar fazer parte do que prometia ser o julgamento do século? Diferentemente de Shapiro, o *métier* de Cochran era defender causas nos tribunais, perante os jurados. Ao questionar Cochran na edição de 20 de junho do *Today*, Bryant Gumbel apontou as diferenças na reputação dos dois homens. "O sr. Shapiro tem uma grande reputação como negociador", disse Gumbel. "O senhor acha que ele é o melhor homem para representar O.J. em um processo penal?" A resposta de Cochran não só se mostrou um tanto condescendente, como serviu claramente como autopropaganda.

"Bem, como eu sempre digo", Cochram respondeu a Gumbel, "acho que há advogados e há advogados. Ele é um bom profissional, mas quando se trata de defender um caso em juízo, penso que é preciso ter alguém muito experiente e apto para o tribunal — um litigante, por assim dizer. E eu não ficaria surpreso se outro advogado com esse perfil aparecesse e pegasse o serviço." Cochran, é claro, não deixou transparecer que estava ponderando naquele exato momento se devia tomar a frente e assumir ele mesmo a função.

Em 8 de julho, depois de concluída a audiência preliminar que decidiu que Simpson seria julgado dali a sessenta dias, Cochran sabia que precisava tomar uma decisão. Como tinha um grande círculo de amizades e gostava de deliberar sobre assuntos importantes de forma colaborativa, trocando ideias, ele começou a dar alguns telefonemas.

Em uma tarde de meados de julho, o telefone tocou no escritório de um advogado que também conhecia as pressões advinda de casos de grande repercussão. "Quem deveria pegar o caso é *você*", provocou Cochran do outro lado da linha, quando na verdade considerava que tipo de papel caberia a ele próprio no processo. Não era difícil identificar o lado positivo. Qualquer advogado de tribunal apreciaria a oportunidade de atuar diante da maior audiência da história do direito americano. O lado negativo, segundo Cochran, era mais complexo. "Simpson é meu amigo", disse ele, "e as coisas tendem a ficar meio confusas quando se representa um amigo no tribunal." Cochran se perguntava se a relação entre eles poderia nublar sua capacidade de conduzir o caso da forma como queria. O último problema era em muitos aspectos o mais simples, mas também o mais profundo. Cochran tinha uma relação próxima o suficiente com a pessoa a quem ligara para que ambos pudessem entender uma mensagem, mesmo quando fosse expressada com poucas palavras. Ele hesitou por alguns instantes antes de dizer o que tinha em mente. Se a carreira de Johnnie Cochran tinha provado algo até aquele ponto, era que ele gostava de ganhar. Mas o advogado havia falado com seu cliente em potencial e avaliado os indícios que pesavam contra ele. Em última análise, o problema de Cochran com o caso Simpson era simples.

"É um caso perdido", disse Cochran.

• • •

É claro que eles sabiam.

É claro que Robert Shapiro e Johnnie Cochran sabiam desde o início o que qualquer um que analisasse com um mínimo de atenção os assassinatos de Nicole Brown Simpson e Ronald Lyle Goldman poderia perceber: que O.J. Simpson era culpado. O dilema, então, era o mais antigo, bem como o mais comum, com que se defrontam os advogados criminalistas: como defender um cliente culpado.

A resposta, eles decidiram, estava na questão racial. Devido aos fortes indícios contra Simpson, seus advogados não podiam adotar uma estratégia de defesa destinada a provar sua inocência — uma estratégia que procurasse, digamos, provar que outra pessoa tinha cometido o crime. Em vez disso, eles se saíram com uma espantosa bravata jurídica, buscando cobrir o cliente — um homem que tinham por assassino — com o manto do vitimismo. Praticamente desde o dia em que Simpson foi preso, seus advogados empenharam-se em inventar para os eventos de 12 de junho de 1994 uma narrativa à parte, uma realidade alternativa. A versão fictícia era tão elegante quanto dramática. Ela postulava que Simpson era vítima de uma conspiração de grandes proporções orquestrada por autoridades racistas que teriam fabricado e plantado provas para envolvê-lo em um crime que não cometeu. Era também, sem dúvida, uma obscena paródia de um autêntico embate por direitos civis, já que essa versão contrapunha uma "vítima" culpada a "criminosos" inocentes.

Estas conclusões são o resultado de mais de dois anos de relatórios sobre o caso Simpson. Na semana que sucedeu os assassinatos, a revista *The New Yorker* me escalou para cobrir o caso. Além de assistir ao julgamento de Simpson no Tribunal Superior de Los Angeles, entrevistei mais de duzentas pessoas, muitas delas repetidas vezes. Tive acesso aos autos do processo: aos memorandos internos, tanto da equipe de acusação como da de defesa; a pareceres fornecidos por consultores de seleção de júri de ambas as partes; ao livro de registros do inquérito policial, com os resumos de todos os depoimentos feitas pela polícia de Los Angeles com as testemunhas; aos resumos por escrito de todas as entrevistas realizadas pela defesa com as testemunhas; aos testemunhos, até então secretos, apresentados ao júri de acusação; e a depoimentos extrajudiciais de um processo civil contra Simpson que tramitava na Justiça. Também examinei a extensa cobertura do caso na mídia, uma tarefa particularmente importante no contexto deste julgamento. As partes envolvidas no caso Simpson trabalharam obsessivamente para influenciar a cobertura da imprensa. Esses esforços para manipular as notícias — alguns bem-sucedidos, outros não — tiveram consequências importantes e duradouras, desde a noite dos assassinatos até a manhã do veredicto.

Com efeito, a principal estratégia da defesa era envolver o público em uma história convincente — a criação de uma contranarrativa baseada em uma suposta conspiração policial para incriminar Simpson. Para tanto, a defesa precisava de uma audiência receptiva, e, sem dúvida, a encontraria entre os jurados alistados no Centro de Los Angeles, em sua maioria afro-americanos. A estratégia da defesa apelava para experiências que eram tudo, menos fictícias — sobretudo as décadas de práticas racistas do Departamento de Polícia de Los Angeles (DPLA), inclusive dentro de suas delegacias. A defesa procurou identificar o caso Simpson como o mais recente em uma série de abusos raciais praticados pela polícia local. Entre tais abusos estavam famigeradas atrocidades como o caso de Rodney King[1] e milhares de insultos e afrontas, fossem de grande ou de pequeno porte. Esse legado de desconfiança dos negros em relação à polícia de Los Angeles foi um terreno fértil para o desenvolvimento da defesa de Simpson. Conforme os eventos do caso se desenrolavam, a polícia de Los Angeles mostrou-se à altura da péssima reputação de que gozava na comunidade ao ser considerada uma das piores unidades policiais metropolitanas dos Estados Unidos, que tolerava em seu seio graves faltas, como indolência, incompetência e racismo. O fato, porém, é que, por pior que fosse a polícia de Los Angeles, ela não incriminou O.J. Simpson; ninguém plantou ou fabricou prova alguma. Na verdade, a defesa habilmente encobriu a única conspiração de fato revelada no decurso

---

1   Taxista negro que foi espancado pela polícia de Los Angeles, acusado de dirigir
em alta velocidade. A absolvição dos policiais agressores teve grande repercussão,
desencadeando uma revolta nas ruas de Los Angeles em 1992.
[As notas são do Tradutor, salvo indicação contrária.]

do caso — a dos policiais deslumbrados que, em 1989, tentaram minimizar e justificar o histórico de violência doméstica de O.J. Simpson.

Em última análise, é impossível saber se uma iniciativa brilhante por parte dos promotores teria resultado em uma condenação a despeito dos esforços da defesa para transformar o caso em um referendo racial. Tal brilhantismo, infelizmente, não foi visto. A bem da verdade, apesar das melhores intenções, a culpa do fiasco foi em grande medida da própria promotoria de Los Angeles, que foi arruinada pelas duas falhas de caráter mais comuns em casos como esse: a arrogância (principalmente a de Marcia Clark) e a inépcia (em grande parte a de Christopher Darden). Cheios de empáfia, os promotores desperdiçaram suas poucas chances de vitória.

Essencialmente, o caso Simpson foi um caso típico — ainda que horrendo — de homicídio decorrente de violência doméstica. Transformou-se em um drama nacional, espalhando-se feito um tumor e expondo fissuras profundas na sociedade americana, por uma única razão: os advogados do réu pensaram que usar a questão racial ajudaria seu cliente a ganhar absolvição. E ajudou. Era só o que importava para eles. Mais de uma década atrás, Alan Dershowitz, um dos advogados de Simpson, fez uma honesta síntese da abordagem que caracterizaria o trabalho da equipe de defesa. Em seu livro *The Best Defense* [A melhor defesa, em tradução livre], Dershowitz afirma: "A partir do momento em que decido pegar um caso, tenho apenas um objetivo: ganhar. Tentarei, por todos os meios justos e legais, livrar o meu cliente da condenação — sem medir as consequências".

On June 15, O.J. Simpson becomes a star again

O.J. Simpson with lawyer Johnnie Cochran Jr.

San Francisco Chronicle

NORTHERN CALIFORNIA'S LARGEST NEWSPAPER

WEDNESDAY, OCTOBER 4, 1995   415-777-1111   50 CENTS

's my primary goal in life the killer or killers who slaughtered Nicole and Mr. Goldman'
— O.J. SIMPSON

WEDNESDAY, OCTOBER 4, 1995   415-777-1111   50 CENTS

s my primary goal in life the killer or killers who slaughtered Nicole and Mr. Goldman'

Jury United, B

By Kenneth J. Garcia

AND BACK HO

ury United, But Na

By Kenneth J. Garcia
Chronicle Staff Writer

e riveting Technicolor dra-
alled the O.J. Simpson case
to a stunning conclusion yes-
y. But the nation's trial, fram
stark black and white images,
nues to play on

arely in America's history has
ountry's racial divide seemed
r or the cultural abyss deeper
spectacle that unfolded in
h 103 in downtown Los Ange-
uring the past year served as a
or for a society split into ever-

drifting segments. And yester
one side screamed in ecstasy w
the other stared in shocked
lence

Beyond the pop sensationa
and general salaciousness of
trial, the O.J. Simpson case ra
fundamental questions about
tice in America and how it is v
ed differently depending on
color of one's skin Contras
black students from Howard
versity in Washington sho
cheering the verdict with th
stone faced disbelief of white
UCLA students, and you have a

TY FAIR/AUGUST 1995

DESPERATE CHASE

'I CAN'T GO

LINDA DE MORRER

A espinha dorsal geográfica de Brentwood — na verdade, a coluna vertebral da rica West Los Angeles — é a Sunset Boulevard. A lendária avenida começa modesta, a poucos quarteirões do Los Angeles Criminal Courts Building [edifício que abriga o Fórum Central da cidade], na desolada parte central da cidade, onde inicia sua jornada de trinta quilômetros em direção ao oceano Pacífico. A partir do centro da cidade, o famoso bulevar cruza as zonas boêmias de Hollywood e continua por bairros ainda mais ricos, passando por Beverly Hills e depois por Bel-Air. Quando finalmente atravessa a San Diego Freeway, tudo fica mais arejado — literalmente. O próximo bairro no trajeto é Brentwood, onde as brisas marítimas depuram a intensa poluição do céu. Aqui, em sua última parada antes de alcançar o oceano, a Sunset Blvd. serpenteia junto ao pé das colinas que conduzem às montanhas de Santa Monica. Quando Brentwood foi projetada, na década de 1920, os idealizadores utilizaram como modelo o Golden Gate Park, em São Francisco. As pequenas estradas que brotam da Sunset Blvd. ainda acompanham as curvas das colinas. Casas grandes sempre foram a norma em Brentwood, na característica mistura estilística da abastada Los Angeles: quintas de arquitetura normanda; construções no estilo Tudor inglês; chalés como os de Cotswold, no interior da Inglaterra; edificações inspiradas no estilo neocolonial hispano-americano. As casas de Brentwood, entretanto, diferem de suas primas ricas em Hollywood Hills ou Beverly Hills em um aspecto. Situam-se em um bairro não tão vistoso, com menos aspirações modernistas na arquitetura e menos extravagâncias derivadas do rococó europeu. É, em suma, um lugar mais conservador.

O mercado imobiliário em Brentwood tem uma lei férrea, simples e imutável: a região a norte da Sunset Blvd., às vezes chamada de Brentwood Park, é melhor que a sul. Foi onde, em 23 de fevereiro de 1977, O.J. Simpson comprou uma casa em um privilegiado terreno de esquina no número 360 da North Rockingham Avenue por 650 mil dólares. (Corretores de imóveis dizem que, em 1996, a propriedade já valia aproximadamente 4 milhões.) A casa reflete a grandeza apática do bairro montanhoso ao norte da Sunset Blvd.: uma construção de 560 m², edificada em madeira e pedra, com piscina e quadra de tênis contíguas. Um muro de quase dois metros de altura garante a privacidade da residência. Algumas das despesas mensais de Simpson, conforme revelaram os papéis de seu divórcio com Nicole, em 1992, dão-nos uma dimensão mais precisa do lugar: 13.488 dólares por ano em serviços básicos, 10.129 dólares em serviços de jardinagem e 4.371 dólares para a manutenção da piscina e da quadra de tênis.

O.J. começou a namorar Nicole Brown (então com 18 anos) pouco depois de comprar a casa, e logo se separou da esposa, Marguerite. (Na época, O.J. estava com trinta, e a ponto de encerrar sua carreira no futebol americano.) O.J. e Marguerite divorciaram-se em 1979, no mesmo ano em que Aaren, a filha de dois anos do casal, afogou-se acidentalmente na piscina da residência. Nicole morou mais de uma década com O.J. na casa, passando pelo casamento dos dois em 1985; o nascimento da filha, Sydney, oito meses depois; e o nascimento do filho, Justin, em 1988. No entanto, quando o casal se separou, em fevereiro de 1992, não havia dúvida de que a casa era dele. Como afirmou o ex-jogador em uma declaração no processo de divórcio de Nicole, "devido à natureza das minhas propriedades e às obrigações assumidas por mim, solicitei [a Nicole] que assinasse um acordo pré-nupcial. Houve negociações durante um período de sete a nove meses, que resultaram em um acordo por escrito que estipulava que todos os direitos de propriedade permaneceriam separados".

Assim, Nicole e as duas crianças mudaram-se para o número 325 da Gretna Green Way, em uma parte tranquila e agradável de Brentwood, no lado sul da Sunset Blvd., onde não há propriedades cercadas por grades e portões. A nova moradia reproduzia o estilo das modernas casas californianas. As paredes exteriores eram forradas por uma camada de estuque, algumas vigas de madeira decoravam as paredes laterais, e o telhado era coberto de telhas de barro. Já a parte frontal era tomada por uma garagem para dois carros.

Durante o processo de divórcio, ainda em 1992, ficou claro que Nicole se tornara refém da fortuna de O.J. No processo, ela reivindicava pensão para si própria e os filhos, salientando sua completa dependência financeira do marido. "Não tenho emprego atualmente, e dedico meu tempo a cuidar dos meus dois filhos pequenos", afirmou em uma declaração juramentada. Os advogados de Nicole informaram ao juiz que, quando adolescente, mais ou menos na época em que conheceu Simpson, Nicole "trabalhou como garçonete por dois meses. Antes disso, foi vendedora em uma butique. Trabalhou nesse local por um total de duas semanas, e não fez uma única venda. Esses dois trabalhos representam toda sua experiência profissional." Em uma reunião com um "orientador vocacional", por ordem judicial, Nicole descreveu-se como "festeira" e disse que sua meta pessoal era "criar meus filhos da melhor forma que eu puder; fora isso ainda não pensei em mim". E acrescentou: "Com certeza terei uma meta algum dia." Foi só quando estava com trinta e poucos anos e divorciada que ela começou a pensar em entrar para o mercado de trabalho. Faye Resnick, uma amiga e companheira nas festas, relataria em um livro sobre Nicole que na época de sua morte as duas planejavam abrir uma cafeteria em Brentwood chamada "Java Café ou algo assim", onde haveria "recitais de poesia, e chás e cafés fabulosos".

O divórcio de O.J. e Nicole foi resolvido sem julgamento. Em 15 de outubro de 1992, as partes concordaram que O.J., cuja renda mensal, descontados os impostos, somava 55 mil dólares (660 mil por ano), pagaria a Nicole 10 mil dólares mensais de pensão alimentícia para os filhos. Ela manteve a titularidade sobre uma casa alugada em São Francisco, e O.J. concordou em efetuar um pagamento único de 433.750 dólares no nome dela. "É do interesse das partes", afirmava a decisão, "que uma quantia substancial desse montante seja utilizada por [Nicole] para a aquisição de uma residência própria."

• • •

Corretores de imóveis de Brentwood falam com frequência das relações extraordinariamente íntimas que desenvolvem com seus clientes. São em muitos casos mulheres que entraram no ramo imobiliário depois de uma transição de carreira na meia-idade. De acordo com uma corretora experiente: "Aqui, as pessoas ficam tão enfurnadas em casa que você acaba se tornando um confidente. É incrível o tipo de coisa que eu ouço. Essa gente não pensa duas vezes antes de dizer para o seu corretor que foi estuprada pelo pai". Nicole Simpson logo desenvolveu laços estreitos de amizade com Jeane McKenna, que desde 1978 trabalhava como corretora de imóveis em Brentwood. As duas tinham muito em comum: ambas foram casadas com atletas proeminentes de Los Angeles. O ex-marido de McKenna é Jim Lefebvre, antigo defensor interno do Dodger, que ela começou a namorar enquanto trabalhava como comissária de bordo. Quando as duas mulheres se conheceram, em outubro de 1993, McKenna ficou sabendo que a amiga estava divorciada há cerca de um ano. Depois de uma sequência de rompimentos e reconciliações com O.J., Nicole estava finalmente pronta para comprar sua própria casa.

Ela, no entanto, precisava agir rápido. Tinha vendido o imóvel que alugava em São Francisco, e, para evitar o pagamento de impostos sobre a venda, precisava investir rapidamente o retorno financeiro em outro imóvel para locação. Segundo Jeane McKenna, "ela pagava 5 mil dólares de aluguel em Gretna Green, que tinha uma piscina e uma casa de hóspedes, de modo que, quando comprou a casa nova, ela sabia que não teria tudo o que tinha antes. Mas, pelo menos, a casa seria dela". Para a sorte de Nicole, McKenna tinha exatamente o que ela queria.

Exasperada, Jeane McKenna costumava se referir ao número 875 da South Bundy Drive como uma "mancha" em sua carreira — a casa que ela não conseguia vender. A Bundy Dr. é a via principal que corta Brentwood de norte a sul — uma rua barulhenta, movimentada e de tráfego intenso. O imóvel de McKenna era no lado norte de um prédio para duas famílias, em uma área que os corretores definem como os "flats de Brentwood", ou, às vezes, como a "Brentwood dos pobres". Já fazia seis meses que McKenna tinha colocado uma placa de VENDE-SE com seu nome e telefone na frente da propriedade, quando, em outubro de 1993, ela recebeu um telefonema de Nicole. De acordo com McKenna, "aquela área de Brentwood, ao sul da Sunset [Blvd.] não é exatamente nobre, mas as janelas da casa tinham vidros duplos. Não dava pra ouvir o barulho da rua, e, quando eu divulgava a casa, dizia aos interessados, como falei a Nicole: 'Só não dá pra usar a área externa para lazer, tem muito barulho de ônibus e sirene.'" Mas o prédio de três andares tinha suas vantagens. Era moderno — fora construído em 1991 —, contava com uma sala de dois andares, claraboias e diversos toques de sofisticação, como uma Jacuzzi, uma geladeira Sub-Zero, e uma cozinha repleta de bancadas em mármore. Mas foi só com a chegada de Nicole que McKenna conseguiu vendê-lo.

Nicole gostou da casa da Bundy Dr., em parte pela sua localização, próxima a uma escola. Queria morar perto de um parquinho, já que os filhos não disporiam mais de um quintal. McKenna negociou para que a compra fosse feita por 625 mil dólares, mas Nicole acabou pagando mais 30 mil. "O vendedor era um produtor de TV que passava por problemas financeiros, por isso Nicole também teve que arcar com os custos de escritura e registro do imóvel, entre outros", explicou McKenna. "Ela queria muito aquela casa."

Em janeiro de 1994, quando Nicole se mudou para a casa da Bundy Dr., seu relacionamento com O.J. oscilava entre uma nova reconciliação e a ruptura final, e as tensões financeiras entre os dois se intensificaram. O primeiro foco de conflito era um homem chamado [Brian] Kato Kaelin. Embora Kaelin tenha ficado conhecido no caso Simpson como hóspede, ele, na verdade, começou como inquilino de Nicole, de quem alugava uma casa de hóspedes em Gretna Green por 500 dólares ao mês, soma que conseguia abater um pouco fazendo as vezes de babá dos filhos dela. (Nessa época, Sydney e Justin se afeiçoaram tanto a Kato que batizaram seu cão akita em homenagem a ele.) Quando Nicole mudou-se para a Bundy Dr., ela e Kaelin planejaram manter o acordo. Kato pagaria para ficar em uma pequena suíte de hóspedes espremida entre a garagem e a cozinha. Pouco antes da mudança, entretanto, O.J. disse a Kaelin que, embora não fizesse objeção a que este morasse em uma casa de hóspedes separada em Gretna Green, não queria que ele morasse sob o mesmo teto que a ex-mulher. A solução de Simpson foi oferecer a Kaelin uma casa de hóspedes anexa à sua propriedade da Rockingham e isentá-lo do aluguel. Dessa forma, ao mesmo tempo que eliminava um possível rival pela afeição de Nicole, O.J. tirava dinheiro do bolso da ex-mulher. Isso também rendeu a Kaelin um lugar cativo na galeria da fama dos aproveitadores.

Em maio de 1994, com a última e frustrada tentativa de reconciliação do casal, teve início uma pendenga financeira que eclipsava a disputa por Kato Kaelin. Às vésperas do Memorial Day, passados menos de seis meses desde que ela e os filhos haviam se acomodado na casa da Bundy Dr., Nicole ligou para Jeane McKenna e disse que eles teriam de se mudar. O.J. estava ameaçando denunciá-la para a Receita Federal.

Ao vender o imóvel alugado em São Francisco, Nicole investiu o retorno financeiro na casa da Bundy Dr., mas, ao que tudo indica, informou à Receita que a nova propriedade também seria disponibilizada para locação. Dessa forma, ela se eximira de pagar impostos sobre a venda inicial. Para efeitos fiscais, Nicole manteve a casa do ex-marido, na Rockingham, registrada como sua residência. Perto do Memorial Day, O.J. disse à ex-mulher que não a deixaria mais usar o endereço dele. "Ele tá ameaçando contar à Receita que estou morando na Bundy", Nicole contou a McKenna. Do ponto de vista legal, O.J. parecia ter razão, mas McKenna não o levou a sério, julgando que Simpson não seria capaz de forçar os filhos a se mudar pela segunda vez no mesmo ano. "Ah, ele é capaz, sim", Nicole disse à corretora. "É claro que é — aquele babaca." Em uma anotação de seu diário, datada de 3 de junho, Nicole reproduziu as palavras exatas que O.J. usou ao ameaçá-la: "Ontem tu desligou na minha cara. Agora tu vai pagar, sua vaca. Quem mandou ficar com dinheiro da Receita? Tu vai é pra cadeia, piranha! Tá achando que pode fazer a merda que quiser? Tu vai ver só. Já falei com meus advogados. Tá fodida. Eles vão te pegar por sonegação de impostos, sua puta. Tu vai ficar sem um centavo".

Na segunda-feira, 6 de junho, O.J. concretizou a ameaça por meio de uma carta impressa endereçada à ex-esposa. Era uma advertência formal, cheia de gélidos termos jurídicos, que dizia: "Prezada Nicole, por orientação de minha assessoria jurídica, e devido às novas circunstâncias de nossa relação, vejo-me obrigado a notificá-la por meio desta que V.S.ª não tem minha permissão para usar, sob nenhuma circunstância, meu endereço residencial fixo na North Rockingham Ave., 360 [...] como seu endereço pessoal ou de correspondência. [...] Não posso ser conivente com qualquer conduta de sua parte que possa, intencionalmente ou não, induzir a Receita Federal ao erro [...]". Como era de se esperar, Nicole ficou horrorizada com o que leu — principalmente com a perspectiva de ser forçada a sair da Bundy Dr. depois de ter se mudado com os filhos há tão pouco tempo. Ela mostrou a carta a sua amiga Cynthia Shahian no dia 7 de junho. Nesse dia, Nicole também telefonou para o abrigo Sojourn para mulheres vítimas de agressão, em Santa Monica, e relatou que estava sendo perseguida por O.J.

Na quinta-feira, 9 de junho, instruída por Nicole, McKenna pôs oficialmente o imóvel no número 875 da South Bundy Dr. para alugar, pedindo 4.800 dólares por mês. "Casa geminada construída em 1991, linda de morrer, no coração de Brentwood" — era assim que McKenna descrevia a propriedade no anúncio. Nicole disse a Jeane que, se tivesse ficado na Bundy, teria que pagar 90 mil dólares em impostos, o que era praticamente todo dinheiro de que dispunha. Não queria sacrificar esse montante, então decidiu procurar uma nova casa para morar com os filhos.

Na manhã seguinte, sexta-feira, 10 de junho, Nicole falou com seu amigo Ron Hardy, barman e host de várias casas noturnas de Los Angeles. Nicole explicou que estava prestes a sair para ver casas com McKenna. "Ela estava feliz", recordaria Hardy. "Disse que estava tudo ótimo, que fazia algum tempo que não se sentia tão bem. Dizia ter finalmente superado O.J." Nicole fez planos de jantar com Hardy naquela segunda-feira, e depois passou o resto do dia com McKenna, procurando uma casa para alugar. "Ficamos juntas o dia todo, olhando os imóveis", recordaria McKenna. "Ela sabia que as crianças adoravam a casa da Bundy Dr. e que não queriam se mudar, por isso queria fazer uma surpresa, satisfazer algum desejo que tivessem — principalmente o de ter uma piscina. E foi assim que, no final do dia, encontramos um lugar pra ela em Malibu: uma casa térrea, de estilo contemporâneo, com piscina e vista para o mar, por 5 mil dólares mensais. Lembro-me de subir a colina com ela até o local. Nós estávamos fumando — ninguém fuma em Brentwood, por isso costumávamos fumar juntas, às escondidas — e ela disse, como se não acreditasse: 'Vou conseguir. Vou conseguir alugar a casa e me mudar. De verdade'."

Nicole ligou para McKenna no sábado à noite para perguntar quando colocariam a placa de ALUGA-SE em frente à casa. "Ela queria que colocassem logo a placa, estava ansiosa", disse McKenna, "porque queria seguir com a vida dela, mas também porque queria que O.J. visse. Era um jeito de mandá-lo à merda." Porém, como McKenna estava em processo de troca de imobiliária, não conseguiu encontrar uma placa adequada até o dia seguinte, domingo, 12 de junho. Por volta das 19h, um colega do novo escritório de McKenna entregou-lhe uma placa bem na hora em que ela saía para um jantar. Pensando em instalar a placa depois, McKenna deixou o martelo no carro.

O jantar era em Beverly Hills, de modo que, conforme seguia de carro para casa, McKenna teve que decidir quando passaria na Bundy. "Na época", lembraria a corretora, "eu morava ao norte da Bundy Dr., e ela ao sul. Lembro-me de olhar pro relógio do carro ao chegar no cruzamento da Bundy Dr. com a San Vicente. Eram 22h15. Eu teria levado cinco minutos para chegar na casa dela. 'Deixa pra lá', eu disse, 'amanhã eu faço isso.'"

•••

Na noite de 12 de junho de 1994, Pablo Fenjves assistia às notícias no telejornal das 22h com a esposa, Jai, uma figurinista, no quarto principal do casal, no terceiro andar. Eles viviam a cerca de cinquenta metros ao norte da casa de Nicole Simpson. As portas dos fundos de Nicole e do casal davam para o mesmo beco, embora os moradores nunca tivessem se encontrado. Nicole tinha se mudado para a vizinhança pouco depois de Fenjves. Na verdade, o número 875 da South Bundy Dr. estava à venda na época em que Fenjves estudava as opções, e ele chegou a visitar o imóvel. Tinha achado a casa muito apertada, cara e barulhenta — opiniões recorrentes sobre a propriedade.

Pablo Fenjves tinha 41 anos em 1994 e estava começando a colher os frutos de muitos anos de árduo trabalho em Hollywood. Seus pais, sobreviventes húngaros do Holocausto, emigraram para a Venezuela, e o jovem Pablo foi cursar a faculdade em Illinois e depois seguiu para o Canadá a fim de fazer um breve estágio em jornalismo. De Montreal, foi tentar a sorte na Flórida, no final da década de 1970, onde começou a trabalhar escrevendo "histórias de interesse humano" para o tabloide *National Enquirer*. Embora o trabalho lhe desse a oportunidade de entrevistar celebridades como os irmãos siameses mais velhos do mundo (tinham vinte e poucos anos e trabalhavam em um show de horrores itinerante), Fenjves logo se cansou e largou o tabloide cerca de um ano depois. Desde então, ganha a vida escrevendo roteiros.

O progresso de Fenjves no ramo foi lento mas constante. Em 1986, mudou-se da Costa Leste para um apartamento em Santa Monica. Lá, começou um longo e razoavelmente próspero interlúdio em uma espécie de Hollywood das sombras. Vendia um roteiro atrás do outro, e, embora acabassem todos engavetados, não parava de vendê-los. Finalmente, no início da década de 1990, sua sorte mudou. Os ventos favoráveis se devem, pelo menos em parte, ao tema certeiro de sua nova história: um romance inter-racial. A produtora HBO Showcase comprou e produziu *The Affair*, a história de um soldado negro que se apaixona por uma mulher branca durante a Segunda Guerra Mundial. Fenjves comprou um BMW e um Mercedes e decidiu se mudar para Brentwood. Disposto a pagar "apenas" cerca de meio milhão de dólares em uma casa, ele se via limitado basicamente a propriedades ao sul da Sunset Blvd.

Pouco depois das 22h de 12 de junho, Pablo e Jai começaram a ouvir os latidos de um cão. Em seu testemunho, Pablo diria ser por volta de 22h15. Após alguns instantes, ele desceu para o escritório, no térreo, para mexer no roteiro de uma comédia romântica que escrevia chamada *The Last Bachelor* [O último solteiro], centrada em um jogador de beisebol apaixonado. Próximo às 23h, ele subiu de volta para o quarto, onde sua esposa assistia a *Dynasty: The Reunion*. Os créditos finais do programa já passavam na tela, e o cão ainda não tinha parado de latir. Fenjves lembrava-se bem do som dos latidos porque, segundo ele, não eram os ganidos comuns de um cachorro de rua.

O som que o cão fazia, Fenjves relataria depois, era como "um choro lamentoso — parecia que o bicho estava muito infeliz, sabe?" Sete meses antes dos assassinatos, Fenjves tinha escrito um roteiro intitulado *Frame-Up* [Cilada], um drama policial que virou um telefilme da rede USA Network. Na primeira cena do roteiro, Fenjves escreveu: "Ouvimos o choro lamentoso de uma sirene de polícia". No melhor estilo Hollywood, Fenjves plagiou, ainda que de si mesmo, uma fala que lhe daria um breve momento de fama.

•••

Pablo Fenjves não foi o único vizinho de Nicole que ouviu os gemidos agoniados do akita nos momentos após às 22h15. Os "testemunhas de cães", como ficaram conhecidos, refletiam a natureza peculiar daquele bairro. Praticamente nenhum dos moradores, por exemplo, tinha o que a maioria dos americanos chamaria de emprego — isto é, um local de trabalho ao qual tivessem que comparecer cinco dias por semana, oito horas por dia. Em vez disso, os vizinhos de Nicole ganhavam a vida como freelancers, predominantemente no ramo do entretenimento — eram roteiristas, designers ou tinham outras profissões afins —, e estavam todos à espreita da grande chance que lhes abriria as portas para o norte da Sunset Blvd. Muitos tinham cães, e na cidade fragmentada de Los Angeles, onde o espaço urbano era projetado para os carros, os moradores geralmente conheciam apenas os vizinhos que também levavam seus cachorros para passear. Por fim, praticamente todas as pessoas que se encontraram na South Bundy Dr., 875 ou em seus arredores na noite de 12 de junho responderam à seguinte pergunta da mesma forma: o que estavam fazendo logo depois das 22h? Vendo televisão.

Steven Schwab assistia a reprises do seriado cômico *The Dick Van Dyke Show* sete noites por semana. Schwab era roteirista, como Fenjves, embora gozasse de menos sucesso que este e, assim, morasse em acomodações mais modestas — um apartamento na Montana Avenue, a cerca de três quarteirões de Nicole. Corpulento e barbudo, Schwab falava em um tom monocórdico que beirava o sinistro, o que parecia condizente com seus hábitos metódicos. Conforme ele mesmo relatou depois: "Durante a semana eu levo minha cachorra para passear entre às 23h e às 23h30. Assim, quando chego em casa, ainda posso assistir a *The Dick Van Dyke Show*. Nos fins de semana, levo a cadela pra passear entre às 22h30 e às 23h, já que nos fins de semana o programa termina às 22h30". Como 12 de junho de 1994 era domingo, ele saiu com a cachorra, Sherry, logo depois de seu programa favorito terminar, às 22h30.

Schwab cumpriu sua rota habitual pela vizinhança, um percurso que ele seguia tão religiosamente quanto a programação da TV. "Eu planejei esse trajeto", explicou, "para durar cerca de meia hora, a tempo de voltar para casa para assistir a qualquer programa que quisesse." Por volta das 22h55, quando passou pelo beco que dava para os fundos da casa de Nicole, Schwab deparou-se com uma cena incomum: um lindo cachorro branco, da raça akita, latindo para uma casa. O cão parou, olhou para Schwab e então latiu para a casa de novo. Intrigado pelo comportamento do animal e um tanto receoso de que tivesse sido abandonado, como parecia ser o caso, Schwab aproximou-se dele, deixou que o cachorro o cheirasse e examinou sua coleira. Notou que a coleira era cara — "Não era o tipo de coisa que eu teria condições de comprar para o meu cachorro", ele comentaria —, mas não informava nome nem endereço. Ao observar o cão mais atentamente, Schwab notou outro detalhe. As quatro patas do animal estavam cobertas de sangue.

Ele não conseguiu descobrir a quem pertencia o cão, por isso seguiu caminhando para casa. O akita foi atrás dele. (Em agosto de 1994, o animal seria "entrevistado" pelo sargento Donn Yarnall, o treinador chefe da "K-9 Patrol" [como são chamadas as unidade de cães patrulha, do DPLA]. O relatório de Yarnall afirmava que o cão tinha uma "excelente disposição", mas não possuía "instintos nem coragem adequados para proteger seu território, seu dono ou a si mesmo".) Com o cão bem atrás de si, Schwab chegou em casa logo depois das 23h, quando o *Mary Tyler Moore Show* tinha acabado de começar. Oito meses depois, Schwab lembraria que "era um episódio que eu já tinha visto antes, em que Mary namorava alguém de uma estação rival". Schwab disse à esposa, Linda, que um cão enorme o seguira até a casa. "Você está brincando", ela falou, incrédula. Para não deixar dúvidas, ele apontou para o akita, que aguardava pacientemente no patamar da escada externa da casa de dois andares. Enquanto Steven e Linda pensavam no que fazer, deram-lhe um pouco de água. Enquanto conversavam, o vizinho dos Schwab, Sukru Boztepe, entrou no condomínio. Era cerca de 23h40. Boztepe era técnico de reparos de impressoras a laser, trabalhava como autônomo e ainda conservava o sotaque de sua terra natal, a Turquia. Com a ajuda dos Schwab, ele e sua esposa, Bettina Rasmussen, de origem dinamarquesa, haviam organizado horas antes, naquele mesmo dia, um bazar de garagem.

Os dois casais conversaram por alguns minutos, e Boztepe e a esposa concordaram em ficar com o animal aquela noite. Mas, de acordo com Boztepe, quando o levaram para dentro da casa, "o cão começou a agir de modo estranho, parecia nervoso; ficava correndo de um lado para o outro e arranhando a porta. Além disso, não nos sentíamos à vontade de dormir com um cachorro tão grande dentro do apartamento, por isso decidimos levá-lo para passear". Eles se deixaram conduzir pelo akita, que os puxava em direção à Bundy Dr. — "ele se mostrava cada vez mais nervoso e me puxava com uma força cada vez maior". Pouco depois da meia-noite, o cão parou em frente a um portão na Bundy Dr. identificado com o número 875. Como comentaria Boztepe, o lugar estava tão escuro que ele nunca teria olhado para o lado de dentro do portão se não fosse o clamor insistente do bicho.

O que ele viu lá?

"Vi uma moça no chão, toda ensanguentada."

CASO DE POLÍCIA

À meia-noite e nove minutos do dia 13 de junho, o agente Robert Riske do Departamento de Polícia de Los Angeles patrulhava West Los Angeles em uma viatura preta e branca quando recebeu um chamado pelo rádio. Um crime tinha acabado de ser relatado na South Bundy Dr., 874, em Brentwood. Quatro minutos depois, Riske e seu parceiro chegaram ao endereço, que era a residência de uma senhora idosa, Elsie Tistaert. Ela tinha ligado para a polícia porque, momentos antes, um homem e uma mulher — Sukru Boztepe e Bettina Rasmussen, como se constataria mais tarde — tinham batido em sua porta. Não era o tipo de coisa que acontecia na vizinhança. Com medo, Tistaert ligou para o 911 e disse que alguém estava tentando invadir sua casa.

Quando Riske chegou ao local, encontrou Boztepe e Rasmussen — ainda acompanhados de Kato, o akita — e o policial esclareceu rapidamente o mal-entendido. Em seguida, Boztepe guiou o agente até o outro lado da rua e mostrou-lhe o caminho que levava à casa de número 875. Com sua lanterna, Riske iluminou o cadáver de Nicole Brown Simpson.

Nicole jazia ao pé dos quatro degraus que davam acesso a um patamar e à porta da frente da casa. A poça vermelha que a rodeava era maior que ela própria. O sangue cobria a maior parte do caminho ladrilhado e ladeado de arbustos, que se prolongava até as escadas. Quando Riske apontou a lanterna para a direita, viu outro corpo, desta vez o de um jovem musculoso. O cadáver, que mais tarde seria identificado como Ronald Goldman, tinha a camisa puxada sobre a cabeça e estava caído contra a grade de metal que separava o número 875 da propriedade vizinha. Junto aos pés de Goldman, Riske identificou três objetos: um gorro preto, um envelope branco manchado de sangue e uma luva de couro. Voltando-se novamente para Nicole, o policial distinguiu ao lado do corpo uma única marca, ainda fresca, deixada pelo calcanhar de um sapato. Porém, provavelmente o detalhe mais importante para Riske foi o que ele não encontrou: apesar da quantidade de sangue, não havia pegadas sangrentas saindo pelo portão em direção à calçada.

Com cuidado para não deixar rastros no sangue, Riske atravessou os arbustos à esquerda do caminho ladrilhado, passou pelo corpo de Nicole e subiu os degraus que fronteavam a casa. Do patamar, o policial apontou a lanterna para um caminho que avançava por toda extensão norte da propriedade, formando um corredor de cerca de 35 metros de comprimento, ao longo do qual o policial viu um conjunto de pegadas sangrentas. Parecia que o assassino tinha saído pelos fundos, para o beco que Nicole compartilhava com Pablo Fenjves e outros vizinhos. Após uma análise mais minuciosa dos vestígios, Riske notou outra coisa: gotas frescas de sangue à esquerda das pegadas. Ao deixar a cena do crime, o assassino devia estar com a mão esquerda sangrando.

A porta da frente da casa estava aberta. Riske entrou e se deparou com um ambiente de tranquilidade doméstica. Não havia nada fora do comum: nenhum sinal de depredação ou roubo. Velas cintilavam na sala de estar. O policial subiu as escadas. Também havia velas acesas na suíte principal da casa, e a banheira estava cheia de água. Havia dois outros quartos: em um dormia uma garota, e no outro um menino mais novo.

Robert Riske sabia seu lugar na cadeia de comando. Uma vez que tivesse identificado os mortos e interditado o local, a única responsabilidade que lhe cabia era chamar os investigadores, que então começariam a buscar pistas. Tratava-se de um crime grave em uma localidade improvável. (Ao longo de 1994, seriam contabilizadas ao todo 1.811 vítimas de assassinato no distrito de Los Angeles — essas duas foram apenas a nona e a décima do ano da divisão do DPLA de West L.A. e as duas primeiras do ano em Brentwood.) Riske sacou seu *rover* — um walkie-talkie — e já se preparava para pedir reforços quando reparou em uma carta sobre a mesa do saguão. O endereço do remetente indicava que era de O.J. Simpson. O antigo astro do futebol americano também aparecia retratado em um pôster na parede norte da casa. Ao olhar com mais atenção ao redor, Riske identificou fotografias de Simpson entre as fotos de família espalhadas nas mesas.

Essas descobertas o impeliram a mudar de planos. O agente decidiu pedir ajuda por telefone, porque, como testemunharia posteriormente, "não queria anunciar pelo rádio que havia um possível homicídio duplo envolvendo uma celebridade". As frequências da polícia eram monitoradas por repórteres, e, se ele tivesse usado o *rover*, disse, "a mídia chegaria antes dos reforços".

Robert Riske era um veterano com apenas quatro anos de serviço na polícia de Los Angeles quando fez a macabra descoberta. Seu nome nunca fora sequer citado no *Los Angeles Times*, mas, como suas ações demonstravam, já tinha desenvolvido certo interesse — e algum conhecimento prático — sobre o *modus operandi* da imprensa, como muitos de seus colegas. Mais que qualquer outra força policial do país, a polícia de Los Angeles nutria há décadas uma estranha e complexa relação simbiótica com os meios de comunicação.

• • •

O atual Departamento de Polícia de Los Angeles deve sua existência em grande parte a William H. Parker. Nascido em 1902 e criado na dureza dos campos da Dakota do Sul, Parker acabou por se assemelhar no caráter ao cenário austero de sua juventude. Em 1923, resolveu partir rumo ao oeste e mudou-se para Los Angeles. Ali, trabalhou como motorista de táxi para se sustentar enquanto estudava em uma das muitas incipientes escolas de direito da cidade. Ingressou no DPLA em 1927, trabalhou na ronda noturna, e obteve licença para advogar em 1930. Alguns anos mais tarde, travou conhecimento com outro jovem agente do departamento, Gene Roddenberry, que acabou virando escritor de ficção científica — ele é o criador da série *Star Trek*. O personagem Spock, diz-se, seria baseado em Parker.

Parker ingressou na academia em um momento propício para um jovem agente ambicioso e incorruptível. Havia anos, a polícia local, juntamente com o restante do governo municipal de Los Angeles, vinha flutuando em um mar de corrupção e subornos. Na década de 1930, a situação tornou-se tão intolerável que os magnatas da cidade se determinaram a mudar esse quadro. Para tanto, trouxeram de outras cidades uma série de chefes de polícia reformistas, que chegaram a Los Angeles apregoando as boas novas da "profissionalização" da força policial. A nova liderança melhorou a capacitação profissional, tomou medidas enérgicas contra a corrupção e trabalhou com afinco para isolar a polícia do que se via então como a sinistra influência dos agentes públicos eleitos. Essa última meta tornou-se a missão especial de Parker. Trabalhando em conjunto com o sindicato policial, ele propôs alterações na Seção 202 do Estatuto da Cidade que blindaram os agentes de polícia com o forte aparato legal que regula o funcionalismo público. Depois que os legisladores aprovaram essas medidas em 1937, tornou-se praticamente impossível demitir policiais, que só poderiam ser desligados por uma comissão de pares, que acabava invariavelmente por favorecê-los. A lei decretava ainda que o chefe de polícia deveria ser escolhido de acordo com as diretrizes da administração pública, o que significa que caberia ao próprio DPLA decidir quem lideraria o órgão. Uma vez selecionado, o chefe também se beneficiaria da mesma proteção legal de que dispunham os demais servidores, o que implicava o direito de estabilidade vitalícia no posto mais alto da unidade policial. Como escreveu Joe Domanick, historiador da polícia de Los Angeles, sobre as alterações na Seção 202: "Uma organização quase militar tinha se declarado independente do resto do governo municipal e se colocado fora do alcance das autoridades de segurança pública, da prefeitura ou de quaisquer outros funcionários públicos eleitos, e fora também do sistema democrático de freios e contrapesos".

Parker tornou-se chefe da polícia em 1950, durante o pós-guerra, quando a cidade vivia um período de espetacular crescimento. A essa altura, Los Angeles já não era, nas palavras do jornalista e crítico social H.L. Mencken, "uma segunda Dubuque" — um posto avançado e insular do Centro-Oeste, de população majoritariamente branca, bem na costa do oceano Pacífico. Mas, se era verdade que Los Angeles estava mudando, não se podia dizer o mesmo sobre sua polícia. O modelo de Parker para o órgão era o Corpo de Fuzileiros Navais, e assim a polícia tornou-se equivalente a um exército de ocupação para aqueles na cidade que não partilhavam da mesma origem étnica de Parker. No entanto, no que diz respeito ao restante do mundo, a polícia de Los Angeles ficou conhecida — sob o comando de Parker — como um modelo de eficiência e perícia. Isso não aconteceu por acaso. Pouco depois de assumir o comando, Parker fez amizade com um jovem produtor de rádio chamado Jack Webb. Em 1949, Webb tinha posto no ar uma série radiofônica chamada *Dragnet* [Batida policial], baseada nas façanhas da polícia de Los Angeles. No início, o chefe da polícia ficou com o pé atrás em relação ao programa, pois receava que este pudesse mostrar seu amado departamento sob uma luz desfavorável. Ciente de seu desconforto, Webb propôs um acordo: em troca de cooperação, ele daria à polícia de Los Angeles o direito de aprovar todos os roteiros. Dessa forma, as suspeitas de Parker foram apaziguadas. Quando *Dragnet* migrou para a televisão, Parker percebeu plenamente as vantagens do acordo que tinha fechado. O sargento Joe Friday, personagem principal da série, tornou-se o paradigma do que ele queria para o DPLA: homens brancos incorruptíveis, que, com imparcialidade científica, limpavam a bagunça promovida por cidadãos um tanto problemáticos em comunidades com as quais não mantinham nenhum laço pessoal ou emocional. Em breve Parker teria a satisfação de ver os episódios terminarem toda semana com a mensagem: "Você acabou de assistir a *Dragnet*, uma série baseada em casos autênticos registrados em arquivos oficiais [...] com a consultoria técnica do escritório do chefe de polícia W.H. Parker, do Departamento de Polícia de Los Angeles". Jack Webb, que escreveria uma biografia enaltecedora de Parker, havia criado um dos gêneros mais longevos da TV: o drama policial de Los Angeles. O modelo veio a inspirar seriados de diversos períodos, tais como *The Mod Squad, Adam 12, Felony Squad, Blue Thunder, S.W.A.T., Strike Force, Chopper One, The Rookies, Hunter* e *T. J. Hooker*. Conforme escreveu Joe Domanick: "Por 25 temporadas consecutivas pelo menos um seriado baseado no trabalho na polícia de Los Angeles era exibido na TV". Parker tinha orgulho da forma como o órgão policial aparecia retratado na telinha.

Parker e sua esposa nunca tiveram filhos, e como chefe ele mantinha certa distância da maioria de seus colegas. Um deles, entretanto, conseguiu cair em suas graças: Daryl Gates, o jovem agente escalado para ser seu motorista pessoal. Juntos, os dois refinaram uma teoria de "policiamento proativo", que consistia em implacáveis confrontos entre policiais fortemente armados e a população hostil que vigiavam. Parker e Gates cresceram em uma época em que policiais brancos não precisavam refrear sua animosidade contra a comunidade afro-americana. Quando da eclosão dos Tumultos de Watts — uma rebelião deflagrada por um confronto entre um motorista negro e um agente da Patrulha Rodoviária da Califórnia — em 1965, Parker comparou os manifestantes negros a "macacos de zoológico". Um ano depois, um homem chamado Leonard Deadwyler, negro, levava a esposa grávida para o hospital quando foi parado pela polícia por excesso de velocidade. No confronto que se seguiu, Deadwyler, que estava desarmado, foi morto a tiros. "Ninguém espera que a polícia fique de braços cruzados vendo um carro correr pelas ruas da cidade a 130km/h", explicou Parker. "[O agente] agiu com a intenção de concluir uma ação policial com sucesso. Ele não tem culpa de nada. Estava apenas tentando fazer o trabalho dele."

Fiel ao espírito da administração pública, Parker serviu até sua morte, e Gates assumiu a chefia da polícia de Los Angeles em 1978. O processo seletivo que levou à nomeação de Gates parecia uma afronta direta à comunidade negra da cidade: a pessoa designada para conduzir a avaliação interna dos candidatos para o cargo foi Curtis LeMay, ex-general ultradireitista da Força Aérea, que foi companheiro de chapa de George Wallace em 1968 e prometeu bombardear o Vietnã do Norte até "devolvê-lo à Idade da Pedra".

Depois que Gates assumiu, a lista de vítimas negras da polícia de Los Angeles só fez crescer. Em 1979, Eulia Love, 39 anos, negra, viúva, tendo contas de gás em atraso, golpeou um leiturista no braço com uma pá de jardim. O funcionário chamou a polícia, que, em vez de remediar a situação, atirou em Love à queima-roupa, causando sua morte. Em 1982, após uma série de negros terem morrido estrangulados por policiais, Gates observou que a morte podia ter sido causada por uma característica distintiva na fisiologia das vítimas: "É possível que, em alguns indivíduos negros, quando aplicada a técnica [do estrangulamento], as veias ou artérias não se abram tão rapidamente como no caso de pessoas normais". Pouco importava que desde 1973 a cidade tivesse um prefeito negro, Tom Bradley: a polícia de Los Angeles não dava satisfações a ninguém.

Uma batida policial realizada em agosto de 1988 durante uma suposta operação antidrogas é bastante representativa do *modus operandi* da polícia de Los Angeles. Cerca de oitenta policiais (e um helicóptero) fizeram incursão em quatro apartamentos de dois pequenos edifícios na esquina da 39th Street com a Dalton Avenue, no centro-sul de Los Angeles. Munidos de escopetas e marretas, os policiais avançaram rapidamente pelo interior dos prédios. Durante a ação, removeram canos de água das paredes, arrancaram uma escada de sua base, rasgaram carpetes, destruíram móveis e eletrodomésticos e desferiram chutes e socos nos atordoados moradores. Apesar de todo o terror que desencadeou, a batida rendeu apenas duas prisões por pequenos delitos relacionados a posse de drogas. No entanto, os policiais que ocuparam o local encontraram razões para deter 32 residentes do complexo e levá-los para a delegacia, onde foram forçados a assobiar a música tema de *The Andy Griffith Show*, seriado cômico dos anos 1960. Antes de deixarem os apartamentos, alguns agentes usaram sprays de tinta para escrever nas paredes LAPD RULES ["Quem manda é o DPLA", em tradução livre].

Menos de três anos depois, um transeunte filmou o momento em que agentes da polícia de Los Angeles espancavam o motorista negro Rodney King, que estava desarmado [e foi detido sob a acusação de dirigir em alta velocidade]. Em 30 de abril de 1992, os quatro policiais envolvidos foram absolvidos em um julgamento que fora transferido do Centro de Los Angeles para a rústica (e predominantemente branca) cidade de Simi Valley. Como em 1965, Los Angeles explodiu em uma onda de protestos, raiva e frustração. Depois de estudar o espancamento de King e suas repercussões, uma comissão independente de especialistas, encabeçada pelo futuro secretário de Estado Warren Christopher, emitiu um frio veredicto que já tardava muitos anos. "O problema do uso excessivo de força é agravado pelo racismo e pelo sectarismo que se perpetuam dentro da polícia de Los Angeles", concluiu a comissão liderada por Christopher. "O preconceito e a intolerância se traduzem em um comportamento inaceitável no campo."

• • •

À meia-noite e meia do dia 13 de junho, o agente Robert Riske telefonou para seu supervisor, o sargento David Rossi — então encarregado de West Los Angeles — para lhe comunicar os dois homicídios. Na mesma hora, Rossi mobilizou as forças policiais, ligando para meia dúzia de colegas de toda a cadeia de comando. Em circunstâncias normais, mesmo em caso de homicídio, Rossi teria feito apenas duas ligações: uma para o detetive de plantão, que investigaria a local do crime, e outra para seu comandante. Mas, assim que tomou conhecimento do caso, o supervisor de Rossi disse-lhe que acessasse escalões mais altos, em função da "possível notoriedade deste incidente em particular", como diria mais tarde o próprio Rossi.

O local do assassinato começou a receber um fluxo constante de policiais. O sargento Marty Coon foi o primeiro supervisor a chegar. Riske e seu parceiro isolaram a área com a tradicional fita amarela, bloqueando o acesso ao quarteirão da Bundy Dr. onde se situava a casa e ao beco dos fundos. Mais policiais vieram para garantir que ninguém ultrapassasse o perímetro delimitado pela fita. Uma viatura chegou para levar as duas crianças à delegacia, e outros dois policiais começaram a esquadrinhar o beco, revirando latas de lixo em busca de possíveis indícios e batendo nas portas com o intuito de encontrar testemunhas. Quando David Rossi chegou ao local, à 1h30, a fita amarela continuava estendida e o ambiente era de tranquilidade. Alguns minutos depois, chegou também o capitão Constance Dial, chefe de Rossi. Riske guiou Coon e Rossi em uma rápida inspeção ao local do crime. Do patamar da escada, diante da porta da frente, Rossi viu o mesmo que Riske: os dois corpos, o rastro de sangue em direção ao beco, o envelope, o gorro de lã e a luva de couro.

Antes de deixar a delegacia para ir à cena do crime, Rossi ligou para Ron Phillips, o detetive-chefe da divisão de homicídios de West Los Angeles, que assumiria a investigação. Encontrou-o em casa. Phillips, há 28 anos no departamento de polícia, já não investigava diretamente; sua responsabilidade era visitar o local do crime, conversar com os policiais que haviam encontrado os corpos e escalar um dos quatro detetives de homicídios a ele subordinados para cuidar do caso.

Na madrugada de 13 de junho, o detetive de serviço da equipe de Phillips era Mark Fuhrman, que seria acompanhado por seu parceiro mais novato, Brad Roberts. Phillips ligou para as residências de Fuhrman e Roberts e disse-lhes que o encontrassem na delegacia. Roberts não conseguiu chegar lá tão depressa quanto os outros dois. Quando estes chegaram, pouco antes das 2h, pegaram uma viatura sem identificação e seguiram para o local do crime, aonde chegaram por volta das 2h10. Ao se aproximar do perímetro de isolamento, Fuhrman vestia camisa social e gravata, mas sem paletó. De acordo com os registros da própria polícia, o detetive Mark Fuhrman foi o 17º policial a chegar ao endereço.

Riske juntou-se a Phillips e Fuhrman e levou-os ao lugar em que estavam os corpos. Ali chegando, os três debruçaram-se sobre os arbustos à esquerda do caminho de acesso à casa enquanto Riske iluminava o corpo da mulher com sua lanterna. Porém, por causa da grande quantidade de sangue que cobria o caminho, em vez de tentar circundá-lo na ponta dos pés para subir as escadas, como fizera Riske ao descobrir os corpos, os três homens decidiram dar a volta no quarteirão, pela Dorothy Street, rumo ao beco dos fundos. Ali encontraram Rossi à espera deles, que indicou a Phillips onde havia sangue no portão dos fundos. Em seguida, Riske, Phillips e Fuhrman entraram na casa pela garagem, passando por um jipe Cherokee preto e uma Ferrari branca, e depois subiram por um curto lance de escadas. Sobre o corrimão, encontraram um copo de sorvete Ben & Jerry já pela metade, sabor cookies com gotas de chocolate.

Guiados por Riske, os dois detetives percorreram todo o interior da casa, passando pelo segundo andar, e depois retornaram para o patamar da escada frontal. Logo abaixo, Phillips e Fuhrman podiam ver os dois corpos, e, mais adiante, as pegadas sangrentas que marcavam o caminho de acesso ao beco dos fundos. Mais uma vez, Riske pegou sua lanterna e iluminou a cena, chamando a atenção dos detetives para o envelope, bem como para o gorro e a luva, parcialmente encobertos pela vegetação. Os três voltaram para dentro da casa e saíram por uma porta que dava para a ala norte da propriedade. Riske mostrou-lhes de perto as pegadas sangrentas deixadas no chão por um par de sapatos e as gotas de sangue que as acompanhavam à esquerda. Saíram então pelo portão dos fundos, que, conforme indicou o policial, também estava manchado de sangue, sobretudo na maçaneta.

Uma vez concluída a inspeção, Phillips e Fuhrman se separaram. Phillips ficou do lado de fora para usar o celular. Fuhrman queria tomar nota do que vira. Por ora, a ideia não era redigir um relatório formal, mas apenas registrar observações preliminares que pudesse consultar ao longo da investigação. Fuhrman entrou na casa outra vez, pela garagem, e sentou-se em um sofá da sala de estar para rabiscar notas sobre o que vira e ouvira. Numerando cada nota, o detetive apontou que Riske descobrira os corpos e fizera o relatório inicial. As causas das mortes ainda eram desconhecidas, e ele não tinha se aproximado o suficiente dos corpos para tirar qualquer conclusão definitiva. O terceiro item em suas anotações dizia que as vítimas apresentavam "possíveis ferimentos de bala". Fuhrman fez alusão às duas crianças que tinham sido levadas para a delegacia, às velas acesas, e ao sorvete derretido. Levou em conta ainda as gotas de sangue encontradas à esquerda das pegadas no quintal. "O suspeito fugiu nessa direção", escreveu. "O suspeito talvez tenha sido mordido por um cão." O detetive fez ainda diversas menções ao sangue encontrado no portão dos fundos, entre elas uma nota que dizia, referindo-se à maçaneta que abria o portão pelo lado de dentro da propriedade: "Possível mancha de sangue e impressão digital visível". Ao todo, Fuhrman listou dezessete itens para análise futura. Ele fazia sua última anotação — "um gorro, uma luva junto aos pés da vítima de sexo masculino" — quando foi interrompido.

Brad Roberts tinha chegado e pedia que o inteirassem do caso. Fuhrman conduziu prontamente o parceiro até o patamar da escada e mostrou-lhe os corpos, o gorro e a luva, depois retrocederam pelo trecho do quintal marcado pelas pegadas sangrentas. Em seguida, Roberts saiu da propriedade e dobrou o quarteirão, rumo à entrada que dava para a Bundy Dr. Enquanto isso, Fuhrman retornou ao sofá a fim de continuar seus apontamentos, mas foi novamente interrompido, desta vez pelo chefe, Ron Phillips. Ele lhe comunicou que a equipe de West Los Angeles estava fora do caso, e que a investigação ficaria agora a cargo da Divisão de Roubo e Homicídios, unidade do centro de operações dedicada a casos de maior complexidade e repercussão. Momentos depois, Phillips acompanhou Fuhrman para fora da casa, pela garagem. Eram cerca de 2h40 quando se encerrava a breve atuação de Mark Fuhrman como detetive encarregado daquele homicídio duplo. Ela durara cerca de trinta minutos.

●●●

Pouco depois de chegar à casa da Bundy Dr., Phillips recebera uma ligação de celular de um dos agentes mais graduados de todo o DPLA. Keith Bushey era comandante de operações para toda a região oeste de Los Angeles, o que incluía não só West L.A., mas também os distritos de Hollywood, Pacific e Wilshire. Bushey tinha uma incumbência para Phillips. Como uma das vítimas era a ex-mulher de O.J. Simpson, e como as crianças (que eles acreditavam ser os filhos do casal) tinham sido removidos da casa, ele queria que Simpson fosse pessoalmente informado do assassinato. Bushey disse que queria evitar outro "caso Belushi". (Quando o ator e comediante John Belushi morreu no hotel Chateau Marmont, em 1982, a mídia ficou sabendo do acontecido quase instantaneamente e conseguiu transmitir a notícia antes que as autoridades notificassem pessoalmente qualquer membro da família. Foi uma situação dolorosa para os familiares de Belushi e embaraçosa para a polícia de Los Angeles.)

Phillips ainda não havia cumprido a ordem durante sua primeira meia hora no local do crime, visto que passara a maior parte do tempo na companhia de Fuhrman, examinando as provas encontradas. Então, por volta das 2h30, o tenente Frank Spangler, responsável por todos os detetives de West Los Angeles — e, portanto, chefe de Phillips — chegou trazendo a notícia de que Phillips e sua equipe deveriam se retirar do caso, que passaria então à Divisão de Roubo e Homicídios. Em vista dessa mudança, Phillips decidiu adiar a tarefa de notificar Simpson sobre o crime.

Fuhrman mostrou algumas das provas, como a luva e o envelope, a um fotógrafo da polícia que chegara ao local, mas, na maior parte do tempo, ele e Phillips ficaram por ali, à espera dos detetives que viriam substituí-los. Os dois ficaram conversando por quase uma hora e meia na casa da Bundy Dr. Em certo momento, Fuhrman e Spangler chegaram a se aproximar do homem morto pela propriedade vizinha, ao norte, e observaram o corpo através de uma cerca.

Às 4h05, Philip Vannatter, um detetive da Divisão de Roubo e Homicídios, chegou finalmente ao local. Phillips informou ao recém-chegado que Bushey lhe mandara localizar O.J. Simpson e notificá-lo pessoalmente das mortes. O que devia fazer? Evasivo, Vannatter deu de ombros, e disse ao colega que se preocuparia com isso depois que tivesse visto a cena do crime. Naquele momento, Phillips guiou Vannatter pelo lugar da mesma forma que o agente Riske fizera com ele. Às 4h30 chegava o parceiro de Vannatter, Tom Lange, a quem Phillips também mostrou o local do incidente. A polícia de Los Angeles contava com cerca de 1.400 detetives. Nem Phillips nem Fuhrman conheciam Vannatter ou Lange.

Depois de acompanhar os dois detetives veteranos pela cena do crime e colocá-los a par de tudo, Phillips mencionou novamente a ordem que Bushey lhe dera de localizar Simpson e notificá-lo do crime pessoalmente. Preocupava-o que estivesse descumprindo uma ordem direta de um superior de alta patente. Quando O.J. seria avisado? Vannatter falou que, como uma das vítimas era a ex-mulher de Simpson, ele e Lange teriam que interrogá-lo, de qualquer forma. Como Lange diria em seu depoimento: "Acho muito importante estabelecer uma relação mais pessoal, principalmente com indivíduos próximos à vítima, a fim de coletar informações". Além disso, Simpson poderia ajudá-los a identificar a outra vítima, o homem cuja identidade a polícia ainda desconhecia. Havia também a questão das crianças. Era bem possível que Simpson, transtornado ao tomar conhecimento do assassinato, não tivesse condições de buscar sozinho os filhos na delegacia. Vannatter decidiu então que iriam os quatro à casa de Simpson. Ele e Lange se apresentariam ao ex-atleta, ajudariam os outros a dar a notícia, e depois retornariam imediatamente ao local do crime para começar as investigações. Enquanto isso, os dois detetives novatos acompanhariam Simpson até a delegacia para buscar as crianças. Antes de partirem, porém, precisavam esclarecer uma questão óbvia: onde O.J. Simpson morava?

Fuhrman disse que sabia a resposta. Contou a Phillips que, em seus dias de ronda, recebeu uma chamada de rádio para atender a uma ocorrência na residência de Simpson. "Fui lá já faz um bom tempo, por causa de uma rusga familiar", comentou. "Acho que consigo encontrar o endereço." O policial não lembrou o local exato, mas Riske, que havia rastreado a placa do jipe estacionado na garagem de Nicole, disse a Fuhrman que os registros apontavam para a North Rockingham Ave.,

360. Em seu relatório de atividades daquela noite, Lange resumiu as informações prestadas por Fuhrman da seguinte forma: "O sr. Simpson e a vítima estiveram envolvidos em casos anteriores de violência doméstica, um dos quais resultou na prisão do sr. Simpson". (Em seu depoimento, Phillips diria não se lembrar de nenhuma conversa desse tipo naquela noite, embora seja possível que simplesmente não a tenha ouvido.) Assim, por volta das 5h, os quatro policiais saíram da Bundy Dr. em comboio, com o carro de Phillips e Fuhrman à frente e o de Vannatter e Lange logo atrás. A viagem de três quilômetros até a North Rockingham Ave. durou cerca de cinco minutos.

Na Sunset Blvd., os dois carros viraram à direita para entrar na Rockingham Ave., e, conforme o faziam, viam a paisagem se modificar diante de seus olhos: as casas iam ficando maiores, mais imponentes. À medida que subiam a rua silenciosa, os detetives apertavam os olhos para enxergar os números das casas pintados nos meios-fios. No início de sua carreira, Vannatter trabalhara quatro anos como detetive em West Los Angeles, mas nunca tinha passado por ali ou sequer ouvido falar daquela rua. Não era um local que requeria a atenção da polícia. Contudo, naquela madrugada, ele reparou no que parecia ser um costume da vizinhança. A Rockingham Ave. não era uma via principal, mas ligava a Sunset Blvd. a diversas ruas menores, e os moradores evitavam estacionar ali para que o tráfego fluísse livremente. Naquela madrugada, estava vazia — à exceção de um único veículo. Vannatter reparou que, a alguns metros do cruzamento com a Ashford Street, havia um Ford Bronco parado junto ao meio-fio. Visto mais de perto, notava-se que o veículo estava ligeiramente torto, como se tivesse sido estacionado às pressas. Conforme constataram logo em seguida, o carro estava parado bem em frente ao número 360, que ocupava o terreno de esquina. Os detetives dobraram à direita, e, já na Ashford St., pararam perto do portão de ferro que guardava a propriedade de O.J. Simpson.

Viam-se algumas luzes acesas na casa e dois carros parados à entrada da garagem. Vannatter tocou a campainha ao lado do portão. Ninguém atendeu. Insistiu um pouco, e depois Phillips e Lange seguiram seu exemplo. Nada. Uma placa circular afixada na parede anunciava que a casa era protegida pela Westec, uma empresa de segurança bem conhecida em Los Angeles. Por coincidência, um carro da Westec passava pela rua, e os detetives sinalizaram para que parasse. Abordaram o segurança e persuadiram-no a fornecer o telefone residencial de Simpson. (O guarda também informou que, de acordo com os registros da Westec, normalmente havia uma governanta em tempo integral no local.) Às 5h36, Phillips começou a ligar para o celular de Simpson, mas a ligação sempre caía na caixa postal: "Você ligou para O.J..."

Fuhrman ficou para trás enquanto os outros tentavam fazer contato com alguém na casa. Embora fosse policial há dezenove anos, ele era um detetive de nível dois, enquanto os outros estavam no nível três. No mundo hierárquico do DPLA, portanto, sua posição era subalterna. Assim, sem ter o que fazer, Fuhrman dobrou a esquina, de volta à Rockingham Ave., e caminhou até o Ford Bronco. Iluminando o banco de trás com sua pequena lanterna de bolso, viu alguns papéis endereçados a O.J. Simpson. Fuhrman decidiu então examinar a porta do motorista e identificou uma pequena mancha vermelha logo acima da maçaneta. Na parte inferior da porta, sobre o pedaço exposto do umbral, viu várias outras listras finas e avermelhadas.

"Acho que vi algo aqui no Bronco", disse a Vannatter pelo rádio.

O detetive sênior veio examinar o veículo, e os dois homens concordaram que as manchas pareciam sangue. Vannatter ordenou a Fuhrman que verificasse a placa do carro para descobrir quem era o proprietário. O carro estava registrado em nome da locadora Hertz, cujos produtos Simpson divulgava há anos.

Depois de refletirem, Vannatter e Lange decidiram que o primeiro pediria pelo rádio que um perito viesse ao local para coletar uma amostra da mancha na porta do Bronco e ver se era mesmo sangue. Na verdade, como esclareceriam em seus depoimentos, Vannatter e Lange estavam apreensivos quanto ao que poderia ter acontecido dentro da propriedade de Simpson. Tinham acabado de ver o cenário de um assassinato brutal. Era certo que alguém — pelo menos uma governanta — morava na casa, e, apesar das luzes acesas, ninguém atendia. Do lado de fora, a sujeira no carro parecia sangue. Como Lange diria no tribunal: "Eu tinha a sensação de que alguém dentro da casa pudesse ter sido vítima de um crime, estivesse sangrando, ou coisa pior". Vannatter, por sua vez, relataria: "Tínhamos acabado de investigar um assassinato violento e sanguinário, então, pra mim, havia algo de errado ali. Convenci-me de que precisávamos investigar mais a fundo — precisávamos entrar na propriedade". Fuhrman, de longe o mais jovem e forte dos quatro, se ofereceu: "Posso pular o muro". "Pode ir", assentiu Lange. Fuhrman escalou o muro de quase dois metros, e depois, à sua direita, abriu o portão hidráulico manualmente. Os quatro detetives estavam agora dentro da propriedade de O.J. Simpson.

• • •

O cão de Simpson, um chow-chow preto, não se mexeu quando os detetives passaram por ele a caminho da porta. Vannatter bateu. Nada. Esperaram dois ou três minutos, bateram de novo, mas ainda não ouviam nenhum movimento dentro da casa. Os quatro detetives resolveram então dar uma volta pelo quintal. Assim, ainda empunhando suas lanternas, com o dia prestes a amanhecer, foram caminhando juntos para os fundos. Ao chegar ali, se depararam com uma fileira de três casas de hóspedes, que mais pareciam três cômodos contíguos, cada qual com sua própria entrada. Phillips espiou dentro de um deles.

"Parece... Tem alguém lá dentro", disse.

Phillips bateu na porta e, alguns segundos depois, apareceu um homem de cabelos desgrenhados, que obviamente acabara de acordar. Depois de afastar a cabeleira loira dos olhos, Kato Kaelin fitou Phillips, que se identificou e perguntou: "O.J. Simpson se encontra?".

Kaelin, um tanto grogue, respondeu que não sabia, mas sugeriu que batessem na porta da casa de hóspedes vizinha, onde morava a filha de Simpson, Arnelle. Acompanhado de Vannatter e Lange, Phillips acatou a sugestão. Fuhrman permaneceu com Kaelin e pediu permissão para entrar. Notando que ele parecia desorientado, mesmo para alguém que tinha acabado de acordar, submeteu-o a um teste padrão de embriaguez: segurando uma caneta a cerca de quarenta centímetros do rosto de Kaelin, Fuhrman orientou-o a segui-la com os olhos conforme a movia de um lado para o outro. Kaelin passou no teste: ele só *parecia* alterado. Fuhrman pediu para dar uma olhada na pequena suíte. Enquanto sondava o lugar — verificando, entre outras coisas, se havia sangue nos sapatos dentro do armário — o detetive lhe perguntou se tinha acontecido algo estranho na noite anterior.

Na verdade, sim, uma coisa estranha *tinha* acontecido. Por volta das 22h45, ele falava ao telefone quando ouviu umas pancadas bem fortes na parede do quarto, perto do ar-condicionado. Os solavancos foram tão violentos que sacudiram um quadro na parede. Pensou que um terremoto estava começando.

Os dois homens conversaram mais um pouco, depois caminharam até a casa principal, onde os outros três detetives falavam com Arnelle Simpson. Fuhrman decidiu então averiguar o relato de Kaelin. Depois de deixá-lo com os outros, voltou para o quintal e parou um instante para se orientar. O que havia junto à parede sul do quarto de Kaelin, onde ele ouvira as pancadas? Fuhrman viu que a parede sul dava para a extremidade da propriedade de Simpson, delimitada por uma grade, e que havia uma passagem estreita entre a parte de trás das casas de hóspedes e a cerca.

"Peguei minha lanterna e fui percorrendo a passagem, tentando entender a arquitetura da casa para descobrir onde seria a parede de Kaelin", relataria Fuhrman em seu depoimento. "Eu vi um corredor sombrio, comprido, coberto de folhas." Depois de caminhar uns seis metros, Fuhrman viu um objeto escuro no chão, mas só percebeu o que era a poucos centímetros de distância. "Teve um momento que ficou claro que era uma luva", lembrou.

Parecia deslocada. Sobre ela não havia folhas ou galhos, e tinha um aspecto úmido e pegajoso, com algumas partes coladas umas nas outras. Fuhrman contornou a luva e prosseguiu, mas começou a esbarrar em teias de aranha, coisa que não encontrara antes. Seguiu até o final da passagem, um trecho mal cuidado de terra, depois retornou pelo mesmo caminho, passando mais uma vez pela luva. Não a tocou, mas uma coisa lhe chamava a atenção: "Era muito parecida com a que tinham encontrado na casa da Bundy Dr.".

●●●

Enquanto Fuhrman falava com Kaelin, os outros três detetives bateram à porta de Arnelle Simpson, que não demorou mais que alguns segundos para atender. Phillips disse que precisava falar com o pai dela, e que se tratava de uma emergência. Ele sabia onde poderiam encontrá-lo? Arnelle apontou para a casa principal e perguntou: "Ele não está em casa?". Os policiais disseram que aparentemente não. Arnelle saiu de sua casa e começou a caminhar em direção ao portão que dava para a Ashford St., para conferir se o carro do pai estava lá — era onde costumava estacioná-lo. O detetive então informou à mulher que o Bronco estava na verdade estacionado na Rockingham Ave. Com sua chave, Arnelle deixou-os entrar na casa principal.

No caminho, o grupo passou pela terceira casa de hóspedes, onde morava a governanta, Gigi Guarin. Perceberam que estava vazia, e a cama ainda feita. Uma vez que estavam dentro da casa principal, Arnelle ligou para Cathy Randa, secretária de longa data de O.J., que sempre sabia o paradeiro dele. Arnelle passou o telefone para Phillips, que explicou a Randa que se tratava de uma emergência e que precisavam falar o quanto antes com Simpson. Segundo a secretária, Simpson tomara um voo noturno para Chicago na noite anterior e estava hospedado em um hotel do aeroporto, o Chicago O'Hare Plaza.

Phillips ligou para o hotel às 6h05 e pediu que transferissem a ligação para o quarto de O.J. Simpson. Apesar de reconhecer sua voz, o detetive perguntou: "Falo com O.J. Simpson?"

"Sim, quem é?"

Phillips mediu bem as palavras ao comunicar a morte de Nicole. "Quem fala é o detetive Phillips do Departamento de Polícia de Los Angeles. Tenho más notícias. Sua ex-mulher, Nicole Simpson, está morta."

O ex-astro mostrou-se perturbado. "Meu Deus, Nicole foi morta? Meu Deus, ela está morta?"

Phillips tentou acalmá-lo. "Sr. Simpson, por favor, procure se controlar. Seus filhos estão na delegacia de West Los Angeles. Preciso falar com o senhor sobre isso."

"Como assim meus filhos estão na delegacia? Por que meus filhos estão lá?"

"Porque não tínhamos outro lugar onde levá-los", justificou Phillips. "Estão lá por motivos de segurança. Preciso saber o que fazer com eles."

"Bem, pegarei o primeiro voo disponível partindo de Chicago para Los Angeles", respondeu o ex-atleta. Phillips passou então o telefone para Arnelle, que combinou com o pai de pedir a um amigo dele, Al Cowlings, que fosse buscar as crianças.

Phillips nunca mais voltaria a falar com Simpson. Posteriormente, o detetive achou relevante mencionar o que Simpson *não* disse durante a breve conversa entre os dois. Ele não perguntou, por exemplo, como ou quando Nicole tinha sido morta. Phillips não disse, e Simpson não perguntou, se ela tinha sofrido um acidente ou se tinha sido assassinada.

● ● ●

Sonolentas, as crianças esperavam que alguém na delegacia lhes explicasse o que estava acontecendo. Em dado momento, Sydney Simpson, de 8 anos, pediu permissão para dar um telefonema, e discou o número de casa. A secretária eletrônica atendeu, e Sydney deixou um recado: "Mamãe, por favor, me liga. Quero saber o que aconteceu ontem de noite. Por que a gente teve que vir para a delegacia? Por favor, mamãe, atende. Por favor, mamãe, atende. Por favor, mamãe, atende. Por favor, atende. Tchau".

PROFISSÃO: O.J. SIMPSON

Depois que Mark Fuhrman descobriu a luva, atrás do quarto de Kato Kaelin, os acontecimentos se sucederam com rapidez. Phillips já telefonara para Simpson em Chicago, e agora cabia a Tom Lange a triste tarefa de contatar os pais de Nicole Brown Simpson e informá-los da morte dela. O DPLA preconizava que, sempre que possível, os detetives deviam notificar pessoalmente o parente mais próximo de uma vítima de homicídio. Entretanto, Lange soube por intermédio de Arnelle que Lou e Juditha Brown moravam em Orange County, a cerca de 120 quilômetros de Los Angeles. O policial sabia que a imprensa não tardaria a tomar conhecimento dos assassinatos e desconfiava que, se não falasse logo com os pais de Nicole, eles ficariam sabendo da morte da filha pela televisão.

Lou Brown atendeu o telefone às 6h21, e recebeu a notícia em silêncio. Lange não sabia que a irmã de Nicole, Denise, a mais velha das quatro filhas do casal Brown, morava na casa dos pais e ouvia a conversa de uma extensão.

Denise começou a gritar: "Ele a matou! Ele finalmente a matou!".

"Quem?", perguntou Lange.

"O.J.!", respondeu Denise.

Enquanto isso, nos fundos da casa de Simpson, Fuhrman não demorou a perceber o significado de sua descoberta. Como recordaria o detetive em seu depoimento: "Quando encontrei a luva naquela passagem, confesso que... confesso que comecei a sentir uma descarga de adrenalina, porque não sabia direito o que estava acontecendo. [...] Quando encontrei a luva e me dei conta de que tinha aspecto e cor similares à que vimos no local do crime, meu coração disparou e eu tomei consciência das possíveis implicações da minha descoberta". Fuhrman chamou os outros três detetives e conduziu-os, um a um, pela estreita passagem. Após examinarem a luva sem tocá-la, todos concordaram que, pelo que se lembravam, essa luva — da mão direita — parecia ser o par daquela encontrada na Bundy Dr. Vannatter mandou que Phillips e Fuhrman retornassem à cena do crime para fazer uma comparação mais minuciosa. Lange também voltaria a Bundy Dr. com o intuito de examinar as provas lá encontradas, ao passo que Vannatter aguardaria em Rockingham a chegada do perito.

Os indícios se acumulavam depressa e levavam a uma explicação hipotética porém bastante plausível dos fatos: o assassino deixou cair a luva esquerda durante um embate no local do crime e depois sofreu um corte na mão esquerda exposta. Sangrando, caminhou até um carro estacionado no beco — muito provavelmente o Ford Bronco de Simpson. Em seguida, dirigiu até Rockingham, onde, ao tentar talvez ocultar suas roupas na estreita passagem atrás do quarto de Kato, deixou cair a outra luva. "O criminoso esteve aqui", Vannatter declarou em Rockingham.

Depois que os outros três detetives partiram para Bundy Dr., Vannatter decidiu explorar a propriedade de O.J. Simpson. Saiu pela porta da frente e parou à entrada da garagem, perto dos dois carros ali estacionados. A essa hora, o sol já se erguia, e sob a luz ainda difusa da alvorada, Vannatter notou uma possível gotícula de sangue no chão. Alguns passos adiante, encontrou outra, e depois mais outra. As gotas seguiam em uma linha mais ou menos contínua do portão em Rockingham Ave. à porta da frente da casa. Vannatter abriu o portão e foi dar outra olhada no Bronco. Ao contemplar o interior do veículo pelo vidro do passageiro, pôde notar manchas de sangue no console entre os dois bancos e outras na parte de dentro da porta do motorista. Vannatter lembrou do que vira na casa da Bundy Dr. As gotas de sangue à esquerda das pegadas sangrentas deixadas pelo assassino ao se afastar dos corpos tinham tamanho, forma e cor similares àquelas encontradas em Rockingham. Vannatter voltou para dentro da casa e encontrou outras gotas de sangue no vestíbulo, a poucos passos da porta. O rastro de sangue levava diretamente ao interior da casa.

Dennis Fung, o perito criminal, chegou a Rockingham Ave. às 7h10 e aplicou um teste rápido na mancha vermelha aderida à parte externa do veículo. Era apenas um teste preliminar — portanto, não era totalmente conclusivo — mas já sugeria a presença de sangue humano. Dali a alguns instantes, Fuhrman regressou da residência de Nicole e disse a Vannatter que a luva lá encontrada era da mão esquerda e que parecia de fato ser o par daquela encontrada atrás do quarto de Kaelin.

"É isso", disse Vannatter. "Precisamos de um mandado de busca para revistar este lugar." Vannatter partiu rumo à delegacia de West Los Angeles para redigir a solicitação. Ao chegar ali, decidiu entrar em contato com a promotora adjunta Marcia Clark. Os dois tinham trabalhado juntos em um caso recente de homicídio que envolvia análises de sangue e outros elementos vestigiais. Vannatter queria uma segunda opinião sobre as informações que tinha reunido até então. Era interessante para um detetive da polícia consultar uma promotora, porque os advogados geralmente têm maior facilidade em prever se um juiz concederia ou não um mandado de busca. Em casa, Clark atendeu com muita satisfação a ligação de Vannatter um pouco depois das 8h daquela manhã de segunda-feira. Viciada em trabalho e um tanto obcecada por casos criminais, tinha tanto gosto pelos detalhes das investigações quanto pelos tribunais.

Vannatter contou à promotora sobre as luvas aparentemente compatíveis e descreveu o rastro de sangue, que ia do lado esquerdo das pegadas na Bundy Dr. ao Ford Bronco estacionado na Rockingham Ave., e da entrada da garagem de Simpson ao vestíbulo da casa. Clark ouviu o relato de Vannatter de forma imparcial e surpreendeu-se com uma única circunstância: o bairro nobre onde tinham ocorrido os assassinatos.

"Marcia", disse Vannatter. "É de O.J. Simpson que estamos falando."

"E quem é?", replicou Clark.

"O jogador de futebol americano, ator... Fez *Corra que a Polícia Vem Aí*."

Marcia Clark não era fã de esportes. E ia ao cinema só de vez em quando. Praticamente o único momento em que tinha contato com a cultura de massa era quando ouvia seus álbuns da banda The Doors. E, para relaxar, lia romances sobre assassinos em série.

"Desculpe", disse Clark. "Nunca ouvi falar."

Ao ouvir os fatos do caso, Clark pensou que havia indícios mais que suficientes para justificar uma busca na casa de Simpson — suficientes, talvez, até para prendê-lo. Mas antes de desligar, Vannatter disse que os dois deviam dar um passo de cada vez. Depois, começou a rascunhar o requerimento que deveria apresentar a fim de obter o mandado de busca.

No documento, Vannatter dizia que trabalhava na polícia havia mais de 25 anos e que era detetive havia quinze. Relatou que, após averiguar a cena do crime, ele e seu parceiro haviam se dirigido à North Rockingham Ave., 360 para notificar O.J. Simpson do assassinato de sua ex-esposa. Ao examinar o Ford Bronco mais de perto, continuou Vannatter, "detectamos traços de algo que aparenta ser sangue humano na maçaneta da porta do motorista, suspeita posteriormente confirmada pelos peritos". E concluía: "Apuramos por meio de entrevista com a filha de Simpson e um amigo da família, Brian Kaelin, [que Simpson] tinha deixado a cidade em um voo repentino para Chicago na madrugada de 13 de junho de 1994, e que foi visto pela última vez em sua residência por volta das 23h de 12 de junho de 1994".

Um juiz expediu o mandado no final daquela manhã, e Vannatter regressou à mansão da Rockingham Ave. pouco antes do meio-dia, praticamente ao mesmo tempo que O.J. Simpson chegava de sua curta viagem a Chicago.

• • •

Os amigos de Simpson usavam sempre a mesma expressão para descrevê-lo: "Ele adorava ser quem era". De certa forma, era esta sua profissão: ser O.J. Simpson. Em 1994, já aposentado havia muito de seus dias de glória no futebol americano, ainda desfrutava de uma modesta visibilidade como locutor esportivo e de um moderado sucesso dando vida a esporádicos papéis de humor autodepreciativo nos filmes da série *Corra que a Polícia Vem Aí*. Foi jurado em concursos de beleza. Era garoto-propaganda da Hertz. Participava também de um infomercial que prometia a cura da artrite. Na época em que foi preso por assassinato, contava apenas com uma espécie volátil de notoriedade, típica da cultura americana: O.J. Simpson era famoso por ser O.J. Simpson. (Em 25 de outubro de 1993, quando Nicole Brown Simpson ligou para a polícia se queixando de que seu ex-marido estava em frente à sua casa se portando "feito um louco", supôs que o nome dele seria imediatamente reconhecido; mas, ao ouvi-la, o atendente perguntou: "É aquele locutor esportivo ou coisa assim?".)

O evento do qual Simpson participaria em Chicago na segunda-feira ilustrava bem como ele ganhava a vida como "locutor esportivo ou coisa assim". Nesse dia, Simpson iria ao Mission Hills Country Club, no subúrbio de Northbrook, para jogar no Hertz Invitational, torneio que a locadora de carros promovia anualmente para seus maiores clientes corporativos da região. Em 1994, jogar golfe era praticamente a única coisa que O.J. Simpson fazia para a Hertz, embora o fizesse com bastante frequência. (Na semana anterior, por exemplo, jogara para a Hertz em Virgínia.) Quando Simpson assinou seu primeiro contrato com a Hertz, na década de 1970, a história era bem diferente. Nessa época, enquanto ainda jogava futebol americano, Simpson estrelou algumas das propagandas de TV mais conhecidas do período, que retratavam o galante atleta saltando sobre os móveis no aeroporto para chegar ao carro alugado, que já o aguardava depois do voo. "Vai, O.J!", gritava uma matrona com ares de vovó. Naquele tempo, a Hertz chegava a vincular seu slogan corporativo ao seu célebre garoto-propaganda, autoproclamando-se "a estrela das locadoras de carro". Contudo, uma década e meia depois, a empresa pagava-lhe cerca de meio milhão dólares por ano para ser, como diziam seus amigos, "o golfista de estimação da Hertz".

A criação de uma imagem pública — definir o que significava "ser O.J." — tinha sido o trabalho de uma vida inteira. Nos anos antes de ser preso por assassinato, O.J. Simpson falou em inúmeras entrevistas sobre sua história de vida, invocando invariavelmente os mesmos temas e até as mesmas anedotas. Ainda que hoje seja difícil lembrar, em vista da notoriedade que adquiriu o caso de assassinato, Simpson gozou por muitos anos da imagem de sujeito bem-apessoado e amável. Afinal de contas, era o homem que se consagrara ao ser zoado em rede nacional pelo comediante Bob Hope[1] antes mesmo dos 25 anos de idade. Nas entrevistas, Simpson costumava fazer muito alarde de sua origem sofrida e seu passado escuso — um passado que ganharia contornos mais sinistros após sua prisão.

Orenthal James Simpson nasceu em 7 de julho de 1947, em São Francisco. Foi o terceiro dos quatro filhos de James e Eunice Simpson. (Seu atípico primeiro nome, que O.J. detestava, foi sugestão de uma tia e é de origem obscura.) Seu pai era uma presença intermitente em sua trajetória. No final de sua vida, revelou-se homossexual, e em

---

[1] Tradicionalmente, Bob Hope recebia na TV os melhores jogadores universitários de futebol americano do ano. Eles entravam um por um no palco e se apresentavam, dizendo o nome e a faculdade que representavam. Bob Hope fazia então um comentário jocoso sobre cada um. Em 1967, ao receber Simpson, disse: "Com um nome como Orenthal, você precisa mesmo correr rápido".

1985 morreu por complicações relacionadas a imunossupressão causadas pela aids. Sua mãe, que à noite trabalhava na ala psiquiátrica do Hospital Geral de São Francisco como servente e posteriormente como técnica hospitalar, sustentava a família da melhor forma que podia.

Em uma biografia autorizada e altamente elogiosa, publicada em 1974, quando O.J. tinha 27 anos, Larry Fox escreveu sobre a infância de Simpson: "A molecada atirava pedras nos ônibus, cometia furtos (afinal, não tinham idade para *comprar* cerveja e vinho), arruinava festas, e, acima de tudo, vivia brigando". O próprio Simpson admitiu em uma extensa entrevista à *Playboy*, em 1976, que "ficar sem brigar era passar o fim de semana em branco. [...] A minha sorte foi o esporte. Se eu não estivesse no time de futebol da escola, com certeza passaria três anos na prisão".

Quando demonstravam interesse em suas influências formativas, Simpson gostava de repetir à exaustão a mesma história de sua adolescência. O ano era 1962, e ele, no segundo ano do colegial, estava em uma enrascada. Em algumas versões da história, ele é flagrado roubando em uma loja de bebidas; em outras, é preso por causa de uma briga envolvendo sua gangue, os Persian Warriors [Guerreiros persas], no bairro onde morava, Potrero Hill. Simpson dormia em seu apartamento quando ouviu batidas na porta. Ciente das encrencas de O.J. e de seu futuro promissor como atleta, um adulto preocupado tinha convencido Willie Mays, o lendário defensor central do São Francisco Giants, a fazer uma visitinha ao garoto.

"Willie não me deu nenhum sermão; levou-me de carro para a casa dele e passamos a tarde falando de esportes", disse Simpson à *Playboy*. "Ele morava em uma casa grande e bacana em Forest Hill e era justamente o tipo tranquilão e gente boa que sempre imaginei." (Em um trecho revelador da entrevista, Simpson saiu em defesa de Mays porque "pouco tempo depois, Jackie Robinson o atacou dizendo que ele não batalhava o suficiente pela sua comunidade". Mas, protestou Simpson, "Mays sempre teve uma boa energia".) Sobre a visita de Mays, Larry Fox escreveu: "A mensagem de Willie não estava em suas palavras, mas em suas conquistas e no que essas conquistas lhe haviam proporcionado na forma de bens materiais". Ao contar o episódio em *I Want to Tell You* [Quero contar para vocês, em tradução livre], livro que assinaria anos depois, na prisão, Simpson diz: "Foi quando vi pela primeira vez o pote de ouro no fim do arco-íris".

Ter uma casa grande e transmitir energia positiva tornou-se o *leitmotiv* da vida profissional de Simpson. Depois do ensino médio, O.J.

passou dois anos jogando futebol americano e correndo na pista de atletismo do City College de São Francisco (CCSF), uma faculdade local com cursos de curta duração. No time de futebol do CCSF, Simpson carregava a bola em média mais de dez jardas por corrida, marca que chamou a atenção de recrutadores de grandes faculdades, que vieram aos bandos atrás do talentoso rapaz. Mas ele só tinha olhos para a Universidade do Sul da Califórnia (USC). Quando menino, O.J. era fascinado pela pompa do futebol da USC, que tinha como símbolo um soldado troiano de armadura, montado sobre um robusto corcel branco. Mas, como aspirante a troiano, Simpson via que a USC lhe proporcionaria mais exposição midiática — e, portanto, mais chances de contatos lucrativos — que qualquer outro programa universitário de futebol.

Quase meio século antes, a máquina de futebol da USC tinha sido idealizada e criada por um acadêmico obscuro, natural de Illinois, chamado Rufus Bernhard von KleinSmid. Depois de passar por diversas universidades após a virada do século, dr. K, como era conhecido, tornou-se reitor da USC em 1921. Ali, viu-se diante de um dilema muito conhecido entre reitores. "Subsidiada por anuidades cobradas aos alunos, e com um escasso fundo de doações (pouco mais de um milhão de dólares em 1926) para financiar sua expansão, a USC precisava de dinheiro", observou o historiador Kevin Starr. "A solução estava no futebol." Dr. K investiu em recrutamento, bandas e um magnífico estádio novo, o Coliseu, que seria palco principal dos Jogos Olímpicos de 1932 em Los Angeles. A aposta de Von KleinSmid revelou-se certeira e rendeu mais frutos do que ele poderia ter imaginado. O futebol troiano tornou-se uma das poucas atividades capazes de unir a dividida metrópole de Los Angeles. Quando, em 1931, o time da USC derrotou o Notre Dame de Indiana com um *field goal* [gol de campo] nos últimos segundos de jogo, uma multidão de 300 mil pessoas — um terço da população da cidade — foi à estação de trem saudar a equipe vitoriosa. Com o passar do tempo, o entusiasmo da escola (e da cidade) pelo esporte não diminuiu. Na década de 1950, a maior estrela dos troianos foi Frank Gifford, sobre quem um estudante, o romancista Frederick Exley, faria o seguinte comentário: "Frank Gifford era um ícone nacional da USC. Não sei descrevê-lo de outra maneira a não ser equiparando-o ao Papa no Vaticano".

Em 1967, O.J. Simpson tornou-se o papa da USC — e ainda foi além. Não demorou a se consagrar como o melhor *running back* da história da escola, na que talvez fosse a melhor equipe que a USC já havia tido. Simpson correu 158 jardas com a bola em seu terceiro jogo e 190 no quarto. O time não vencia o Notre Dame Fighting Irish, de Indiana, em South Bend desde 1939; mas, em 1967, Simpson e seus companheiros de equipe venceram os irlandeses na casa deles por 24×7. Na última semana da temporada de estreia de O.J. Simpson, a USC enfrentou sua rival e vizinha de cidade, a UCLA, em um jogo ainda mais decisivo que o habitual. Ambas as escolas, com apenas uma derrota cada, seguiam na disputa pelo campeonato nacional, e os dois times precisavam de apenas mais uma vitória para ganhar a chance de jogar no Rose Bowl [estádio onde se disputa no ano-novo uma das partidas mais visadas do futebol americano universitário]. Por último, o jogo também possibilitou o embate dos dois principais candidatos ao troféu Heisman, concedido anualmente ao melhor jogador do país: Gary Beban, *quarterback* quartanista da UCLA, e O.J. Simpson, terceiranista da USC. No final do último quarto, uma única jogada decidiu a partida. A UCLA liderava o placar por 20×14, e os troianos estavam com a posse da bola em sua própria linha de 36 jardas. A julgar pela campanha de ataque, essa seria a última chance de pontuar da USC. Era o terceiro *down* e ainda faltavam oito jardas.

Durante o *huddle* [momento em que os jogadores se reúnem em uma roda para combinar a estratégia do próximo lance], Toby Page, *quarterback* da USC, armou uma jogada que não envolvia Simpson, mas, já na linha de *scrimmage*, mudou de ideia e gritou sinalizando a mudança de jogada aos companheiros de time. Na estratégia redesenhada, Page passou a bola para Simpson, que correu em disparada — primeiro pela direita e depois no contrafluxo do seu ataque pela esquerda, ao mesmo tempo que se esquivava dos defensores da UCLA. Simpson ultrapassou seus próprios bloqueadores, bem como os defensores, e seu *touchdown* decidiu o jogo a favor dos troianos. Décadas depois, a jogada ainda é lembrada pelos fiéis torcedores da USC como "a corrida". E a USC não parou por aí: além de derrotar o time de Indiana no Rose Bowl, onde Simpson foi eleito o melhor jogador da partida, a equipe também venceu o campeonato nacional. (Mesmo assim, em uma votação acirrada, foi Beban quem conseguiu levar o Troféu Heisman.)

No último ano de faculdade, Simpson continuou sua trajetória meteórica. Correu 236 jardas no jogo de abertura da temporada contra o Minnesota, 220 contra o Stanford, e 238 — o recorde de sua carreira — contra o Oregon State. A USC empatou com o Notre Dame no último jogo da temporada e perdeu o Rose Bowl para o Ohio State, mas como quartanista, Simpson ganhou o troféu Heisman de lavada. A camisa de número 32 — sua camisa — chegou a ser aposentada ao término de sua carreira. Não restam dúvidas, no entanto, de que seu sucesso na USC se limitava à esfera atlética. Naquela época, antes de a NCAA [National Collegiate Athletic Association, entidade máxima do esporte universitário nos Estados Unidos] começar a regulamentar seriamente o recrutamento e a instrução acadêmica dos atletas universitários, a formação que Simpson recebeu na USC foi praticamente nula. Até hoje, ele mal consegue escrever uma frase gramaticalmente correta. Como confidenciou à *Playboy*: "Eu só pensava em cair fora da faculdade, por isso cursava disciplinas como economia doméstica e não precisava me matar de estudar".

Simpson foi o primeiro jogador selecionado para a liga nacional por meio da triagem [ou *draft*] de 1969, e soube, como só ele saberia, tirar proveito daquele primeiro ano, negociando a publicação de um livro e fechando um lucrativo contrato com o Buffalo Bills. *O.J.: The Education of a Rich Rookie* [O.J.: A educação de um rico novato], co-escrito por Pete Axthelm, é, em grande parte, um maçante registro da temporada, jogo por jogo ("Passamos a semana treinando a formação em 'I'..."), mas também oferece, ocasionalmente, alguns momentos reveladores. Já na primeira página, Simpson escreveu: "Já fui alvo de elogios, críticas e deboche por me preocupar demais com minha própria imagem. Confesso que há um fundo de verdade nisso. Sempre quis ser estimado e respeitado". Na verdade, sua boa aparência e a simpatia diante dos repórteres e fãs lhe renderam frutos tão logo deixou a faculdade.

Antes de seu primeiro jogo profissional, Simpson fechou contratos de publicidade com a Chevrolet e a Royal Crown Cola, e um acordo de transmissão com a rede ABC. "Estou curtindo o dinheiro, a mansão, os carros; que garoto da periferia não curtiria?", Simpson diz no livro. "Mas não sinto egoísmo da minha parte. No longo prazo, sinto que minhas conquistas no mundo dos negócios vão derrubar uma série de mitos comuns entre os brancos sobre os atletas negros — e darão um pouco de amor próprio e esperança a muitos jovens negros. E depois de superar os desafios de futebol, vou encarar o desafio de ajudar crianças negras de todas as formas que puder. Acredito que, à minha maneira, posso fazer tanto pela minha comunidade quanto um Tommie Smith, um Jim Brown ou um Jackie Robinson. Também faz parte da imagem que quero passar." Simpson manifestou sua opinião sobre raça de forma mais incisiva em uma entrevista de 1968 com Robert Lipsyte, do *New York Times*. Enquanto o país mergulhava em conflitos raciais — e alguns atletas negros, como Robinson e Muhammad Ali, arriscavam a carreira ao participarem do movimento pelos direitos civis — Simpson disse a Lipsyte: "Não sou negro, sou O.J. Simpson".

A carreira profissional de Simpson no futebol começou a passos lentos. Seu primeiro treinador no Bills, John Rauch, adotou uma tática ofensiva que favorecia os passes em detrimento das jogadas de corrida, e O.J. não chegou nem perto de ganhar o prêmio de Rookie of the Year [Novato do Ano]. Em seu segundo ano, ficou de fora da maior parte da temporada devido a uma lesão. No terceiro, o Buffalo Bills venceu apenas um jogo. Mas depois dessa temporada, o proprietário da equipe, Ralph Wilson, decidiu reorientar toda a estratégia do Bills e centrá-la em Simpson. Wilson demitiu Rauch e pôs em seu lugar Lou Saban, que dava ênfase, no ataque, a jogadas de corrida. A equipe começou empregando os jogadores escolhidos no *draft* como bloqueadores, forjando o grupo que ficaria conhecido como Electric Company, porque jogavam "em alta voltagem". Em 1972, na primeira temporada sob o comando de Saban, Simpson acumulou 1.251 jardas corridas, sagrando-se o melhor da liga, e sua carreira profissional deslanchou.

Pouco antes da temporada seguinte, Simpson falou ao telefone com Reggie McKenzie, seu principal bloqueador no Bills. Na conversa, de acordo com o que contou a Larry Fox, o corredor disse o seguinte ao colega: "Veja bem, com os caras que temos no bloqueio, acho que consigo chegar a umas 1.700 jardas este ano. Posso até tentar bater o recorde [de temporada] de Jim Brown".

McKenzie discordou. "Por que não tentamos logo duas mil?"

Duas mil jardas em uma só temporada — um feito inédito no futebol profissional — tornou-se a obsessão de O.J. Simpson. O atleta avançou 250 jardas no jogo de abertura da temporada, contra o New England Patriots — o que já era uma marca recorde para um jogo individual da liga. À medida que O.J. somava jardas com desempenhos similares ao longo da temporada de 1973, a torcida ia acompanhando com crescente entusiasmo sua jornada meteórica até a hora em que o atleta alcançaria — e ultrapassaria — o recorde de 1.863 jardas estabelecido por Brown. A marca desejada exercia uma atração mágica. Era um daqueles números redondos que tanto plasmaram os dramas na história dos esportes: a milha de quatro minutos do atletismo, a média de quatrocentas rebatidas do beisebol, a marca de 2 mil jardas em uma temporada de futebol americano.

No decorrer do ano, quase todas as notícias sobre Simpson exploravam o contraste entre ele e Jim Brown. O grande jogador de Cleveland, que em campo mantinha um ar circunspecto e taciturno e fora dele tinha um quê de ativista, conquistara seu recorde esmagando a todos em seu caminho. Simpson valia-se mais da velocidade e agilidade do que da força bruta. Essas diferenças de estilo, dizia-se, refletiam-se no temperamento de ambos: Brown era o militante, e Simpson era alegre. Para o público, Simpson era o anti-Brown, a celebridade sorridente, o garoto-propaganda de bem com a vida, o que driblava em vez de atropelar, e que nunca dizia palavras desalentadoras diante das câmeras. Na verdade, de pouco lhe serviria esse perfil além de alimentar as opiniões vazias dos comentaristas, mas acabou conferindo a Simpson uma aura que duraria até sua prisão por assassinato em 1994. Para a alegria dos torcedores, em 1973, Simpson de fato rompeu a mágica barreira, encerrando a temporada com 2.003 jardas corridas.

Ao longo da carreira de atleta profissional e depois dela, a vida de Simpson consistia em uma lição de como construir e manter uma imagem — ainda que esta guardasse pouca semelhança com a realidade. À comunidade negra, Simpson não oferecia muito mais que seu próprio exemplo, e se envolvia muito pouco com obras de caridade. Na década de 1970, fez um célebre comercial de óculos de sol que terminava em um terno abraço entre ele, a esposa Marguerite, e os dois filhos pequenos, Arnelle e Jason. Mas o casamento — Simpson e Marguerite casaram-se pouco antes de Arnelle nascer, em 1968 — era uma farsa. Ele era um mulherengo incorrigível, tanto antes quanto depois de conhecer Nicole Brown, em 1977, quando ela contava dezoito anos de idade. Nicole já tinha se mudado para a casa de Simpson na Rockingham quando o divórcio de Marguerite foi selado dois anos mais tarde, ano que também marcou o fim da carreira do jogador. O.J. só casou com Nicole quando ela ficou grávida de Sydney, em 1985. Ao entrar para o Hall da Fama do futebol nesse mesmo ano, Simpson declarou que Nicole "entrou em minha vida no que é provavelmente o momento mais difícil para um atleta, isto é, o final da carreira. Ela transformou esses anos em alguns dos melhores da minha vida".

Após sua carreira no futebol, Simpson passou a desfrutar de uma perpétua infância, alternando entre jogos de golfe e longos almoços, sempre rodeado de bajuladores. Em meio a contratos com emissoras, papéis como ator e outros empreendimentos comerciais, no final dos anos 1980, O.J. dispunha de uma renda anual de cerca de um milhão de dólares. Cativava a todos com seu jeito amável de ser, e passava horas dando autógrafos sem reclamar. Não era nenhuma diva. Diversos membros da equipe de produção da NBC Sports, emissora à qual se afiliou em 1989 depois de anos infrutíferos na ABC, recordam que Simpson era a única celebridade da grade regular que distribuía presentes de Natal. Ironicamente, tendo em vista os desdobramentos de seu julgamento, Simpson sempre nutriu especial simpatia por policiais e, ao longo dos anos, muitos deles visitaram sua mansão da Rockingham para tomar banho de piscina e bater papo. Esses profissionais acabaram se revelando amigos valiosos, especialmente diante dos acontecimentos de 1º de janeiro de 1989.

Às 3h58 daquele dia de ano-novo, Sharyn Gilbert, operadora do 911, atendeu o telefone à sua frente. A princípio, não ouviu ninguém do outro lado, mas o terminal indicava que a chamada se originava da North Rockingham Ave., 360, em Brentwood. Então, ouviu sons. Eram os gritos de uma mulher, seguidos de tapas. "Ouvi alguém sendo espancado", lembraria ela em seu depoimento. Outros gritos se seguiram, e depois a ligação caiu. Embora ninguém tivesse chegado a dizer uma única palavra, Gilbert classificou a chamada como uma ocorrência de código 2, de alta prioridade, o que requeria ação imediata da polícia.

Foram ao local o agente John Edwards e sua parceira, a recruta Patricia Milewski. Pararam em frente a um dos portões da propriedade, na Ashford St.; Edwards tocou o interfone. Quem atendeu foi uma mulher, que se identificou como governanta. "Não tem nada de errado por aqui", ela disse, e mandou os policiais irem embora. Edwards retrucou que não sairiam dali antes de falar com a mulher que ligara para o 911. Depois de alguns minutos nesse impasse, uma loura — Nicole Brown Simpson — surgiu perto do portão, cambaleando por detrás de grossos arbustos. Vestia apenas um sutiã e calças de moletom sujas.

Nicole desmoronou contra o portão e começou a gritar para os policiais: "Ele vai me matar! Ele vai me matar!". A mulher socou o botão que abria o portão e atirou-se nos braços de Edwards.

"Quem vai matar você?", perguntou o policial.

"O.J."

"Que O.J.?", perguntou Edwards. "O jogador de futebol?"

"É", disse Nicole. "O.J. Simpson, o jogador de futebol."

"Ele está com alguma arma?"

"Sim", ela respondeu, ainda esbaforida. "Muitas. Ele tem um monte de armas."

Com sua lanterna, Edwards iluminou o rosto de Nicole. O lábio, cortado, sangrava. O olho esquerdo estava roxo. A testa estava machucada e, no pescoço, havia a marca inconfundível de uma mão. Quando Nicole se acalmou, relatou ao policial que O.J. Simpson tinha lhe dado uma bofetada, depois um soco e a puxara pelos cabelos. Antes que Edwards a acomodasse na viatura para protegê-la do frio, Nicole virou-se para ele e bradou com indignação: "Vocês nunca fazem nada.

Nunca fizeram nada. Já vieram oito vezes. E nunca fazem nada com ele!". Ela então aceitou prestar queixa contra o marido.

Ao voltar-se para a casa, Edwards notou O.J. Simpson vindo em sua direção. Usando apenas um roupão de banho, gritava: "Não quero mais essa mulher na minha cama! Já tenho outras duas. Não quero essa mulher na minha cama!".

Edwards explicou que iria prendê-lo por bater na mulher.

"Não bati nela", disse Simpson, ainda furioso. "Só empurrei ela da cama." Edwards enfatizou que teria que levá-lo para a delegacia.

Simpson se mostrava cético. "Vocês já vieram aqui oito vezes e agora vão me prender por causa isso? Isso é assunto de família. É assunto de família."

Edwards pediu a Simpson que voltasse para dentro de casa, se vestisse e depois retornasse para ser levado à delegacia. Quando Simpson se afastou, a governanta, Michelle Abudrahm, foi até Nicole, que estava dentro da viatura, e implorou: "Não faz isso, Nicole. Vem pra dentro." A mulher tentava puxar Nicole para fora do carro, mas Edwards interveio e enxotou-a para longe. Momentos depois, Simpson, agora vestido, retornou ao portão e começou a dar um sermão em Edwards. "Você se acha especial, é? Tá fazendo isso por quê? Vocês já vieram aqui oito vezes, e nunca fizeram isso."

Edwards explicou que era obrigado por lei a levá-lo para a delegacia. Quando se virou por alguns instantes para instruir um segundo grupo de policiais que havia chegado, um Bentley azul saiu roncando da propriedade pelo outro portão da casa, na Rockingham Ave.

Edwards entrou no carro e foi atrás de Simpson. Outras quatro viaturas logo se juntaram à perseguição, mas não conseguiram alcançá-lo. Quando voltou a falar com Nicole, Edwards perguntou o que motivara o ataque do marido. Ela contou que foi agredida depois de se queixar da presença de outras duas mulheres na casa. Elas estavam hospedadas lá, e O.J. fizera sexo com uma delas naquele mesmo dia. Edwards nunca mais viu Simpson.

Como Nicole prestou queixa contra O.J., a polícia se viu obrigada a seguir o protocolo. No dia 3 de janeiro, Mike Farrell, o policial então designado para o caso, entrou em contato com Simpson por telefone. O ex-jogador explicou que após voltarem de uma festa de réveillon, em que beberam além da conta, ele e Nicole tiveram uma discussão "que saiu do controle", e os dois acabaram partindo para "uma briga física, com agressões mútuas. Foi basicamente isso. Nada além disso". Acompanhada dos dois filhos, Nicole foi no dia seguinte à delegacia de West Los Angeles, e, assim como o marido, minimizou a gravidade da briga. Disse que entrar com um processo na Justiça seria muito radical. Farrell mencionou a possibilidade de resolver o caso por meio de uma audiência informal de conciliação mediada pela procuradoria do município. "Gostaria de fazer isso, então", disse Nicole, que à época contava 29 anos. "Seria ótimo."

Mesmo assim, pela lei, Farrell tinha que apresentar o caso à procuradoria do município, que daria a última palavra sobre a possibilidade de Simpson ser processado por abuso conjugal. Os procuradores estavam divididos, como quase sempre ocorre em casos de violência doméstica. Se tudo de fato não passava de uma briga isolada entre dois cônjuges embriagados após uma festa — um dos procuradores disse a Farrell —, então talvez devêssemos arquivar a queixa; afinal, a única testemunha era uma vítima relutante. Farrell se comprometeu a checar com os colegas de West Los Angeles sobre a ocorrência de outros incidentes do tipo na casa de Simpson. Se houvesse um padrão, dariam entrada no processo.

Farrell fez perguntas na delegacia — e não descobriu nada. O.J. e Nicole reconheciam que a polícia fora oito vezes à residência para impedir que O.J. machucasse a esposa, mas, a princípio, Farrell não conseguia encontrar um único policial que admitisse ter ido à mansão de Simpson na Rockingham. (O.J. tinha recebido cerca de quarenta policiais na sua casa como convidados em diferentes ocasiões festivas. Era possível, portanto, que esse silêncio fosse uma forma de retribuir a hospitalidade do astro.) Por fim, de todos os policiais que tinham ido atender a algum chamado na casa de Simpson, um resolveu se manifestar, e confirmou ter estado lá para apurar um suposto caso de violência doméstica. Farrell pediu-lhe que descrevesse o incidente em um memorando. Em 18 de janeiro de 1989, o agente escreveu:

> *A quem possa interessar:*
> *Durante o outono ou inverno de 1985, atendi*
> *a um chamado envolvendo uma briga doméstica*
> *na North Rockingham Ave., 360. Chegando ao portão*
> *da propriedade, vi duas pessoas perto da garagem:*
> *um homem negro que andava inquieto de um lado*
> *ao outro, e uma mulher branca sentada no capô*
> *de um carro, chorando. Perguntei se moravam ali.*
> *O homem negro respondeu: "Sim, essa casa é minha,*
> *sou O.J. Simpson!". Voltei minha atenção para a mulher,*
> *que estava aos soluços, e perguntei se estava bem, mas,*

antes que ela pudesse falar, o homem negro (Simpson)
a interrompeu dizendo: "Ela é minha esposa. Ela tá
bem!". Enquanto conversava com a mulher, percebi
o para-brisa estilhaçado às suas costas (o carro era
um Mercedes-Benz, eu acho), e perguntei quem o havia
quebrado. "Ele", a mulher respondeu, apontando para
Simpson. "Ele bateu no para-brisa com um taco de
beisebol!" Ao ouvir essa declaração, Simpson, falou:
"Eu quebrei o para-brisa [...] É meu [...] Não tem
problema nenhum". Perguntei então à mulher
se gostaria de prestar queixa. Ela disse que não.

Parece estranho lembrar-se de um fato assim, mas
não é todo dia que você vai à casa de uma celebridade
atender a uma ocorrência de briga doméstica. Por isso
o incidente ficou marcado na minha memória.

O autor da carta era Mark Fuhrman. Farrell entregou-a aos promotores, que, no dia 30 de janeiro, decidiram instaurar uma ação penal contra O.J. Simpson.

Simpson contratou Howard Weitzman como advogado — uma escolha previsível dada a reputação desse profissional. Desde que conseguiu que John Z. DeLorean fosse absolvido em um caso de posse de drogas, Weitzman administrava um badalado escritório de advocacia em Century City, especializado em direito civil e criminal. Também era um dedicado ex-aluno da USC, além de aficionado por esportes. No caso de Simpson, o advogado elaborou discretamente um acordo. Para começar, haveria vários adiamentos, que reduziriam a atenção já mínima que a mídia estava prestando ao caso. (O *Los Angeles Times* dedicou à prisão de Simpson uma matéria de 142 palavras na quarta página da seção de esportes.) Weitzman orientou seu cliente a não contestar a acusação — o que, do ponto de vista legal, equivale a uma confissão de culpa, mas repercute melhor na imprensa — em troca de uma pena de liberdade condicional e serviços comunitários.

Weitzman não perdeu tempo. Um dia depois da declaração de Simpson, solicitou que o caso de seu cliente não fosse levado à Justiça, por um mecanismo que garante ao infrator ficha limpa caso não seja condenado à prisão logo após a contravenção, ainda que continue sujeito a punições de caráter socioeducativo. Em sua petição, Weitzman observava: "A sra. Simpson declarou que não queria que fosse instaurada uma ação penal contra o marido e que não testemunharia voluntariamente em juízo ou em nome do Estado contra ele". O caso, escreveu Weitzman, envolvia "lesão corporal leve (ainda que significativa para a sra. Simpson) infligida por um infrator primário que, com o devido aconselhamento, poderia ser orientado a não reincidir na prática delituosa". O procurador municipal, porém, indeferiu a petição, e Simpson teve de fato que responder pela contravenção. no dia 24 de maio de 1989, a Justiça concedeu a Simpson a suspensão condicional da pena privativa de liberdade pelo período de 24 meses, e condenou-o a pagar multas no valor total de 470 dólares. A sentença obrigava o ex-atleta a "prestar 120 horas de trabalho comunitário por meio do Voluntary Action Bureau [Centro de Ação Voluntária]" e a fazer terapia duas vezes por semana. (Weitzman convenceu o promotor, Rob Pingel, a dispensar Simpson das tradicionais sessões de terapia em grupo para agressores. Em vez disso, poderia fazer terapia com um psicólogo particular, Burton Kittay.) Por fim, ficou estipulado que Simpson pagaria 500 dólares de "restituição" ao abrigo Sojourn para mulheres vítimas de agressão, em Santa Monica. (O mesmo centro para o qual Nicole ligaria em 7 de junho de 1994, cinco dias antes de sua morte, para se queixar que O.J. a estava perseguindo.)

Weitzman — e Simpson — não pararam de tentar virar o jogo depois de proferida a sentença. Simpson nunca se apresentou no Voluntary Action Bureau, que pode encarregar os condenados de tarefas como recolher lixo em beira de estrada e limpar urinóis em hospitais. Em vez disso, ele decidiu, por conta própria, que tipo de serviço comunitário faria: organizaria um evento beneficente em prol da Camp Ronald McDonald, instituição de amparo às crianças com câncer, no Hotel Ritz-Carlton, em Laguna Beach, onde O.J. e Nicole tinham uma casa de veraneio.

Quando voltou ao tribunal no dia 1º de setembro de 1989 para uma audiência de rotina sobre sua condicional, Simpson foi questionado pelo juiz, Ronald Schoenberg, quanto à validade do serviço comunitário que fazia. A reação do ex-atleta — na verdade, seu comportamento durante toda a audiência, que não contou com a presença de jornalistas — expressava um misto de indignação e autopiedade.

"Conte em detalhes o que o senhor fez", demandou o juiz.

"Tudo", disse Simpson. "Fechei meu escritório no início de junho e o transferi para Laguna [Beach]. Criei o evento do zero. Fiz mais que trabalhar pra eles. Bolei o evento todo. Quando meu advogado me disse, antes da sentença sair, que eu teria que prestar serviços comunitários... foi nesse espírito que eu tomei a iniciativa de criar o evento.

Convenci todo mundo, da Coca-Cola até... Peguei um avião para Atlanta. Peguei um avião para Nova York e me reuni com a Hertz. Peguei um avião para Boston para negociar com patrocinadores como a Reebok, por exemplo. Fui ao Ritz-Carlton, passei um tempo por lá tentando convencê-los a cobrir parte dos custos do evento. [...] Escrevi cartas e entrei em contato com os bambambãs do mundo empresarial para ver se topariam participar... Sinto que montamos o melhor evento que já tiveram na área. Pelo menos foi o que a imprensa disse."

Schoenberg interrompeu o monólogo. "Quando o senhor fala com outras pessoas, elas estão interessadas em resultados e no que o senhor fez por elas", disse em tom educado. "Isso não me interessa. O que me interessa é o trabalho que o senhor fez, as horas que se dedicou, o que estava fazendo. Sei que está acostumado a falar com pessoas que estão interessadas apenas em resultados, mas eu não estou."

Simpson respondeu: "Veja bem, Meritíssimo, me disseram que eu tinha que dedicar tempo a isso. Foi o que eu fiz, e acho até que fui muito além das horas exigidas. [...] Quer dizer, eu não estava tentando cumprir cem horas de serviço comunitário. Estava tentando fazer um bom trabalho, e a prova disso é que acabei trabalhando mais do que o tempo fixado pelo juiz".

Rob Pingel, o procurador responsável pelo caso, sentia-se derrotado. Era óbvia sua frustração com o rumo que as coisas tinham tomado. Queixava-se de que, ao organizar o evento beneficente, Simpson estava apenas fazendo negócios, isto é, algo que já fazia sempre, em vez prestar serviço comunitário da forma tradicional.

Depois que Weitzman interveio para defender o mérito do trabalho de Simpson, Schoenberg fez uma pergunta inteligente, embora com um quê de preocupação. "Vou fazer uma pergunta, mesmo tendo medo da resposta: se nada disso tivesse acontecido, sr. Simpson, o senhor teria feito a mesma coisa apenas por caridade?" Simpson respondeu: "Com certeza não dedicaria tantas horas. [...] Eu trabalhei nisso em tempo integral... esperava que a Justiça reconhecesse meu esforço". E acrescentou de forma sarcástica: "Mas parece que aqui nesta sala nada disso vale como caridade".

O juiz mencionou a possibilidade de Simpson realizar um tipo mais convencional de serviço comunitário antes de ser formalmente liberado da supervisão. Weitzman disse ao magistrado que isso não seria possível: Simpson estava de mudança para Nova York. "Ele vai se mudar no domingo", explicou Weitzman. "Vai começar a nova temporada do futebol." (Simpson estava sendo contratado pela NBC para ser coapresentador dos programas exibidos antes da transmissão dos jogos, aos domingos.)

Lembrando que Simpson também tinha concordado, como parte da sentença, em fazer acompanhamento psicológico, o juiz perguntou: "E o que vai acontecer com as sessões de terapia?".

"Bem, com certeza há psicólogos em Nova York", respondeu Simpson. "Fui religiosamente a todas as sessões. Não sei quantas vezes consigo discutir o mesmo incidente, mas vou continuar."

"Seja como for, Meritíssimo", disse Weitzman, "acho que o psicólogo deu a entender que o problema que existia, seja qual fosse, já não existe mais. Ele disse que, caso necessário, estaria disposto a continuar fazendo as consultas por telefone..."

Pelo visto, Simpson não conseguiu se conter e acrescentou: "Posso estar errado ao dizer isso, mas não entendo. Sobre a questão da terapia... Estou totalmente disposto a fazer, e tenho ido religiosamente, não falto uma sessão. Mas é que... por quanto tempo eu... Sabe, cheguei a um ponto que dava pra escrever um livro. Não sei mais sobre o que falar. Eu entro, sento e começamos a discutir outras coisas que estão acontecendo na minha vida. Não consigo mais falar sobre o mesmo incidente. O que quero dizer, Meritíssimo, é que não vou conseguir passar a vida toda falando sobre o mesmo incidente".

"Acho que tenho sido um ótimo cidadão. Pelo que minha esposa tem demonstrado, nosso casamento vai muito bem. Aquela foi apenas uma noite infeliz na nossa vida."

O juiz permitiu que Simpson recebesse orientação psicológica por telefone, e assim o ex-jogador não precisou mais comparecer ao tribunal durante a condicional. Nessa época, escreveu uma série de cartas para Nicole, em que pedia desculpas e se mostrava esperançoso de que os dois pudessem reatar o casamento. Já em 1989, ao ser entrevistado por Roy Firestone no *Up Close*, um programa esportivo de entrevistas transmitido pela ESPN, Simpson descreveu o incidente da seguinte forma: "Tivemos uma briga. A culpa era de nós dois. Ninguém saiu ferido. Não foi nada sério e tocamos nossas vidas. Não foi nada demais".

A condicional de Simpson terminou sem sustos, e por quase cinco anos ele não teve mais nenhum contato formal com o sistema judicial penal — isto é, até 13 de junho de 1994, um dia após a morte da ex-esposa, quando, ao chegar em casa, em Brentwood, ficou sabendo que a polícia queria urgentemente falar com ele.

• • •

Em posse do mandado expedido pelo juiz, Vannatter voltou a Rockingham pouco antes do meio-dia, no dia 13 de junho. Ao chegar, deu uma ordem a Donald Thompson, um dos policiais de ronda que vigiavam o perímetro da propriedade. Como toda a área era agora uma cena de crime — e como já dispunha de um mandado para revistar a casa e o Bronco —, Vannatter não queria que fosse permitida a entrada do ex-atleta ou de qualquer outra pessoa. "Se Simpson chegar", Vannatter instruiu Thompson, "detenha-o e me avise." As exatas palavras que Vannatter usou ao se referir a Simpson se tornariam motivo de controvérsia. Segundo lembrava Thompson, Vannatter teria falado: "Grampo nele" — isto é, algeme-o. Vannatter lembrava-se de ter simplesmente falado que Simpson devia ser detido até a chegada dos detetives.

Simpson havia de fato tomado o primeiro voo de Chicago para Los Angeles, e chegou em casa por volta de 12h10. Curiosamente, para um homem que tinha sido informado apenas que sua ex-mulher tinha morrido, não necessariamente assassinada, ele fizera um telefonema de seu quarto de hotel em Chicago para providenciar que um advogado criminalista o encontrasse tão logo chegasse em casa. O advogado em questão era Howard Weitzman, o mesmo que o havia representado com tanto êxito no caso de violência doméstica. Assim, Weitzman — bem como a secretária de longa data de Simpson, Cathy Randa, o advogado de negócios do ex-atleta, Skip Taft, e um velho amigo, Robert Kardashian — estavam à espera de Simpson, na calçada, quando este chegou a Rockingham. Sob a mira atenta de várias câmeras de TV, Simpson deixou as malas com Kardashian e correu para a porta de casa. Weitzman, Randa e Kardashian não foram autorizados a entrar na propriedade. Simpson foi escoltado até a porta pelo detetive Brad Roberts, parceiro de Mark Fuhrman, que colaborava com as buscas.

De acordo com o relatório de Roberts, Simpson teria apontado para os policiais que circulavam pela sua propriedade e perguntado: "O que está acontecendo aqui?".

"O senhor recebeu um telefonema hoje cedo, sobre a morte da sua ex-mulher?"

"Sim, o que tem?", respondeu Simpson.

"Bem, não sou eu o detetive encarregado do caso", explicou Roberts, "mas viemos seguindo um rastro de sangue que vai do local da morte até aqui."

Simpson começou a ofegar. "Cara... Cara... Cara...", murmurou para si mesmo.

Seguindo, a seu ver, as instruções de Vannatter, Thompson pousou uma mão em Simpson para contê-lo à medida que este se aproximava da porta. O policial poderia tê-lo algemado ali mesmo. Porém, assim como Robert Riske — o primeiro agente a ver os corpos na Bundy Dr. — Donald Thompson tinha traquejo para lidar com a mídia. (Das dúzias de agentes da polícia de Los Angeles envolvidos no caso, ele era também o único negro.) Thompson, que já contava nove anos na polícia, sabia que o protocolo informal do DPLA para abordar celebridades prescrevia que não ficassem se exibindo para as câmeras. Em vez disso, ele conduziu Simpson até outra parte do quintal, onde havia uma sofisticada área recreativa para os dois filhos de Nicole e O.J. Lá, em um espaço que o policial julgou fora do alcance das câmeras, Thompson algemou Simpson com as mãos para trás, para "preservar a dignidade do réu", segundo recordaria mais tarde.

O plano quase deu certo. O enxame de fotógrafos e cinegrafistas que alvejavam Simpson conforme o astro caminhava pelo acesso de veículos da propriedade se espremia contra o portão de ferro na Rockingham Ave. para conseguir um ângulo privilegiado. O sexto sentido de Ron Edwards, apurado ao longo de mais de 25 anos trabalhando como cinegrafista de um telejornal local, dizia-lhe para se separar do bando. Sozinho, Edwards contornou discretamente a esquina rumo à Ashford St. Ali, com seus 1,93 metro de altura, Edwards ficou na ponta dos pés de maneira que pudesse posicionar sua câmera KCOP sobre o muro de 1,80 metro que cercava a propriedade. E foi assim que, sozinho, conseguiu registrar o momento em que Thompson algemava Simpson. Segundos depois, notando a câmera solitária, O.J. tentou esconder as mãos algemadas dentro da casinha de brinquedo dos filhos.

Vannatter — um policial robusto, pachorrento, com uma vasta cabeleira cor de caramelo — aproximou-se vagarosamente de Simpson e Thompson. O agente permitiu que Weitzman os acompanhasse, e o advogado pediu imediatamente que desalgemassem seu cliente. Vannatter acatou o pedido, e conforme pegava a chave e tirava ele mesmo as algemas, reparou em um curativo no dedo médio esquerdo de Simpson. O detetive julgou esse detalhe importante, uma vez que havia gotas de sangue à esquerda das pegadas deixadas pelo assassino na cena do crime.

Vannatter disse a Simpson que queriam lhe fazer algumas perguntas sobre a morte da sua ex-mulher e pediu-lhe que os acompanhasse até a delegacia.

O.J. concordou prontamente.

Simpson sentou no banco de trás da viatura de Vannatter e Lange, e os três seguiram para o Parker Center, como era chamado o centro de comando do DPLA em homenagem a seu antigo chefe, Bill Parker. O prédio ficava no Centro de Los Angeles, a cerca de trinta quilômetros de Brentwood. Weitzman e Taft foram em outro carro.

Uma vez que estavam todos reunidos na recepção da Divisão de Roubo e Homicídios, Weitzman fez um pedido aos policiais: queria um momento a sós com seu cliente. Os detetives cederam a Weitzman uma sala de reuniões e lhe disseram que podia levar o tempo que quisesse. Weitzman, Taft e Simpson conversaram por cerca de meia hora. Ao deixar a sala, Weitzman disse que Simpson ainda queria falar com os policiais, mas que ele e Skip Taft não desejavam estar presentes. Weitzman pediu apenas que os detetives gravassem todo o interrogatório. Assim, Vannatter e Lange — de posse de um gravador — tomaram os lugares diante de Simpson de Weitzman e Taft na pequena sala.

"Estamos em uma sala de interrogatório no Parker Center", começou a Vannatter. "Hoje é 13 de junho de 1994, e são 13h35. Estamos aqui com O.J. Simpson. Seu nome é Orenthal James Simpson?"

"Orenthal James Simpson", confirmou O.J.

Vannatter leu para Simpson seus direitos constitucionais, na forma de uma Advertência de Miranda, e em seguida indagou: "Deseja renunciar ao seu direito de permanecer em silêncio para responder às nossas perguntas?".

"Ah, sim", disse Simpson.

"Está bem", continuou Vannatter. "E renuncia ao seu direito de ter um advogado presente enquanto presta declarações?"

"Hum-humm, sim", respondeu Simpson.

Vannatter começou: "Estamos investigando, evidentemente, a morte da sua esposa e de outro homem [...] e vamos precisar falar com o senhor sobre isso. O senhor está divorciado dela atualmente?".

Simpson disse que os dois estavam divorciados havia cerca de dois anos.

"Qual era o seu relacionamento com ela?", perguntou Vannatter.

"Bem, tentamos voltar, mas não funcionou. Não estava dando certo, então resolvemos cada um seguir seu próprio caminho."

Vannatter mudou rapidamente de assunto. "Consta que ela prestou algumas... algumas queixas criminais contra o senhor. Procede?"

"Ah, tivemos uma briga séria uns seis anos atrás no ano-novo, aí ela fez uma queixa, e eu não. E depois tivemos um desentendimento, há um ano, mais ou menos. Não rolou briga física. Eu chutei a porta da casa dela, sei lá."

"E o senhor já foi detido alguma vez?", indagou Lange.

"Não... quer dizer, cinco ou seis anos atrás, não lembro bem, tivemos uma briga mais séria. Acabei tendo que prestar serviço comunitário." (Posteriormente, no mesmo interrogatório, Simpson explicou o incidente de 1989 da seguinte forma: "Tivemos uma briga, e ela me agrediu. E nunca registraram o meu depoimento, nunca quiseram ouvir a minha versão, nem a da governanta. Nicole estava bêbada. Ela perdeu a noção e começou a destruir minha casa, sabe? Não bati nela nem nada, mas eu... me atraquei com ela, foi isso. Não dei tapa nenhum. Digo, Nicole é uma garota forte, uma mulher com um baita preparo físico. Depois dessa época, ela voltou a me agredir algumas vezes, mas eu nunca mais encostei um dedo nela. [...]")

"Então o senhor não foi preso?", perguntou Vannatter.

"Não, não cheguei a ser preso."

Depois de Vannatter perguntar a Simpson o quanto ele tinha conseguido dormir na noite anterior — ele respondeu que muito pouco — Lange virou para seu parceiro e disse: "Phil, o que você acha? Podemos dar uma repassada na noite de ontem". Vannatter assentiu. "Bem, quando foi a última vez que o senhor viu a sua ex-mulher?"

"Estávamos saindo de um recital de dança. Ela deu no pé, e eu fiquei conversando com os pais dela." Sydney, filha de O.J. e Nicole, tinha se apresentado na Escola Secundária Paul Revere, em Brentwood. "A apresentação terminou por volta das 18h30, 18h45, enfim, mais ou menos nessa faixa de horário. [...] Lembro que a mãe dela comentou alguma coisa sobre eu jantar com eles, e eu disse não, obrigado." Simpson acrescentou que deixou o local em seu Bentley, e Vannatter perguntou aonde ele foi em seguida.

"Ah, para casa. Fiquei um pouco em casa, depois peguei o carro, fiquei um tempo tentando encontrar minha namorada e voltei para casa."

"Então que horas o senhor calcula que voltou definitivamente para casa?", perguntou Vannatter.

"Sete e alguma coisa. [...] É, tô tentando lembrar se saí. É que eu sempre... Tive que sair correndo para comprar flores para minha filha, por causa do recital. Fui rapidinho levar as flores para ela, depois voltei para casa e liguei pra Paula [Barbieri, namorada de Simpson], porque queria passar lá, mas ela não tava em casa. [...] Quer dizer, foi o tempo de... foi só o tempo de chegar na apresentação e voltar, de ir à floricultura e voltar, foi só nesse espaço de tempo que fiquei fora de casa."

A resposta era incompreensível. Simpson comprou flores para Sydney antes ou depois do recital? (Em uma foto tirada na apresentação, ela aparecia segurando flores.) Ou as flores eram para a outra filha, Arnelle? Ele foi realmente à casa de Paula? Se não, para onde foi? Deliberadamente ou não, Simpson não deu aos policiais nenhuma condição de verificar a história. Eles poderiam, é claro, ter explorado essas incongruências e tentando encurralá-lo, mas, em vez disso, o que Vannatter perguntou em seguida foi: "O senhor tinha jogo de golfe agendado em algum lugar para hoje de manhã?". Simpson respondeu que sim, em Chicago, com clientes da Hertz.

Vannatter confirmou então que o ex-atleta havia tomado o voo das 23h45 para Chicago na noite anterior. Na sequência, fez uma pergunta sobre o carro do interrogado. Quando foi que estacionou o Bronco na Rockingham Ave.?

"Oito e pouco, sete... oito, nove horas, sei lá, algo nessa faixa." Essa era outra resposta vaga e sem sentido, porém os detetives não pediram a Simpson que fizesse uma estimativa mais precisa. Em vez disso, concluíram que ele chegou em casa do espetáculo em seu Bentley e depois entrou no Bronco.

"Entrei no Bronco", explicou Simpson, "porque meu telefone tava lá dentro. E porque é um Bronco. É um Bronco. É o carro que eu dirijo, saca? Muito melhor de dirigir do que qualquer outro. E como eu tava indo pra casa dela [Paula], liguei algumas vezes, mas ela não tava lá, aí deixei um recado, depois chequei minhas mensagens e não tinha recado dela. Ela não tava, vai ver teve que viajar. Aí voltei pra casa e fiquei de bobeira com Kato."

Lange tomou a palavra. "Certo. Que horas o senhor disse que estacionou o Bronco mesmo?"

"Oito e pouco, eu acho. Ele não tinha usado a Jacuzzi, a gente... a gente saiu pra comprar um hambúrguer. Voltei pra casa e me aprontei sem pressa. Quer dizer, fizemos umas coisas antes."

Nenhum dos detetives perguntou qualquer coisa sobre essa saída para comprar hambúrguer. Aonde exatamente eles foram? Que horas saíram? Quem os viu? Ele voltou a usar o celular naquela noite?

Em vez disso, os detetives se concentraram em um novo assunto: "Como o senhor machucou a mão?".

"Não sei", respondeu Simpson. "A primeira vez, quando eu tava em Chicago, e tal, mas em casa eu tava só na correria de sempre."

"Como foi que se machucou em Chicago?", perguntou Vannatter.

"Quebrei um copo. Um de vocês tinha acabado de me ligar, eu tava no banheiro, e fiquei meio perdido por um tempo."

"Foi assim que o senhor se cortou?"

"Humm, já tava cortado antes, mas acho que o corte abriu de novo. Não sei direito."

Lange perguntou: "O senhor se lembra de ter sangrado no Bronco?".

"Eu me lembro de sangrar na minha casa, e depois fui no carro. A última coisa que fiz antes de sair, enquanto tava na correria, foi ir pegar meu telefone no Bronco." Lange perguntou onde o telefone estava agora. Simpson deu a informação, mas nada indica que os detetives chegaram a verificá-la.

"Então o senhor se lembra de estar sangrando?"

"Lembro sim, quer dizer, eu sabia que tava sangrando, mas não era nada demais. Eu sangro o tempo todo. Eu jogo golfe, jogo uma porção de coisas, aí sempre rola um cortezinho aqui ou ali." Lange perguntou onde Simpson tinha arranjado o Band-Aid que estava usando no dedo médio esquerdo. "Eu pedi à menina hoje de manhã."

"E ela foi pegar?"

"Foi", continuou Simpson. "Porque ontem à noite, quando eu tava saindo, Kato comentou alguma coisa comigo. Eu tava correndo pra pegar o celular, pus uma coisinha em cima e parou de sangrar."

Os detetives não voltaram mais a tocar no assunto do corte, embora Simpson não tivesse respondido sequer a mais básica das perguntas: como tinha machucado a mão pela primeira vez? Novamente, os detetives mudaram de assunto. Concluíram que a empregada de O.J., Gigi, tinha acesso ao Bronco, que ele discutiu com Nicole no recital, e que, na noite anterior, vestia calças pretas e um tênis da Reebok. (Simpson disse que tinha deixado essas roupas em casa. Os detetives nem ao menos perguntaram onde exatamente. Na lavanderia? Em um cabide? As peças nunca foram encontradas, e os advogados de Simpson também nunca chegaram a apresentá-las.)

Por fim, Vannatter disse: "O.J., temos um problema".

"Humm."

"Encontramos sangue dentro e fora do seu carro, e encontramos sangue na sua casa, e isso é um problema."

"Bem, pode examinar meu sangue", Simpson se ofereceu.

"Gostaríamos de fazer isso", respondeu Lange. "Tem o corte no seu dedo, que você não explicou direito. Lembra-se de estar com esse corte da última vez em que foi à casa da Nicole?"

Simpson negou. "Isso foi ontem à noite... Machuquei em algum lugar na correria pra sair de casa."

Nesse momento, Vannatter limitou-se a jogar as mãos para o alto e perguntou: "O que você acha que aconteceu? Tem alguma ideia?".

"Não faço ideia, cara. Vocês não me disseram nada. Não tenho a menor ideia. Quando vocês disseram para minha filha, que falou comigo hoje, que outra pessoa podia estar envolvida, eu não fazia ideia do que podia ter acontecido. Não sei como, onde, nem por quê. Mas vocês ainda não me explicaram nada. Toda vez que pergunto alguma coisa, vocês falam que já, já vão me contar."

"Compreenda", Lange disse após alguns instantes, "que estamos falando com o senhor porque é o ex-marido..."

"Eu sei que eu sou o suspeito número um, e agora vocês estão me dizendo que tem sangue meu em tudo quanto é lugar."

"Bem", Lange disse, "tem sangue em frente à garagem da sua casa. Estamos com um mandado de busca e vamos tirar seu sangue para testar. Também achamos sangue dentro da sua casa. É seu?"

"Se são gotas de sangue, devem ter caído quando eu tava na correria pra sair de casa. [...] É que nem prestei atenção nisso. [...] Só percebi quando fui pegar um guardanapo, sei lá, e foi isso. Não fiquei pensando nisso depois. [...] Foi ontem à noite, quando eu tava... Nem sei o que eu tava fazendo... Tava tirando meus bagulhos do carro... Ou jogando cabides e outros troços na mala. Comigo é sempre essa doideira, faço isso em qualquer lugar. Qualquer um que já foi me buscar diz que eu sou tipo um furacão, sempre correndo pra lá e pra cá, pegando coisas. É isso que eu tava fazendo."

Depois de mais algumas perguntas e respostas desconexas, o interrogatório chegou ao fim. Às 14h07 daquele 13 de junho, Lange disse: "Vamos ficar por aqui". Os investigadores do DPLA nunca mais tiveram a oportunidade de voltar a falar com O.J. Simpson. O interrogatório durou 32 minutos.

• • •

Logo ficou conhecido o fato de que Simpson prestou depoimento aos detetives, e os "especialistas" legais contratados pela mídia — um grupo que se tornou onipresente no caso (e que muitas vezes incluía a mim mesmo) — não hesitaram em execrar Howard Weitzman por permitir que seu cliente respondesse ao interrogatório. Era compreensível: para um possível réu, ater-se a uma única versão dos fatos na fase inicial da investigação raramente é uma decisão que contribui para a defesa. Nos meses que se seguiram, Weitzman diria por diversas vezes, em sua própria defesa, que não conseguia impedir Simpson de falar. É verdade que esse tipo de decisão cabe sempre ao cliente. E, considerando o ego inflado de Simpson, ele sem dúvida pensava que poderia se safar do problema na base da conversa. Além disso, é possível ainda que temesse a ideia de que a polícia vazasse para a impressa que ele, por medo, não queria prestar depoimento.

Mas o que o debate sobre a atuação de Weitzman não levava em conta era algo mais importante. A verdadeira lição a ser tirada disso tudo diz respeito a Vannatter e Lange — e ao DPLA como um todo. Tanto nos incidentes de agressão em 1989 como no caso de homicídio cinco anos depois, o comportamento da polícia sugeria certo receio de ofender uma celebridade. No caso de violência doméstica no ano-novo, os agentes poderiam — talvez deveriam — ter algemado O.J. assim que chegaram à porta de sua casa. Mas deixaram-no ir trocar o roupão, e depois, inexplicavelmente, permitiram que entrasse no carro e fosse embora. (E Simpson, claro, nunca foi punido pelo que poderia ser visto como um ensaio para sua célebre fuga em 1994.) Embora muitos policiais tivessem testemunhado os efeitos dos reiterados maus-tratos que Nicole sofria nas mãos do marido, Simpson só foi indiciado graças a um único policial, que agiu de maneira íntegra. Por esse crime, o ex--astro recebeu uma punição que beirava o cômico: a chance de contatar anunciantes com quem tanto desejava fazer negócios.

Assim, na tarde de 13 de junho de 1994, embora Vannatter e Lange já tivessem indícios consideráveis de que O.J. Simpson era o provável autor do crime, eles insistiram em tratá-lo com espantosa deferência. A todo o momento, Simpson dava respostas vagas e até mesmo absurdas, que pareciam passar despercebidas pelos detetives. O propósito de um interrogatório policial é pressionar o suspeito e evidenciar contradições, de maneira que a promotoria possa, caso seja necessário, demonstrar de forma minuciosa que a história por ele apresentada é falsa. Um interrogatório eficaz força um suspeito a repetir, de forma cada vez mais pormenorizada, sua própria versão dos fatos. Inexplicavelmente, Vannatter e Lange nunca forçaram Simpson a dizer exatamente onde estava e o que fazia entre o final da apresentação de Sydney e sua partida para o aeroporto. (A falha deu espaço para que os advogados de Simpson alegassem posteriormente, em diversas ocasiões, que, durante o período em questão, seu cliente estava dormindo, tomando banho e atirando bolas de golfe no escuro.) Os detetives nunca chegaram a pressionar Simpson para que descrevesse com exatidão as roupas que estava usando no dia do crime e o que havia acontecido com elas. Mesmo que ele tivesse dito que não se lembrava desses fatos básicos, tamanho lapso de memória seria bastante comprometedor. Em um caso de assassinato, é comum que a polícia interrogue um suspeito por muitas horas, mas Vannatter e Lange se contentaram com pouco mais de meia hora — antes mesmo que o próprio Simpson pedisse um intervalo.

Tão logo ouviram a gravação, os promotores não tiveram dúvidas de que os detetives tinham arruinado uma oportunidade única. Eles ficaram altamente frustrados —mas em segredo. Repreender Vannatter e Lange seria inútil, e também poderia minar uma parceria que ainda teria uma longa e árdua investigação pela frente. Entre eles, no entanto, os promotores tinham uma alcunha para se referir àquele interrogatório de 13 de junho: "o fiasco".

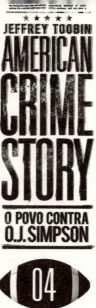

"NÃO POSSO PROMETER JUSTIÇA"

Por volta do meio-dia daquela segunda-feira, 13 de junho, o frenesi midiático em torno do caso já atingia seu ápice. Às 10h, apenas dez horas após a descoberta dos corpos — e antes que o médico-legista os tivesse removido do local do crime —, os primeiros caminhões de externa dos noticiários locais chegavam à Bundy Dr. Ao meio-dia, várias emissoras transmitiam imagens ao vivo do rastro de sangue. Mal surgiram as primeiras câmeras na Bundy, várias outras foram instaladas em frente à casa de O.J. Embora não houvesse nada para ver ali, a presença cada vez mais maciça da polícia sugeria o contrário. Logo havia no local o dobro de câmeras do que na casa de Nicole Brown. Repórteres, cinegrafistas e policiais se aglomeravam na rua, vigiando-se uns aos outros. Dennis Schatzman e James Gaines, os dois jornalistas cujas ações naquela semana teriam as repercussões mais duradouras no caso, não chegaram a ir a nenhum dos dois locais ligados ao crime; no entanto, eles estudaram de maneira atenta o desenrolar dos acontecimentos em Brentwood.

    Dennis Schatzman — um homem negro de 45 anos que usava uma barba grisalha, óculos de tartaruga de tamanho exagerado, e que tinha uma predileção por batas africanas coloridas — era quem cobria o caso Simpson para o *Sentinel*, um semanário pago dedicado à comunidade afro-americana de Los Angeles. As matérias de Schatzman eram veiculadas em diversos outros jornais negros no país, e sua presença era bastante requisitada nas rádios gerenciadas por empresários negros. Mais do que ninguém, era ele quem ditava, dentro da comunidade negra, o rumo das discussões sobre o caso Simpson.

Fundado em 1934, o *Sentinel* é um jornal de tamanho padrão, de logotipo vermelho, branco e azul emoldurado pelos slogans "O maior jornal negro do Oeste" e "A educação é o caminho para a verdade". Em 1994, tinha uma circulação de pouco menos de 20 mil exemplares, com tendência de queda. A publicação perdeu muitos leitores após os tumultos de 1992 (motivados pelo espancamento de Rodney King), quando muitas das pequenas lojas que vendiam o jornal foram saqueadas e fecharam as portas. O *Sentinel* não se diferencia muito dos grandes jornais negros do país. Em geral, as opiniões políticas refletidas em suas páginas são convencionalmente liberais; não é de estranhar que seu tema dominante seja o orgulho das conquistas afro-americanas, embora expressas sem excessos ideológicos como os do líder religioso Louis Farrakhan. Em muitos aspectos, o *Sentinel* é uma publicação conservadora, com extensas coberturas de bailes e premiações da sociedade negra. Seu público-alvo é uma classe média bem estabelecida e razoavelmente próspera — cidadãos que normalmente atenderiam de muito bom grado a um chamado para servir como jurados.

Dentre os eventos de 13 de junho, um momento específico chamou a atenção de Schatzman: a imagem televisionada de Simpson sendo algemado e, em seguida, liberado. Depois de veicular com exclusividade o furo de Ron Edwards, a KCOP, uma emissora local independente, permitiu que seus concorrentes utilizassem a gravação, e a cena foi retransmitida com frequência. Talvez não tenha sido a mais memorável das imagens registradas no caso, mas, para um público em especial — a comunidade afro-americana de Los Angeles —, ela colocava em evidência o longo e atribulado relacionamento entre o DPLA e os negros da cidade. Desde o início, enquanto a grande imprensa usava o caso Simpson para focalizar sobretudo a questão da violência doméstica, o *Sentinel* apresentava a história de um homem negro atrás de justiça em um sistema de brancos.

O primeiro artigo de Schatzman sobre o caso, publicado na edição de 16 de junho de 1994, já dava o tom da polêmica. O texto começa: "Agentes da polícia de Los Angeles algemaram e depois soltaram O.J. Simpson, membro do Hall da Fama do futebol, em sua mansão em

Brentwood, levando-o em seguida à delegacia para prestar esclarecimentos". Simpson não chegou a ser preso naquele 13 de junho. De todas as questões que os assassinatos na Bundy Dr. poderiam suscitar, o *Sentinel* decidiu destacar em sua cobertura como e por que Simpson foi algemado. Na primeira página, em uma barra lateral, a manchete, também escrita por Schatzman, indaga: "AS ALGEMAS ERAM REALMENTE NECESSÁRIAS?". No estilo descontraído que caracteriza muitas de suas matérias, o texto prossegue: "Pense bem. Quantas vezes, na ampla cobertura da mídia, Jeffrey Dahmer, canibal condenado, foi visto algemado enquanto era preso e julgado? Se respondeu 'nenhuma', acertou em cheio". Schatzman observa ainda que um porta-voz da polícia nunca lhe respondeu diretamente por que Simpson foi algemado. "Por que ele foi algemado, então?", escreveu Schatzman. "Ainda não recebemos uma resposta satisfatória. O sistema de dois pesos e duas medidas para negros e brancos persiste."

Desde o início, Schatzman encarava o caso não como uma anomalia, mas como um momento importante na história da comunidade negra de Los Angeles. Para ele, não importava a falta de interesse de Simpson em participar dessa história. Em sua matéria inicial, Schatzman escreveu: "Não aconteceu apenas com O.J. Não se trata de um incidente isolado envolvendo figuras públicas negras e as autoridades locais". É verdade que, nos anos que antecederam o caso Simpson, vultosas somas de dinheiro público foram gastas com acordos judiciais em processos movidos contra o DPLA, acusado de deter ilegalmente, em ocasiões distintas, o antigo astro do beisebol Joe Morgan e o atleta olímpico Al Joyner. "Quando O.J. foi algemado antes de ser indiciado, tudo ficou muito claro", explicou Schatzman em seguida. "A reação dos nossos irmãos nas ruas foi: 'Lá vêm eles [os policiais] de novo'. Para nós, esse tipo de coisa já se tornou rotina."

Ao mesmo tempo que Schatzman decidia focalizar em sua matéria no *Sentinel* o momento em que Simpson foi algemado, Jim Gaines também se via diante de uma escolha. No final da semana seguinte ao assassinato, o editor chefe da revista *Time* contemplou o que mais tarde chamaria de "a decisão que é, de certa forma, o clímax de toda semana: a escolha da capa". Desde o momento em que os corpos foram descobertos na madrugada de segunda-feira, 13 de junho, não havia a menor dúvida de que a história de Simpson se tornaria o grande destaque da revista, que vende aproximadamente 4 milhões de cópias a cada número. No início daquela semana, a *Time* havia encomendado uma pintura de Simpson, e, além disso, com o passar dos dias, a sede da revista em Nova York foi inundada com uma enorme quantidade de fotografias. Foi às 14h de sábado — horas antes do fechamento da edição — que a polícia divulgou a fotografia de identificação de Simpson. Como última opção, escreveria Gaines em uma revista, "decidimos encomendar outro retrato artístico, usando a fotografia como ponto de partida. Confiamos essa tarefa a Matt Mahurin, um mestre da foto-ilustração (o uso da fotografia como base para outro meio, nesse caso uma imagem computadorizada). Mahurin já tinha produzido muitos outros retratos de capa do mesmo gênero para a *Time*, como o de Kim Il Sung duas semanas antes. Ele dispunha de apenas algumas horas, mas achei impressionante o que ele fez nesse tempo".

"A aspereza da fotografia de identificação — a luz brilhante e impiedosa, a barba por fazer de Simpson, a fria especificidade da imagem — foi sutilmente polida e convertida em um símbolo trágico", explicou Gaines no linguajar dramático típico da *Time*. "A expressão em seu rosto já não era simplesmente vazia; ela não tinha fundo. Essa capa, acompanhada do título simples e neutro — 'Uma Tragédia Americana' —, parecia a escolha mais óbvia e certeira." Uma maneira mais simples de descrever a capa da *Time* é: escureceram a foto.

No entanto, a casa caiu. Nas palavras do USA *Today*, em uma reportagem publicada com destaque apenas um dia depois da *Time* chegar às bancas, "se uma imagem vale mil palavras, a 'foto-ilustração' na capa da *Time* dessa semana de um O.J. Simpson escurecido é uma estante cheia — e suscita acusações de racismo. 'Da forma como o retrataram, ele ficou parecendo um animal', comentou Benjamin Chavis Jr., diretor da NAACP [Associação Nacional para o Progresso de Pessoas de Cor]. [...] 'A foto reproduz o estereótipo dos afro-americanos como indivíduos perigosos e propensos à violência', disse Chavis". Militantes do movimento dos direitos civis se juntaram e protestaram indignados. "A capa parecia o resultado de um esforço consciente para conferir um aspecto maligno e macabro a Simpson, fixando a atenção dos leitores na culpa dele", avaliou Dorothy Butler Gilliam, presidente da Associação Nacional de Jornalistas Negros. Já na CNN, Jesse Jackson atribuiu a capa da *Time* à "dimensão devastadora do chamado racismo institucional".

Hoje, a certa distância do calor da polêmica, a severidade com a qual a revista foi julgada parece questionável. (Também é interessante ponderar se alguém teria sequer comentado sobre a capa da

Time se a *Newsweek* não tivesse usado uma versão inalterada da mesma foto na capa daquela semana.) Há anos, as revistas vêm usando fotografias alteradas. Contanto que recebam o devido crédito (como foi o caso da *Time*), costumam incitar pouca ou nenhuma discussão. Os jornalistas fazem escolhas políticas implícitas sempre que publicam uma fotografia — é melhor que o presidente Clinton apareça sorrindo ou franzindo a testa esta semana? —, e essas decisões geralmente passam despercebidas. O brado antirracista contra a capa da *Time* é difícil de entender. Estariam Chavis e companhia sugerindo que os negros de pele mais escura são mais ameaçadores, mais malignos, do que seus irmãos de pele mais clara? Se sim, essa afirmação pode se tratar de um caso de racismo mais grave que o da revista. De qualquer forma, a transgressão da *Time* parece ter provocado uma reação desproporcional. Ainda assim, a revista fez o que a grande imprensa sempre faz quando confrontada com a acusação de racismo: negou toda má intenção, ofereceu justificativas mornas para suas ações, e entregou os pontos. "Convém dizer (gostaria que estivesse subentendido) que não foi a intenção da *Time* nem do artista fazer qualquer tipo de insinuação racista", escreveu Gaines em uma página inteira de retratação, publicada na semana seguinte.

Os efeitos colaterais tanto da capa da *Time* como da cobertura da *Sentinel* se fizeram sentir ao longo de todo o caso. Apesar do envolvimento nulo de Simpson com a comunidade negra — na CNN, o pastor batista e ativista negro Jesse Jackson chegou a chamá-lo de "negro sem etnia" —, logo na primeira semana seu caso virou pauta prioritária na agenda do movimento dos direitos civis. Para Dennis Schatzman e a imprensa negra em geral, a causa de Simpson tornou-se a deles próprios. A grande imprensa, por sua vez, temerosa de passar pelo mesmo suplício que a *Time*, redobrou a cautela, na tentativa de não ofender as lideranças negras. Ninguém percebeu esses desdobramentos mais rápido nem tirou mais proveito deles que os advogados de O.J. Simpson.

•••

Marcia Clark recebeu a ligação de Vannatter na manhã de 13 de junho e ouviu um bocado sobre O.J. Simpson ao longo daquele dia. Vannatter lhe pediu que fosse à casa da Rockingham e monitorasse a situação enquanto os detetives executavam o mandado de busca. Aos poucos, Clark foi se dando conta da dimensão do caso. Na época, ela estava ajudando a planejar uma festa de despedida de solteira para sua melhor amiga e colega de trabalho, a promotora adjunta Lynn Reed Baragona. A festa estava marcada para acontecer na hora do almoço, naquele mesmo dia, mas Clark ligou para a amiga em cima da hora e avisou que não poderia ir.

"Como assim?", indagou Baragona. "Quem tá organizando é você!"

"Hoje eu tô com um mandado de busca", respondeu Clark. "Tem cara de ser coisa grande. Te conto tudo mais tarde."

Não demorou para que Clark se visse envolvida com o caso. Na manhã seguinte, em seu escritório no Centro da cidade de Los Angeles, uma amiga abordou-a para perguntar se achava que O.J. era responsável pelos assassinatos.

"Claro!", disparou a promotora. Clark estava convencida de que os testes do sangue encontrado na Bundy Dr. e na casa de Simpson acabariam por incriminar o ex-jogador. "Ele é mau", disse Clark. "Ele batia na mulher. Ele é mau."

Era uma reação característica — a única coisa atípica nela era que Clark não tivesse descrito Simpson como um "merda do mal" ou outro palavrão cabeludo. Arguta e rápida no julgamento, de uma irreverência alegre, implacável e profana, Clark era o exemplo paradigmático de *lifer* — termo que os promotores utilizam para descrever os que entre eles jamais conceberiam trocar de lado, isto é, atuar como defensores criminais. Clark via seus casos — e o de Simpson em particular — como batalhas entre o bem e o mal, Nós contra Eles. O.J. matou Ronald e Nicole — era só o que importava para ela. Mas, por sorte ou azar, julgamentos criminais, em especial este, são muito mais que um jogo de adivinhações. O caso Simpson apagava a linha entre mocinhos e bandidos de uma forma que Clark nunca tinha visto.

•••

Marcia Clark pertencia à subespécie mais rara e radical de *lifers*: os viciados em julgamentos criminais. Foi da maneira mais difícil que a promotora se descobriu como tal. Na primavera de 1993, Clark, então com quase quarenta anos de idade, já advogava havia doze na promotoria pública, os últimos quatro dos quais na unidade de casos especiais, que se encarregava das investigações mais complexas e delicadas do distrito. Por ocasião de uma ação penal que ela movia contra dois homens acusados de assassinar dois paroquianos durante o culto de uma igreja no centro-sul de Los Angeles, Gil Garcetti, promotor de justiça do distrito, achou que ela merecia ser promovida. Ela se tornou então supervisora, e lhe cabia examinar a maior parte dos casos de reincidência criminal confiados à promotoria e orientar os promotores adjuntos que efetivamente compareceriam em juízo. O salário de Clark, cerca de 90 mil dólares por ano, chegou à marca dos seis dígitos, com perspectiva de aumentos. Liberada da pressão e do estresse dos tribunais, Clark era agora gestora.

A mudança foi um desastre, o que não era de todo incomum, visto que muitos bons advogados de tribunal não se destacam como administradores. Porém, grande parte dos promotores tem tanta ânsia de se livrar do trabalho nos tribunais (e de conseguir um aumento) que se agarram com unhas e dentes aos novos cargos e criam raízes no funcionalismo público. A rotina dos tribunais é desgastante para os advogados, especialmente para os promotores, que precisam orquestrar tudo o que acontece no julgamento, da ordem em que as testemunhas devem se apresentar à etiquetagem das provas. A logística é difícil. As horas são longas. Muitas vezes, as testemunhas mostram-se pouco dispostas a cooperar, e quase sempre ainda se revelam também criminosos. A polícia, em tese a maior aliada dos promotores, pode se demonstrar preguiçosa, incompetente, ambos ou algo ainda pior. Como se não bastasse, os promotores carregam o fardo de saber que depende deles deixar ou não que o criminoso saia livre no final. Por isso, não é de admirar que muitos supervisores se contentem com histórias de guerra, especulações e almoços demorados.

A trajetória de Marcia Clark como administradora teve um desfecho incomum. "Detestei", declarou após assumir o caso Simpson. "Implorei que me deixassem voltar aos tribunais. Descobri que cuidar daqueles casos era tudo o que eu queria fazer na vida." De fato, Clark retornou à unidade de casos especiais algumas semanas antes dos assassinatos na Bundy Drive. De modo que, quando Vannatter ligou, ela tinha algum tempo livre.

•••

Marcia Clark se graduou pela Escola de Direito da Southwestern University, em Los Angeles, em 1979, depois trabalhou por um curto período como aprendiz de advogado na área de defesa criminal em uma firma de primeira classe. Inicialmente, a maior parte de seus casos envolvia tráfico e porte de drogas — e, como qualquer jovem de sua geração, pouco hesitava na defesa de quem participava dessas transações, que, apesar de ilegais, não faziam "vítimas" no sentido tradicional. Porém, logo no início de sua prática, ela também ajudou na defesa de James Holiday, o "Doc", um dos líderes da famigerada gangue Black Guerrilla Family. Holiday foi acusado, entre outras coisas, de tentativa de homicídio. Segundo Clark, "Doc levou uma mulher chamada Vicki D para um carro, deu um milhão de facadas nela e deixou-a agonizando. Foi um crime horrível, cruel. Os fatos eram esses, mas a verdade é que a promotoria tinha provas muito insubstanciais, e coube a mim redigir uma petição solicitando ao juiz que extinguisse o processo. Eu sabia que seria atendida, e trabalhava nisso certa noite quando senti um nó na garganta. Disse ao meu marido: 'Não posso fazer este tipo de trabalho'. Ele respondeu: 'Pega a caneta. Precisamos pagar o aluguel'. E, claro, foi o que fiz. Mas quando soube que a petição realmente tinha sido deferida, dei um grito de alegria. Meu chefe na firma sugeriu que eu trabalhasse na promotoria. Quando fui entrevistada por John Van de Kamp, promotor de justiça na época, praticamente me atirei aos pés dele e disse: 'Quem vai decidir se continuo advogando ou não é o senhor. Não consigo trabalhar com defesa criminal nem com direito civil. Este é o único trabalho que eu quero'".

Clark entrou para a Promotoria de Justiça de Los Angeles em 1981, e se atirou de cabeça no trabalho. "Marcia e eu fomos contratadas mais ou menos na mesma época, e durante um ano éramos as únicas promotoras adjuntas no fórum de Culver City", comentou a amiga Diane Vezzani. "Desde o início, ela adorava trabalhar nos casos. Nunca vi alguém com tanta energia. E não era só no tribunal. Ela lia acórdãos" — relatórios das decisões de tribunais superiores — "e fichava tudo. Já deve ter umas 25 caixas cheias de fichas. Eu brincava, dizendo que ela teria um treco se não lesse os acórdãos." A dedicação de Clark logo chamou a atenção de seus superiores. O momento crítico de sua carreira foi quando um dos lendários promotores do escritório resolveu apadrinhá-la.

Na época do julgamento de Simpson, Harvey Giss, que tinha o rosto anguloso de um detetive de cinema *noir*, falou com certo ar nostálgico sobre os anos em que fez parte da elite dos promotores de Los Angeles especializados em homicídios. Como muitos advogados dessa área, cansou-se da pressão e passou a uma atividade menos estressante: combater fraudes em seguros de automóveis. Clark foi indicada para trabalhar com Giss em 1985, apenas quatro anos depois de entrar para o escritório. O réu no caso que motivava a parceria era, como O.J. Simpson, uma figura bastante admirada em Los Angeles. Segundo Giss, "James Hawkins foi por um tempo considerado um grande herói local. Trabalhava na mercearia do pai, em Watts, e, um dia, em 1983, atirou em um bandido que abordava passantes. Depois de uma troca de tiros, a quadrilha de que fazia parte o bandido jogou uma bomba incendiária na loja. Todos elogiaram Hawkins por ter peitado as gangues, até o prefeito". Mas Giss obteve posteriormente provas de que Hawkins, na verdade, tinha matado o membro da gangue não por acidente, como alegava, mas de forma intencional, cerca de meia hora após o ataque aos transeuntes. Além disso, Giss denunciou Hawkins por um duplo homicídio sem conexão com o caso. "Eu sabia que precisava de ajuda no caso de duplo homicídio", disse Giss. Quem veio ajudá-lo foi Marcia Clark. "Éramos unha e carne", continuou. "Depois de algum tempo de convivência, vi que ela não tava pra brincadeira. Disse a ela que só aceitava trabalhar em igualdade de condições, por isso propus que rachássemos tudo meio a meio."

Clark ficou com a parte mais difícil do caso: as provas de balística. Ironicamente, a grande chance da promotoria veio quando, pouco antes da seleção do júri, Hawkins fugiu da cadeia. A polícia saiu em seu encalço e deu início a uma frenética troca de tiros, durante a qual 180 cartuchos de munição foram disparados. Os policiais acreditavam que uma das armas apreendidas de Hawkins após o tiroteio era a mesma que ele usara no duplo assassinato. No entanto, quando os peritos em balística examinaram a arma, descobriram que o cano havia sido raspado com algum instrumento, provavelmente uma lima. Sabendo que os sulcos nos canos das armas são únicos, tal como impressões digitais, Hawkins evidentemente tentara adulterá-los antes de usar a arma de novo. Clark, entretanto, ao apresentar para o júri provas periciais meticulosamente organizadas, conseguiu defender com bastante propriedade a tese de que se tratava da mesma arma.

Para Barry Levin, que representava Hawkins, "o julgamento foi como uma guerra. A seleção do júri levou seis meses, e o julgamento em si prolongou-se por treze. Marcia ainda era bem inexperiente na época. Seu único diferencial era ter crescido justamente em casos de homicídio. Harvey era o promotor mais obstinado de Los Angeles. No decorrer do caso, Marcia progredia a olhos vistos, não apenas pela competência, mas pelo jeito imperturbável de ser. Era um caso de pena de morte, e, depois que meu cliente foi condenado, Harvey pediu a Marcia para se levantar e apresentar os argumentos finais, já na fase de determinação da pena. Confesso que não me preocupei muito. Até o momento, mal se notava a presença dela. Foi aí que ela fez um ardoroso discurso sobre o motivo pelo qual meu cliente merecia morrer. O júri acabou se decidindo pela prisão perpétua, mas estava evidente a influência de Harvey sobre Marcia. Ela era uma fera indomável".

A influência de Giss era grande, e traços dela ainda se mostram presentes no estilo de Clark. A preparação meticulosa tanto dos depoimentos como das provas da perícia, as réplicas contundentes aos ataques da defesa, o explosivo entusiasmo que demonstrava diante do júri: tudo isso se tornou marcas registradas de Clark, tal como eram de Giss. Mas também eram claras as diferenças entre os dois. Giss acreditava que a base de qualquer julgamento era o réu. Para Clark, eram as vítimas que mereciam o foco. Percebe-se essa predileção em seu julgamento mais célebre antes do caso Simpson.

Em 1989, Rebecca Schaeffer, 21 anos, era uma atriz em ascensão que se tornara conhecida após estrelar a série televisiva de comédia *Minha Irmã é Demais*. Em 18 de julho do mesmo ano, Robert John Bardo, um fã obsessivo de Schaeffer, que, sem o conhecimento dela, já a perseguia havia dois anos, tocou a campainha da casa da atriz. Quando Schaeffer abriu a porta, Bardo atirou nela com um revólver magnum .357, causando sua morte.

"Rebecca foi assassinada em uma manhã de terça-feira, 18 de julho de 1989, e meu marido e eu pegamos um voo para Los Angeles naquela mesma tarde", diria a mãe de Rebecca, Danna Schaeffer. "Na manhã seguinte, quando chegamos à Divisão de Homicídios de Wilshire, ela já estava à nossa espera, vestindo um terno rosa, parecendo bonita e séria. Apresentou-se: 'Meu nome é Marcia Clark, sou a promotora responsável pelo caso, às suas ordens'." Bardo foi capturado menos de 24 horas após o crime, e confessou imediatamente ser o autor do disparo. O aspecto mais problemático do caso — que seria julgado sem a presença de um júri perante o juiz Dino Fulgoni — era determinar se Bardo tinha capacidade mental para cometer o crime de homicídio qualificado. De acordo com Danna Schaeffer, "teve um monte de audiências, e o julgamento foi adiado um milhão de vezes, mas Marcia quase sempre ligava para colocar a gente a par da situação". Quando o julgamento estava finalmente a ponto de começar, em setembro de 1991, a mãe da vítima recebeu uma carta de Clark.

Eram três páginas escritas à mão, em um bloco de notas amarelo, algo bem inusitado para uma promotora pública. "Agora mesmo, escrevendo estas linhas, me pego chorando de novo. É disso que tinha medo: quando uma pessoa resolve dar vazão aos sentimentos, não consegue mais parar", escreveu Clark. "Se tudo correr conforme o esperado, aquele verme miserável será condenado por tudo. [...] Farei o possível ao meu alcance para garantir que a morte dela seja vingada. Contudo, não posso prometer justiça, porque o justo para mim seria que Rebecca estivesse viva e o assassino morto." Clark concluiu: "A única coisa que posso prometer é que quando tudo isso terminar, poderei lhe dizer com toda a honestidade que dei tudo de mim, que fiz o meu melhor, de forma incondicional. Além disso, saiba que poderá contar para sempre com minha estima e afeto".

O julgamento, um dos primeiros a receber cobertura do canal por assinatura Court TV, contou com grandes análises psiquiátricas de ambos os lados. O juiz Fulgoni condenou Bardo por homicídio qualificado e sentenciou-o à prisão perpétua sem direito a condicional. A facilidade de Clark em lidar com provas periciais complexas tornou-se sua marca registrada, fossem as provas psiquiátricas, físicas ou, como ocorreria mais tarde, de DNA. Em 1992, por exemplo, obteve a condenação de um homem chamado Christopher Johnson por um caso de assassinato (no qual havia trabalhado com o detetive Vannatter) a despeito de o corpo da vítima não ter sido encontrado. Johnson havia sido preso dirigindo um carro no qual os investigadores encontraram uma única gota de sangue sob o banco traseiro. Em um uso muito mais ambicioso de tecnologia de DNA do que jamais teriam contemplado os promotores do caso Simpson, Clark utilizou material genético dos familiares da suposta vítima para confirmar que o sangue no carro era de fato do homem desaparecido.

O caso que melhor resumiu a carreira de Clark pré-Simpson foi o duplo homicídio em uma igreja, a Mount Olive Church of God in Christ. Mesmo para uma cidade cada vez mais habituada à violência, os fatos daquele caso mostravam-se especialmente aterradores. Na noite de 21 de julho de 1989, sexta-feira, um homem mascarado entrou na igreja armado com uma espingarda calibre 12. Em meio ao caos desencadeado por sua chegada, uma senhora de 76 anos chamada Eddie Mae Lee entrou em pânico e tentou correr em direção ao banheiro feminino para se esconder. O intruso engatilhou a arma e disparou um tiro mortal contra ela. Em seguida, percorreu com os olhos os bancos da igreja, como se buscasse alguém, e quando viu um homem chamado Peter Luke, atirou nele também. (Luke sobreviveu.) Antes de deixar o local, o atirador reparou em Patronella Luke, esposa de Peter, sentada em um dos bancos na parte de trás da igreja, e matou-a com um tiro.

Embora nenhuma das testemunhas oculares tivesse conseguido identificar o pistoleiro mascarado, a polícia logo se concentrou em dois suspeitos. Um deles era Albert Lewis. Após ser deixado pela esposa Cynthia, Lewis começou a persegui-la, às vezes acompanhado do outro suspeito, seu meio-irmão Anthony Oliver. Os dois não sabiam que Cynthia, organista na igreja, havia tirado aquela noite de folga. Peter e Patronella Luke eram primos dela. "Armamos um esquema para vigiar a casa de Albert Lewis, e vimos os suspeitos saindo de lá com um cano de espingarda", relataria Richard Aldahl, o detetive encarregado. "Conseguimos depois um mandado de busca e achamos o restante da arma e cartuchos que batiam com os encontrados na cena do crime. A essa altura, a gente já sabia que estava com os caras certos." Mas ainda restava um problema. "Albert Lewis tinha um álibi", disse Aldahl. "Ele dizia que estava com a namorada, Jeanette Hudson, e ela o corroborava sem arredar pé. Tivemos muita dificuldade com o álibi."

Clark assumiu a tarefa de refutar o álibi. De acordo com Aldahl, "havia uns dez ou quinze anos que Jeanette vivia com medo de Albert. Sofria agressões frequentes. Marcia começou a passar bastante tempo com Jeanette, conversando com ela, conhecendo sua situação. Alguns promotores querem que você vá lá, interrogue as testemunhas e depois simplesmente as ignore até a hora de depor. Marcia era diferente. Ela faz questão de conhecer todo mundo pessoalmente, de se aproximar das pessoas. Quando põe alguém no banco das testemunhas, quer ter certeza de que não haverá surpresas". A atenção dedicada a Jeanette Hudson rendeu frutos, mais até que o esperado. "Depois que Marcia começou a falar com ela, Jeanette veio e não apenas admitiu que o álibi era falso, como também contou que tinha visto os dois rapazes com as armas logo após os assassinatos", disse Aldahl. "Foi uma grande reviravolta no caso." Mas Clark não se limitava a recrutar testemunhas. "Marcia convenceu Jeanette a se inscrever em um programa para mulheres vítimas de violência doméstica, e graças a isso, ela pôde retomar as rédeas da própria vida."

O julgamento, que ocorreu em 1993 em um tribunal vizinho àquele onde O.J. Simpson seria julgado, foi um *tour de force* para Clark. "Esses criminosos violaram o único refúgio seguro que temos neste mundo conturbado, o lugar aonde vamos para enriquecer e glorificar o que há de melhor em nós, onde reafirmamos nossa fé em tudo que é bom e justo, onde renovamos nossas almas e buscamos consolar nosso espírito em meio a um mundo conturbado: a casa de Deus", disse Clark ao apresentar ao júri os argumentos finais da acusação na fase de determinação da pena, em 15 de março de 1993. "Não se trata de um assalto a uma loja de bebidas ou de um roubo a banco seguido de morte. Foi um assassinato em uma igreja. [...]"

"Falamos em justiça para o réu, mas e quanto à vítima? Se as mortes trágicas de Eddie Mae Lee e Patronella Luke têm alguma importância, precisamos de uma punição à altura. A pena de morte pode ser o máximo que podemos conseguir, mas, senhoras e senhores, neste caso é o mínimo que podemos fazer. [...]"

"Suas vozes estão silenciadas para sempre. O amor com que acolheram tanta gente, de forma tão generosa, foi extinto, e agora a minha voz é a única que ainda fala por eles, que clama por justiça em nome deles, e é em nome dessas nobres vítimas e como representante da justiça que peço que deem aos réus a única punição condizente com o crime. Peço-lhes, senhoras e senhores do júri, que condenem ambos os réus, Anthony Oliver e Albert Lewis, à pena de morte." E assim fizeram os jurados.

Para muitos promotores públicos, o caso Mount Olive teria marcado o ápice de uma carreira. Para Clark, no entanto, muitos dos elementos que o constituíam já permeavam outros de seus casos. Como nos casos Hawkins e Johnson, esse processo incluía uma montanha de provas periciais que a defesa não tinha nem perícia nem recursos para desafiar. Como no caso Bardo, apresentava vítimas que despertavam a compaixão e a admiração do júri. E, como praticamente todos os casos de Clark — na verdade, como a grande maioria dos casos de homicídio levados a juízo pela Promotoria de Justiça de uma cidade grande —, envolvia réus que não despertavam qualquer empatia. Em todos esses aspectos, no entanto, tais casos diferiam radicalmente daquele contra O.J. Simpson.

•••

Marcia Clark mal podia esperar para acusar O.J. Simpson de assassinato. Desde o telefonema de Vannatter naquela manhã de segunda-feira, ela já achava que havia provas suficientes para levar Simpson para a cadeia. Contudo, ainda que isto lhe parecesse excesso de cautela, Clark aceitou adiar a denúncia formal até que os testes preliminares de sangue fossem revisados. Mas ela não queria perder tempo.

Ninguém queria. Na manhã seguinte, 14 de junho, pouco depois das 7h, Dennis Fung se debruçava sobre uma bancada de laboratório na unidade de serologia da Divisão de Investigação Científica do DPLA. Fung reunira à sua frente o que, a seu ver, eram algumas das melhores provas que conseguira recolher no dia anterior: as luvas e várias amostras do rastro de sangue que pareciam ir da Bundy Dr. a Rockingham. Também contava com uma amostra de sangue de O.J. Simpson. Depois de interrogarem Simpson na tarde do dia anterior, no Parker Center, os detetives conduziram o ex-jogador à enfermaria da polícia, onde o enfermeiro Thano Peratis tirou uma amostra de seu sangue. Na ocasião, Peratis deixou a amostra com Vannatter, que no final daquela tarde percorreu os 32 quilômetros que separavam o centro de operações da polícia da cena do crime na Rockingham e, chegando lá, entregou o tubo de ensaio a Fung.

Na bancada do laboratório, Fung entregou o sangue de Simpson e o restante das amostras em seu poder a Collin Yamauchi, o perito criminal do DPLA que fora encarregado de realizar os testes preliminares. Como Yamauchi tinha sido avisado no dia anterior, em caráter extraoficial, que talvez fosse designado para o caso Simpson, naquela noite ele assistiu com grande interesse aos noticiários. Segundo o que concluiu a partir das reportagens iniciais sobre o caso, Simpson estava em Chicago no momento dos assassinatos — ele tinha um "álibi perfeito". Portanto, Yamauchi esperava que os testes excluíssem a possibilidade de que fosse dele o sangue encontrado nas cenas dos crimes.

Yamauchi passou dois dias, 14 e 15 de junho, examinando as amostras de sangue. (Nesse meio-tempo, também recebeu amostras do sangue de Nicole Brown Simpson e de Ronald Goldman, obtidas durante as autópsias.) Normalmente, em um teste preliminar como esse, Yamauchi teria provavelmente usado um teste convencional de tipagem sanguínea pelo sistema ABO para categorizar as amostras de sangue. Esse tipo de teste, que existe há décadas, divide os tipos sanguíneos em seis categorias. Mas, como o caso Simpson envolvia altos riscos — especialmente o risco de cometer um erro de grande repercussão pública —, o chefe de Yamauchi lhe pedira que analisasse as amostras de sangue utilizando o processo de tipagem de DNA. Yamauchi realizou um dos testes mais simples desse tipo, conhecido como DQ-alfa. Em vez de meramente dividir os tipos sanguíneos em seis categorias, o DQ-alfa faz uma discriminação mais precisa, classificando os indivíduos em 21 categorias.

Yamauchi ficou surpreso com os resultados. As gotas de sangue encontradas no quintal da casa da Bundy Dr. correspondiam ao tipo de Simpson — uma característica compartilhada por apenas cerca de 7% da população. E o sangue na luva descoberta nos fundos do quarto de Kato na Rockingham era compatível com uma mistura do sangue de Simpson e o das duas vítimas. Os promotores foram informados dos resultados no final da quarta-feira, 15 de junho.

Quinta-feira era dia de decisão no 18º andar do Fórum Central de Los Angeles, onde ficam os escritórios dos mais importantes promotores do distrito. Naquela manhã de 16 de junho, ao cruzar os corredores decorados com quebra-cabeças emoldurados, Marcia Clark sentia que já dispunha de peças suficientes do quebra-cabeça Simpson para prendê-lo: havia um rastro de sangue que ia da cena do crime até a casa do ex-jogador de futebol, esse resquício de sangue era compatível com o dele, e o sangue na luva encontrada nos fundos dessa casa parecia consistir em uma mistura de seu sangue com o das vítimas. Além disso, testes mais sofisticados de DNA certamente ajudariam a apertar ainda mais a corda no pescoço de Simpson. Tudo isso — somado a seu histórico de agressões a Nicole — significava que devia ser citado imediatamente. O supervisor de Clark, David Conn, estava de acordo.

Bill Hodgman refletiu sobre o caso. De seu privilegiado escritório de canto no edifício, o diretor de operações centrais supervisionava a maior parte dos promotores que trabalhavam no Fórum Central. Cauteloso, sóbrio e metódico a ponto de às vezes ser maçante, Hodgman não queria fazer nada às pressas. No entanto, havia provas substanciais de que Simpson era o assassino, e promotores prendem assassinos, ponto final. Clark e Conn tinham razão. Era hora de trazer Simpson a juízo.

No final daquela quinta-feira, Hodgman se reuniu com Clark e Conn para planejar a logística do dia seguinte. Vannatter e Lange já tinham tido uma rápida conversa com o novo advogado de Simpson, Robert Shapiro, que assumira o lugar de Howard Weitzman. Após as negociações, ficou decidido que os detetives não prenderiam Simpson caso decidissem indiciá-lo por homicídio. Em troca, o advogado prometeu que seu cliente se entregaria no momento que os policiais julgassem mais oportuno. Esse é um tipo bem convencional de acordo entre promotoria e defesa quando ambos os lados concordam que não há risco de fuga. Embora tais acordos sejam praxe em casos de crimes do colarinho branco, são mais raros quando se trata de crimes violentos.

Ficou combinado entre os promotores que, às 8h30 de sexta-feira, 17 de junho, Lange ligaria para a casa de Shapiro, o informaria das acusações e exigiria que Simpson se entregasse às 11h, no Parker Center. Às 11h30 Simpson seria conduzido ao Fórum Central, a duas quadras de distância, onde compareceria perante um juiz para ouvir as acusações, uma formalidade prévia ao julgamento e que normalmente leva menos de cinco minutos. Às 11h45, os promotores dariam uma entrevista coletiva à imprensa na sala de conferências do 18º andar. Quinze minutos depois, o porta-voz da polícia responderia a perguntas no Parker Center.

Naquela noite de quinta-feira, ao deixar o trabalho e partir para casa, Hodgman sentiu que tudo estava sob controle, então decidiu tirar uma folga no dia seguinte para participar de uma celebração de Dia dos Pais na escola dos filhos. Hodgman pensava que os eventos daquela sexta-feira, 17 de junho de 1994, seriam bem rotineiros.

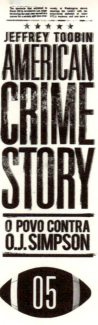

"O SR. SIMPSON NÃO APARECEU"

Conforme combinado, Lange ligou para a casa de Shapiro às 8h30 de sexta-feira. Ele e Vannatter tinham trabalhado praticamente a noite toda para preparar a papelada da prisão, e Lange estava cansado e sem disposição para conversas longas. Disse a Shapiro que a polícia tinha um mandado de prisão contra O.J. Simpson pelo duplo homicídio de Nicole Brown Simpson e Ronald Goldman, com "circunstâncias especiais". De acordo com a lei da Califórnia, a expressão "circunstâncias especiais" faz referência a uma série de agravantes específicos que mudam o panorama jurídico de um caso de assassinato. A circunstância especial contra Simpson, no caso, era a quantidade de vítimas. Para Shapiro, havia duas implicações bastante claras. Primeiro, a acusação tornava Simpson elegível à pena de morte. (A decisão final da promotoria, isto é, se pediriam ou não a pena de morte, só seria anunciada mais tarde.) Em segundo lugar, a lei da Califórnia não permite fiança em casos com circunstâncias especiais, de modo que Shapiro soube imediatamente que seu cliente iria para a cadeia nesse mesmo dia e que permaneceria nela durante todo o julgamento — uns bons meses, no mínimo.

A conversa entre os dois foi educada, e ambos ouviram o que queriam ouvir. Lange não encarou a ligação como um convite para negociar. Ele sabia que Simpson levaria menos de uma hora para se deslocar de sua casa em Brentwood até o Parker Center. Disse a Shapiro que Simpson tinha duas horas e meia para se entregar — ou seja, até 11h. O advogado via os comentários de Lange mais como um pedido que como uma ordem. Ele expressou algumas preocupações com o estado mental de O.J. — que estaria demonstrando inclinações suicidas —, mas garantiu que faria o melhor possível para entregar Simpson às autoridades na hora combinada. Os dois ficaram de manter contato ao longo do dia.

No momento da ligação, Robert Shapiro era advogado de O.J. Simpson havia menos de 72 horas. O modo como fora contratado diz muito sobre seu cliente, sobre ele mesmo e sobre o caso como um todo. Foi Howard Weitzman, é claro, que representou Simpson quando este retornou de Chicago e se apresentou à polícia para ser interrogado na segunda-feira, 13 de junho. A informação de que Simpson prestara depoimento à polícia vazou naquela noite, e a notícia provocou uma forte reação em Roger King, o rico executivo de televisão, que acompanhava os acontecimentos desde New Jersey. King, presidente da King World, que distribui programas de TV como *Oprah* e *Roda da Fortuna*, tinha morado em Los Angeles por um tempo e conhecia Simpson de algumas partidas esporádicas de golfe. Ao saber que Weitzman havia deixado Simpson ser interrogado, King ficou indignado. Ligou para o ex-astro do futebol e, depois de criticar Weitzman, recomendou-lhe que arranjasse um novo advogado. "Vou conseguir Bob Shapiro para você", prometeu King. Descobriu então que o advogado estava jantando na House of Blues, uma famosa boate de Hollywood, e pediu-lhe que aceitasse o caso. Ele concordou, foi contratado por Simpson na terça-feira e assumiu o caso oficialmente no dia seguinte.

O que torna essa negociação curiosa é que os participantes não se conheciam de fato. O.J. e Roger King se viam de maneira ocasional, mas King era o tipo de cara que Simpson admirava, e por isso acreditou nele quando disse que Weitzman o deixou na mão. (A situação também permitia que Simpson colocasse em outra pessoa a culpa por sua própria decisão de falar com a polícia.) O mais notável é que King nunca havia falado com Shapiro antes de contatá-lo na House of Blues. O empresário não saberia citar um único cliente que o advogado tivesse representado, mas tinha uma imagem geral de Shapiro como hábil defensor de celebridades. Shapiro, por sua vez, não hesitou em aceitar. E para Simpson, como sempre, imagem era tudo: Robert Shapiro tornou-se advogado de Simpson porque condizia com a imagem de advogado talentoso aos olhos de um sujeito que se ajustava à ideia de cara talentoso que tinha O.J. (A troca de advogados também acabou por alimentar a longa rixa entre Shapiro e Weitzman, que parecia em grande parte baseada nas semelhanças que tinham entre si.) Shapiro assumiu o caso na terça-feira, 14 de junho, e, na manhã seguinte, Weitzman emitiu uma declaração pública dizendo que saíra do caso por causa de sua amizade com O.J. e de obrigações assumidas com outros clientes. Shapiro gostava de dizer aos amigos que a declaração de Weitzman era mentirosa e que, na verdade, tinha sido demitido. A verdade é provavelmente um meio-termo entre as duas versões — algo no estilo de uma saída de emprego que [o famoso e longevo técnico de beisebol] Casey Stengel descreveu um dia da seguinte forma: "Chamamos de dispensa porque não há dúvidas de que eu tinha que ir embora".

Shapiro teve uma primeira semana bastante agitada organizando o plano inicial de trabalho, sempre com o bem-estar médico e jurídico de Simpson em mente. Simpson lhe disse que era inocente, mas os advogados estão acostumados a ouvir esse tipo de coisa dos clientes, especialmente no início de um processo. A primeira coisa que Shapiro fez foi providenciar que Simpson se submetesse a um teste de polígrafo, procedimento comum entre advogados criminalistas. Via de regra, testes desse tipo são inadmissíveis no tribunal, mas os advogados muitas vezes os utilizam para forçar os clientes a dizer a verdade, a encarar a realidade e para fechar o melhor acordo possível. Shapiro ligou para seu amigo F. Lee Bailey, autoridade nacional em polígrafos, e pediu-lhe que recomendasse um especialista. Bailey sugeriu Edward Gelb, que administrava uma firma chamada Intercept, localizada em um conjunto genérico de escritórios na Wilshire Boulevard. (Bailey conhecia Gelb, pois em 1983 os dois tinham apresentado juntos uma minissérie para a televisão chamada *Lie Detector* [Detector de mentiras]. O programa mostrava Gelb e Bailey determinando se pessoas que viam ovnis e outras figuras controversas diziam a verdade.)

Como Gelb estava viajando, o teste foi administrado por seu melhor substituto, Dennis Nellany. Simpson fez o que se conhece como exame de polígrafo por "zona de comparação", que media três reações fisiológicas às perguntas: ritmo cardíaco, respiração e sensibilidade elétrica da pele. A rigor, detectores de mentira não detectam mentiras. Em vez disso, o examinador interpreta as respostas do examinado através de uma escala em que os números negativos indicam fingimento e os números positivos, sinceridade. De acordo com o teste aplicado por Nellany, qualquer pontuação superior a +6 significava que Simpson estava dizendo a verdade; qualquer número inferior a –6 significava que estava mentindo. Uma pontuação entre +6 e –6 seria ambígua.

Simpson pontuou –24 — fracasso total. O resultado foi tão catastrófico que algumas pessoas ao redor de Simpson tentaram atribuí-lo a seu estado emocional de angústia no momento do teste. Bailey alegou que Simpson estava tão transtornado que o resultado não devia ser visto de forma taxativa. Nellany, no entanto, considerava o polígrafo a prova conclusiva de que Simpson era culpado dos assassinatos, e reportou seu ponto de vista a Shapiro.

Shapiro ponderou suas opções — dentre as quais, alegar insanidade mental do cliente. Com esse intuito, na quarta-feira, 15 de junho, convocou outro perito, que poderia servir a um duplo propósito. Psiquiatra respeitado, dono de um consultório particular em Beverly Hills, Saul Faerstein poderia examinar O.J. e prescrever medicação controlada. Mas Faerstein também era um perito renomado na área de psiquiatria forense. Assim, Shapiro poderia recorrer a ele como um plano B, caso Simpson quisesse alegar capacidade reduzida de discernimento em sua defesa.

Faerstein foi à casa de Simpson na Rockingham e sentou-se com ele no sofá da sala. Simpson falava e falava — sobre si mesmo. A imprensa cairia em cima dele agora, nunca mais recuperaria sua imagem, era tudo tão injusto. O que mais impressionou Faerstein foram as lacunas na narrativa de Simpson: não havia tristeza pela morte da mãe dos filhos, preocupação com o futuro deles, nem empatia em relação a Nicole. Simpson só se preocupava consigo mesmo. Suas reações não condiziam, na visão de Faerstein, com as de um homem injustamente acusado, e mesmo assim era evidente que Simpson não era insano no sentido legal do termo. Assim, tal como ocorrera com o teste de Nellany, o relatório de Faerstein não ajudou Shapiro a construir uma estratégia de defesa. Faerstein deu prosseguimento ao tratamento, e voltou a visitar Simpson muitas vezes ao longo dos dois meses seguintes. Como Shapiro, Faerstein estava convencido desde o início de que ele era culpado.

Naquela quarta-feira, 15 de junho, mesmo dia em que o corpo de Nicole foi velado em uma funerária, Shapiro pediu a um médico internista, Robert Huizenga, que fizesse um exame físico detalhado de Simpson. O advogado queria que Huizenga checasse o estado clínico de seu cliente, mas também pediu ao médico que documentasse com fotos quaisquer hematomas ou escoriações no corpo do ex-jogador naquele momento, ou seja, menos de três dias após as mortes. A ausência de ferimentos graves se tornaria um argumento central de sua defesa durante o julgamento. Também naqueles primeiros dias de trabalho, Shapiro recrutou para o time de defesa dois dos mais proeminentes peritos forenses do país: Henry Lee, cientista chefe da polícia do estado de Connecticut, e Michael Baden, antigo legista chefe da cidade de Nova York. Na quinta-feira, 16 de junho, Lee e Baden já estavam em Los Angeles. Apesar de toda agitação em torno do caso, Shapiro encontrou tempo para realizar um gesto característico. Na noite de 16 de junho, levou Baden a Hollywood para uma glamourosa pré-estreia de *Lobo*, estrelado por Jack Nicholson, que entraria em cartaz no dia seguinte.

A ligação do detetive Lange na manhã de sexta-feira, 17 de junho, colocou Shapiro diante de um dilema. O que ele poderia — aliás, deveria — ter feito era simples: localizar o cliente e levá-lo ao Parker Center, cumprindo com folga o prazo estipulado. Porém, a situação era mais complicada do que Lange imaginava, já que Simpson não estava em sua casa de Brentwood, como supunham os policiais. Na manhã de quinta-feira, 16 de junho, logo após o funeral de Nicole, Simpson participou de uma elaborada farsa para convencer toda aquela gente da mídia acampada em frente à sua casa de que ele tinha realmente retornado a Rockingham. Quem de fato foi conduzido às pressas para dentro da propriedade com uma jaqueta sobre a cabeça era seu velho amigo Al "A.C." Cowlings. Simpson fora levado para a casa de seu amigo Robert Kardashian, no distrito de Encino, em San Fernando Valley. Vale notar que essa operação foi arquitetada por um sargento do DPLA, que, fora do serviço, fazia um bico como segurança do suspeito. Sebenick, é claro, não notificou seus colegas policiais do paradeiro de Simpson. Essa liberdade era típica do relacionamento de Simpson com o DPLA.

Shapiro, portanto, tinha que buscar Simpson em Encino, que era um pouco mais distante do centro que Brentwood. Tendo lidado com clientes famosos por anos, o advogado conhecia o valor da deferência. Foi por isso, por exemplo, que não quis ligar primeiro para a casa de Kardashian e dizer a O.J. que se preparasse para partir. Defendendo posteriormente suas próprias ações, Shapiro disse que agiu com tamanha cautela porque temia que Simpson pudesse ferir a si mesmo se fosse tratado de forma mais severa. Shapiro também sabia que os amigos de Simpson tinham acabado de orquestrar a saída de Howard

Weitzman em parte porque pensavam que ele não foi zeloso o suficiente ao proteger os interesses de Simpson. Shapiro não queria ter o mesmo destino de seu antecessor. Se tivesse que escolher entre ofender o DPLA ou seu cliente, Shapiro tentaria a sorte com a polícia. Antes de sair de casa, ele ligou para Faerstein, o psiquiatra, e pediu-lhe que o encontrasse na casa de Kardashian. Juntos, os dois dariam a má notícia a O.J.

Às 9h30, Shapiro chegou à casa de Kardashian, um palacete branco e pomposo que mais parecia um bordel de Teerã, todo em mármore e espelhos. Simpson, sedado, continuava no quarto do primeiro andar onde estava hospedado. Sua namorada, Paula Barbieri, estava com ele; passara a maior parte da semana ao seu lado. (Após o julgamento criminal de Simpson, ao depor em uma ação civil contra O.J., Barbieri afirmou que, na manhã de 12 de junho, dia dos assassinatos, tinha deixado uma mensagem de telefone para Simpson na qual rompia o namoro. No entanto, sua maneira de agir na semana seguinte não condizia com a de um término.)

Shapiro e Kardashian acordaram O.J. e disseram-lhe que o levariam ao Parker Center para se entregar. Mais uma vez, não o forçaram a nada. Em vez disso, explicaram que, antes de partirem, o dr. Huizenga e o dr. Faerstein viriam examiná-lo. Em questão de minutos, a casa começou a fervilhar de gente. Faerstein foi a primeiro a chegar, seguido por Huizenga, que vinha acompanhado de uma comitiva de assistentes. Depois chegaram Henry Lee e Michael Baden. A namorada de Kardashian, Denice Shakarian Halicki, que também morava na casa, sugeriu que ligassem para Al Cowlings, que foi chamado para se juntar ao grupo. Huizenga queria avaliar alguns gânglios linfáticos inchados que detectara em seu exame preliminar, especialmente porque O.J. tinha um histórico familiar de câncer. (Testes posteriores não revelaram malignidade.) Além disso — e por incrível que pareça —, Huizenga teve tempo de fazer alguns exames adicionais e tirar fotos do paciente com o intuito de reforçar sua defesa, demonstrando que o acusado não apresentava nenhum ferimento significativo. Tendo nas mãos a chance de se entregar espontaneamente, Simpson estava deixando o prazo correr para que pudesse, aí sim, conduzir sua defesa.

Shapiro falava ao telefone com o DPLA a cada quinze minutos, buscando apaziguar a situação, explicando que essas coisas levam tempo, que Simpson logo estaria a caminho. Pacientemente, ainda que com uma ponta de indignação, ele transmitiu a mesma mensagem a uma série de autoridades de patente cada vez mais elevada: "Sempre tive um bom relacionamento com o departamento de polícia. Nunca descumpri minha palavra. Peço que confiem em mim. Estarei aí assim que puder, e aviso quando vou poder". Afinal de contas, dizia Shapiro à polícia, que diferença faria se Simpson se entregasse às 11h ou às 13h?

Simpson também tinha suas exigências. Durante cerca de uma hora após a chegada de Shapiro, o grupo inteiro se reuniu em um grande escritório no segundo andar, bem ao lado do quarto principal. Quando Huizenga terminou de colher amostras de sangue e cabelo, O.J. disse que queria tomar banho e, em seguida, falar com a mãe e os filhos. Simpson, Barbieri e Cowlings desceram para o quarto de O.J. no primeiro andar. Ao chegar, Faerstein quis ficar de olho em Simpson para se certificar de que não machucaria a si mesmo. Mas não se importava nem um pouco que fosse Cowlings a fazê-lo; o psiquiatra supunha que Cowlings também zelaria pela segurança do amigo.

Por fim, Vannatter e Lange ficaram de saco cheio de esperar que o advogado levasse Simpson ao Parker Center. Vinham falando com Shapiro pelo celular, por isso nem sequer sabiam onde os dois realmente estavam. (Marcia Clark, que iniciava naquele dia os trabalhos do júri de acusação contra Simpson, fez uma pausa para travar ela própria uma conversa indignada com Shapiro.) Por volta do meio-dia, os detetives disseram que não esperariam mais. Mandariam uma viatura buscá-lo. Como sempre, a polícia de Los Angeles estava preocupada com a mídia. Tinham marcado uma conferência de imprensa para o meio-dia e agora teriam que adiá-la. Era pouco depois de meio-dia quando Shapiro pôs Faerstein ao telefone com um comandante da DPLA para explicar os motivos do atraso.

"Há um mandado de prisão em nome deste homem", disse o comandante, "e nós temos que ir buscá-lo. Onde vocês estão?"

Faerstein foi evasivo. "Creio que não estou autorizado a dizer onde nós estamos."

"Acho que o senhor não está entendendo, doutor. Existem leis que preveem punições para quem auxilia e acoberta fugitivos. Então, me diga agora em que lugar..."

"Só um minuto", disse Faerstein e em seguida entregou o telefone a Shapiro, que finalmente aceitou dar o endereço de Kardashian. Negociador como sempre era, Shapiro recebeu do comandante a garantia de que ele e Faerstein poderiam acompanhar Simpson no trajeto até o centro.

Momentos depois, por volta de 12h10, uma viatura chegou à casa de Kardashian, e um helicóptero da polícia sobrevoava o local. Shapiro e Faerstein atenderam a porta. Mesmo depois de todos os atrasos, o advogado tinha outro pedido. Ele e seus colegas — Faerstein, Huizenga, Lee, Baden e Kardashian — haviam se reunido no andar de cima, enquanto O.J. estava em um quarto dos fundos, conversando com Barbieri e Cowlings. Shapiro perguntou aos agentes se Faerstein, o psiquiatra, podia avisar O.J. da chegada da polícia. (Simpson nem sequer sabia que a polícia vinha buscá-lo.) Os agentes, que a essa altura tinham todo o direito de entrar sem pedir licença e levar Simpson, anuíram. Faerstein dirigiu-se ao quarto onde O.J. e A.C. conversavam. Passados alguns instantes, Faerstein voltou sozinho. "Ele deve estar em outro lugar", disse aos policiais.

Aos poucos, as pessoas dentro da casa foram se espalhando. Alguns se dirigiram ao andar de cima. A agitação dos passos aumentava a cada segundo. O.J. não estava no segundo andar. O ar tornava-se pesado em meio à inquietação geral. Um breve raio de esperança invadiu o grupo quando perceberam que ainda não tinham procurado na garagem. Vai ver O.J. tinha ido pegar alguma coisa no porta-malas do carro... Mas não havia carro na garagem. O pânico começava a se instalar. Foram falar com Otto "Keno" Jenkins, chofer de Robert Shapiro. Não, ele não tinha visto O.J. Foi nesse momento que todos se deram conta de que Barbieri e Cowlings também tinham sumido.

"Ninguém sai daqui", um agente disse quando percebeu o que tinha acontecido. "Vamos isolar a área."

Assim como fizera em 1989, quando a polícia veio atrás dele por espancar Nicole, ao ser procurado pelas autoridades em 1994 por assassiná-la, O.J. Simpson agiu da mesma forma: desaparecendo.

• • •

O vasto aparato de imprensa do DPLA divulgou a notícia logo de manhã cedo: haveria um pronunciamento sobre o caso Simpson ao meio-dia. Em frente ao Parker Center, pela manhã, foi se formando uma multidão de repórteres — repórteres que não se surpreenderam ao ouvir que a coletiva seria adiada, já que a maior parte dos eventos desse tipo atrasava. Foi divulgado então um alerta de bomba no quartel-general da polícia, e as autoridades disseram ao pessoal da imprensa que podiam evacuar o edifício se quisessem. Ninguém moveu um músculo — era uma mídia destemida e teimosa. Às 13h53, os repórteres receberam o aviso: a coletiva começaria em dois minutos.

O comandante David Gascon era porta-voz chefe do DPLA. Com seus cabelos pretos e alinhados, o bigode obrigatório e o uniforme bem ajustado ao corpo, Gascon era o retrato do departamento. Também era descontraído, acessível, e bem entrosado com a maioria dos repórteres que cobriam a polícia de Los Angeles. Logo notaram, quando Gascon subiu no palanque, que havia algo diferente no ar. Ele parecia abalado, e sua voz estremecia de leve.

"Bem, tenho um anúncio oficial do Departamento de Polícia de Los Angeles", disse.

"Esta manhã", continuou ele, titubeante, "detetives do Departamento de Polícia de Los Angeles, após uma exaustiva investigação — com dezenas de testemunhas interrogadas, exames minuciosos e análise de provas materiais tanto aqui como em Chicago —, solicitaram e obtiveram um mandado de prisão contra O.J. Simpson, acusado dos assassinatos de Nicole Brown Simpson e Ronald Lyle Goldman."

"Em um acordo com seu advogado de defesa, ele marcou de se entregar esta manhã ao Departamento de Polícia de Los Angeles, inicialmente às 11h, depois às 11h45. Mas o sr. Simpson não apareceu."

Houve uma comoção geral.

"O Departamento de Polícia de Los Angeles está conduzindo neste exato momento uma busca para encontrá-lo e prendê-lo."

Havia jornalistas experientes naquela sala, e ainda assim nenhum deles jamais conseguiria se lembrar de ter ouvido o som que emitiram naquele momento: uma espécie de arquejo coletivo. Em seguida, um jornalista, cujo nome perdeu-se na história, soltou um longo assobio de surpresa.

"O sr. Simpson está por aí, em algum lugar", disse Gascon, "e vamos encontrá-lo."

Logo que ficou claro que Simpson e Cowlings tinham realmente ido embora, Kardashian surgiu de repente no vestíbulo da casa trazendo um envelope com uma carta. Shapiro e Faerstein se sentaram ao pé da sinuosa escada de mármore e começaram a lê-la. Todos concordaram que parecia uma carta suicida escrita pelo desaparecido. Nesse meio-tempo, a polícia indagou o grupo ali reunido sobre o possível paradeiro de Simpson.

Alguém sugeriu o túmulo de Nicole, perto da casa dos pais dela em Orange County. Outra pessoa mencionou o Los Angeles Coliseum, estádio que fora palco dos momentos mais gloriosos de O.J. como jogador de futebol pela USC. "Pode ser que ele se mate na *end zone*", disse Faerstein.

Na verdade, ninguém fazia ideia de onde ele estava.

Depois de falarem com os policiais, oferecendo-lhes um relato detalhado dos acontecimentos daquela manhã, Shapiro e Kardashian partiram rumo ao escritório do advogado em Century City. (Eles também concluíram que Paula Barbieri deixara a residência pouco antes de O.J. e A.C., mas não junto com eles.) "Os dois Bobs", como eram às vezes chamados, perguntaram aos policiais se Faerstein podia ir com eles, mas a polícia ainda queria falar com o psiquiatra. Embora a carta fosse um indício claramente importante do estado mental de Simpson e de seus possíveis planos, Kardashian preferiu guardá-la consigo a mencioná-la ou mesmo a entregá-la à polícia, que estava à procura de O.J.

Desde o momento em que seu cliente desapareceu, Robert Shapiro focou em sua prioridade número um: Robert Shapiro. O advogado percebeu imediatamente a fúria da polícia e dos promotores por conta do sumiço de Simpson, e sabia que o responsabilizariam por isso. Shapiro os envergonhara diante do país inteiro. Pior, ele não gostava do que os policiais insinuavam sobre seu papel na fuga de Simpson. Embora o advogado não tivesse cometido nenhum crime ao abrigar Simpson durante a manhã, a simples possibilidade de que pudesse ser investigado o preocupava. Shapiro decidiu não mais perder tempo com subalternos como Lange, Clark e gente do tipo. Resolveu então ligar diretamente para o promotor de justiça Gil Garcetti.

As coisas estavam indo muito bem para Gil Garcetti. Eleito por esmagadora maioria em 1992, tinha um currículo étnico e político perfeito. Filho de imigrantes mexicanos e neto de um italiano, o político de 53 anos tinha passado toda sua carreira na promotoria. (Ele era, na verdade, vizinho de O.J. em Brentwood, mas não graças ao salário como funcionário público, e sim aos recursos de sua esposa rica.) Até mesmo o cabelo cinza-metálico vinha com uma história edificante: ele mudou de cor depois que fez quimioterapia em uma batalha bem-sucedida contra um linfoma em 1980. Apesar do pulso firme contra o crime e de ser democrata, Garcetti tinha um futuro promissor na política. Mas havia um problema no ar: o notável histórico de fracassos de seu escritório em casos de grande repercussão. A promotoria não conseguiu obter condenações contra os proprietários da escola McMartin em um longo processo envolvendo abuso de crianças; contra vários figurões da indústria cinematográfica ligados à morte de duas pessoas no set de filmagem de *No Limite da Realidade*; contra os irmãos Menendez por matarem os pais; e, mais notoriamente, contra os policiais que espancaram Rodney King — absolvições que desencadearam os distúrbios de 1992. No decorrer do caso Simpson, Garcetti faria questão de frisar (com razão) que era bastante injusto avaliar um escritório de quase mil promotores com base em seu desempenho em uns poucos "casos graúdos". (Apesar disso, na campanha contra seu antecessor, Ira Reiner, o próprio Garcetti não hesitara em usar justamente esse argumento superficial como arma.) Esses assassinatos punham Garcetti diante de um caso com potencial para eclipsar todos os outros em termos de repercussão midiática. Porém, inesperadamente, ele tinha nas mãos um problema maior do que tentar *condenar* O.J. Simpson: antes ele precisaria *encontrá-lo*.

Então Garcetti concentrou-se em *sua* prioridade número um: Gil Garcetti. Falando ao telefone com o promotor, Shapiro recitou uma versão do mesmo discurso que vinha fazendo o dia inteiro aos policiais: "Você me conhece, Gil, eu não faço esse tipo de coisa. Eu acertei a vinda de Erik Menendez[1] de Israel para ele se entregar". Citando nomes e contando vantagem mesmo em um momento como esse, Shapiro estava a ponto de enlouquecer e quase chorou ao telefone: "Eu não sabia que ele ia fugir, Gil. Você tem que acreditar em mim". Os dois eram velhos conhecidos. Shapiro chegara a fazer uma contribuição de 5 mil dólares para a campanha de Garcetti. Mas nesse momento o promotor dirigiu-se a Shapiro com uma raiva quase incontida: "Só traz ele pra cá, Bob. É só nisso que estamos pensando agora".

Às 15h, logo depois de falar com Shapiro, Garcetti encaminhou-se para sua própria coletiva de imprensa, no 18º andar do Fórum Central. Acompanhado de Marcia Clark e David Conn, Garcetti parecia ainda mais atordoado que Gascon na última coletiva, uma hora antes. Olhou em cheio para as câmeras, que transmitiam suas palavras ao vivo.

"Quero dizer uma coisa a toda a comunidade", começou Garcetti. "Se alguém estiver ajudando o sr. Simpson, por qualquer meio, a escapar da Justiça, o sr. Simpson é agora um foragido da Justiça. [Seus sentimentos turvavam o uso normalmente adequado que fazia da sintaxe.] Ajudá-lo de qualquer forma configuraria crime. Pensem bem. Garanto que se houverem provas de que alguém prestou qualquer tipo de ajuda ao sr. Simpson com o intuito de evitar sua prisão, o responsável responderá na Justiça como criminoso."

---

1   Em 1989, os irmãos Lyle Menendez e Erik Menendez mataram os pais, os empresários do ramo de entretenimento Jose Menendez e Mary "Kitty" Menendez, na casa em que moravam em Beverly Hills, Califórnia. Foram condenados à prisão perpétua, sem direito à progressão de regime.

"Agora", continuou Garcetti, ainda um pouco hesitante, "como podem ver, estou um pouco aflito; e é verdade, estou. Trata-se de um caso muito grave. Muitos de nós, possivelmente, tínhamos alguma empatia pelo acusado. Viámos, talvez, a queda de um herói americano. Até certo ponto, eu também via o sr. Simpson dessa forma. Mas lembremos das duas pessoas inocentes que foram brutalmente assassinadas. [...] É um caso grave. E vamos continuar a tratá-lo dessa forma."

Ao longo de mais de meia hora de perguntas hostis, Garcetti valeu-se apenas de palavras gentis para se referir ao DPLA, mas no final não conseguiu esconder a frustração.

Parafraseando uma pergunta que já tinha sido feito umas vinte vezes durante a coletiva, um repórter arriscou: "A pergunta que não quer calar — e que talvez deva ser direcionada ao DPLA, como, aliás, já foi — é: como uma coisa dessas pode acontecer? O mundo inteiro está de olho neste homem. Existe alguma resposta plausível?".

"Eu não tenho nenhuma", Garcetti limitou-se a dizer.

"Com certeza você está se perguntando a mesma coisa."

"Não estamos todos?", disse o promotor.

· · ·

A coletiva de imprensa de Garcetti não contribuiu em nada para aliviar a ansiedade de Shapiro. O advogado sabia que, aos olhos das autoridades de Los Angeles, ele continuava sendo o vilão da história. Assim, Shapiro decidiu, para todos os efeitos, levar seu caso a público. Avisou aos repórteres que daria uma declaração sobre os eventos do dia às 17h, isto é, menos de uma hora depois da coletiva de Garcetti. Ao contrário de todos os outros eventos programados para aquele 17 de junho, a coletiva de Shapiro teve início na hora marcada. O advogado estava ansioso para começar logo. Subiu em um palanque montado em uma sala de conferências improvisada no térreo do edifício que abrigava seu escritório em Century City, e falou aos repórteres de maneira pausada e metódica, sem recorrer a anotações.

Shapiro também começou fazendo um apelo às câmeras, embora se dirigisse a um só ouvinte. "Pelo bem de seus filhos", disse a O.J., "por favor, entregue-se imediatamente. Entregue-se a qualquer autoridade policial, em qualquer delegacia, mas por favor, faça-o agora." Shapiro demonstrava uma calma incomum para a situação, e sua fala carecia de afetações. Apesar de todo o caos daquele dia — e da estranheza dos acontecimentos — chamava a atenção que Shapiro falasse sem paixão nem mudança de inflexão. Em retrospecto, o verdadeiro propósito do advogado naquela coletiva fica bastante evidente: o que quer que tivesse acontecido ao longo do dia, aquela confusão não o arrastaria ao fundo do poço.

Shapiro começou fazendo um resumo dos eventos do dia: a ligação dos detetives de manhã cedo, sua ida à casa de Kardashian, o momento em que contou a Simpson sobre a ordem de prisão, e o súbito desaparecimento deste. "Ao longo dos últimos 25 anos, já fiz, em diversas ocasiões, acordos similares com o Departamento de Polícia de Los Angeles, com a Promotoria de Justiça e com o sr. Garcetti. Eles sempre cumpriram a palavra deles, e eu a minha. Aliás, foi dessa mesma forma que acertei a vinda de Erik Menendez de Israel para se entregar. Estamos todos chocados com essa reviravolta."

Era uma narrativa extraordinária, e os repórteres, junto com os telespectadores do país inteiro, acompanhavam-na com toda a atenção. O relato do advogado também incriminava gravemente seu cliente. As ações de Simpson, tal como descritas por Shapiro, não condiziam com as de um homem inocente. Em vista da fuga de Simpson, Shapiro poderia até ser obrigado a reportar a história à polícia, mas decerto não tinha nenhuma obrigação de compartilhá-la com o público. Na verdade, segundo pensavam alguns, muito do que se deu naquela manhã na casa de Kardashian poderia ficar protegido pelo pacto de confidencialidade entre advogado e cliente — ao qual somente Simpson tinha o direito de renunciar. Mesmo assim, Shapiro contou tudo, abandonando o cliente à própria sorte a fim de salvar a si mesmo.

Porém, o relato de Shapiro era apenas o início. Aquela coletiva ainda daria muito pano para mangas. "Agora", continuou Shapiro, "gostaria de apresentá-los ao sr. Robert Kardashian, um dos amigos mais íntimos e queridos do sr. Simpson, que vai ler uma carta que meu cliente escreveu de próprio punho hoje. Obrigado."

• • •

Ele veio a se tornar uma das figuras mais familiares, ainda que menos conhecida, da saga Simpson: o leal amigo Robert Kardashian, aquele com a mecha branca no cabelo. Herdeiro de um negócio milionário de produção e distribuição de carne em Los Angeles, Kardashian frequentou a USC alguns anos antes de Simpson, onde trabalhou como assistente do time de futebol — típica função de um parasita. Graduou-se em direito, mas logo largou a profissão para se dedicar aos negócios. Fundou uma revista de música e vendeu suas ações por 3 milhões de dólares em 1979. Na época dos assassinatos, dirigia a Movie Tunes, uma empresa que reproduzia músicas nas salas de cinema, entre as sessões.

Por muitos anos, Simpson e Kardashian compartilharam vidas sociais agitadas. Em 1978, Kardashian conheceu sua futura esposa, Kristen, quando ela tinha 17 anos e ele 34. Kardashian já era amigo de Simpson um ano antes, quando este, então com 30 anos, conheceu Nicole Brown, à época com 18. Bob e Kristen Kardashian tiveram quatro filhos (Kourtney, Kimberly, Khole e Robert Jr.), e muitas vezes acompanhavam O.J. e Nicole durante as férias. Os dois casais também se separaram mais ou menos na mesma época, e os papéis do divórcio dos Kardashian sugerem que a relação foi assolada por alguns dos mesmos problemas que O.J. e Nicole enfrentavam. Durante o divórcio, Kristen Kardashian obteve uma ordem de restrição que impedia a qualquer um dos dois que "assediasse, atacasse, agredisse, abusasse sexualmente, espancasse ou perturbasse de qualquer outra maneira a paz do outro".

Curiosamente, Kardashian parece ter sofrido um súbito ataque de pobreza durante a separação. Em uma declaração escrita apresentada em 11 de janeiro de 1991, diz ter sido demitido do emprego em dezembro. "Estou atualmente desempregado e não tenho nenhuma fonte de renda", afirma o documento. Apesar disso, na época dos assassinatos, Kardashian morava na enorme casa de Encino, e, desde o momento em que Simpson foi preso, ele interrompeu todas as outras atividades, reativou a licença para advogar e dedicou-se em tempo integral a defender O.J. por mais de um ano. Seu Rolls-Royce tinha praticamente uma vaga cativa na prisão do distrito. Sua devoção a Simpson tinha um quê de loucura e desespero. Em setembro de 1994, pôs um anúncio de página inteira na revista *Hits*, uma publicação especializada, com os dizeres JUSTICE FOR THE JUICE.[2] No anúncio, Kardashian usava o nome do vice-presidente executivo da Movie Tunes, Michael Ameen, sem permissão. Ameen pediu demissão logo depois do episódio, dizendo ao *The Hollywood Reporter* que o "compromisso de Robert com o caso [Simpson] sacrificara todas as outras áreas de sua vida".

Para Kardashian, o divórcio foi especialmente doloroso, já que a mulher o trocou por Bruce Jenner, campeão do decatlo olímpico.

---

2   "JUSTIÇA PARA O.J.", em tradução livre. Em inglês, *o.j.* é uma forma abreviada de se referir a *orange juice*, suco de laranja, e *juice* é também uma gíria para eletricidade ou qualquer forma de energia.

Jenner e Kristen acabaram se casando, e, na época dos assassinatos, estrelavam um infomercial — exibido com bastante frequência — de um aparelho para exercitar as coxas. De acordo com um sócio de Kardashian, "ele ficava incomodado ao vê-la o tempo todo na TV com o 'Mestre das Coxas'. Para ele, o caso era uma boa maneira de esquecer os dois, além de ser muito melhor que um infomercial".

Com a cabeça inclinada, sem nenhuma introdução ou explicação prévia, Kardashian acompanhou Shapiro até o palanque na coletiva daquele 17 de junho e começou a falar para o enxame de microfones. Sua audiência certamente superava a de qualquer infomercial. "Esta carta foi escrita hoje por O.J.", disse. Não era verdade. A data que constava no cabeçalho era 15 de junho de 1994, dois dias antes. Kardashian começou a ler: *"A quem interessar possa..."*

• • •

Existem muitos tipos de cartas de suicídio. Algumas dizem a verdade; outras não. Algumas refletem uma intenção genuína de consumar o ato; outras apenas evidenciam certo gosto pelo melodrama. Obviamente, não há como dizer com certeza o que O.J. Simpson pretendia fazer quando redigiu a carta que Robert Kardashian leu ao mundo na tarde de 17 de junho de 1994. Entretanto, é seguro dizer que Simpson queria que a mensagem fosse entendida como uma carta de suicídio — e como um testamento público. Como tal, ela fornece pistas tanto intencionais como não intencionais da índole do autor — e particularmente da banalidade, da autopiedade e do narcisismo que são as pedras de toque de seu caráter.

> *Primeiramente[3] quero que todos entenda que nada a ver com o assassinato de Nicole. Eu amava ela, sempre amei e sempre vou amar. Se a gente tinha algum problema é porque eu amava muito ela. Um tepo atrás agente decidiu que não divia ficar junto pelo menos por enquanto. A pesar do nosso amor agente era muito diferente e porisso dicidiu de comum acordo que era melhor cada um segui seu proprio caminho.*

---

3   A tradução da carta tentou reproduzir, de maneira livre, os desvios da língua padrão encontrados na língua original.

Kardashian ia alterando o texto conforme lia, a começar pela omissão da data no cabeçalho. Shapiro sugeriu que Simpson havia entregado essa e outras duas cartas a Kardashian logo depois de escrevê-las. Mas se tivessem realmente sido redigidas dois dias antes, pode ser que Kardashian tivesse noção de que Simpson considerava não se entregar à polícia. Ao omitir a data, ele evitava perguntas incômodas sobre seu papel no desaparecimento de O.J.

Além disso, Kardashian começou a leitura reproduzindo as palavras da carta dizendo: "Primeiramente, quero que todos entendam *que não tive* nada a ver com o assassinato de Nicole". No texto original, Simpson omite essas importantes palavras. A "carta de suicídio" deixava claro o quanto a escrita do autor era precária, portanto é difícil tirar qualquer conclusão que não seja sua alfabetização deficiente. No entanto, é difícil não atribuir algum sentido psicológico à incapacidade de exprimir corretamente uma frase de tamanha importância. (A maioria dos jornais que publicaram trechos da carta corrigiu a gramática e a ortografia, dando a impressão de que Simpson era mais letrado do que efetivamente era.)

Dois dias antes, diante do corpo de Nicole no necrotério O'Connor Mortuary, em Laguna Beach, a mãe da falecida, Juditha, perguntou a O.J. se ele teve algum envolvimento com a morte da filha. Fitando o cadáver de Nicole enquanto respondia, Simpson usou palavras similares às da carta: "Eu amava ela", disse à mãe de Nicole. "Amava ela demais." A julgar tanto pela carta como pelo comentário, parece que O.J. acreditava que seu amor por Nicole era de certa forma excessivo.

> *Foi difícil separar pela segunda vez mas nós dois sabíamos que era melhor assim. No fundo eu não tinha dúvida que mais pra frente a gente seria bons amigo ou mais que isso até. Diferente do que diz a imprenssa, eu + Nicole tivemos uma boa relasão na maior parte do tempo que tava junto. Como quaquer relacionamento longo, tivemos alguns altos+baixos. Segurei a barra no ano-novo de 1989 porque era coisa certa só não contestei as acusações na justiça pra proteger nossa privasidade e porque me aconselharam que isso acabaria com o falatório na imprensa.*

A gramática dessa última frase foi corrigida por Kardashian de forma bastante significativa.

> *Não quero fica aqui malhando a imprensa, mais é que acho incrível a maior parte do que tao dizendo por aí. É pura invenção. Sei que é o trabalho de voces, mais como último desejo pesso por favor, deixem meus filhos em paz. Eles já vão ter uma vida dura pela frente.*

Deixando de lado a questão de se uma condenação por violência doméstica e as reiteradas ligações de Nicole para o 911 podiam ser consideradas apenas como "alguns altos+baixos", o que impressiona aqui é o egocentrismo de Simpson, que não só nega a responsabilidade por bater em Nicole, como se parabeniza por assumir a culpa do incidente. A ironia é que, na verdade, houve pouco "falatório na imprensa" sobre o episódio de violência doméstica de 1989. Na realidade, apesar da condenação, Simpson foi, em geral, alvo de comentários elogiosos da imprensa de 1989 até a semana posterior aos assassinatos. Inclusive, a mágoa que O.J. sentia por conta das poucas críticas desfavoráveis a seu respeito ilustra mais uma vez seu enorme autoapreço.

> *Queria expressar meu amor e gratidão a todos meus amigo. Desculpe não poder citar o nome de cada um de vocês. Obrigado principalmente a A.C. Cara, obrigado por fazer parte da minha vida. Agradeço pelo apoio e amizade que recebo de tanta gente... Wayne Hughes, Louis Marx, Frank Olson, Marc Packer, Bender, Bobby Kardashian... queria que tivéssemos passado mais tempo jutos nos últimos anos.*

Hughes era benfeitor da USC e dono de uma cadeia de instalações de *self-storage*; Marx era um investidor que vendeu a empresa de brinquedos do pai com uma grande margem de lucro; Olson era o veterano diretor executivo da Hertz; Packer era proprietário de restaurante em Nova York; Bobby Bender era um executivo da indústria de confecções em Nova York. Quanto a Kardashian, a carta sugere que até Simpson se surpreendia com o grau e a intensidade da bajulação do amigo.

Meus parcero do golfe, Hoss, Alan Austin,
Mike, Craig, Bender, Wyler, Sandy, Jay,
Donnie Sofer, obrigado pela diversão.

Os quatro primeiros nomes mencionados são todos de parceiros de jogo de O.J. no Riviera Country Club, que ficava perto da casa de Simpson em Brentwood. "Hoss" é Bob Hoskins, empresário de Los Angeles; Alan Austin administrava havia muitos anos uma butique de roupas femininas em Beverly Hills; Mike Melchiori era um empresário semiaposentado do setor gráfico (morreu de ataque cardíaco em abril de 1996); e Craig Baumgarten, ex-executivo sênior na Columbia Pictures, hoje produtor de filmes independentes. Wyler é sócio de Bender na indústria de confecções. Sandy, Jay e Don Soffer (na grafia correta) eram parceiros de golfe de Simpson na Costa Leste. Vale notar, dada a forma como o caso se desdobrou, que na lista dos quinze melhores amigos de O.J., todos, exceto Cowlings, são homens brancos e ricos de meia-idade.

> *Todos meus companheiro de equipe ao longo dos anos.*
> *Reggie, você foi a alma da minha carreira profissional.*
> *Ahmad, a cada dia que passa fico mais orgulhoso de*
> *você. Marcus, a Katherine foi um achado vê se não*
> *vacila. Bobby Chandler obrigado pelo companheirismo.*

Como se vê, ao se dirigir aos colegas atletas, a carta de Simpson assume um tom de anuário escolar. Reggie McKenzie foi o principal bloqueador de Simpson no Buffalo Bills; Ahmad Rashad jogou como *wide receiver* no Bills e depois no Minnesota Vikings, era colega de O.J. e já foi seu rival na NBC Sports; Marcus Allen, que ganhou o troféu Heisman na USC como *running back* treze anos depois de Simpson, teve uma magnífica carreira profissional no Raiders e no Kansas City Chiefs; Chandler, companheiro de equipe de O.J. na USC, jogou para o Raiders na NFL. (Ele acabou morrendo de câncer enquanto O.J. estava preso e era julgado.)

É particularmente intrigante a referência a Allen. Marcus Allen era de certa forma o protegido de O.J., o homem que chegou mais perto de igualar suas façanhas na USC e na categoria profissional. Como é de se esperar, a relação entre os dois foi marcada por alguns atritos, agravados pelo intermitente caso amoroso de Allen com Nicole. Alguns dos amigos de O.J. e Nicole acreditam que foram precisamente os ciúmes em relação a Allen que acabaram levando Simpson a assassiná-la. O.J., ao que tudo indica, sabia do romance e mesmo assim perdoou Allen, que em 1993 acabou recebendo a bênção de Simpson para se casar com Kathryn (na grafia correta) na sua casa da Rockingham. Mas a instrução dada a Allen sobre seu casamento — "vê se não vacila" — pode ser um sutil lembrete de que ainda existia algum ressentimento.

> *Skip + Cathy amo vocês sem vocês eu nunca teria chegado até aqui. Marquerite obrigado por aqueles primeiros anos. Quanta diversão. Paula, o que dizer, você é especial. Pena que não tivemos nossa chancis. Deus mandou você pra mim. Agora eu vejo, ao partir, que você vai estar nos meus pensametos.*

Skip Taft era gerente de negócios de O.J.; Cathy Randa, sua secretária; Marguerite, sua primeira esposa e mãe de Jason, Arnelle e Aaren (a criança que se afogou na piscina na Rockingham). Barbieri era, claro, sua principal (mas longe de exclusiva) namorada após se separar de Nicole. As únicas mulheres mencionadas na carta são secretárias, esposas e namoradas — o que resumia bem a visão de O.J. sobre o lugar das mulheres no mundo.

No final, a carta chegava a lembrar o discurso proferido por Simpson em 3 de agosto de 1985 ao ingressar no Hall da Fama do futebol profissional em Canton, Ohio. Na ocasião, O.J. agradeceu praticamente às mesmas pessoas, mais ou menos no mesmo estilo ("Não estaria aqui se não fosse por Skip Taft e Cathy Randa..."). Apesar das circunstâncias macabras, Simpson parece ter redigido a carta de suicídio como uma celebridade decidida a permitir que alguns amigos se beneficiem por tabela de sua glória.

> *Quando penso na minha vida sinto que agir certo na maioria das vezes. então porque acabo assim. Não dá pra continuar, não importa o que aconteça as pessoas vão ficar olhando e apontando. Não aguento. Não posso sujeitar meus filhos a isso. Assim eles vão poder seguir emfrente com a vida dels. Se vocês acham que fiz algo de bom na vida, por favor deixem meus filhos em <u>paz</u>, longe de vocês (imprensa).*

Nesse ponto, Simpson demonstra certa presciência. Embora fosse posteriormente absolvido, ele de fato se tornou um pária; as pessoas realmente olhavam e apontavam. Mas o peculiar nesse desdobramento é como Simpson transformou a própria incapacidade de lidar com a impopularidade em um problema para os filhos: "Não posso sujeitar meus filhos a isso". Sydney e Justin tinham acabado de perder a mãe. Uma reação mais racional e generosa seria talvez acolhê-los e assegurá-los de que não perderiam também o pai. O ego de Simpson o compelia a imaginar que os próprios problemas com a opinião pública seriam uma tortura para os filhos — quando era obviamente ele, e não as crianças, que não suportava a ideia da humilhação.

> *Tive uma vida boa e me orgulho de como vivi, minha mãe me ensinou a fazer o bem pros otros. Eu tratava as pessoas como queria ser tratado sempre busquei ajudar então porque tá acontecendo isso? Eu sinto muito pela família Goldman. Sei como dói. Nicole e eu tivemos uma boa vida juntos, todo esse papo na imprensa da gente ter um relacionamento contrubado era ezagero, não era mais que qualquer relacionamento longo. Todos os amigos dela estão de prova que eu tratava ela com todo carinho e smpre fui compreensivo em relasão ao que ela tava passando. Algumas vezes como marido ou namorado me senti maltratado, mas eu amava ela, deixava isso claro pra todo mundo e teria feito qualquer coisa pra gente dar certo.*

Embora seja teoricamente possível que Simpson, um jogador de futebol de 1,87 metro de altura e 95 quilos, tenha sido agredido por Nicole, de 1,65 m e 58 kg, não constam registros de que O.J. tenha buscado assistência médica devido à violência física supostamente sofrida.

> *Não sintam pena de mim. Tive vida ótima fiz grandes amigos. Por favor, lembrem do verdadeiro O.J. e não dessa pessoa perdida. Obrigado por tornarem minha vida especial espero que eu ajude a de voces. Paz + Amor O.J.*

Dentro do O em seu nome, Simpson rabiscou uma carinha feliz — um floreio quase perverso demais para se contemplar.

De tudo que o conteúdo da carta revela sobre seu autor, o que talvez chame mais a atenção é justamente algo que não consta no texto. Simpson retrata a si mesmo como um homem injustamente acusado de assassinato, mas a carta nem sequer pede à polícia que encontre o "verdadeiro" assassino da ex-mulher e do amigo dela.

• • •

Shapiro respondia às perguntas dos repórteres na coletiva de imprensa. Um deles perguntou por que Kardashian tinha lido a carta. Afinal de contas, ela incriminava de forma bastante direta o cliente de Shapiro. "Lemos a carta porque são as únicas palavras que temos de O.J.", respondeu. A resposta diz muito sobre o tratamento leniente dispensado aos clientes famosos. Tudo seria feito conforme O.J. queria, sem discussão. É possível que Simpson só pretendesse que a carta fosse lida se chegasse a cometer suicídio. (Outros que compareceram à reunião na casa de Kardashian ficaram chocados com a leitura pública da carta.) Não teria havido nenhum mal em adiar a decisão de ler a carta. Mas, com a leitura, Shapiro ao mesmo tempo satisfazia o último desejo de O.J. e atendia aos próprios interesses, já que dessa forma demonstrava ter sido enganado por um homem desesperado e possivelmente enlouquecido. Ao detalhar os motivos que o levaram a divulgar a carta, Shapiro prosseguiu: "Nunca me senti pior em toda a minha carreira profissional como depois do que aconteceu hoje". Em outras palavras, Shapiro pedira a Kardashian que lesse publicamente a carta em parte para que o advogado se sentisse melhor.

A pergunta seguinte mais uma vez ilustrava como a celebridade de Simpson afetava a maneira como se conduzia o caso. Shapiro mencionou que três cartas foram encontradas na casa de Kardashian: uma destinada ao público (a que Kardashian lera em voz alta), outra aos filhos, e a terceira, à mãe. Um repórter perguntou se Shapiro tinha lido as três. "Não", respondeu. "Elas estão seladas e serão entregues a seus respectivos destinatários." Todas as três cartas poderiam conter indícios cruciais para localizar um fugitivo acusado de homicídio. Acima de tudo, era facultado à polícia e a ninguém mais o direito de apreender e ler tais cartas. Apesar disso, Shapiro e Kardashian saíram da casa despreocupados em posse delas e, em seguida, anunciaram que o fugitivo — e não a polícia — determinaria quem as leria. Em Los Angeles, ocorrências desse tipo já eram tão naturais que a remoção das cartas da casa mal repercutiu na mídia local.

E essa nem foi a resposta mais notável de Shapiro durante a coletiva de imprensa. "Quais foram as últimas palavras que o senhor ouviu de O.J. Simpson?", indagou um repórter.

Essa pergunta requeria que Shapiro revelasse alguma comunicação entre ele e Simpson que poderia estar protegida pelo privilégio de sigilo entre advogado e cliente. No entanto, Shapiro não hesitou em respondê-la. "Foi uma conversa de cunho pessoal em que ele elogiava o modo como estive ao seu lado. Ele me agradeceu por tudo que eu tinha feito até o momento", afirmou. A resposta levanta outro questionamento, que não chegou a ser formulado: dado o tom de despedida do agradecimento, o advogado não cogitou que Simpson pudesse estar prestes a fugir?

Diante de um cliente foragido, muitos advogados teriam se enfurnado no escritório imediatamente e não soltariam o telefone até farejar alguma pista sobre o paradeiro do fugitivo. Mas nunca foi do feitio de Shapiro passar mais tempo que o necessário dentro do escritório. Por isso, depois da coletiva, foi para casa. A esposa, Linell, recebeu-o na porta.

"Por onde você andou?", perguntou ela. "Ele tá na televisão, Bob."

• • •

Na hora da coletiva de imprensa de Gascon, às 14h, o DPLA já tinha emitido um alerta de busca para Al Cowlings. Perto desse horário, Vannatter, Lange e seus colegas fizeram as primeiras ligações para os vários departamentos de polícia em jurisdições vizinhas à da polícia de Los Angeles. Mas, como a polícia não chegou a apreender o passaporte de Simpson, os agentes tiveram que expandir ainda mais as buscas. Notificaram, portanto, a Patrulha de Fronteira, as companhias aéreas, a Alfândega e a polícia judiciária mexicana.

Porém, foi apenas um pouco depois da coletiva de imprensa de Shapiro, por volta das 18h, que os meios locais confirmaram a descrição do carro que a polícia procurava: um Ford Bronco 93, de placa 3DHY503, Califórnia. Não é de surpreender, talvez, dado o interesse público pelo caso, que tenha sido o anúncio difundido pela mídia, e não o trabalho das autoridades, que produziu resultados quase imediatos.

Chris Thomas via televisão em sua casa, em Mission Viejo, quando soube que Simpson estava foragido. Às 18h25, ele e a namorada, Kathy Ferrigno, seguiam pela Interstate 5, a Santa Ana Freeway, no sentido norte, a caminho de um acampamento onde passariam o fim de semana. Os dois vinham falando do sumiço de O.J., brincando, ao mesmo tempo que examinavam distraidamente os carros que vinham em sua direção, verificando se o de Simpson estaria entre eles, a caminho do México. Após alguns minutos nesse jogo, Ferrigno olhou para o retrovisor do passageiro e desatou a gritar: "Meu Deus! Chris, Chris, Chris!". Thomas desacelerou e segundos depois Ferrigno deu de cara com Al Cowlings. Quando percebeu que a garota o encarava, Cowlings fulminou-a com os olhos. Naquele momento, o casal estava a cerca de 130 quilômetros ao sul da casa de Kardashian em Encino, perto do trevo rodoviário de El Toro, na Interstate 5. O local ficava a uns cinco minutos do cemitério onde Nicole Brown Simpson estava enterrada. Mas havia um detalhe que se mostraria importante mais tarde: o Bronco seguia na direção norte, ou seja, de volta para Los Angeles, distanciando-se da fronteira mexicana.

Ferrigno anotou a placa do Bronco, e depois de encostar perto de uma cabine telefônica, Thomas ligou para a Patrulha Rodoviária da Califórnia e transmitiu ao atendente sua impressão sobre o comportamento de Cowlings: "A gente olhou pra ele, e ele ficou tipo encarando a gente, como se fosse a própria morte".

Como Simpson relataria em depoimento, ele e Cowlings saíram da Interstate 5 com a intenção de ir ao túmulo de Nicole, mas mudaram de ideia quando viram que o cemitério estava cercado pela polícia. Alguns minutos após a ligação de Thomas, Larry Pool, policial de Orange County, avistou o Bronco percorrendo uma rampa que caía de volta na autoestrada de Santa Ana, na direção norte. Pool acelerou ao lado do Bronco e olhou para dentro. Cowlings devolveu o olhar com um sorriso nervoso. O agente, então, contatou a central pelo rádio, para conferir a placa do Bronco, e confirmou que era o carro de Cowlings.

"Entendido, estou atrás dele", disse Pool ao rádio, e nesse momento um silêncio aflitivo tomou conta de todo o tráfego aéreo na frequência da polícia.

Conforme o Bronco avançava pela autoestrada cruzando a cidade de Santa Ana, o tráfego ia ficando mais pesado, até parar completamente. Pool e um colega em outra viatura, Jim Sewell, aproveitaram a oportunidade para sair de seus carros e, com armas em punho, avançaram a pé até o Bronco.

"Desliga o motor!", os policiais gritaram para Cowlings.

Cowlings começou a gritar e a bater com a mão esquerda na lataria da porta. "Nem por um caralho!", respondeu, e golpeava o carro com tanta força que o veículo sacudia sem sair do lugar. "Guardem as armas! Ele tá no banco de trás, e tá com uma arma na cabeça."

Receosos de provocar uma carnificina, os policiais mantiveram suas posições e viram Cowlings arrancar com o carro quando o trânsito à frente ficou desimpedido. O Bronco começou a avançar novamente em velocidade moderada, ainda no sentido norte. De volta às viaturas preto e brancas, os policiais de Orange County seguiram na cola do Bronco e pediram reforços pelo rádio. Dava-se início à perseguição.

Cowlings acionou o pisca-alerta do carro e ligou para o 911 do telefone do carro logo depois do confronto. "É o A.C. que tá falando", disse ao atendente, às 18h46. "O O.J. tá comigo no carro."

"Ok, onde o senhor está?", perguntou o operador.

"Por favor", disse Cowlings. "Tô vindo pela rodovia 5... Por enquanto tá tudo ok com a gente, mas vocês têm que dizer pra polícia se afastar. Ele ainda tá vivo. Ele tá com uma arma apontada pra cabeça."

"Um momento. Certo. Onde o senhor está?", respondeu o operador. "Está tudo bem?"

"Por enquanto tá tudo bem, policial. Tá tudo bem. Ele quer que eu leve ele pra mãe. Ele quer eu leve ele pra casa."

O atendente transferiu a ligação, e outra voz perguntou: "Qual o seu nome, senhor?".

"Meu nome é A.C.", vociferou. "Porra, vocês sabem quem é!" Cowlings desligou o telefone e continuou dirigindo no sentido norte, como quem vai para Brentwood.

Obviamente, não era só a polícia que estava atrás de Cowlings naquela tarde. Tão logo o DPLA anunciou que O.J. tinha desaparecido, Bob Tur, o decano dos repórteres que trabalham de helicóptero, também começou a maquinar meios de encontrar O.J. e A.C. Ruminando sobre a situação embaraçosa de Simpson com a esposa — a copiloto e operadora de câmera Marika —, Bob Tur chegou à mesma conclusão a que chegaram os médicos de Simpson, e calculou que ele tentaria visitar o túmulo da ex--mulher em Orange County. Ele e Marika rumaram então, no helicóptero da KCBS, para o Ascension Cemetery, em Lake Forest. Tur notou que a polícia tinha cercado o local, também à espera de Simpson, e decidiu sobrevoar a Santa Ana Freeway. Ao que tudo indicava, ele tinha avistado o Bronco pouco depois de Pool e Sewell confrontarem Cowlings. As patrulhas de reforço — cerca de uma dúzia — vinham a uma distância segura atrás de Cowlings e Simpson, conforme o Bronco seguia na direção norte. A KCBS começou a transmitir imagens ao vivo, e outras estações, com seus próprios helicópteros, captaram a perseguição logo em seguida.

Era, sem dúvida, um momento raro no jornalismo, mas não tão raro como muitos pensavam. As perseguições em autoestradas, transmitidas ao vivo a partir de helicópteros equipados com câmeras, são um componente básico do telejornalismo em Los Angeles. As emissoras locais interrompem regularmente a programação para acompanhar as perseguições mais corriqueiras, mesmo as decorrentes de infrações de trânsito. Bob Tur já havia tido outras 128 experiências do tipo. Os pilotos já sabem o que fazer e acompanham as transmissões da polícia por meio de misturadores de frequência. Embora o Bronco só tivesse sido localizado pelas câmeras a cerca de 110 quilômetros da Rockingham, os pilotos de helicóptero das emissoras, que conhecem bem a geografia local, conseguiram prever com exatidão aonde estava indo o Bronco. Por isso, para os telespectadores de Los Angeles, a rota e o destino de Simpson não eram nenhum mistério.

Em âmbito nacional, entretanto, a história era diferente. Uma após a outra, as redes de TV começaram a interromper a programação para transmitir ao vivo a perseguição. (A NBC alternava entre a caminhonete de Simpson e o quinto jogo da final do campeonato da NBA, New York Knicks vs. Houston Rockets.) Os âncoras das grandes redes estavam bem menos familiarizados com a praxe das perseguições de helicóptero e ignoravam completamente a topografia das autoestradas de Los Angeles. Por isso, suas narrativas refletiam apenas a perplexidade com que viam a cena se desenrolar diante de seus olhos. Na ABC, por exemplo, Peter Jennings confessou reiteradas vezes que não fazia ideia de onde estava a caminhonete ou qual era seu destino. De algum modo, essas descrições vazias e nada informativas acabaram tornando a perseguição ainda mais hipnotizante aos olhos do resto do país.

A jornada televisionada de Simpson rumo ao desconhecido transformou um assassinato de tabloide em um fenômeno internacional. Cerca de 95 milhões de americanos assistiram a alguma parte da perseguição pela TV — quase 5 milhões a mais que a audiência do Super Bowl naquele ano.

Com os helicópteros em seu encalço, o Bronco continuou na Santa Ana, sentido norte, passando pela Disneylândia em Anaheim, e depois seguiu para oeste, pela Artesia Freeway. Foi nesse momento, logo após as 19h, que a notícia da perseguição se espalhou e a cobertura da mídia tornou-se onipresente. Sete helicópteros da imprensa seguiam o rastro do Bronco.

Multidões começaram a se formar em Compton, uma pequena cidade de forte presença negra ao sul de Los Angeles. Os números eram modestos no início: apenas algumas dezenas de pessoas foram atraídas pelo espetáculo televisivo. Cowlings saiu da Artesia Freeway, percorrendo menos de 1,5 quilômetro ao sul pela Harbor Freeway e depois a oeste pela I-405, conhecida como San Diego Freeway. Essa trajetória confirmava o que Cowlings havia dito à polícia. Embora ainda houvesse uns cinquenta quilômetros pela frente, ele estava a caminho da casa de Simpson em Brentwood. A San Diego Freeway atravessava Torrance, uma comunidade nada parecida com a vizinha Compton. Certa vez, em seu estilo característico, Mark Fuhrman explicou a diferença. Suas entrevistas gravadas com a aspirante a roteirista Laura Hart McKinny contêm a seguinte descrição: "Westwood já era, os crioulos[4] descobriram o lugar. [...] Torrance é considerada o último reduto da classe média branca". Os últimos representantes "da classe média branca" reagiram de modo diverso à perseguição. Não havia manifestantes às margens da rodovia, e O.J. e seu séquito de helicópteros passaram por ali sem alarde. Ao norte, em Inglewood e na periferia de Watts, comunidades predominantemente negras, os espectadores reagiam gritando palavras de incentivo. "Vai, O.J.!", muitos bradavam. "Libertem O.J.!"

Os helicópteros tiveram que recuar por um breve momento quando o Bronco, fazendo uma curva suave junto à costa do oceano Pacífico, passou pelo Aeroporto Internacional de Los Angeles. Pela TV, a cena causou um estranhamento ainda maior quando as câmeras dos helicópteros mostraram diversos jatos pousando mais abaixo. Liberado o espaço aéreo, os helicópteros retomaram a perseguição conforme a caminhonete adentrava a densamente povoada parte oeste da cidade. Centenas de pessoas apinhavam o viaduto no Venice Boulevard, outra área com grande concentração de minorias. Várias pessoas traziam cartazes de incentivo, e muitas gritavam em apoio a Simpson.

Comentaristas de TV mais bem informados já vinham especulando que Cowlings deixaria a San Diego Freeway pela saída da Sunset Blvd., uma vez que esse era o caminho mais rápido para a casa de Simpson em Brentwood. Mas apesar do aviso prévio, a quantidade de gente que se aglomerava nessa saída era modesta — talvez pouco mais de vinte pessoas. A área fica nos limites de Bel-Air, que é provavelmente

4   No original, *nigger*. Trata-se de um epíteto com forte carga
    pejorativa e racista na língua inglesa, que buscamos reproduzir,
    ao longo do livro, com a palavra "crioulo".

a comunidade mais branca e rica de Los Angeles. Ali, só uma parcela pequena das pessoas torceu por O.J.

Cowlings realmente deixou a Interstate 405 na altura da Sunset Blvd., depois desviou do tráfego por cerca de 1,5 quilômetro até virar à direita para acessar os nobres e montanhosos arredores de Brentwood. Ele conhecia um atalho: em vez de virar à direita na Rockingham Ave., saiu da Sunset Blvd. uma rua antes, ao norte, em direção à Bristol Avenue. Com os helicópteros ainda a segui-lo por entre as casas gradeadas, Cowlings virou então à esquerda na Ashford St., de onde podia acessar a garagem particular de Simpson. O plano de Cowlings, entretanto, por pouco não foi um desastre. Havia tantos caminhões de emissoras de TV estacionados na minúscula Ashford St. que o motorista foi forçado a reduzir a velocidade até quase parar a fim de conseguir cruzar a estreita passagem entre os veículos. O sol já se punha quando Cowlings chegou finalmente à North Rockingham Ave., 360. Na entrada, os faróis do Bronco iluminaram as pedras da calçada, de onde, no início daquela semana, a polícia raspara amostras de sangue. Faltavam poucos minutos para as 20h.

• • •

Por volta das 19h15, quando A.C. e O.J. ainda seguiam rumo a Brentwood, o detetive Tom Lange conseguiu contatar Cowlings pelo celular que havia dentro da caminhonete. Na conversa dos dois, Cowlings confirmou que estava a caminho da casa de O.J., e que Simpson ainda cogitava o suicídio. Lange fez tudo o que podia para apaziguar a situação. Sem dizer nada a Cowlings, ele também providenciou, junto ao DPLA, o envio de uma equipe da SWAT à mansão da Rockingham e que se preparassem para prender Simpson quando este chegasse lá. Uma equipe de cerca de 25 especialistas da SWAT, com um arsenal de bombas de efeito moral e armamentos dotados de visão noturna, chegaram a Rockingham cerca de quinze minutos antes de Cowlings. Diversos amigos de Simpson tinham montado uma vigília na propriedade, mas os policiais expulsaram todos, exceto Kardashian e o filho de 24 anos de Simpson, Jason. Porém, como manda o figurino, a polícia de Los Angeles convidou alguém de fora para acompanhar a operação: Roger Sandler, fotógrafo das revistas *Time* e *Life*.

Em questão de segundos, os planos da equipe da SWAT quase foram por água abaixo. Tão logo a caminhonete parou em frente à garagem, Jason saiu pela porta da frente e começou a gritar com Cowlings, que parecia igualmente transtornado. Cowlings — que do alto dos seus 1, 95 metro jogara na linha defensiva da USC até entrar para o Buffalo Bills no ano seguinte à escalação de Simpson — estendeu o comprido braço para fora da janela do motorista e empurrou Jason para longe. Era difícil não se comover com a cena. A relação de Jason com o pai oscilava entre ruim e inexistente. Os empurrões de Cowlings deixavam claro que a presença do filho gorducho e nada atlético de Simpson não era bem-vinda naquele momento de crise do pai. Dois policiais aproximaram-se cautelosamente de Jason e praticamente o arrastaram de volta para o interior da casa.

A aproximação de Jason deixou Cowlings irritado, e ele começou a gritar para os policiais, mandando que recuassem, que fossem embora. Chegou a sair do carro por um instante, e viu um dos policiais postado no muro que corria paralelo à Ashford St. "Ele tá armado!", gritou Cowlings antes de entrar de volta no carro. "Vê se não faz besteira! Manda a polícia embora!"

A polícia, é claro, não iria embora. Lange havia transferido a função de negociador ao agente da SWAT Pete Weireter, que já estava dentro da casa de Simpson. Weireter conseguiu falar com O.J. pelo celular e tentou convencê-lo a se render.

Alguns minutos se passaram, e o mundo aguardava para ver se O.J. Simpson estouraria os próprios miolos ao vivo em rede nacional. Não habituadas a perseguições tão longas, as estações locais de TV aceitaram compartilhar entre si as imagens do local, para que os helicópteros tivessem tempo de reabastecer. De repente, havia muito pouco a se ver: apenas o Ford Bronco estacionado em frente à garagem. Quem observasse com mais atenção notaria que um espectador em especial tinha a vista mais privilegiada de todos. Jason trouxera Kato, o cachorro branco que teria testemunhado os assassinatos, para morar na Rockingham. O cão, cujo nome Jason trocaria mais tarde para Satchmo, não parava de rodear a caminhonete. Parecia que O.J. e A.C. não sairiam nunca mais de lá.

O silencioso impasse defronte à garagem contrastava drasticamente com a cena que se desenrolava no estreito acesso à Rockingham Ave., no cruzamento com a Sunset Blvd. Uma ruidosa multidão de centenas de pessoas se concentrava no local, atraída pelos dramáticos acontecimentos. A Sunset Blvd. estava completamente obstruída; nem mesmo os moradores da região conseguiam chegar em casa. (Shapiro pedira a Michael Baden e Saul Faerstein que o encontrassem na casa de O.J., mas o paredão humano impossibilitava o acesso à Rockingham

Ave.) Os repórteres locais que transmitiam as notícias ao vivo da Sunset Blvd. se depararam com uma nítida divisão racial em meio à multidão. Os brancos, de presença minoritária, eram curiosos — "*looky loos*" [algo como "abelhudos"], no modo de dizer do DPLA — que estavam no local apenas para presenciar a cena grotesca. Já os negros, a maioria dos ali presentes, queriam mostrar solidariedade, e seus gritos e palavras de ordem deixavam bem claro esse sentimento. "Libertem O.J.!", repetiam incansavelmente. Entrevistado pela emissora de rádio KCBS, um dos manifestantes negros declarou: "Sinto que a comunidade negra tem que se unir. Estão tentando nos levar à extinção". Uma mulher acrescentou: "Primeiro foi Michael [Jackson], depois, Mike Tyson e, então, Rodney King. A raça negra precisa se unir já!".

Na casa da Rockingham, Weireter conseguiu que Simpson lhe desse sua palavra de que não tinha a intenção de machucar ninguém exceto a si próprio. O negociador disse a O.J. que seus filhos precisavam dele. Simpson disse que queria falar com a mãe, que tinha dado entrada em um hospital de São Francisco com sintomas relacionados a estresse. "Sem problemas", disse Weireter, "venha para dentro." O agente parecia estar progredindo, quando a bateria do celular de Simpson acabou. Cowlings entrou na casa para pegar outro aparelho. Por fim, Simpson aceitou se render.

"O senhor vai ter que vir aqui", disse Mike Albanese, chefe da unidade da SWAT. Depois de uma pausa, Simpson, hesitante, pôs um pé para fora do Bronco. Eram 20h53, quase uma hora depois de Cowlings chegar à casa do amigo. Agarrado a fotos da família que ele tinha no carro, e com passos vacilantes, Simpson adentrou o vestíbulo e caiu nos braços dos agentes. "Desculpa, pessoal", repetia Simpson. "Desculpa fazer vocês passarem por isso." Albanese permitiu que Simpson usasse o banheiro e lhe deu um copo de suco de laranja para beber enquanto ligava para a mãe. Sempre deferentes, os policiais perguntaram a Simpson se ele estava pronto para partir. O ex-astro assentiu. Os agentes então o algemaram e o conduziram para fora, pela porta da frente. Roger Sandler vinha logo atrás, gravando o momento para a posteridade e para a *Time*. A polícia havia proibido os helicópteros de ligarem os poderosos holofotes sobre a casa, por isso os espectadores não chegaram a ver o momento em que Simpson foi colocado em uma viatura sem identificação para ser levado ao centro da cidade.

Após a retirada de Simpson do local, outros integrantes da equipe da SWAT examinaram o Bronco guiado por Cowlings. (Ao ser autuado na delegacia, Cowlings levava nos bolsos 8.750 dólares em dinheiro.)

Dentro do que parecia ser uma mala de viagem de Simpson, os policiais encontraram seu passaporte e um saco plástico com um cavanhaque e um bigode falsos, um frasco de adesivo removedor de maquiagem e três recibos emitidos pela empresa de cosméticos Cinema Secrets Beauty Supply, datados de 27 de maio de 1994. Também encontraram um revólver Smith & Wesson .357 magnum com acabamento em aço azulado, totalmente carregado. A arma estava registrada em nome do tenente Earl Paysinger, outro amigo de Simpson no DPLA. Cerca de cinco anos antes, Paysinger trabalhava como segurança particular de O.J., e foi nessa época que comprou a arma para seu empregador.

Um comboio de dezoito carros escoltou Simpson até o Parker Center, onde foi autuado. Em seguida, O.J. foi encaminhado para a cadeia do distrito de Los Angeles, onde passaria a primeira noite sob custódia e em observação por risco de suicídio. Em seu livro *I Want to Tell You*, Simpson diz: "Na primeira semana que passei na cadeia, pensei em Jesus sendo crucificado".

POR UM FIO

Na segunda-feira seguinte, 20 de junho, Simpson compareceu em audiência perante a juíza municipal Patti Jo McKay para ouvir as acusações e se pronunciar a respeito. Estava fisicamente transformado, totalmente diferente do O.J. Simpson que o público conhecia. Confuso e desnorteado, foi cambaleando da área de confinamento até o banco dos réus. Vestia terno preto e camisa branca, mas foi impedido de usar gravata, cinto e cadarços — e, ao que parecia, até barbatanas para colarinho — por receio de que pudesse transformá-los em instrumentos de suicídio. Com a cabeça inclinada, Simpson olhou vagamente ao redor. Mostrou-se confuso quando a juíza perguntou-lhe o nome, e Shapiro teve que responder por ele. Quando questionado se confessava ou negava as acusações, Simpson murmurou que era inocente. A audiência terminou em questão de minutos, e só o que se resolveu foi a data da audiência preliminar, agendada para dali a dez dias, 30 de junho.

Ambos os lados deram coletiva de imprensa nesse mesmo dia. Não havia, é claro, nada que obrigasse nenhuma das partes a falar com repórteres àquela altura — muito pelo contrário: dadas as circunstâncias, o mais recomendável era guardar silêncio. Shapiro tinha como cliente um homem que, na sexta-feira anterior, agira feito criminoso.

As circunstâncias pareciam pedir uma ponderação discreta. Os promotores de Garcetti, por outro lado, viam-se diante da perspectiva de condenar uma celebridade de grande prestígio público. Não seria fácil, e talvez fosse a hora de arregaçar as mangas e deixar de lado os rodeios dramáticos. O pior que podiam fazer era dar a impressão de zelo excessivo. Seus adversários, porém, não conseguiam resistir a uma oportunidade de fazer pose e desfiar lorotas. Shapiro se achava mestre em manipular a imprensa. Já Garcetti — sob a tutela de Suzanne Childs, sua onipresente diretora de comunicações, ex-procuradora e ex-âncora de um noticiário local — tinha, similarmente, um alto conceito de seus próprios talentos nessa esfera. Na verdade, no decorrer de todo o caso, muitas tentativas tanto da promotoria quanto da acusação no sentido de controlar a imprensa falharam, o que ficou evidente logo após o primeiro dia no tribunal.

Logo depois da audiência, Shapiro enfrentou um mar de câmeras de TV em seu escritório de Century City. Com um aspecto quase tão pesaroso quanto o de seu cliente no tribunal, o advogado não ofereceu a Simpson nada além de um apoio contido. Shapiro se considerava menos um defensor do que alguém que, como todo mundo, estava em busca de respostas. "Até o presente momento", disse, "não discuti em profundidade os fatos do caso com [Simpson]." Quando questionado sobre a possibilidade de alegar insanidade — isto é, uma defesa baseada na premissa de que Simpson cometera os assassinatos —, Shapiro respondeu que "cabe a qualquer advogado considerar todas as possibilidades de defesa", e que "certamente não descartaria nenhuma delas". Todo esse papo de advogado só fez com que seu cliente parecesse ainda mais culpado.

Os advogados de acusação, por sua vez, não agiram com maior sensatez. Desde os assassinatos, Garcetti era uma verdadeira máquina de entrevistas. Além das coletivas, apareceu nos telejornais *Nightline*, da ABC, no CBS *Evening News*, no NBC *Nightly News* e no *Today*, da NBC, e em um especial noturno do *Good Morning America*. É verdade que Garcetti valeu-se da exposição para focalizar, em parte, sua antiga e sincera devoção ao problema da violência doméstica, mas a promiscuidade de seus esforços sugeria que buscava chamar tanta atenção para si quanto para qualquer problema. Em um momento particularmente surreal, Garcetti apareceu na ABC para descrever em tempo real a perseguição a O.J. pelas ruas de Los Angeles. "Todos estamos sofrendo", Garcetti disse a Peter Jennings enquanto o Ford Bronco avançava pela estrada. "Estamos todos presenciando uma experiência muito dolorosa." Na verdade, ao longo daqueles primeiros dias de muita tensão, Garcetti não parecia de forma alguma aflito; pelo contrário, parecia tirar máximo proveito da situação. Chegou a se aventurar por um território de ética duvidosa ao prever que Simpson acabaria admitindo a autoria dos assassinatos. Ao participar de outro programa em rede nacional, *This Week with David Brinkley*, exibido em um domingo, 19 de junho, declarou: "Bem, eu não me surpreenderia se O.J. Simpson, mais à frente — pode ser muito em breve ou daqui a meses — declarasse: 'Tá bom, fui eu, mas não assumo a responsabilidade'. É o que vimos no caso dos irmãos Menendez. Creio que é uma defesa provável, depois que os advogados analisarem as provas".

A coletiva que Marcia Clark concedeu em 20 de junho apenas reforçou a impressão de que a equipe de acusação comemorava antes do tempo. Embora fosse a primeira aparição pública de Clark, muito já se percebia a seu respeito. De cara, via-se uma oradora excepcional, mesmo que de improviso. Também não havia a menor dúvida quanto à sinceridade de suas paixões — ou à firmeza de suas crenças. Tal como seu chefe, Clark se poupou de sutilezas legais como a presunção de inocência. Ela era até mais categórica que Garcetti nos julgamentos que fazia dos acusados. Embora apenas dois dias tivessem se passado desde a prisão de Simpson — e oito desde os assassinatos —, Clark anunciou: "Foi assassinato premeditado, executado de forma deliberada e premeditada. É exatamente o crime do qual ele foi acusado, e é isso o que vamos provar". Assim, de uma só tacada, Clark descartava a possibilidade de que Simpson tivesse assassinado a ex-esposa em um ataque de ciúmes — uma teoria perfeitamente cabível para o crime. Questionada sobre a existência de cúmplices, Clark mais uma vez se pronunciou com total confiança, até mesmo arrogância: "O sr. Simpson é o único acusado porque ele é o único assassino". Claro, nenhum promotor idôneo apresentaria acusações contra Simpson a menos que achasse que era de fato culpado, mas Clark e Garcetti comprometiam o caso ao dar demasiado crédito às próprias opiniões em vez de deixar as provas falarem por si mesmas. De forma imprudente, restringiam as opções no julgamento ao se fixarem precipitadamente em uma única teoria.

Clark era uma advogada competente, mas estava longe de ser uma indicação óbvia para um caso tão importante. Na verdade, Garcetti nunca chegou efetivamente a designá-la para o caso Simpson; ela simplesmente recebeu a ligação de Vannatter na segunda-feira, 13 de junho, e trabalhou no caso ao longo daquela primeira semana tumultuada. É difícil dizer se Garcetti a escolheria deliberadamente se tivesse essa liberdade. Clark já tinha atuado em vários casos de assassinato, mas havia outros promotores adjuntos com mais anos de serviço e casos mais numerosos e complexos na bagagem. Além disso, o desempenho de Clark em 20 de junho sugere que, apesar de toda a competência, havia bons motivos para não nomeá-la. Para os promotores mais experientes do escritório, o comportamento dela na coletiva evocava ecos inquietantes. A maré de derrotas da promotoria de Los Angeles em casos de maior envergadura não era nenhuma novidade. O que não se sabia — ou pelo menos não se comentava muito na mídia — era que a maior parte dos casos foi perdida por promotoras de comportamento belicoso, entre elas Lael Rubin no caso da escola McMartin, Lea D'Agostino no caso do filme *No Limite da Realidade* e Pamela Bozanich no caso Menendez. Todas passavam a imagem de mulheres vigorosas e desenvoltas, exatamente como Clark na coletiva mencionada anteriormente. Claro, podia ser coincidência que os responsáveis pelos fracassos da promotoria em casos importantes fossem mulheres. Da mesma forma, as duras críticas a elas dirigidas podem muito bem ter um fundo de machismo. Mas o fato é que Shapiro e seus colegas da defesa valorizavam esse tipo de percepção, e logo de início pensaram que, como as demais promotoras proeminentes e malsucedidas, Clark acabaria se revelando excessivamente severa. Por isso, ficaram satisfeitos ao vê-la à frente do caso.

Ironicamente, as preocupações da Promotoria de Justiça com a própria imagem na imprensa deixavam Clark em uma posição inabalável. Dada a publicidade dos acontecimentos da primeira semana — e os holofotes que então recaíram sobre ela —, tirá-la do caso causaria um alvoroço e tanto. Sabia-se que, naquela semana, Clark nada havia feito que justificasse sua retirada. Quer Garcetti admitisse ou não, a decisão de afastá-la seria vista ao menos em parte como uma atitude machista, motivada ainda pelo histórico de fracassos acumulado pelas promotoras do escritório. A base eleitoral de Garcetti, composta de democratas liberais, teria se rebelado, e a mídia estaria pronta para fazer da polêmica um circo.

Havia outra razão, menos pública, pela qual Garcetti era compelido a manter Clark no caso, uma razão entranhada na hermética política interna do escritório da promotoria. A melhor amiga de Clark no escritório era a promotora Lynn Reed Baragona. Muitos anos antes, Lynn Reed, como era então conhecida, processara Gil Garcetti, na época apenas um supervisor, alegando discriminação sexual em promoções. O caso foi resolvido a favor de Reed antes mesmo de ser julgado, mas o rancor entre os dois criou raízes profundas e era notório. (O escritório da promotoria está repleto desses laços complexos. Embora o escritório contasse com quase mil promotores, o mesmo grupo de veteranos estava no comando havia décadas, e as relações pessoais, sociais e profissionais entre eles formavam uma intricada rede de rivalidade, ressentimento e afeto. Por exemplo, Lynn Reed já namorou o promotor Peter Bozanich, que mais tarde se casou com a promotora que tomaria a frente do primeiro julgamento dos irmãos Menendez. Na época, Peter Bozanich dividia um escritório com o colega Lance Ito, que, por sua vez, namorava a promotora Jackie Connor. Connor acabou se casando com outro promotor, James Bascue, que se tornaria juiz do tribunal superior e mentor de Ito na Promotoria de Justiça e, mais tarde, nos tribunais. Posteriormente, Connor também se tornou juíza do tribunal superior, e presidiu o maior caso de Marcia Clark antes de Simpson — os assassinatos na igreja de Mount Olive.) Se Garcetti tirasse Clark do caso, os defensores dela poderiam insinuar que a atitude dele era uma retaliação por conta da amizade da promotora com Lynn Reed Baragona, o que voltaria a levantar a questão de gênero. O promotor de justiça não tinha nenhum interesse em requentar a velha polêmica.

Além disso, naquela primeira semana, Garcetti pensou pouco no assunto, já que as coisas pareciam ir muito bem. Dado o estado de confusão mental em que Simpson se encontrava, os instintos de Garcetti e Clark lhes diziam para continuar na ofensiva. A contratação de Shapiro também encheu os promotores de otimismo: ninguém conseguia lembrar a última vez que Shapiro tinha levado um caso de homicídio a um tribunal superior (de fato, isso nunca havia acontecido). Shapiro tinha a fama de protelar processos até que caíssem no esquecimento para, só então, acalmados os ânimos, tentar emplacar um acordo com a promotoria. Era, afinal, o que acontecia na maioria dos casos: os advogados de defesa queriam ganhar tempo, enquanto os promotores pressionavam. Fiéis à tradição, os promotores tentaram passar por cima da audiência preliminar de 30 de junho.

• • •

A tradição da Califórnia de promover audiências preliminares é uma relativa anomalia no direito penal americano. Uma audiência preliminar é basicamente um minijulgamento realizado diante do juiz em vez de um corpo de jurados. Por muitos anos, esse tipo de audiência era obrigatório na Califórnia — em caso de ação penal, um juiz municipal determinava se o réu tinha uma "causa provável" para cometer o crime. Na verdade, os promotores raramente saíam derrotados de uma audiência preliminar — ou seja, os juízes dificilmente rejeitavam a ação por considerar que a promotoria não cumprira o ônus da prova. Mesmo assim, os promotores detestavam essas audiências, pois eram forçados a ceder suas testemunhas para serem interrogadas pela defesa em uma etapa ainda inicial do jogo. A inquirição eficaz de uma testemunha arrolada pela acusação em uma audiência preliminar poderia inutilizá-la no julgamento subsequente, ou ainda, na melhor das hipóteses, dar à defesa um mapa dos pontos fracos da tese da promotoria. (Não era à toa que os advogados de defesa adoravam essas audiências.) Assim, durante o movimento da Lei e Ordem que varreu a Califórnia nas décadas de 1980 e 1990, os promotores lutaram para eliminar as audiências preliminares. Mais especificamente, em um referendo proposto pela comunidade policial e aprovada por eleitores do estado em 1990, o governo ganhou o direito de submeter a maioria dos casos, inclusive os de homicídio, a um júri de acusação (espécie de júri preliminar que decide pela aceitação ou não da acusação), em vez de a um juiz em uma audiência preliminar.

Em contrapartida, promotores adoram júris de acusação, pois suas deliberações são secretas, e, o que é mais importante, os advogados de defesa não podem inquirir as testemunhas ou sequer comparecer à audiência. Quando um promotor pede a um júri de acusação que denuncie alguém, invariavelmente tem seu pedido acatado. Além de eliminar a necessidade de audiências preliminares, um júri de acusação permite que os promotores levem os casos a juízo expondo apenas uma pequena parte das provas coletadas. Portanto, no caso Simpson, os promotores buscavam fazer com que o júri de acusação fizesse a denúncia antes do início da audiência preliminar, marcada para 30 de junho. Clark precisava agir depressa. Na verdade, ela já tinha iniciado sua exposição ao júri na sexta-feira, 17 de junho, antes mesmo de Simpson ser localizado e preso.

O júri de acusação se reuniu no Fórum Central de Los Angeles — um fato intrinsecamente ligado a uma das maiores polêmicas do caso. Desde que os assassinatos ocorreram em Brentwood, os promotores tinham, em tese, o direito de abrir o processo na jurisdição de Santa Monica — e assim ter acesso a uma lista de jurados majoritariamente branca. As diferenças entre Santa Monica e a região central eram dramáticas: em Santa Monica, 80% dos alistados eram brancos e 7% negros; no centro da cidade, 30% eram brancos e 31% negros. (Latinos e asiáticos compunham a maior parte do porcentual restante em ambas as áreas.) Uma pergunta que seria repetida muitas vezes era: por que os promotores decidiram julgar uma celebridade negra na presença de uma maioria esmagadora de jurados negros?

A verdade é que não foi uma escolha da promotoria. Uma série de fatores inviabilizava logo de cara o julgamento em Santa Monica. Em primeiro lugar, o fórum de lá tinha sofrido danos consideráveis no terremoto de Northridge, seis meses antes dos assassinatos. O edifício não estava em condições de suportar a carga das demandas públicas e midiáticas que acompanhariam o julgamento de Simpson. Além disso, os estragos afetaram os escritórios da promotoria, deixando-os quase inabitáveis. Em segundo lugar, o governo do distrito tinha equipado o nono andar do Fórum Central de Los Angeles com detectores de metais e outros equipamentos necessários em julgamentos demorados e de alta visibilidade. Assim, os juízes insistiam que todos os casos desse tipo fossem julgados ali. Em terceiro lugar, a promotoria instalara a divisão de casos especiais — a unidade de Marcia Clark — no Fórum Central justamente porque era perto das salas de audiência do nono andar. Por último, as instalações do centro contavam com uma sala especial para o júri de acusação, ao contrário do fórum de Santa Monica. As denúncias oferecidas no centro eram geralmente julgadas ali mesmo. À luz de tudo isso, julgar Simpson no centro era uma decisão tão óbvia que os promotores nem sequer discutiram qualquer alternativa naquela primeira semana.

Foi Gil Garcetti quem complicou a questão da escolha do local de julgamento. Logo após a prisão de Simpson, o promotor disse a vários repórteres que queria que o julgamento de Simpson fosse realizado no centro porque um veredicto pronunciado ali teria mais "credibilidade" que um veredicto em Santa Monica. Disse ainda que um júri do centro contribuiria para manter a "percepção de justiça" associada ao caso. Essas observações só serviam para tipificar a forma velada como ambos os lados discutiam a questão racial nessa fase inicial do processo, mas a mensagem de Garcetti era clara: um júri no centro teria uma representação substancial de afro-americanos, cujo juízo sobre um herói americano negro seria respeitado. Além disso, como democrata eleito com um amplo apoio desse grupo étnico, Garcetti tinha que agradar sua base eleitoral, e julgar o caso no centro da cidade era uma maneira de fazê-lo. Mais importante que isso: Garcetti não tinha estômago para comprar a briga que um esforço para conduzir o julgamento em Santa Monica teria provocado. Acabaria sendo forçado a argumentar que desejava o julgamento naquele local porque queria jurados brancos — o que seria politicamente intragável, sobretudo em uma discussão que provavelmente já estava fadada ao fracasso. Os comentários velados de Garcetti sobre "credibilidade" e "percepção da justiça" vieram em um momento-chave, como o primeiro sopro de confiança da promotoria após a perseguição policial a Simpson pelas ruas de Los Angeles. Àquela altura, os promotores envolvidos não tinham dúvidas de que conseguiriam ganhar, onde quer que a causa fosse julgada, de modo que não custava nada ao promotor de justiça tentar fazer sala a seu importante círculo de eleitores.

Na verdade, os comentários de Garcetti acabariam se revelando um grande tiro pela culatra. Durante o julgamento, quando a balança começou a pender contra a acusação e as questões raciais ganharam o centro da discussão, muitos repórteres começaram a importunar Garcetti, questionando o porquê da decisão de julgar o caso no centro — isto é, por que ele abrira mão de um júri mais branco. (Evidentemente, se ele tivesse escolhido Santa Monica como local do julgamento, esses mesmos repórteres exigiriam saber se sua opção por manter o caso longe do centro da cidade tinha um fundo "racista".) Ao responder a essas perguntas, muito depois da decisão original que favorecera o centro, Garcetti resolveu dizer a verdade: que os danos ao fórum de Santa Monica por causa do terremoto e outros fatores o haviam deixado de mãos atadas. Porém, como seus últimos comentários sugeriam que ele tinha *optado* pelo centro, a questão sempre voltava para assombrá-lo. Como muitos advogados, ele pagava pela língua. No entanto, a resposta de Garcetti — a última, pelo menos — era verdadeira: o caso Simpson nunca poderia ter sido julgado em outro lugar que não o sombrio e decadente prédio do Fórum Central, no coração cívico da zona central de Los Angeles.

• • •

Na sexta-feira, 17 de junho, as investigações do júri de acusação sobre o caso Simpson começaram com o toque estridente de um telefone que despertou Kato Kaelin às 6h. Buscando refúgio do caos que se tornara a Rockingham após os assassinatos, Kaelin decidiu passar um tempo na casa de um amigo, Grant Cramer. Na ligação matinal, um detetive da DPLA avisava a Kaelin que o buscaria na casa de Cramer às 8h e, em seguida, o escoltaria até a sede da polícia para novo interrogatório. Dois detetives chegaram na hora marcada e com uma intimação exigindo que Kaelin prestasse depoimento naquela mesma tarde perante o júri de acusação.

Marcia Clark ainda não conhecia Kato Kaelin pessoalmente, mas os detetives já a haviam alertado sobre seu jeito arisco e excêntrico. Clark e David Conn receavam que Kaelin pudesse ser manipulado pelos advogados de Simpson caso estes tivessem a chance de falar antes com ele. (Na verdade, embora os promotores não o soubessem na época, Kaelin já tinha falado com Shapiro.) Para os promotores, era preciso garantir que Kaelin contasse logo sua história, sob juramento e antes que pudesse ser modificada para favorecer o réu. Era uma maneira bastante atípica e agressiva de proceder. Testemunhas do júri de acusação normalmente eram notificadas com mais do que apenas algumas horas de antecedência.

Por meio de amigos, Kaelin conseguira providenciar que um advogado de defesa o encontrasse no escritório da promotoria. Naquela manhã de sexta-feira, após ser levado ao escritório de Marcia Clark, no 18º andar, Kaelin tentou ganhar tempo até a chegada de seu advogado, Bill Genego. Puxou conversa com Clark sobre o cartaz de Jim Morrison na parede do escritório e se esquivou de todas as tentativas da promotora de falar sobre os assassinatos. Não seria a última vez que deixaria Clark completamente frustrada.

Finalmente, Genego chegou para intervir.

"São 12h55", disse Clark. "O senhor tem três minutos para falar com seu cliente antes de descermos com ele para a audiência com o júri. Ele vai entrar às 13h em ponto."

"Isso é loucura", respondeu Genego. "Não se intima uma pessoa no mesmo dia que ela vai depor."

"Ele vai depor às 13h", disse Clark, "e fim de papo."

Depois de uma breve conversa com Kaelin, no escritório de Conn, o advogado voltou a pedir um pouco mais de tempo para discutir a situação.

"Nem pensar", cortou Clark. "Entrem no elevador."

No andar de baixo, em uma pequena antessala, Genego fez um último apelo a Clark antes que ela conduzisse Kaelin à sala do júri. "Olha", disse Genego, "por que não adiamos isso para segunda?"

"De jeito nenhum", disse Clark.

"Se você forçar meu cliente a entrar, vou dizer a ele para invocar a Quinta Emenda e vocês não vão conseguir arrancar nada dele."

"Ele já falou com a polícia na segunda", disse Clark, entregando ao advogado uma cópia do relatório da polícia sobre as declarações de

Kaelin. E perguntou ao rapaz: "Você não vai dizer a mesma coisa que disse antes?"

Genego ergueu a mão em protesto. "Já falei que não quero que a senhora fique fazendo perguntas ao meu cliente."

Clark ficou enfurecida. "Eu faço as perguntas que quiser, e se o senhor tentar interferir, mando prendê-lo por obstrução da justiça."

Apesar da longa experiência como advogado criminalista, Genego nunca tinha sido ameaçado dessa forma por um promotor. Encurralado, ele rabiscou instruções em uma folha de papel e entregou-a a Kaelin antes de Clark conduzi-lo para dentro da sala do júri. Agarrando-se ao roteiro do advogado, Kaelin passou pelos jurados — que estavam sentados, como em uma sala de aula, em frente ao banco das testemunhas — e desabou na cadeira.

Depois que ele disse o próprio nome e prestou juramento, Clark perguntou-lhe: "Sr. Kaelin, o senhor conhecia uma mulher chamada Nicole Simpson?".

"Por recomendação de meu advogado", declarou Kaelin, "eu respeitosamente me recuso a responder a essa pergunta e reivindico meu direito constitucional de permanecer em silêncio."

"Pelo que estou vendo, o senhor está lendo um pedaço de papel amarelo cheio de rabiscos", disse a promotora. Como Clark logo viria a saber muito bem, Kaelin nunca teria sido capaz de pronunciar uma frase tão convincente por conta própria. Ele admitiu que estava lendo.

Clark insistiu: "Na noite de 12 de junho de 1994, o senhor estava na companhia do sr. Orenthal James Simpson?". (Entre os promotores, usar o desgracioso nome completo de Simpson se tornaria uma espécie de mania, ou marca — não importa o quão pomposo fosse.)

Kaelin continuou lendo a mesma resposta, e Clark logo o dispensou para falar com Genego, que esperava do lado de fora. Minutos depois, Kato retornou à sala do júri, reiterando a recusa.

Então, instruída por Clark, a chefe dos jurados tomou a palavra e fez uma severa advertência à testemunha: "Sr. Kaelin, devo adverti-lo que este júri é um corpo jurídico legalmente constituído e que sua recusa, sem justificativa válida, a responder a perguntas diante deste júri constitui desacato à autoridade e o sujeitará à prisão em conformidade com as leis deste estado". (Ao narrar essa cena para o homem que mais tarde escreveu sua biografia "instantânea", Kaelin descreveria sua reação da seguinte forma: "Parecia que eu tava vendo uma reprise antiga de *Dragnet* na Nickelodeon".) Quando ainda assim Kaelin recusou-se a falar, a chefe dos jurados declarou-o oficialmente em desacato e ordenou que a desorientada testemunha fosse encaminhada à sala do juiz Stephen Czuleger.

Diante do juiz Czuleger, os promotores descarregaram toda a sua fúria e indignação. Segundo eles, Kaelin não era um suspeito, mas apenas uma testemunha, portanto não tinha o direito de recorrer ao privilégio da Quinta Emenda que o desobrigava a depor contra si mesmo. Genego retrucou que seu cliente certamente fora tratado como suspeito naquela manhã, e que era inegável que fora abordado com uma hostilidade atípica para uma simples testemunha. Nessas circunstâncias, argumentou Genego, Kaelin tinha todo o direito de se recusar a falar. Sensato, Czuleger parecia desconcertado com a tática intimidadora dos promotores. Além disso, embora o juiz (como o restante do mundo) nunca tivesse ouvido falar de Kato Kaelin até o momento, sua reação à aparência dócil e inofensiva da testemunha já antecipava a imagem que Kaelin teria entre o público em geral. Que mal faria, Czuleger perguntou a Conn, dar a Kaelin um fim de semana para falar com o advogado, "tirando o fato de que ele possa fugir do país da noite pro dia e que amanhã já esteja no Brasil?". Todos na sala de audiência riram ao imaginar a cena ridícula.

Conn teve que admitir que dificilmente um fim de semana faria diferença, e Czuleger adiou a acareação para segunda-feira, 20 de junho. "Pode acreditar", disse o juiz, agora austero, a Kaelin. "Não vá a lugar nenhum. Você não gostaria da alternativa. Portanto esteja aqui na segunda-feira às 8h30." Czuleger estava prestes a suspender a audiência quando soube de seu oficial de justiça, para o espanto de todos que estavam na sala e ouviram de sua boca a informação, que O.J. Simpson tinha sido localizado e era naquele momento alvo de uma perseguição pelas autoestradas de Los Angeles, transmitida ao vivo pela TV.

A decisão do juiz Czuleger provou-se acertada quando, na manhã de segunda-feira, Kaelin concordou em testemunhar sem invocar a Quinta Emenda. O adiamento da audiência esfriou a confrontação legal, mas aquele início conflituoso deu o tom do relacionamento entre Kaelin e a promotoria. Quando Kaelin prestou juramento e respondeu às perguntas de Clark, ela percebeu que o núcleo de sua história se manteve em grande parte inalterado desde a primeira vez em que ele a contou aos detetives na Rockingham, algumas horas após os assassinatos. Kaelin disse ao júri, assim como dissera aos detetives, que, naquela fatídica noite, ele e O.J. foram comer hambúrgueres no McDonald's pouco depois das 21h, e voltaram por volta das 21h40. (A audiência também marcava o primeiro registro oficial de sua maneira peculiar de falar. Kaelin disse, por exemplo, que chegando no McDonald's tinha pedido "a oferta McGrilled Chicken".) Segundo Kaelin, por volta das 22h45, ele estava em seu quarto falando ao telefone quando ouviu três pancadas fortes na parede. Pouco antes das 23h, teria ajudado Simpson a pôr as malas na limusine que o levaria ao aeroporto.

Grande parte da história era comprometedora, e, o que era mais importante, comprovava que o paradeiro de Simpson era desconhecido no momento do crime. Kaelin não dava a O.J. nenhum álibi. O depoimento também indicava que alguém, possivelmente Simpson, vasculhava o mesmo local onde a luva ensanguentada seria encontrada horas depois. Alguns detalhes no relato de Kaelin, porém, favoreciam Simpson. Para começar, pela descrição de Kato, a conduta de Simpson durante a ida dos dois ao McDonald's não condizia em nada com a de um homem prestes a assassinar a ex-esposa. Mesmo assim, esse tipo de nuance poderia ter sido explorado a favor da acusação, caso os promotores tivessem ganhado a confiança de Kaelin e conseguido que confrontasse a verdade sobre seu benfeitor.

Uma forma de extrair uma história mais completa de Kaelin seria afagar seu ego, cobri-lo de agrados e tentar convencê-lo de que os promotores estariam sempre do seu lado, que ele não precisava ter medo de O.J. e seus amigos. Porém, essa abordagem não fazia o estilo de Clark, que acreditava muito mais no castigo que na recompensa para obter resultados. Ela e Conn queriam impelir Kaelin a cooperar pelo medo, jogando-o na frente do júri antes que pudesse entender o que estava acontecendo. No entanto, só conseguiram distanciá-lo.

• • •

Outra testemunha ouvida pelo júri de acusação foi Jill Shively. Se a vida glamourosa de O.J. e Nicole era um arquétipo da cultura de Los Angeles, a realidade de Shively representava uma saga mais comum, ainda que menos celebrada, da cidade.

Embora a grande migração de brancos do Centro-Oeste que deu origem à moderna Los Angeles tivesse abrandado na década de 1970, ela nunca parou totalmente. Nancy, a mãe recém-divorciada de Jill Shively, chegou de Indiana em 1979 e fixou-se em Santa Monica. Nancy Shively fazia transcrições de textos na área médica enquanto a família lutava para manter um padrão de vida de classe média. Em 1994, com 32 anos, Jill trabalhava em regime intermitente em uma empresa fornecedora de artigos filmográficos e morava em um minúsculo apartamento de um quarto. De noite, quase sempre, Jill cuidava de uma sobrinha pequena, filha da irmã, cujos problemas pessoais impossibilitavam o exercício da maternidade. Baixinha, de porte atlético, bem provida de receitas para o sucesso mas sem um pingo de sorte, Shively vivia a pouco mais de um quilômetro — e a um mundo de distância da casa de Nicole Brown Simpson na Bundy Dr.

Era domingo, 12 de junho. Shively passara o dia inteiro às voltas com um resfriado e não tinha comido nada. Por volta das 22h45, decidiu pegar o carro e ir à San Vicente Boulevard, onde ficava seu restaurante de saladas favorito. Como o estabelecimento fechava às 23h, Shively pegou a San Vicente, no sentido leste, e acelerou seu Volkswagen. Próximo ao cruzamento da San Vicente com a Bundy Dr., ela pisou fundo para passar antes de o sinal fechar. Nesse momento, um grande carro branco — que vinha pela Bundy Dr. no sentido norte — passou voando na frente dela depois de avançar o sinal. Shively pisou forte no freio, bem como o carro branco, que, em seguida, invadiu parcialmente o canteiro central da San Vicente. Um terceiro carro, um Nissan cinza que seguia na direção oeste pela San Vicente, também parou abruptamente ao tentar desviar do carro branco que se lançara na frente dos dois.

Por um instante, os três carros ficaram parados um perto do outro. Shively viu que o motorista do carro branco começou a buzinar e a gritar para o motorista do Nissan: "Sai da frente, porra! Sai da frente! Sai da frente!". Notou também que o motorista do carro branco era negro, e, ao prestar mais atenção, teve a impressão de que o reconhecia. A cabeça dela foi a mil.

É o... é o... Marcus Allen!

Então ela o ouviu gritar de novo, e percebeu que reconhecia a voz. Não era Marcus Allen; era O.J. Simpson. Aos poucos, o aturdido motorista do Nissan cinza foi recuperando a presença de espírito, e, quando finalmente seguiu em frente, Simpson saiu em disparada pela Bundy Dr., mas não antes que Shively pudesse memorizar a placa do carro: 3czw788.

Shively apagou o incidente da cabeça e continuou atrás da salada que tanto queria. O carro dela não tinha rádio, de modo que, na manhã seguinte, no trabalho, não fazia ideia dos assassinatos até receber um telefonema da mãe durante o expediente. "Ficou sabendo que Nicole Simpson foi assassinada ontem de noite?", perguntou Nancy Shively.

Jill respondeu que não. "Que estranho!", continuou. "O.J. quase bateu com o carro no meu ontem de noite."

Horas mais tarde, Shively ligou para a polícia, e uma dupla de detetives veio interrogá-la no dia seguinte. No sábado, 18 de junho, um detetive apareceu em sua casa com uma intimação para depor perante o júri de acusação na terça-feira seguinte, 21 de junho. Já no domingo, 19 de junho, a informação de que ela era testemunha tinha vazado, e alguns repórteres vieram bater à sua porta. Na manhã seguinte, Shively ligou para Patty Jo Fairbanks, coordenadora de testemunhas da Promotoria de Justiça, cujo contato lhe havia sido indicado em caso de necessidade. Na conversa telefônica, de acordo com Shively, Fairbanks teria lhe dito que só desse entrevistas depois de prestar depoimento; Fairbanks, por sua vez, lembrava-se de tê-la instruído a não falar com ninguém. De qualquer forma, na segunda-feira, 20 de junho, Shively decidiu dar uma entrevista. Foi aos estúdios da Paramount, em Hollywood, dirigiu-se ao set de filmagem de *Hard Copy*, e se preparou para ganhar um dinheirinho.

• • •

Em praticamente todos os veículos da grande mídia, de jornais a redes de televisão, é terminantemente proibido que os jornalistas ofereçam pagamento em troca de entrevistas. Por muitos anos, a prática se limitava aos empresários à margem da mídia impressa, responsáveis pelas mal-afamadas revistas de fofoca. Porém, no início da década de 1990, graças a dois fenômenos sem relação aparente entre si, o mercado de escândalos explodiu.

O primeiro foi o nascimento de um novo e bem-sucedido gênero televisivo, os programas de fofoca, ou infoentretenimento, que apostavam em notícias sobre celebridades e escândalos para conquistar índices espetaculares de audiência. Programas como *A Current Affair* (da Fox), *Inside Edition* (da King World) e *Hard Copy* (da Paramount) ganharam rápida popularidade. Produzidos por empresas de entretenimento sem nenhum histórico de comprometimento jornalístico ou ético, os tabloides televisivos tinham dinheiro para comprar matérias e o faziam com total desembaraço. As revistas de fofoca, encabeçadas pela *National Enquirer*, com um público semanal na casa dos 20 milhões de leitores, não ficavam para trás.

O segundo fator foi uma decisão da Suprema Corte norte-americana. A chamada lei do "Filho de Sam" foi aprovada pela assembleia legislativa do estado de Nova York em 1977 para impedir que David Berkowitz (que enviava cartas à polícia e as assinava como "Filho de

Sam") tirasse proveito financeiro da notoriedade como serial killer. A medida vedava a criminosos o lucro com a venda de relatos de seus crimes. Em 1991, no entanto, a Suprema Corte decidiu que a lei violava a Primeira Emenda. A indústria dos tabloides usava essa decisão para legitimar sua atividade.

Uma vez que as testemunhas que aceitam dinheiro de tabloides têm sua credibilidade automaticamente questionada — e já que os advogados de defesa conseguem facilmente desmoralizá-las na inquirição —, não é difícil constatar que a compra e venda de entrevistas compromete seriamente as chances de vitória dos promotores em casos de grande repercussão. Quando William Kennedy Smith foi julgado por estupro, por exemplo, seu advogado de defesa, Roy Black, alfinetou uma testemunha-chave da acusação que tinha vendido uma entrevista para o programa *A Current Affair*. Ironicamente, os tabloides impressos e televisivos que alimentam essa indústria têm sido bastante criticados pela suposta precipitação em condenar celebridades envolvidas em crimes antes de irem a julgamento. Em suas primeiras coletivas de imprensa, Robert Shapiro sempre se queixava de como esses veículos eram injustos com O.J. Simpson. Mas a realidade é que os tabloides têm o potencial de desmoralizar de tal forma as testemunhas de acusação que muitas vezes acabam se tornando o melhor aliado das celebridades no tribunal.

No caso Simpson, a polícia de Los Angeles abordou a questão do sensacionalismo em uma fala que passou quase despercebida durante o primeiro pronunciamento público sobre os assassinatos, em 13 de junho. Depois de expor as informações básicas do caso, como os nomes das vítimas e o local onde os corpos foram encontrados, o comandante Gascon, porta-voz da polícia, fez um apelo à mídia. "Nos próximos dias, nossos investigadores vão continuar interrogando possíveis testemunhas, e também coletando e analisando provas", disse. "Os detetives pedem aos meios de comunicação que não tentem contatar possíveis testemunhas, pois estes contatos podem atrasar e prejudicar o curso da investigação. É meu dever salientar isso. Essa colaboração é crucial para nosso trabalho."

Ainda que tenham ouvido o apelo de Gascon, o pedido não mudou em nada o modo de agir dos tabloides. Ofereceram dinheiro a quase todos os principais envolvidos (e a muitas figuras controversas) no caso Simpson. Uma noite, pouco tempo após os assassinatos, Mike Walker, colunista social da *National Enquirer*, anunciou no *Larry King Live* que seu jornal estava oferecendo um milhão de dólares a Al Cowlings por uma entrevista — e mostrou às câmeras um cheque simbólico gigante nesse valor para deixar clara sua mensagem. Pela entrevista que concedeu ao *Hard Copy* em 20 de junho, Shively recebeu uma quantia relativamente modesta — 5 mil dólares. Durante a entrevista, enquanto exibia sua intimação para as câmeras da Paramount, Shively mostrou-se bem adaptada à linguagem dos tabloides ao declarar que Simpson parecia "um doido varrido desenfreado". Os produtores do *Hard Copy* agraciaram-na ainda com um presentinho extra: disseram que um amigo deles, da revista de fofoca *Star*, estava disposto a pagar mais 2.600 dólares se ela o autorizasse a usar o texto da mesma entrevista como se tivesse sido ele a entrevistá-la. Ela não pestanejou. Já na manhã seguinte, 21 de junho, compareceu ao Fórum Central, e, guiada por Clark, testemunhou perante o júri.

O *Hard Copy* exibiu a entrevista com Shively naquela mesma noite. Ao tomar conhecimento, Clark ficou possessa. Em uma breve conversa minutos antes da audiência com o júri, Clark e Conn perguntaram a Shively se ela tinha falado com alguém sobre o assunto do depoimento. "Só com a minha mãe", respondeu. Agora estava claro que ela também tinha falado com o *Hard Copy*. Clark exigiu que Shively retornasse ao tribunal para dar explicações.

Apavorada, Shively decidiu ir ao fórum no dia seguinte, 22 de junho, acompanhada pela mãe. As duas esperaram quase o dia todo para falar com Clark. Quando enfim conseguiram, a promotora explodiu: "Você mentiu para nós! Como pôde?".

Shively tentou se justificar. Achava que Clark e Conn tinham lhe perguntado quem fora a *primeira* pessoa a quem ela falou do incidente — no caso, a mãe. Não sabia, alegou, que os promotores queriam uma lista de todas as pessoas com quem falara sobre o assunto.

Clark fitou-a com desprezo. "Temos um monte de provas circunstanciais", disse. "Não precisamos de você. Vamos torná-la um exemplo a não ser seguido."

Clark intimou-a a retornar na manhã seguinte, 23 de junho, para prestar esclarecimentos. Naquela noite, Shively consultou as páginas amarelas em busca de um advogado com atendimento 24 horas que a protegesse da ira de Clark.

Acompanhada do advogado recém-contratado, Shively retornou ao escritório de Clark. Depois de nova reprimenda, as duas marcharam em silêncio até a sala do júri. Chegando lá, Clark perguntou a Shively por que havia enganado os promotores na conversa prévia à audiência.

Shively voltou a se explicar: pensou que eles só queriam saber quem tinha sido a primeira pessoa com quem ela tinha conversado. "Eu tava nervosa, tinha dormido mal a semana toda, não tava pensando direito", disse ela. "Não tava tentando esconder nada, porque eu sabia que o programa seria exibido no dia seguinte."

Depois de apenas alguns minutos, Shively foi conduzida para fora da sala, e Marcia Clark pediu então um momento de atenção ao júri. "Senhoras e senhores do júri", começou. "Tendo em vista que é nosso dever como promotores tão somente apresentar provas de cuja veracidade e confiabilidade estamos 110% seguros, devo pedir-lhes que desconsiderem inteiramente as declarações e o testemunho prestados por Jill Shively neste processo."

Jill Shively encarnava um tipo de problema com o qual uma promotora mediana como Clark nunca se deparara antes. (De fato, o *Hard Copy* nunca tinha contatado testemunhas em nenhum dos casos anteriores de Clark.) Em parte, censurar Shively perante o júri de acusação refletia um alto grau de ética de Clark no processo, já que os promotores não devem jamais apresentar provas que não considerem de fato verossímeis. Por outro lado, também havia na postura de Clark um senso de moralidade exacerbado. É comum no trabalho do promotor que se lide com testemunhas que custam a dizer toda a verdade. Algumas mentem em uma escala muito maior que Shively antes de chegarem a uma versão aceitável dos fatos. E a "mentira" de Shively parece mais patética que diabólica. Como a própria observou, seria ingênuo de sua parte supor que a promotoria não tomaria conhecimento da entrevista, que foi transmitida em todo o país. Mas Clark achou que podia se desfazer sumariamente da mulher. Um pedido simples e direto ao júri para desconsiderar o testemunho de Shively teria sido mais que suficiente para satisfazer as obrigações éticas de Clark. Em vez disso, em um acesso de ressentimento, Clark censurou Shively de uma forma que a inutilizava permanentemente como testemunha de acusação.

Marcia Clark, no entanto, achava que podia se dar a esse luxo; afinal de contas, a promotoria tinha testemunhas de sobra.

$$\bullet\;\bullet\;\bullet$$

Se Robert Shapiro tinha um ponto forte como advogado, era que conhecia bem as próprias limitações. Nos dias que se seguiram ao crime, Shapiro buscou cercar-se de toda a ajuda que seu dinheiro podia comprar, acionando os mais caros especialistas de diversas áreas. Como pouco sabia sobre autópsias e cenas de crime, ligou para Michael Baden e Henry Lee. Na área da genética forense, na qual era completamente ignorante, recrutou dois advogados de Nova York, Barry Scheck e Peter Neufeld. Havia diversos crimes complexos que Shapiro nunca defendera em um tribunal — homicídios, por exemplo —, por isso decidiu pedir a ajuda do velho amigo F. Lee Bailey. No dia em que foi contratado, Shapiro ligou para Bailey e disse: "Preciso que me ajude a não perder esse caso". Shapiro também sabia que precisaria de Alan Dershowitz.

Mas ele não recorreu a Dershowitz logo de cara, é claro. Quando um processo civil ou penal vira notícia, no mesmo instante os produtores de talk shows mandam chamar algum professor de direito de Harvard para analisar o caso, e Dershowitz sempre atendia de bom grado tais convites, esbanjando redondas frases de efeito. Alan Dershowitz é dono de uma vida invejável — um prestigioso cargo de professor catedrático, propostas lucrativas de livros e palestras, um fila de clientes ricos e dispostos a pagar por seus serviços jurídicos —, mas ainda assim não hesita em aparecer em qualquer programa de TV para falar de qualquer assunto. Seu desejo de notoriedade tem um quê de mania, como se o menino judeu e rato de biblioteca do Brooklyn ainda não acreditasse que os outros dão crédito ao que ele pensa. Assim, ao ser procurado pela mídia na esteira dos assassinatos em Brentwood, Dershowitz estava, como de costume, disponível.

Além disso, o momento era propício. Dershowitz estava terminando de escrever um livro chamado *The Abuse Excuse – and Other Cop-Outs, Sob Stories, and Evasions of Responsibility* [A desculpa para o abuso – e outras evasivas, histórias melodramáticas e desvios de responsabilidade]. Nele, Dershowitz escreveu que uma série de desculpas — a "síndrome da mulher espancada", a "síndrome da criança abusada" e outras do tipo — estavam "rapidamente se tornando uma licença para matar". Algumas dessas desculpas, observou Dershowitz com desprezo, refletiam opiniões "politicamente corretas" que buscavam aplicar diferentes critérios de culpabilidade a membros de grupos desfavorecidos. "Basicamente", escreveu, "essas justificativas para o abuso, ao enfatizarem a histórica discriminação sofrida por certos grupos, procuram introduzir certo grau de ação afirmativa em nosso sistema de justiça criminal." O caso Simpson parecia se encaixar perfeitamente nessa lógica. Na segunda-feira, 20 de junho de 1994 — dia em que um abatido O.J. murmurou sua declaração de inocência no tribunal —, Dershowitz apresentou essa tese ao participar, como especialista jurídico, do programa *Charlie Rose*. No programa, Dershowitz especulou que o caso Simpson "pode acabar com uma sensação de anticlímax, com um júri incapaz de chegar a um consenso, ou com um acordo entre as partes, com pena reduzida para o réu". Aliás, continuou Dershowitz, o caso Simpson poderia trazer implicações sinistras. "Se tiver um veredicto similar ao dos casos Menendez ou Bobbitt, o caso Simpson pode acabar passando uma mensagem terrível pro mundo, dizendo que dá pra se safar desse tipo de coisa."

Irritado com os comentários de Dershowitz, Shapiro disse a um amigo: "Como podemos calar a boca desse cara?". Após uma pausa, brincou: "Acho que vamos ter que contratá-lo". Um dia depois de Dershowitz aparecer no *Charlie Rose*, Robert Shapiro ligou para ele e convidou-o para fazer parte da equipe de defesa de Simpson. Respeitoso, Dershowitz avisou ao colega que fizera comentários pouco elogiosos na mídia sobre a condução do caso. Shapiro não se importava. "Alan", disse, "precisamos de você."

Nenhuma lei, ou mesmo qualquer preceito ético, impediam que Dershowitz aceitasse o serviço. (Falta de vergonha na cara é um conceito moral, não jurídico). Como o próprio Dershowitz alegremente observa em sua autobiografia *The Best Defense*, "quase todos os meus clientes tinham culpa". No caso Simpson, Dershowitz era um observador um dia, defensor no outro — uma mudança que refletia, como tão bem colocou Anthony Kronman, decano da Escola de Direito de Yale, "a indiferença à verdade que todo o exercício da advocacia carrega em si". Advogados vivem desses contrastes, ao mesmo tempo que alimentam o cinismo público em relação à sua profissão. (Mais tarde, o próprio Kronman mudaria de ideia sobre sua observação mordaz.)

Para Dershowitz, no entanto, o convite de Shapiro não era tão inesperado. Os dois já tinham trabalhado juntos. E embora Dershowitz desse a impressão de que adorava se pavonear na TV, ninguém negava que fosse um excelente advogado de defesa. Sua especialidade era identificar e explorar os pontos fracos da acusação em um processo. Dershowitz tinha atuado nos bastidores da defesa de um cliente de Shapiro, Christian Brando, que acabou se confessando culpado de assassinar o namorado da irmã. Por isso, Shapiro fez questão de dizer a Dershowitz que contratara um advogado que trabalhara com os dois no caso Brando: Gerald Uelman. Assim como Dershowitz, Uelman era professor universitário de direito, mas sob muitos aspectos era seu oposto. Homem afável, com a pele e os cabelos tão claros que às vezes pareciam torná-lo quase invisível, Uelman era reitor da Faculdade de Direito da Universidade de Santa Clara, em San José. Embora diferissem em estilo e temperamento, ambos tinham a mesma filosofia agressiva sobre a abordagem da defesa em um processo penal. Acima de tudo, acreditavam que a defesa devia ficar na ofensiva — desafiando, protestando, reclamando e fazendo o possível para semear o caos no campo da promotoria.

Foi justamente na violenta repercussão do caso Simpson que Dershowitz e Uelman viram a primeira oportunidade de pôr esses princípios em prática. É lugar-comum entre juízes a opinião de que, em processos penais, a publicidade prévia ao julgamento prejudica o acusado, e de fato muitas informações que incriminavam Simpson vieram à tona logo após os assassinatos. Entretanto, como o caso Simpson ilustrava de forma tão dramática, essa publicidade prematura também podia prejudicar o trabalho da promotoria. Os advogados do ex-astro de futebol sabiam que poderiam retratar seu cliente como uma vítima indefesa de promotores em busca de notoriedade e de uma mídia irresponsável. A questão, para a defesa, era como converter essa imagem favorável do cliente em uma vantagem concreta na batalha legal.

Tiveram então a ideia de contestar o júri de acusação. Alegariam que a publicidade prévia ao julgamento tinha envenenado de tal forma a cabeça dos jurados que não havia alternativa senão afastá-los todos, o que garantiria a audiência preliminar de 30 de junho. A teoria só tinha um problema: aparentemente, nunca na história um júri de acusação tinha sido dissolvido por esse motivo. Ainda assim, Dershowitz e Uelman pensaram que não custava tentar. Além disso, na quarta-feira, 22 de junho, a promotoria acabou dando outro presente — involuntário — à defesa: o escritório da promotoria de Los Angeles, cedendo aos apelos da mídia, liberou a fita com o angustiante telefonema de Nicole Brown Simpson ao 911 em 25 de outubro de 1993. "Vocês podem mandar alguém pra cá agora? Ele voltou. Por favor", dizia a voz trêmula de Nicole na gravação, que era reproduzida de forma incessante na televisão e no rádio. "É o O.J. Simpson. Vocês já devem ter a ficha dele aí. [...] Ele vai me enfiar a porrada." Embora tenha de fato contribuído para manchar mais a imagem pública de Simpson, a fita também serviu para corroborar a alegação da defesa de que a exposição do caso na mídia era excessiva.

Na ocasião, Uelman estava a serviço fora de San Jose, e Dershowitz estava em Jerusalém, cuidando de outros negócios. Por telefone, os advogados prepararam a primeira das 393 petições que seriam apresentadas no processo. Chamaram o documento de "Petição de emergência para a inquirição dos jurados e determinação de parcialidade decorrente de publicidade imprópria prévia ao julgamento". O máximo que os advogados de defesa esperavam era que um juiz aceitasse inquirir cada jurado para determinar o impacto da publicidade em suas opiniões. Meio de última hora, decidiram solicitar também, de forma totalmente inédita, que o júri fosse dissolvido. A defesa conseguiu protocolar a indignada petição na manhã de sexta-feira, 24 de junho, ainda que para isso Dershowitz tivesse que arcar com uma conta de telefone de 800 dólares no hotel onde estava hospedado, o King David. No documento, a defesa instava o tribunal a tomar "medidas essenciais para reduzir o impacto prejudicial da divulgação indevida e da excessiva publicidade dada a provas inadmissíveis no presente processo, além de manifestações preconceituosas e impróprias de opiniões pessoais por parte de promotores". Ao listar as calúnias dirigidas contra seu cliente por Garcetti e Clark, os advogados de defesa escreveram: "O promotor de justiça especulou que o ex-astro do futebol poderia acabar admitindo ter assassinado a ex-esposa e o amigo dela, mas reivindicaria uma defesa similar àquela dos irmãos Menendez". Em outro exemplo, a defesa comentou, consternada, uma afirmação de Garcetti citada no *Los Angeles Times* de 19 de junho: "Eu não ficaria surpreso se em algum momento passássemos de 'Não fui eu' para 'Fui eu, mas não sou responsável'". (Como sabemos, em 20 de junho, Dershowitz disse a mesma coisa, quase textualmente, para os telespectadores do país inteiro!)

Com a petição, a defesa pretendia distrair ainda mais a promotoria, cujo trabalho já tinha sido dificultado pela liberação da fita. Preocupado com sua base de eleitores na comunidade negra, Garcetti não queria dar a impressão de que estava tratando Simpson injustamente, por isso criticou publicamente a procuradoria municipal por liberar a fita do 911 em meio às investigações da promotoria. (O promotor de justiça, que propõe ações penais, e o procurador municipal, que lida com contravenções penais e causas cíveis, são eleitos separadamente e possuem equipes independentes.) A liberação da fita também criou problemas de ordem jurídica para os promotores. Depois que ela veio a público, em 22 de junho, várias pessoas que circulavam pelo fórum entreouviram alguns jurados falando sobre seu conteúdo, embora a gravação não tivesse sido apresentada como prova ao júri de acusação. Era transmitida de forma tão generalizada que era, obviamente, quase impossível de evitar. Os promotores perceberam que talvez tivessem uma obrigação ética de informar um juiz do que os jurados andavam dizendo. O juiz, por sua vez, poderia optar por questionar os jurados individualmente ou deixar que fossem interrogados pelos advogados de defesa. Era um processo que podia levar dias — e revelar novas complicações que a defesa poderia explorar. Além disso, com um júri parcial, corria-se o risco de contaminar o processo com um erro jurídico que, mais tarde, comprometeria uma apelação de sentença. Quando os promotores se depararam com a petição da defesa na manhã de sexta-feira, 24 de junho, acharam que fazia mais sentido simplesmente desistir do júri de acusação e partir para a audiência preliminar. Garcetti ainda ponderava o que fazer quando, em uma rápida audiência naquela mesma manhã, Marcia Clark não só negou que os promotores tivessem usado a notoriedade do caso para se autopromover, como dirigiu a mesma acusação a Shapiro.

Em resposta à petição da defesa e às inquietações dos promotores, Cecil Mills, juiz supervisor do Tribunal Superior de Los Angeles, conduziu uma rápida investigação por conta própria e descobriu que diversos jurados tinham de fato ouvido a fita do 911. A Promotoria de Justiça decidiu aderir à petição para dissolver o júri de acusação. Na presença das partes, o juiz Mills proferiu a sucinta sentença: "Atendendo ao pedido subscrito pela representação do sr. Simpson e pela Promotoria de Justiça de Los Angeles [...] este tribunal declara impedido o Júri de Acusação de 1993/94 e dispensa seus membros de considerações ulteriores sobre a causa em questão".

Em coletiva de imprensa após a decisão de Mills, Shapiro mal disfarçava a alegria. "Estamos muito satisfeitos que o juiz tenha concordado com nossa posição", disse em um movimentado corredor do fórum. "Estamos ansiosos para finalmente apresentar essa prova em audiência pública... e ouvir, ao vivo, os depoimentos sob juramento das testemunhas." Enfim, a audiência preliminar ia acontecer.

•••

Marcia Clark tinha só quatro dias para preparar tudo. Durante os trabalhos do júri, bruscamente interrompidos, os promotores descobriram que Simpson, havia pouco, tinha comprado uma faca de grande porte na Ross Cutlery, cutelaria no Centro de Los Angeles. Uma comparação preliminar com os resultados da autópsia sugeria que o objeto poderia ser a arma do crime. Assim, na terça-feira, 28 de junho, Clark obteve um mandado que autorizava a polícia a realizar uma nova revista na casa de Simpson, dessa vez em busca da faca. Os policiais viraram o lugar de cabeça para baixo, mas saíram de mãos vazias.

No dia seguinte, na prisão do distrito, Gerald Uelman mostrou a O.J. Simpson a declaração da polícia que fundamentava a operação de busca e apreensão. "Onde está a faca?", o advogado perguntou ao cliente.

Instruído por Simpson, Uelman retornou à casa da Rockingham e subiu para o quarto principal, onde havia um armário de portas espelhadas. Em uma das prateleiras do móvel, dentro de uma caixa, Uelman encontrou a faca que O.J. Simpson comprara poucas semanas antes. Parecia nova em folha — tal como Simpson lhe prometera. Pelo visto, a polícia não chegou a olhar dentro do armário.

Para o professor de direito, a descoberta remeteu a uma velha história que circulava nos meios jurídicos. No relato, um advogado chamado Harry Levine está em seu escritório quando o telefone toca. Ele atende. Uma voz diz: "Sr. Levine, acabei de atirar na minha mulher. Estou com a arma na mão. O que devo fazer agora?"

Depois de pensar um pouco, Levine responde: "Ah! Você deve estar procurando o Harry Levine que é advogado!" — e desliga.

Por mais que fosse tentador jogar as mãos para o alto naquele momento, Gerald Uelman precisava tomar uma decisão. Era um grande dilema ético. Tratava-se de uma prova que a promotoria claramente julgava importante. Se Uelman tocasse na faca, ele se converteria imediatamente em testemunha; e, tendo em vista que a busca pela arma nada mais foi para o polícia do que um vergonhoso fracasso, não seria impossível que o acusassem de tê-la plantado ou escondido. Por outro lado, não fazer nada — a "escolha de Levine", por assim dizer — também não parecia a atitude mais correta. O aspecto imaculado da faca poderia favorecer a imagem de Simpson, o que já seria motivo suficiente para que a defesa buscasse resguardá-la de algum modo. Mas como preservar a faca como prova sem tocá-la? E como evitar chamar a atenção da promotoria para o assunto?

Uelman decidiu simplesmente fechar a porta espelhada, mantendo as opções em aberto. Após uma noite de discussões febris, os advogados de defesa bolaram um plano.

Na manhã seguinte, quinta-feira, 30 de junho — que por sinal também era o primeiro dia da audiência preliminar — Uelman e Shapiro foram em segredo ao gabinete do juiz Lance Ito, do tribunal superior. (Eles escolheram Ito porque ele era, na época, o juiz que cuidava dos mais variados assuntos penais.) Os advogados pediram a Ito que nomeasse um "auxiliar judiciário ad hoc" — isto é, um árbitro neutro

— para ir à casa de O.J. Simpson, registrar o estado da faca e entregá-la à Justiça. Ito anuiu, e, naquela mesma manhã, pediu a Delbert Wong, juiz aposentado do tribunal superior, que fosse à Rockingham pegar a faca. Wong atendeu ao pedido e trouxe a faca dentro de um envelope fortemente lacrado com fita adesiva. Ninguém — nem o público, nem os promotores — suspeitou de nada.

Entusiasmados, Uelman e Shapiro correram do gabinete de Ito para a sala do tribunal, onde teria início a audiência preliminar, presidida pela juíza Kathleen Kennedy-Powell. O clima pesado do lugar era incompatível com o bom humor de Shapiro; por isso, tão logo a juíza tomou seu assento, o advogado esboçou uma débil tentativa de quebrar o gelo.

"Esta é a sala de audiência mais silenciosa em que eu já estive, Meritíssima", disse Shapiro.

O silêncio, é claro, advinha da tensão. Haviam se passado apenas dezoito dias do assassinato, mas o caso já repercutira de forma extraordinária na mídia. Agora, pela primeira vez, todos as principais figuras no caso, inclusive as famílias das vítimas, estavam reunidas em um só lugar, ao vivo, sob o escrutínio de telespectadores do país inteiro: todas as três redes de televisão aberta, bem como a CNN e a Court TV, interromperam a programação regular para transmitir em tempo real a audiência preliminar.

"Bom dia", disse a juíza Kennedy-Powell, procurando seguir a rotina. "Bem, temos vários assuntos na agenda de hoje. Acho que um deles é razoavelmente rápido de resolver e tem a ver com... um pedido de amostra de cabelo."

A polícia tinha encontrado fios de cabelo, supostamente de uma pessoa negra, dentro do gorro de lã abandonado no local do crime. Os promotores queriam amostras de cabelo de Simpson para compará-las com os fios no gorro. Tratava-se, como sugeriu a juíza, de uma questão de rotina. Há muitos anos a Justiça sustenta que a Quinta Emenda não faculta ao réu o direito de se negar a fornecer amostras de cabelo.

Mas, como se tornaria um padrão no caso, o pedido não foi tratado como rotina. Já no início da audiência, a promotoria sentia um gostinho do que ainda teria que encarar pela frente. Kennedy-Powell disse que a defesa não se opunha a fornecer uma amostra de cabelo, desde que fosse apenas isto: um único fio de cabelo. Os promotores protestaram.

"Sra. Clark, de quanto cabelo a promotoria precisa?", perguntou a juíza.

Clark estava indignada. "Bem, Meritíssima, como certamente a defesa está ciente, amostras de cabelo, para que sejam comparadas de maneira efetiva com material coletado no local do crime, devem ser retiradas de cada área da cabeça, ou seja, um mínimo de cinco a dez fios de cada área, o que geralmente equivale a cerca de cem fios de cabelo.

"Qualquer cientista, mesmo um novato, sabe disso", declarou Clark. "Não há como fazer uma comparação eficaz entre um material padrão e vestígios coletados na cena do crime sem essa quantidade de amostra."

"Então vocês estão pedindo cem fios?"

Clark bufou. "Estamos pedindo tantos fios quanto o perito criminal julgar necessário para uma análise comparativa eficaz. [...] E nunca vi nenhum tribunal tentar impor tal restrição."

Kennedy-Powell pediu a opinião de Shapiro.

"Meritíssima", disse Shapiro, "segundo o dr. Henry Lee, nosso criminalista chefe e diretor do Departamento de Criminologia de Connecticut, uma quantia de um a três fios já basta." Shapiro — e Lee — estavam apenas se fazendo de bobos. Para um teste de DNA, de fato, bastam alguns fios. Porém, para uma análise microscópica convencional — do tipo que a defesa também queria fazer — é necessária uma quantidade muito maior.

Normalmente, Shapiro era mais contido que Clark, porém, como ela, fez questão de manifestar sua indignação. "Acho que cem é uma quantidade injustificadamente invasiva, dificulta sobremaneira a inventariação dos fios, sem falar no risco palpável de misturar as amostras, o que poderia contaminar qualquer teste pericial. Assim, gostaríamos de solicitar audiência sobre isso."

"É o que me disponho a fazer no presente momento", disse a juíza, "isto é, requisitar não mais que dez fios de cabelo por enquanto."

Clark não podia acreditar. A coleta de amostras de cabelo era um procedimento padrão e invariavelmente incontestável. Kennedy-Powell reagira à questão com grande cautela, para evitar cometer um erro muito aparente. No caso altamente improvável de que um réu chegasse a contestar esse trâmite durante um processo comum, a maioria dos juízes teria ordenado a coleta de cabelo sem pensar duas vezes. Clark supunha que dez fios provavelmente seriam o suficiente, mas a promotora, belicosa como era, fazia questão de colocar a defesa — e a juíza — em seus devidos lugares. Em vez de dar a questão por encerrada, contra-atacou: se querem audiência, daremos a eles uma audiência. Por acaso, Michele Kestler, diretora assistente do laboratório de criminalística de Los Angeles, estava no tribunal para depor sobre outro assunto. Clark imaginou que Kestler também poderia tratar da questão do cabelo, por isso resolveu chamá-la ao banco das testemunhas naquela mesma manhã.

Prestativa, Kestler começou o depoimento dizendo que, quando ouviu que a defesa queria limitar a amostra a um fio de cabelo, ficou "muito chocada" e achou que "só podiam estar brincando". Mas Shapiro sabia a melhor maneira de abordá-la na inquirição. Ele confirmou que Kestler vinha ultimamente trabalhando mais como burocrata que como cientista, e que sua qualificação acadêmica não ia muito além de cursos internos de treinamento no DPLA do tipo "Como transformar seu grupo de trabalho em uma equipe vencedora".

"A senhora conhece um cavalheiro chamado dr. Henry Lee?", perguntou Shapiro.

Kestler respondeu que sim.

"A senhora viu, recentemente, o currículo de cinquenta páginas dele?"

Kestler, ao que parecia, não tinha conhecimento profundo sobre amostras de cabelo. Na pausa para o almoço, Clark se desdobrou para encontrar certo manual de criminalística escrito pelo dr. Lee, que sugeria que eram necessários cerca de quarenta fios de cabelos para realizar uma análise microscópica apropriada. A juíza se convenceu, e, após várias horas desse verdadeiro exercício de desfiar minúcias, Kennedy-Powell disse que a acusação poderia ter acesso a "no mínimo quarenta, mas não mais que cem fios de cabelo". Depois de proferir a decisão, Kennedy-Powell pediu a Clark que chamasse sua primeira testemunha.

Um elemento que tornava a audiência preliminar do caso Simpson atípica, além da espantosa repercussão midiática, era que, devido a uma petição pública acatada pela Justiça da Califórnia em 1990, os promotores agora eram obrigados a apresentar uma quantidade consideravelmente menor de provas. Pela Proposição 115, como era conhecida a lei, os promotores podiam (e normalmente preferiam) propor ações penais baseadas principalmente em provas testemunhais indiretas. Muitas audiências preliminares contavam com o testemunho de um único policial, que relataria quais provas foram colhidas e o que as testemunhas disseram. Esse procedimento livrava a maior parte das testemunhas arroladas pela acusação de serem interrogadas pela defesa. Porém, no caso Simpson, a promotoria optou por abrir mão da prerrogativa concedida pela lei. Mostrando uma característica preocupação com as relações públicas — nesse sentido, à custa das perspectivas do processo no longo prazo — os promotores decidiram convocar muitas das testemunhas de fato em vez de se apoiarem apenas em testemunhas indiretas. Julgavam importante mostrar aos jurados em potencial (e ao eleitorado de Garcetti) a quantidade de provas que já tinham acumulado.

A promotoria decidiu, então, começar fazendo barulho. A essa altura, David Conn, superior imediato de Marcia Clark, estava fora do caso, pois voltara à sua incumbência principal de conduzir o novo julgamento dos irmãos Menendez. Para ocupar seu lugar ao lado de Clark na direção do caso, Garcetti chamou Bill Hodgman. Ex-diretor do Departamento Central de Operações, Hodgman, então com 41 anos, era um dos promotores de mais alto escalão no escritório. (Durante seu curto período como gestora, Clark trabalhara como assistente especial de Hodgman.) Controlado quando ela estava esquentada, calmo quando ela estava irritada, Hodgman servia, na visão de Garcetti, como um bom contrapeso para Clark. Foi Hodgman quem, na audiência preliminar, chamou a primeira testemunha a depor.

Allen Wattenberg e o irmão dirigiam um dos negócios mais incomuns no Centro de Los Angeles. A cutelaria Ross Cutlery ficava em uma esquina do Bradbury Building, edifício histórico cujo magnífico pátio interior de ferro e vidro serviu a muitos cineastas da cidade, e de forma mais memorável a Ridley Scott, em sua distópica concepção sobre o futuro de Los Angeles, *Blade Runner, o Caçador de Androides*. A apenas três quarteirões do Fórum Central, a Ross Cutlery estava cercada por restaurantes latinos de fast-food, igrejas evangélicas e lojas de roupas baratas. No dia 3 de maio de 1994, a calçada em frente à loja serviu de pano de fundo para uma cena no episódio piloto de uma série da NBC, *Frogmen*, estrelada por O.J. Simpson. Em seu depoimento, Allen Wattenberg relatou que, no mesmo dia, durante uma pausa nas filmagens, Simpson entrou na loja para dar uma olhada nas centenas de lâminas e tesouras reluzentes expostas no local. Simpson escolheu uma faca de 38 centímetros, com lâmina dobrável e fixação por trava, e o punho esculpido de chifres de veado. Poucos dias antes da audiência, os detetives do DPLA compraram um modelo idêntico da mesma loja, e Hodgman exibiu o item de aspecto sinistro sobre uma tábua para a juíza (e, claro, para a câmera de televisão). A faca custava 81,17 dólares, e Simpson tinha pagado com uma nota de cem, contou Wattenberg, e então, dando ao relato o toque maléfico que os promotores adoram, acrescentou que mesmo a faca sendo novinha em folha, o acusado tinha pedido que fosse afiada antes de levá-la para casa.

Ao lembrar disso, em particular, Shapiro e Uelman riram. Os promotores estavam insinuando que a faca que Simpson tinha comprado no dia 3 de maio era a arma do crime. Entretanto, os advogados de defesa, ao contrário da acusação, chegaram a ver a faca — e sabiam que ela parecia nova, intocada. Os promotores conseguiram o que queriam: fotografias grandes e sinistras da faca estampadas em praticamente todos os jornais do país. Porém, como ocorreria tantas vezes ao longo do processo, a busca cega de uma imagem pública favorável só os faria se dar mal. Sim, a faca tinha um aspecto maligno, mas como o rastreamento de sua origem não deu em nada, quem ficou mal no fim foram os próprios promotores.

No entanto, havia outra razão, além do efeito dramático que causava, pela qual Hodgman e Clark queriam que Wattenberg fosse o primeiro a depor. Seu funcionário, Jose Camacho, tinha testemunhado perante o júri de acusação na semana anterior. Depois de testemunhar, Camacho foi abordado por representantes da *National Enquirer*, que queriam lhe pagar por uma entrevista. Camacho aceitou. Na audiência preliminar, Hodgman perguntou a Wattenberg: "O senhor espera auferir algum tipo de lucro por conta do acordo assinado pelo seu irmão e pelo seu funcionário, o sr. Camacho?".

"Espero que sim", respondeu.

"O senhor poderia nos explicar, por gentileza, como espera obter esse lucro?"

"Como eu e meu irmão somos sócios igualitários, vamos dividir o dinheiro por três. O sr. Camacho receberá um terço, meu irmão um terço, e eu um terço."

"De que quantia estamos falando?"

"O total, se não me engano, é de 12.500 dólares."

Houve uma agitação no tribunal. A revelação era um baque para os promotores, que agora sabiam que o problema com os tabloides ia muito além de Jill Shively. (Se soubessem de início que Shively seria apenas uma das várias testemunhas compradas pelos tabloides, Clark talvez não tivesse se apressado tanto a repudiá-la na frente do júri.) Ao chamarem Wattenberg e Camacho, que foi o próximo a subir no banco das testemunhas durante a audiência preliminar, os promotores imaginavam que o depoimento de um corroboraria a história do outro, e que essa versão consolidada dos fatos falaria mais alto que o dinheiro dos tabloides.

A saga da faca teve um desfecho amargo para os advogados de defesa que urdiram o engenhoso esquema para preservá-la como prova.

Depois de receber do árbitro neutro, Delbert Wong, o envelope com a faca, Lance Ito saiu de férias e confiou o pacote a seu superior, o juiz Cecil Mills, presidente do tribunal superior. Aparentemente, Mills não compreendeu a natureza secreta das negociações entre Ito e os advogados de defesa, e se limitou a entregar o envelope à juíza Kennedy-Powell, já que era ela quem presidia a audiência preliminar. Esta também não fazia ideia da história por trás do envelope e, ao recebê-lo, colocou-o sobre a mesa, à vista de todos. A mídia rapidamente apelidou-o de "envelope misterioso", mas dadas as dimensões do pacote e o momento da divulgação, Clark e Hodgman logo adivinharam o que continha. Shapiro e Uelman ficaram decepcionados por perderem a oportunidade de usar o envelope como trunfo, mas conseguiram deixar os promotores apavorados o suficiente para não voltarem a mencionar a faca comprada na Ross Cutlery; na verdade, nunca mais tentariam identificar uma faca específica como arma do crime. No fim, a defesa obteve a permissão da juíza para examinar a faca. Estava de fato em perfeito estado, como nova.

. . .

Jurados contaminados pela publicidade midiática, testemunhas corrompidas pelos tabloides, Michele Kestler perdida no fio da meada — tudo isso mostrava de que a defesa tomaria a ofensiva sempre que tivesse oportunidade. Porém, ainda se tratava apenas de um aquecimento para a principal iniciativa da defesa durante a audiência preliminar: Shapiro e Uelman tentaram pela primeira vez obter a exclusão de provas no processo — uma empreitada que refletia uma divergência de prioridades nos terrenos jurídico e público. Para a juíza, Uelman queria provar que a primeira incursão da polícia à casa de Simpson foi ilegal. Para as câmeras de televisão, Shapiro queria provar que O.J. Simpson era mais uma vítima negra do DPLA.

Normalmente, os policiais precisam de um mandado de busca para entrar na propriedade de um suspeito. No entanto, devido às interpretações cada vez mais expansivas do poder governamental, que nas duas últimas décadas vinham se tornando hegemônicas no direito penal dos norte-americanos, a Justiça dos Estados Unidos criou diversas exceções à exigência de mandado para as buscas policiais. Uma delas prevê que em uma situação de emergência — em "circunstâncias especiais" — a polícia pode prescindir do mandado. Porém, para a juíza Kennedy-Powell, a questão era se havia emergência que justificasse que quatro detetives — Vannatter, Lange, Phillips e Fuhrman — entrassem na propriedade de Simpson na madrugada de 13 de junho.

Vannatter justificou a revista na casa do ex-jogador pela primeira vez durante a audiência preliminar, e as justificativas provocaram imediato ceticismo. O detetive insistiu que Simpson recebeu do DPLA o tratamento normal e respeitoso dispensado a qualquer parente de vítima de assassinato. Sustentou ainda que ele e os colegas haviam se deslocado da Bundy à Rockingham não porque suspeitavam de Simpson, mas porque queriam informá-lo do crime e orientá-lo a buscar os filhos na delegacia. Ao chegar à casa de O.J., Vannatter permitiu que Fuhrman pulasse o muro porque o sangue que encontraram junto à maçaneta do Bronco o fez pensar que Simpson também pudesse estar ferido. Conforme o policial declarou na audiência preliminar, "fiquei preocupado que tivesse acontecido alguma coisa ali — fosse outro assassinato, uma pessoa machucada ou alguém perseguindo o sr. Simpson e a esposa".

No momento de tratar da ilegalidade da busca policial diante da juíza Kennedy-Powell, Uelman expressou seu ponto de vista com propriedade: "Fomos informados de que quatro detetives [...] se dirigiram à residência do sr. Simpson com o único propósito de notificá-lo sobre a tragédia ocorrida na Bundy, propósito esse que também teria sido facilmente cumprido com um simples telefonema". Uelman frisou que a gota de sangue na porta do Bronco "também condizia perfeitamente com molho de taco ou um motorista com uma ferida na raiz da unha". Não, insistiu Uelman, a suposta preocupação dos detetives com o bem-estar de Simpson só era pretexto para ligá-lo ao assassinato da ex-esposa. Havia outro fator que tornava o comportamento da polícia ainda mais suspeito: um dos quatro detetives, Mark Fuhrman, já tinha ido antes à casa dos Simpson para investigar um incidente de briga doméstica. Essa história poderia certamente ter influenciado os policiais a encararem Simpson como suspeito.

Depois de ouvir os argumentos de ambas as partes, Kennedy-Powell tinha uma dura escolha pela frente. De acordo com a promotoria, o comportamento dos detetives correspondia apenas ao serviço normal prestado a um cidadão ligado a uma vítima de crime violento. Para a defesa, os policiais tinham agido como brutamontes decididos a violar os direitos de um homem negro. Mas a verdade podia muito bem estar em uma terceira leitura da situação — uma em que nenhuma das partes queria que a juíza, ou o público, acreditasse. Desde o momento em que os assassinatos foram reportados, a polícia investigou o caso sem tirar o olho da mídia. Tão logo o detetive Phillips chegou ao local do crime, o comandante Bushey ordenou-lhe que fosse à casa de Simpson para que o ex-jogador não ficasse sabendo do aconteci- do pela imprensa. Na visão de Bushey, essa falta de sensibilidade para com uma celebridade poderia gerar uma publicidade prejudicial ao DPLA. Como bem demonstrava a experiência do próprio Simpson com o departamento, a polícia não queria outra coisa senão mimar e agra- dar as celebridades. Não seria nada absurdo supor que os quatro dete- tives estivessem no mesmo estado de deslumbramento que os patru- lheiros de West Los Angeles que costumavam dar uma espairecida na piscina do ex-astro de futebol.

Conforme evoluíam as circunstâncias do caso, nenhuma das partes conseguia mais enxergar as próprias ações com clareza. A defesa não admitia que a polícia pudesse ver O.J. com outros olhos que não os da hostilidade e da desconfiança. O DPLA, em contrapartida, nunca admi- tiria que seus agentes preferiam socializar com uma celebridade, em vez de investigar a cena do crime. Depois que os detetives invadiram a propriedade de O.J. e encontraram indícios de sua ligação com os as- sassinatos, Vannatter teve que inventar um pretexto verossímil para a incursão policial. No curto prazo, funcionou: a juíza Kennedy-Po- well decidiu rejeitar o pedido de exclusão de provas, embora a defesa tivesse o direito de renová-lo junto ao tribunal superior.

Essa vitória da acusação não saiu barata. O pedido de exclusão de provas desviou a discussão pública, ao menos em parte, da culpa de Simpson para a conduta da polícia. Quanto à última questão, Sha- piro progrediu consideravelmente. Conseguiu retratar Vannatter, no melhor dos cenários, como um profissional incompetente, e no pior, como um indivíduo perverso. O advogado apontou erros significati- vos na declaração em que Vannatter fundamenta o mandado de bus- ca: a viagem de Simpson a Chicago não tinha sido "inesperada", e os testes realizados na substância encontrada na porta do Bronco não indicavam de forma conclusiva, apenas provável, a presença de san- gue. Embora não tivessem conseguido persuadir a juíza, os advogados de defesa plantaram a ideia, na presença de potenciais jurados, de que a polícia tinha um plano secreto, nefasto, cujo objetivo final era cri- minalizar Simpson. Para a defesa, só isso já fazia com que a audiência preliminar valesse a pena.

Simpson "perdeu" a audiência preliminar, é claro. Após cinco dias de testemunhos antes e depois do feriado de Quatro de Julho, a juíza Kennedy-Powell decidiu, no dia 8 de julho, que Simpson seria julgado pelo tribunal superior. Porém, apesar de sua reputação de negociador, Shapiro deixava claro aos promotores que, nesse caso, não daria descanso em momento algum — tanto dentro como fora do tribunal. Toda essa batalha judicial, bem como o fluxo interminável de simpatizantes que o visitavam na cadeia, elevou o moral do cliente de Shapiro. Ao comparecer em juízo após a audiência preliminar, para ouvir novamente as acusações, ele já parecia o O.J. Simpson de sempre. Com a gravata e o cinto que lhe tinham sido devolvidos, recuperou o aspecto alinhado. Cumprimentou seus apoiadores na galeria com uma piscadela e o polegar voltado para cima, e, quando o juiz pediu-lhe que repetisse como se declarava em relação às acusações de duplo homicídio, Simpson não precisou de deixa alguma.

"Com certeza absoluta, 100% inocente", respondeu.

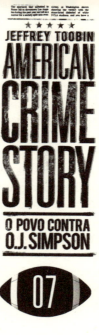

A RAÇA EM JOGO

O mês que se seguiu à prisão de Simpson foi melhor do que seu advogado jamais esperaria. A equipe de especialistas que Shapiro tinha reunido já analisava de forma meticulosa o trabalho da promotoria. A defesa tinha conseguido eliminar o júri de acusação, e, na audiência preliminar, forçado várias testemunhas importantes da acusação a se ater, sob juramento, à versão que deram dos fatos. A conduta da polícia na noite dos assassinatos estava em xeque. Grande parte do público se mostrava a favor de O.J., embora os números das pesquisas estivessem em franco declínio. Portanto, até certo ponto, o quadro era promissor.

Advogados criminalistas de sucesso não se deixam iludir. Por isso, mesmo com os bons resultados da audiência preliminar, Shapiro foi forçado a encarar a realidade. Clark concluiu a apresentação das provas à juíza Kennedy-Powell com a primeira divulgação pública das amostras de sangue obtidas pela acusação. Desde a primeira semana, quando Collin Yamauchi fez os primeiros testes de DNA, os peritos do DPLA vinham apurando os resultados. Naquela audiência, Clark preferiu apresentar apenas os depoimentos que diziam respeito ao teste de sangue convencional, de precisão menor que a dos exames de DNA mais avançados, pois sabia que a juíza o aceitaria como prova, mesmo sem a audiência de instrução. De acordo com o teste, as gotas de sangue à esquerda das pegadas na Bundy Dr. eram de fato compatíveis com o sangue de Simpson — e com o sangue de apenas 0,43% da população. Em outras palavras, com base nesse sangue, era possível descartar as suspeitas sobre 99,57% da população.

As provas eram devastadoras. Os testes de DNA, que ainda estavam para sair, certamente incriminariam Simpson ainda mais. Apesar de ter se saído com algumas boas cartadas, Shapiro não teria condições de vencer uma consulta ao júri sobre se seu cliente tinha ou não matado aqueles dois seres humanos. Sabia, no entanto, que poderia vencer uma consulta sobre outro assunto: o racismo que permeava o Departamento de Polícia de Los Angeles.

· · ·

A notícia de que várias testemunhas de acusação receberam dinheiro de tabloides em troca de entrevistas foi o que me levou, indiretamente, a me envolver com o caso Simpson. Na época dos assassinatos, eu estava concluindo uma matéria para a revista *The New Yorker* sobre a indústria sensacionalista. O foco do meu artigo era demonstrar como a investigação de Michael Jackson por abuso sexual de menores tinha sido comprometida depois que potenciais testemunhas da acusação aceitaram dinheiro para dar entrevistas. Tive a chance de acrescentar alguns detalhes sobre o papel da imprensa marrom nos primeiros dias do caso Simpson — especificamente no que se refere a Jill Shively e às testemunhas da Ross Cutlery —, e o artigo chegou às bancas na terça-feira, 5 de julho de 1994.

Ainda naquela semana, embora eu não soubesse na época, Tina Brown, editora da *New Yorker*, enviou o fotógrafo Richard Avedon a Los Angeles para tirar fotos das equipes de defesa e acusação do caso Simpson. Ele e Susan Mercandetti — também editora da revista e parceira frequente do fotógrafo — passaram a maior parte da semana combinando com Shapiro e sua equipe como e quando as fotografias da defesa seriam tiradas. A sessão de fotos com promotores correu tranquilamente, mas lidar com Shapiro acabou se revelando uma experiência difícil e frustrante para meus colegas. Em um momento a sessão estava de pé, mas logo era cancelada. Alguns integrantes eram incluídos na foto, e, em seguida, retirados. O problema, como Shapiro explicou a Susan, era que a formação da equipe ainda estava em aberto. (Embora o advogado não tenha dito isso na época, o xis da questão era se Johnnie Cochran se juntaria ou não a eles.)

Por fim, Shapiro propôs um acordo a Avedon e Mercandetti. Já que não podia oferecer às câmeras a equipe de defesa completa, podia oferecer... a si mesmo. O advogado propôs posar para uma foto individual — como se essa não fosse sua intenção desde o início — e, no final das contas, Avedon concordou em fotografá-lo sozinho. Shapiro sabia que o processo de produção da foto tinha sido no mínimo conturbado, por isso fez uma oferta de paz à equipe da *New Yorker*. Ele e a esposa convidaram Avedon e Mercandetti para jantar no Eclipse, um badalado restaurante em West Hollywood. Passados poucos meses desde que Mercandetti dera à luz uma menina, tudo o que ela mais queria era voltar para casa em Washington, mas aceitou o convite.

No restaurante, Shapiro estava em seu momento de glória. Produtores e agentes o bajulavam, para seu deleite. Avedon estava tão efusivo que não pôde segurar a vontade de contar aos convidados sentados à mesa que Susan estava amamentando. Ao ouvir a notícia, Shapiro se levantou todo afetado e falou com Bernard Erpicum, o atencioso *maître* do Eclipse. Instantes depois, Bernard reapareceu com um pacote para Susan: uma bomba de tirar leite. Não que Susan tivesse pedido esse presente, mas ainda assim ela conseguiu murmurar um agradecimento, mal disfarçando o espanto. A editora passou o resto da refeição envergonhada com a presunção de Shapiro (por melhor que fosse sua intenção), e até chegou a pensar em largar aquele trabalho de uma vez por todas.

Em todo caso, Tina Brown confidenciou-me na segunda-feira, 11 de julho, que Shapiro havia dito a Susan que talvez — *talvez* — aceitasse me dar uma entrevista sobre o caso. Tina pediu então que eu fosse a Los Angeles na manhã seguinte. Reservei a passagem de avião, mas duvidava que aquilo fosse dar em alguma coisa. Afinal, ao que parecia, Shapiro não tinha dado certeza de nada, e eu receava ir a Los Angeles e ficar lá de bobeira, sem ter o que escrever.

Tina não estava com a menor paciência para minhas inquietações. "Olha", disse ela. "Não tem serviço pra você aqui em Nova York. Vá logo." E eu fui.

· · ·

Na verdade, eu até já tinha uma ideia do que fazer. Ainda em Nova York, tive uma breve conversa telefônica com Alan Dershowitz, que havia entrado para a equipe de defesa de Simpson. Dez anos antes, Dershowitz tinha sido meu professor de direito penal no primeiro ano de direito em Harvard, e nos falamos esporadicamente nos anos seguintes. No decurso de uma conversa desconexa e sem foco, Dershowitz fez um longo discurso criticando um dos detetives envolvidos no caso. Sabendo que, em minha experiência como promotor, fui membro da equipe do Procurador Independente do caso Irã-Contras, Dershowitz descreveu o detetive em questão da seguinte forma: "Ele fala como Oliver North, parece Oliver North e mente como Oliver North".[1] Não dei muita importância ao comentário naquele momento, mas, ao examinar minhas anotações durante o voo para a Califórnia, achei que valeria a pena investigar o assunto.

Quando cheguei, na terça-feira à noite, descobri que não havia nenhuma novidade sobre meu encontro com Shapiro. Então, na manhã de quarta-feira, 13 de julho, decidi averiguar os comentários de Dershowitz. Estava claro que a opinião negativa que Dershowitz tinha do detetive não era novidade. No entanto, se ele realmente tinha um passado sujo, eu certamente encontraria algum registro oficial. Comecei ligando para o DPLA; perguntei se poderia consultar o histórico disciplinar do detetive. Não me permitiram ver nada em sua ficha, mas me disseram que não havia nenhuma queixa formal contra ele. Resumindo, não me ajudaram em nada. Decidi então usar outra tática. Pela minha experiência como promotor, sabia que muitos policiais eram processados por violar direitos civis no exercício de suas atividades. Talvez houvesse condenações contra o detetive. Decidi dar uma olhada.

Porém, antes de buscar qualquer registro, precisava resolver uma coisa. Do quarto do hotel, liguei para David Kirkpatrick, do departamento de checagem da *New Yorker*. Pedi que verificasse a grafia do nome mencionado por Dershowitz.

"Nas minhas anotações consta F-U-R-M-A-N, mas acho que está errado", eu disse.

Kirkpatrick me corrigiu: F-U-*H*-R-M-A-N.

Pouco depois das 10h, estacionei perto do edifício comprido e baixo que abrigava o Fórum de Justiça de Los Angeles e fui entrando. Na metade do corredor que percorre toda a extensão do andar principal,

---

1 O caso Irã-Contras foi um escândalo revelado pela imprensa dos Estados Unidos em 1986, no governo de Ronald Reagan. Membros da CIA facilitaram o tráfico de armas para o Irã, que estava sob embargo internacional de armamentos, em troca da libertação de reféns norte-americanos. Com o dinheiro do tráfico, financiavam o grupo guerrilheiro Contras, da Nicarágua. Oliver North foi membro do Conselho de Segurança dos Estados Unidos nos anos 1980 e um dos envolvidos no escândalo.

encontrei a sala que abriga todos os processos indexados em microfilme. Sentei-me para consultar o arquivo e descobrir se Mark Fuhrman já tinha respondido a algum processo na Justiça.

A resposta era não, não exatamente. Porém, o arquivo indicava que, no dia 24 de agosto de 1983, o próprio Fuhrman entrou com uma ação judicial. Curiosamente, o réu no processo era o Sistema de Aposentadoria da Polícia e do Corpo de Bombeiros da Cidade de Los Angeles [LAFPP, pela sigla em inglês]. Mostrei o número do processo — C 465.544 — para uma funcionária e perguntei onde poderia encontrar a documentação correspondente. Ela me disse que, como se tratava de um processo antigo, devia estar no arquivo morto, que ficava do outro lado da Hill Street. Seguindo suas instruções, me vi diante de um elevador que ficava isolado, próximo à calçada. Entrei e me dei conta de que só havia um sentido possível: para baixo. Desci até o último andar.

Lá descobri uma parte subterrânea e fantasmagórica de Los Angeles, uma rede de corredores frios e desertos que conectam entre si os edifícios acima. Segui as indicações até chegar ao arquivo, abrigado em uma vasta câmara semelhante a um galpão, onde tudo e todos, principalmente os funcionários, pareciam envoltos em uma névoa fluorescente. Preenchi um formulário e observei a funcionária desaparecer entre as pilhas intermináveis de documentos esquecidos. Passados menos de dez minutos, ela chamou meu número e me entregou uma pasta com cerca de cinco centímetros de espessura. Levei-a para uma mesa e comecei a examinar seu conteúdo.

• • •

A pasta do processo se resumia a uma pequena autobiografia de Mark Fuhrman: nascido em 5 de fevereiro de 1952, cresceu no estado de Washington; um irmão morreu de leucemia antes de Mark nascer; o pai era motorista de caminhão e carpinteiro; os pais se divorciaram quando ele tinha 7 anos. Em 1970, Fuhrman ingressou no Corpo de Fuzileiros Navais, e serviu no Vietnã como atirador de metralhadora. Prosperou até seus últimos seis meses de serviço. Como explicaria mais tarde ao psiquiatra dr. Ronald R. Koegler, Fuhrman perdeu o gosto pelo serviço militar porque "tinha um monte de mexicanos e crioulos, voluntários, e eles não queriam fazer nada". Por causa desses problemas, Fuhrman deixou os fuzileiros em 1975 e entrou quase imediatamente para a Academia de Polícia de Los Angeles.

Aluno destacado, Fuhrman se formou em segundo lugar na turma. Sua carreira no DPLA teve um início promissor. As avaliações que recebia eram bem positivas. Um superior escreveu: "Apresenta excelente progresso. Com mais experiência de campo, será um policial excepcional". Porém, em 1977, ele foi transferido para East Los Angeles, e seus avaliadores começaram a ficar com o pé atrás. "Demonstra muito entusiasmo e iniciativa ao efetuar prisões", escreveu um superior na época. "No entanto, nota-se certo desequilíbrio no rendimento global devido ao tempo desproporcional que gasta tentando fazer 'grandes prisões'." O dr. Koegler escreveu: "Depois de um tempo, começou a perder o gosto pelo trabalho, sobretudo por causa da 'gentalha' com quem era obrigado a lidar. Gabava-se dos métodos violentos que usava para reprimir suspeitos, que incluíam estrangulamentos, e alardeava que quebraria as mãos, os braços, as pernas ou a cara deles, se preciso fosse".

Fuhrman foi escalado para trabalhar em operações contra gangues de rua no final de 1977 e, embora continuasse recebendo ótimas avaliações, relatava que as tensões do trabalho o estavam afetando. "Essa gente me dá nojo, e o público tolera o que fazem", disse ao dr. John Hochman, outro psiquiatra, referindo-se ao trabalho com as gangues. Disse também que se metia em brigas pelo menos dia sim, dia não, e que precisava ser "violento simplesmente para existir". Em apenas um ano, contou, se envolvera em pelo menos 25 brigas enquanto estava em serviço. "Eles atiram em criança pequena e outras pessoas", disse ao dr. Hochman, "mas se o pegamos e damos uma surra, levamos processo ou suspensão. [...] Esse trabalho afetou meu psicológico. Não consigo mais ir a lugar nenhum sem uma arma." Fuhrman explicou: "Sinto vontade de matar quem me aborrece".

O estresse foi tão grande que, no início dos anos 1980, Fuhrman tentou deixar o departamento. Seus advogados alegaram que, no exercício de suas funções, Fuhrman "acumulou uma sintomatologia psiquiátrica gravemente incapacitante", e que, portanto, deveria receber uma pensão por invalidez do governo municipal. Para obtê-la, Fuhrman travou uma longa batalha jurídica. O vasto arquivo que documentava os esforços do policial, repleto de avaliações psiquiátricas minuciosas, era paradoxal. Em todos os laudos obtidos pelo próprio Fuhrman, ele era retratado como um homem perigosamente desequilibrado — como um deles apontava, Fuhrman estava "incapacitado de exercer suas funções regulares como policial". Nas réplicas do governo, no entanto, ele era apresentado como funcionário competente, ainda que envolvido em um elaborado esquema para ganhar uma pensão. O dr. Hochman observou: "Há indícios de que o paciente fingia sofrer de psicopatia grave. Isso sugere uma tentativa consciente de passar uma má impressão de si mesmo e de exagerar problemas, o que pode ser um grito de socorro e/ou uma dramatização excessiva de uma personalidade narcisista, autoindulgente e emocionalmente instável, que espera receber atenção e piedade imediatas". Fosse o mal de Fuhrman psicose ou pilantragem, o fato é que a imagem que ele passava não era nada atraente. O policial perdeu o caso, e, com isso, continuou vinculado ao quadro da polícia.

À medida que eu examinava a pasta, as implicações se tornavam óbvias. Aquele processo tinha o potencial de assombrar o caso Simpson com o fantasma de Rodney King. Retratado nessa batalha por uma pensão, Fuhrman parecia o arquétipo do policial intolerante e brigão de Los Angeles. Se os advogados de Simpson decidissem usar o arquivo — e naquele momento eu me perguntava se tinham conhecimento dele —, o caso, até então considerado apolítico, poderia tomar novos rumos. Será que estava tudo prestes a mudar? Depois de ver o arquivo, tive certeza de que precisava sem falta falar com Shapiro.

$\bullet\bullet\bullet$

Sim, os advogados de Simpson sabiam sobre o processo que Fuhrman perdera na Justiça. Vários meses depois de localizar os documentos, descobri como a defesa tomou conhecimento deles.

O nome Mark Fuhrman soava familiar para Zvonko Pavelic, mas ele não se lembrava por quê. Bill Pavelic, como é conhecido, nasceu na Croácia em 1949, e depois de mais de três décadas vivendo nos Estados Unidos, ainda mantinha na fala um ligeiro traço da Europa Central. Sua família se mudou para Cleveland em 1961, e para Los Angeles dois anos depois, quando Pavelic tinha 14 anos. Em 1974, com 25, Pavelic tornou-se policial do DPLA. Era um pouco mais velho que vários de seus colegas ao entrar para o departamento, e refletindo sobre esse fato mais tarde, considerou-o importante. Em sua opinião, isso o teria tornado mais independente e seguro para tomar suas próprias decisões. Pavelic trabalhou na região centro-sul de Los Angeles durante quase toda a carreira. Prosperou profissionalmente desde cedo, e não tardou a ser promovido a detetive. No entanto, sua carreira sofreu um revés quando começou criticar o racismo generalizado que via no departamento. Pavelic investigava outros policiais — inclusive os envolvidos na famigerada batida policial nos prédios da esquina da 39th Street com a Dalton Avenue, em 1988, quando diversos apartamentos foram depredados, deixando os moradores aterrorizados. Pavelic acabou chamando atenção pela postura crítica que demonstrou em relação à própria classe; se já era uma posição delicada de assumir em qualquer departamento de polícia, no DPLA, era quase inviável. Seu perfil é bastante comum entre delatores: alguns o consideram corajoso e honesto; outros, egocêntrico e esquisitão.

Após o espancamento de Rodney King, em 1991, Pavelic começou a criticar publicamente o DPLA, e então ficou claro que seus dias no órgão estavam contados. Demitiu-se depois de dezoito anos de serviço, em 1992, e passou a receber uma pensão por invalidez decorrente de estresse e asma. Na época, declarou a um médico que "preferia ser mandado para um *gulag*" a voltar ao trabalho. De acordo com um dos médicos que consultou para dar entrada no pedido de invalidez, Pavelic afirmou que "tinha pensamentos homicidas quando pensava na gestão da polícia de Los Angeles". (Posteriormente, Pavelic negaria a declaração.) De qualquer modo, depois de sair da corporação, Pavelic passou a oferecer seus serviços como "consultor" independente a quem tivesse queixas contra o DPLA. O trabalho se assemelhava ao de um investigador particular, mas Pavelic, genioso que só, não queria se registrar como detetive particular e se submeter à regulação estatal. Assim, fazia o que chamava de "biópsia" de processos, tanto penais como civis, rastreando eventuais deslizes do DPLA dos quais seus clientes pudessem tirar proveito. Robert Shapiro recrutou Pavelic para fazer exatamente isso, um dia depois de ele próprio ser contratado para trabalhar no caso Simpson. Portanto, foi com grande interesse que Pavelic assistiu à audiência preliminar.

O ex-policial encasquetou com Mark Fuhrman, mas não sabia por quê. Tinha certeza de que nunca trabalharam juntos. Certamente não eram amigos. No entanto, Fuhrman lhe parecia familiar. Após a audiência preliminar, Pavelic, intrigado, ainda pensava no detetive: de onde será que conhecia Mark Fuhrman? De repente, um nome lhe veio à mente.

Johnny Carson.

Pouco antes de sair da polícia, Pavelic trabalhou à noite como segurança particular, como muitos de seus colegas. Ele lembrou que havia trabalhado para o apresentador do *Tonight Show* junto com Mark Fuhrman (e com o chefe de Fuhrman, Ron Phillips). Essa lembrança suscitou outra. Na primavera de 1993, Pavelic tinha trabalhado para um advogado civil chamado Robert Deutsch no caso de um de seus clientes, Joseph Britton. Em 1988, Britton roubou um homem em um caixa eletrônico que estava sob vigilância de Fuhrman e um parceiro. Na perseguição que se seguiu, Britton foi baleado. Preso, acabou se declarando culpado do crime, porém, mais tarde, decidiu ajuizar uma ação civil contra a polícia. Alegava que Fuhrman e o parceiro tinham lhe dirigido palavras racistas durante o ato de prisão e colocado uma faca junto aos seus pés para justificar os disparos. Antes do julgamento, na fase de produção antecipada de provas, Deutsch deparou-se com o processo movido por Fuhrman contra o governo municipal de Los Angeles, de número C 465.544 — o mesmo que encontrei nos arquivos do fórum. Poucos dias depois de ser contratado para trabalhar no caso Simpson, e com a ajuda de Deutsch, Pavelic localizou o processo e mencionou-o ao seu novo chefe, Robert Shapiro.

●●●

No dia em que descobri os documentos sobre Fuhrman, ainda não tinha marcado um encontro com Shapiro. Eu não era esperado, e, imagino, tampouco desejado. Decidi, entretanto, que a melhor coisa que podia fazer naquele momento era simplesmente aparecer no escritório do advogado. Peguei então o carro e dirigi até Century City.

Um quadro no saguão do edifício indicava que o escritório de Shapiro ficava no 19º andar. Entrei em um dos elevadores e apertei o botão. Não funcionou. Tentei outro elevador. Nada. O andar obviamente estava bloqueado. Presumi que o problema tinha relação com Shapiro, pois eu lera que ele andava sendo muito requisitado. Devia ter proibido visitas não solicitadas. Percebi que não conseguiria convencer sua secretária a me deixar subir sem hora marcada, e já me preparava para ir embora com o rabo entre as pernas. Porém, como já estava no prédio, resolvi matar a curiosidade sobre um boato que tinha ouvido.

Dirigi-me ao segurança e perguntei: "É verdade que o escritório de Ronald Reagan fica aqui?". "Sim", o funcionário, simpático, respondeu imediatamente, informando também o número do andar. Decidi tentar a sorte, e perguntei: "Parece que o elevador está com problema. Como faço para chegar ao 19º andar?".

"A recepção fica no 18º", ele disse. "Pode subir. Lá eles te encaminham."

Peguei o elevador até o 18º e olhei ao meu redor. Havia uma escada em espiral entre os andares. Abaixei a cabeça e, procurando agir como se pertencesse àquele lugar, esgueirei-me pela recepção e subi o lance de degraus. Era um edifício enorme, mas, por sorte, o escritório de Shapiro ficava perto das escadas. O advogado estava sentado à mesa. Susan Mercandetti tinha me contado que o nome da secretária era Bonnie Barron.

"Oi, Bonnie!", falei com um entusiasmo talvez um pouco exagerado à mulher de meia-idade na entrada do escritório de Shapiro. "Sou Jeff Toobin, da *New Yorker*, mas confesso que não trouxe bolo."

Enquanto cortejava Shapiro para a foto, Susan quis fazer uma graça e enviou um bolo ao escritório dele. Depois veio me dizer que o bolo foi recebido com surpreendente entusiasmo. Barron sorriu — minha nova melhor amiga. Em um esforço patético para justificar por que apareci de supresa, eu tinha colocado uma cópia de meu artigo sobre o mercado de escândalos em um envelope, pensando em dizer que viera apenas entregá-lo a Shapiro. (Não que Shapiro tivesse solicitado, e provavelmente nem estava interessado.) Disse a Barron: "Trouxe uma coisa pro Bob. Queria entregar pessoalmente".

Shapiro esticou o pescoço para ver quem falava com a secretária. Podia ser minha única chance, pensei.

Assomei à porta, me apresentei e disse: "Tive uma manhã muito interessante examinando o histórico profissional de Mark Fuhrman".

"Você viu os arquivos?", perguntou Shapiro.

"Aham. Mostra como ele odeia negros e tal. É bem interessante."

"Minha nossa, você foi o único que conseguiu. Entra, pode sentar." Obedeci. "De onde você falou que era mesmo?"

"Da *New Yorker*."

"*New Yorker*?"

"Isso", respondi.

"É diferente da *New York*?", perguntou.

Eu fiz que sim.

"Filho da puta!" Ele bateu com o punho fechado na palma da mão. "Susan Mercandetti.é um amor de pessoa. Eu queria fazer um favor para ela, por isso falei com um cara da *New York*. Troquei as bolas." (Acompanhei a *New York* por várias semanas depois disso, mas não encontrei nada que pudesse ter vindo de Shapiro.)

"Bem, seja como for", eu disse, "aqui estou."

Shapiro estava cheio de energia, animado. Com a barba por fazer, vestia uma camisa social e calça jeans. Seu escritório bagunçado era comprido e estreito, e se destacava apenas pela mesa deslumbrante, que parecia uma verdadeira antiguidade napoleônica, repleta de marchetados de madeira e ornamentos de bronze.

Perguntei o que achava do histórico de Fuhrman. "Tem coisa ainda pior", afirmou. "O cara acordava todo o dia e dizia à sua mulher na época: 'Vou matar uns pretos esta manhã'." Ele fez uma pausa. "Você entende do assunto. Quero trabalhar com você nisso."

Perguntei qual era a importância que ele atribuía a Mark Fuhrman para a defesa de Simpson. "Pensa comigo", disse, e prosseguiu com crescente animação. "O cara é um dos policiais que chegaram de madrugada na cena do crime. É o maior caso da vida deles. Só que, uma hora depois, é informado de que não assumirá caso. Como acha que o cara se sentiu? Imagina agora que ele é um dos quatro detetives escalados para ir à casa de Simpson. Vamos supor que tenha na verdade encontrado duas luvas na cena do crime. Ele transporta uma delas até a residência, e depois a 'encontra' naquele beco estreito onde ninguém pode vê-lo. Encontrar a luva faria de Fuhrman um 'herói' no caso."

"É um policial desonesto", disse Shapiro poucos momentos depois. "Esse policial é racista."

Fiquei atordoado. Nunca havia me ocorrido que Fuhrman pudesse ter plantado a luva na Rockingham. No entanto, percebi imediatamente a inteligência daquela tática de defesa. Era o que alguns advogados chamavam de "defesa judô", pois usa os pontos fortes da acusação contra a própria. A ideia era transformar as luvas, consideradas fortes indícios da culpa de Simpson — quem mais além dele poderia ter estado tanto na casa de Nicole como na Rockingham naquela noite? — em provas de uma conspiração policial. Se Fuhrman tivesse de fato transportado a luva, as luvas manchadas de sangue se tornavam, para a defesa, na pior das hipóteses, inofensivas, e na melhor delas, provas exculpatórias. Logo vi que a teoria de Shapiro, embora engenhosa, era também monstruosa. Em julgamento criminal, não cabe à defesa o ônus da prova, por isso tudo indicava que a defesa tentaria convencer um júri de cidadãos de Los Angeles — sobretudo por meio de insinuações — de que um de seus próprios policiais, motivado pelo rancor racial, tinha plantado provas com o intuito de condenar um inocente por assassinato e, potencialmente, mandá-lo para a câmara de gás.

Enquanto tentava digerir esses pensamentos, fiquei um momento sem saber o que dizer. Shapiro também pareceu repentinamente alheio à conversa. Pegou uma pilha de cartas que estava lendo — em sua maioria endereçadas a Simpson, na cadeia —, e fiquei a observá-lo por alguns instantes enquanto lia. Em dado momento, lançou em minha direção uma nota escrita à mão por Larry King convidando-o para participar de seu programa. "Ele me escreve todo dia", disse.

Não havíamos discutido as regras básicas da nossa entrevista. Tecnicamente, como nada tinha sido dito em contrário, eu poderia citá-lo de modo direto. Mas pensei que devia esclarecer os termos da conversa. Eu me certificava de nunca usar as expressões *em caráter extraoficial* ou *de fonte confidencial*, porque a maioria das pessoas — inclusive a maioria dos jornalistas — não entendem o real significado desses termos. Por isso perguntei: "Posso citá-lo pelo nome?".

"Não", respondeu. "Fica com muita cara de entrevista."

"Então posso dizer 'integrante da equipe de defesa'?", sugeri.

"Sim, é por aí."[2]

E então, simples assim, nossa conversa — que não durara mais que quinze minutos — chegou ao fim. Eu não apenas tinha dificuldades em manter o diálogo, como me dei conta de que, naquele exato momento, tinha que estar em Culver City para participar de um debate radiofônico sobre se era eticamente correto que tabloides pagassem por entrevistas. (Meu antagonista era Mike Walker, da *National Enquirer*, que viria a desempenhar um curioso papel na história de Simpson.) Eu e Shapiro nos despedimos e ficamos de manter contato.

Depois de minha tardia participação no programa de rádio, dirigi até o escritório da *New Yorker* em Los Angeles para rascunhar meu artigo e enviá-lo por fax aos editores em Nova York. Passei o dia seguinte, terça-feira, 14 de julho, consultando outros membros da equipe de defesa, apurando a história e preenchendo lacunas. À noite, peguei um voo da TWA com destino a Nova York. (O filme exibido durante o voo foi *Corra que a Polícia Vem Aí 33 1/3*, estrelando, entre outros, O.J. Simpson.)

Na sexta-feira de manhã, de volta ao meu escritório para finalizar o artigo, percebi que uma questão ainda me atormentava: aquela matéria podia ser bastante danosa. Liguei para o departamento de relações públicas do DPLA e me disseram que não comentariam nada relacionado ao caso Simpson. E não, eu não poderia entrevistar Mark Fuhrman. Aquilo me incomodou. Liguei para alguns contatos do DPLA para tentar conseguir o telefone de Fuhrman. Não levei cinco minutos para localizá-lo. Disquei o número.

"Fuhrman", um homem atendeu.

"É com Mark Fuhrman que estou falando?" perguntei.

---

2 Em uma conversa que tivemos vários meses depois, Shapiro me deu permissão para contar nossa conversa neste livro. Além disso, em seu próprio livro, Shapiro também revela ser a fonte do meu artigo. [Nota do Autor]

"É, sim."

Eu sabia que a conversa não iria durar muito, então me identifiquei e fui direto ao ponto. Expliquei que estava trabalhando em uma matéria sobre o caso Simpson, na qual dizia que a defesa planejava acusar o policial de plantar na mansão de Simpson uma das luvas que teriam sido usadas no crime. Perguntei se ele tinha plantado a luva no local.

Fuhrman fez uma pausa e disse: "Que pergunta ridícula".

Achei a resposta curiosa. Podia até ser exagero, mas me lembrei do que os jornalistas Bob Woodward e Carl Bernstein, na época do escândalo Watergate, costumavam chamar de "negar sem negar". Em meio ao escândalo, porta-vozes da Casa Branca como Ron Ziegler respondiam às perguntas dos repórteres tachando-as de "aviltantes", "absurdas" e "ridículas", embora nunca dissessem o que eles realmente queriam saber.

Em seguida, perguntei novamente, de forma direta, se Fuhrman tinha plantado a luva.

"É claro que não."

Ron Ziegler mandava lembranças. Fuhrman disse que não podia mais falar e desligou.

•••

Minha matéria foi publicada na segunda-feira, 18 de julho. Durante todo o processo editorial, o título era "Playing the Race Card" [Quando a raça entra em jogo, em tradução livre]. Porém, no último minuto, alguém da *New Yorker* achou que estava parecido demais com outra manchete daquela edição, então meu título foi alterado para "An Incendiary Defense" [Uma defesa incendiária]. No texto, eu dizia que, após uma série de conversas na semana anterior, "os principais membros da equipe de defesa de Simpson aventaram [uma] nova e polêmica teoria. Essas conversas revelaram que eles planejam retratar [Mark Fuhrman] como um policial desonesto, que, em vez de solucionar o crime, tentou incriminar falsamente um inocente". Embora eu resumisse a hipótese da defesa, e explicasse que estava baseada no processo de aposentadoria por invalidez movido por Fuhrman, meu texto não sugeria em momento algum que Fuhrman tinha de fato plantado a luva. E, claro, incluí com destaque a negação de Fuhrman.

Cabe lembrar que tudo isso aconteceu em um momento ainda bem inicial do caso: Nicole e Goldman estavam mortos há cerca de um mês apenas. No texto, eu observo que, "mesmo com toda a bravata da semana passada, a defesa não descarta outras possibilidades, inclusive alegar que Simpson matou de fato a ex-mulher e o amigo dela, Ronald Goldman, mas estava fora de si no momento do crime. Até um acordo judicial entre as partes ainda é uma opção. [...] A nova estratégia pode não passar de uma medida desesperada; apelar para a questão racial pode ser a única carta na manga de Simpson".

Seria plausível afirmar que Fuhrman tinha plantado a luva? Àquela altura, era impossível dizer. Ninguém — nem os promotores, nem os advogados de defesa, e muito menos repórteres como eu — sabia de muitos detalhes sobre o caso. Poucos testes de DNA tinham sido concluídos. As luvas mal tinham sido examinadas; sem dúvida, naquele momento, os promotores ainda não sabiam onde, quando ou por quem as luvas tinham sido compradas. As ações dos investigadores de polícia, inclusive as de Fuhrman, ao longo das primeiras horas de 13 de junho só tinham sido abordadas muito por alto durante a audiência preliminar.

Em retrospecto, o que havia de mais importante no meu artigo — e também em outra matéria sobre Fuhrman, escrita por Mark Miller e publicada na mesma semana pela *Newsweek* — era o que prognosticavam sobre o desenrolar do caso. Até então, a polêmica racial pairava sobre a trama, e os promotores, a imprensa e até a defesa relutavam em admitir seu potencial explosivo. Agora, tudo estava às claras. Escrevi em meu artigo: "Se a questão racial se tornar um elemento importante neste caso; se o caso deixar de ser uma simples novela para se transformar em um melodrama de direitos civis — isto é, passando de uma versão ampliada do caso Menendez para um repeteco do caso Rodney King —, então o jogo mudará dramaticamente". Na época, pensei que estaria exagerando quando acrescentei: "Parece que o caso está prestes a entrar em uma nova fase — uma fase que poderia afetar toda a cidade de Los Angeles, e não apenas um dos seus habitantes mais famosos".

Quando viu sua tese sobre Fuhrman como um canalha racista exposta em minha matéria, Shapiro teve uma reação precipitada, ainda que certeira. No dia em que a revista foi publicada, ele ligou para F. Lee Bailey, em Londres, e disse: "Acabou. Ganhei o caso".

INCIDENTE HUMANO TERRÍVEL

Já dava para ter um gostinho da repercussão que minha matéria teria. A *New Yorker* distribuiu cópias pelas agências de notícias na noite de domingo, 17 de julho, e a matéria foi destaque no noticiário em todo o país. Às 8h de segunda-feira, Maurie Perl, relações-públicas da revista, recebeu uma ligação de Charlie Rose, perguntando se eu podia aparecer no programa dele naquela noite. Chegaram outros pedidos o dia inteiro. Minha semana foi um turbilhão de entrevistas em programas de TV e no rádio, por telefone. Pelos cálculos da equipe incansável de Maurie, com base nos dados de audiência da Nielsen [empresa norte-americana de pesquisa de opinião, similar ao IBOPE no Brasil], cerca de 170 milhões de pessoas tinham ouvido falar da minha matéria nos dois dias seguintes à publicação.

A experiência mais marcante para mim, de longe, foi na noite da segunda-feira, 18 de julho, quando viajei para Washington para aparecer como o primeiro entrevistado da noite no *Larry King Live*. O apresentador viria a ocupar um lugar peculiar no caso Simpson. Na época do julgamento, King resolveu dedicar a maior parte do programa ao caso, e deslocou sua produção para Los Angeles por longos períodos. Acabei aparecendo dezenas de vezes no programa; o estúdio de Larry King na CNN da Sunset Blvd. acabou servindo de ponto de encontro para vários dos envolvidos no caso Simpson. Qualquer dia que eu aparecia, quase sempre encontrava um advogado de defesa, um perito ou alguma outra testemunha ou personagem secundário no camarim. Para mim, um repórter que estava cobrindo o caso, ir ao programa era uma oportunidade preciosa de conversar com essas pessoas em um ambiente tranquilo e reservado. Foram tantos os nomes envolvidos no caso que vieram a criar laços com Larry King que o apresentador quase virou mais um personagem da história. Até Robert Shapiro, que só viria a aparecer no programa depois do julgamento, ficou amigo de King, assim como Skip Taft, empresário de Simpson, que sempre recusou os convites para aparecer no programa. Na frente das câmeras, Larry King procurava manter um distanciamento sóbrio. Sua fama de imparcialidade se estendia a sua agitada vida social. Na época do julgamento, ele tinha ao mesmo tempo encontros com Jo-Ellan Dimitrius, consultora de júri da defesa, e Suzanne Childs, assessora de comunicação de Gil Garcetti.

No dia 18 de julho de 1994, Larry King abriu o programa dizendo: "A acusação é simples e assustadora, e já desencadeou uma nova onda de debates acalorados sobre o caso O.J. Simpson. A alegação da defesa, que veio a público hoje em duas revistas respeitadas, foi a seguinte: O.J. Simpson foi vítima de uma armação. Foi incriminado como assassino por um policial racista que plantou uma das famigeradas luvas manchadas de sangue na mansão de Simpson [...]". Concluída a introdução, Larry King olhou para mim e perguntou: "De onde surgiu essa história?".

"Por indicação da defesa, fui consultar os autos do processo. Mergulhei no arquivo subterrâneo do Tribunal Superior de Los Angeles, procurei o nome de Mark Fuhrman em um índice e encontrei um processo movido por ele contra o governo municipal."

"Você estava em Los Angeles?", perguntou Larry King.

"Isso."

"Foi a defesa que deu a dica?"

Respondi: "A defesa deu a dica".

Assim prosseguiu a entrevista por uma hora, e só voltei a pensar nas respostas uma semana depois. Nessa época, entrei em contato com Dershowitz, cujo vago sermão foi o que me levou a investigar o arquivo em primeiro lugar. Eu não tinha nada de especial para tratar com ele, mas resolvi ligar para perguntar como estavam as coisas.

"Bob tá possesso com você", disse Dershowitz.

"Por quê?"

"Porque você disse no *Larry King* que a gente tinha te dado os autos."

"Acho que não foi isso que eu disse. Não é verdade."

"Não", Dershowitz prosseguiu, resoluto. "Nós vimos a transcrição. Você disse isso, sim. Bob ficou puto."

Nós vimos a transcrição, pensei. Eles estão com um cliente a ponto de ir para a câmara de gás e ficam lendo transcrições do *Larry King Live*? Resmunguei qualquer coisa e mudei de assunto. Muito tempo depois, quando tive a oportunidade de consultar a transcrição, convenci-me de que Shapiro tinha razão. De fato falei algo que não devia, mas não era o que Dershowitz apontou. Nunca disse no programa que a defesa me deu os autos do processo, mas que me informou da existência deles. Isso estava errado, pois eles só haviam mencionado o nome de Fuhrman *en passant*; eu é que havia tomado a iniciativa de ir atrás do processo. De qualquer forma, não entendia por que Shapiro estava tão incomodado. Ele já tinha provado o argumento. O que mais queria?

• • •

Robert Shapiro fazia questão de que gostassem dele. Na escola pública onde estudava, em Los Angeles, enquanto cursava o oitavo ano, ele e o amigo Joel Siegel — hoje um espalhafatoso repórter bigodudo de entretenimento do programa *Good Morning America*, da ABC — tiveram uma experiência que ainda era lembrada em conversas quarenta anos depois. Certo dia, uma panelinha que se autodenominava "Os ídolos" ia se reunir, e nenhum dos dois havia sido convidado. Shapiro e Siegel se juntaram e ficaram resmungando até a reunião acabar. A desfeita deixou marcas profundas. Foi como se, daquele dia em diante, Robert Shapiro, como uma versão moderna de Scarlett O'Hara, fizesse um juramento: jurou por Deus que nunca mais seria impopular. E assim foi.

Shapiro nasceu em Plainfield, New Jersey, em 1942. Um ano depois, a família mudou-se para Los Angeles — eram os pioneiros da grande onda de migração de judeus para West L.A. após a Segunda Guerra Mundial. A mãe era dona de casa, o pai fazia uma porção de coisas — dirigia um trailer de lanches, trabalhava em uma fábrica —, mas a paixão de Marty Shapiro era tocar piano em uma pequena banda que se apresentava em festas de *bar mitzvah* e casamentos na parte oeste da cidade. Filho único, muito amado pelos pais e avós — que moravam no andar de baixo do prédio —, desde cedo Robert se esforçava para não decepcioná-los, e raras vezes o fez.

Quando chegou à Universidade da Califórnia em Los Angeles (UCLA), logo no início da década de 1960, Shapiro tinha muito gás e desenvoltura e gostava de emoções fortes. Seu estilo boa-vida lhe valeu o apelido "Trini", em alusão ao descolado cantor Trini Lopez, e os colegas de faculdade ainda se lembram da vasta cabeleira e o terno de poliéster azul-claro sem lapelas. Ele estava em todas: primeiro na Zeta Beta Tau, uma fraternidade judaica (que tinha mais fama de arruaceira do que os estereótipos dão a entender), e também de uma organização universitária de fomento ao esporte chamada Kelps. Radiantes com seus bonés azuis e amarelos, os Kelps não faziam muita coisa a não ser torcer pelos Bruins nos jogos de futebol americano, mas mesmo assim eram famosos na universidade. Em uma época em que a vida universitária era rigidamente — ainda que de forma extraoficial — segregada por raça e religião, os Kelps eram um grupo mais heterogêneo. Isso atraiu Robert Shapiro, que colecionava amigos de forma promíscua, e que, décadas mais tarde, ainda participava de encontros dos Kelps.

Shapiro estudou direito porque, bem, praticamente todo mundo da fraternidade estudava. Como era esperto e aprendia rápido, se deu bem no curso de direito da Loyola Marymount University, em Los Angeles, muito embora tenha passado por um casamento-relâmpago nesse período. Ele ficou tão nervoso com o exame da ordem dos advogados — notório por sua dificuldade — que arrancava compulsivamente as sobrancelhas; apesar disso, passou de primeira e começou a trabalhar como promotor adjunto em uma cidade mais pacata, Torrance.

Shapiro ficou na promotoria por três anos — um mandato bem-sucedido, apesar de nada excepcional — antes de cair nas graças do homem que mudaria sua vida. O modo como conseguiu sua grande chance de sair de Torrance dizia muito sobre Shapiro e o caminho que pretendia seguir. O advogado criminalista Harry Weiss, que andava sobrecarregado de trabalho, havia contratado um assistente, Peter Knecht, e, em 1972, precisava de mais um. (Naquela época, Weiss também convidou um jovem advogado chamado Johnnie Cochran para trabalhar com ele. Cochran recusou com uma justificativa reveladora. "Não quero trabalhar com Harry Weiss", disse. "Quero *ser* Harry Weiss.") Weiss também já tinha visto Robert Shapiro em ação, e achou o jovem advogado "bem-apessoado e carismático", como recordaria mais tarde. No entanto, foi um comentário de Knecht sobre Shapiro o que chamou a atenção de Weiss. "Olha", Knecht disse ao chefe, "Shapiro é o único promotor adjunto que eu conheço que dirige um

Bentley." Tudo bem que o Bentley era usado e Shapiro não tinha nenhuma fortuna naquela época, mas foi só o que Weiss precisava ouvir.

•••

Em seu próprio verbete no famoso dicionário biográfico de personalidades *Who's Who*, Robert Shapiro descreve assim suas atividades no período de 1972 até 1987: "Advogado independente em Los Angeles". Na verdade, durante a maior parte desse tempo, Shapiro trabalhou com Harry Weiss, e durante todo o período, em caráter informal, foi seu sócio. Porém, depois de ficar famoso, na década de 1990, o advogado achou conveniente minimizar esse relacionamento, até relegá-lo ao esquecimento. O nome Weiss — e o estilo Weiss — não é compatível com as pretensões posteriores de Shapiro. Certa vez, durante um recesso no julgamento de Simpson, cometi o erro de comentar com Shapiro que tinha acabo de encontrar Harry Weiss. Ele olhou para mim como se nunca tivesse ouvido aquele nome. Mas, por quinze anos, o período de sua formação profissional, Robert Shapiro foi apadrinhado por Harry Weiss. Lembram da sofisticada mesa napoleônica no escritório de Shapiro em Century City? Tinha sido presente de Harry.

Aos 80 anos de idade, Harry Weiss — com seus característicos monóculo e sapatos bicolores — ainda é uma figura conhecida nos corredores do Fórum Central de Los Angeles. Trabalha todos os dias, como faz desde os quatro anos de idade, quando era astro mirim do vaudeville, espécie de espetáculo de variedades muito popular entre 1880 e 1930. Tinha seis irmãs, e a família viajava pelo Centro-Oeste dos Estados Unidos no Circuito Orpheum, a maior e mais prestigiada rede de teatros de vaudeville. Aos 4 e 5 anos de idade, por volta de 1920, Harry encerrava o número com uma demonstração da já esquecida arte da "declamação". Tratavam-se de monólogos — que iam desde o famoso discurso pronunciado por Lincoln em 1863, na inauguração de um cemitério da Guerra Civil em Gettysburg, Pensilvânia, até os solilóquios de *Hamlet* — apresentados diretamente ao público. "Era eu que encerrava o espetáculo", gabava-se Weiss, três quartos de século depois.

O espetáculo de Weiss teve fim com o declínio do vaudeville e o advento das leis contra o trabalho infantil na década de 1920, e a família mudou-se então para Los Angeles, em 1929. Harry tornou-se advogado em 1940 e não desperdiçou o talento do palco. Já no início, muito antes da era de ouro dos advogados de celebridades, havia algo de inusitado e cênico no modo como Weiss advogava. De certa forma, sua atuação no direito refletia as raízes no vaudeville: mais do povo que da elite, desprovido de uma aparência artificial de respeitabilidade. Tinha lá seus clientes famosos — Peter Fonda, em um processo associado a maconha, e John Lennon, em uma batalha com as autoridades de imigração —, mas o que importava para Weiss era quantidade. Na época, costumava-se dizer que "todas as prostitutas de Hollywood têm o cartão de visitas de Harry".

A década de 1970, apogeu da parceria de Shapiro com Weiss, foram também anos prósperos para o escritório em que trabalhavam. Os advogados dividiam uma cobertura na Sunset Blvd., 8.600, com uma piscina privativa que combinava bem com os suntuosos escritórios de Weiss, Shapiro e Knecht. Harry sempre começava o expediente da mesma forma, com uma teleconferência às 7h para repassar o dia de trabalho no tribunal. Não era nada fácil, porque, na época, Harry Weiss era, talvez, o advogado criminalista mais requisitado dos Estados Unidos. Em um escritório que nunca tinha mais de meia dúzia de advogados atuando nos tribunais, poderia haver centenas de defesas marcadas em fóruns que às vezes distavam mais de trinta quilômetros um do outro. (Weiss providenciava motoristas para auxiliar seus principais advogados na maratona diária; por um tempo, Shapiro contratou o próprio pai para dirigir para ele.) O elenco das teleconferências matinais variava bastante, mas quatro personagens estavam sempre presentes: Harry Weiss, Shapiro, Knecht e Sammy Weiss, sobrinho de Harry. (O sobrenome de Sammy era originalmente Greene, mas ele mudou-o para Weiss a fim de se aproveitar da fama do tio.) Tanto Sammy Weiss como Peter Knecht, que andava de Ferrari e namorava atrizes em começo de carreira, tinham vidas sociais agitadas, que tornavam as teleconferências matinais uma tarefa ingrata.

"Todos na linha?", começava Harry.

Sammy Weiss às vezes respondia com um leve resmungo.

"Sammy?", chamava o tio.

"Quê..."

"SAMMY!"

"O quê!?"

"Tava na gandaia de novo, Sammy? Saiu pra dançar, né?", Harry prosseguia, em volume ensurdecedor. "Você vai fazer o seguinte agora. Vai levantar daí e fazer uma lavagem intestinal. Está me escutando?"

"Não enche, Harry", resmungava Sammy.

"É sério, Sammy!", Harry rebatia. "A Mae West me contou que é esse o segredo de beleza dela. Ela tem 76 anos e faz lavagem intestinal. Você também devia fazer!"

O diálogo prosseguia nesse tom, até que Shapiro, o mais equilibrado do grupo, interrompia para sugerir que Harry passasse à distribuição de casos, e assim começava mais um dia de trabalho. Geralmente, Weiss e Shapiro fechavam acordos para os clientes, o que era imperativo, dada a quantidade de clientes que tinham para atender, mas esse hábito também revela um pouco da natureza dos casos e a personalidade dos advogados. Na metade dos anos 1970, a polícia de Los Angeles ainda prendia muita gente pelos chamados crimes sem vítima: prostituição, uso de drogas e algumas infrações relacionadas a sexo consensual. A especialidade da firma era obter soluções rápidas e indolores para esses casos. Weiss, em especial, tinha muitos clientes na comunidade gay de Los Angeles e, na época em que Shapiro trabalhava com ele, a polícia ainda prendia homens por fazerem sexo com outros homens. De acordo com Weiss, "Bob trabalhava com muitos desses indiciados — que chamávamos de 'vagabundos indecentes'. Quando eram pegos, levavam dura na certa, e ninguém queria ir a julgamento. Naquela época, os homens não suportavam o constrangimento de se defender em público desse tipo de acusação, e, de qualquer forma, os juízes não pegavam tão pesado com eles. O jeito era fazer acordo, e Bob era bom nisso. É assim que se faz. Ele aprendeu direitinho".

Fazer acordos era mais o feitio de Shapiro. Ele tem uma qualidade inusitada em um advogado de sucesso: detesta conflitos. Prefere acordos, em que os dois lados saem ganhando. Não há dúvidas de que Shapiro é um bom advogado de tribunal, mas a área do direito em que ele realmente se destaca é a prospecção de clientes, uma habilidade que desenvolvia desde quando começou a trabalhar com Weiss. Shapiro sempre teve ambições que iam além da linha de montagem de Harry Weiss — rentável, é verdade, mas pouco glamourosa. Casou-se com uma bela modelo, Linell Thomas, em 1970. Passaram uma década sem filhos, período em que Shapiro cultivou os contatos sociais que mais tarde se tornariam clientes. Ele e Linell almoçavam no Beverly Hills Hotel quase todo domingo com um ou outro figurão de seu círculo de amigos. Um deles era Dale Gribow, advogado especializado em danos pessoais. Gribow apresentou Shapiro a Dennis Gilbert — à época um bem-sucedido corretor de seguros, e que mais à frente se tornaria um dos maiores empresários do beisebol profissional. Quando os clientes de Gilbert iam presos, como às vezes acontecia, ele os encaminhava para Shapiro, que se tornou uma espécie de advogado interno de jogadores de beisebol em apuros, um grupo de infratores que viria a incluir Jose Canseco (por porte de armas), Darryl Strawberry (por sonegação fiscal) e Vince Coleman (por arremessar um rojão em um grupo de torcedores).

Muitos dos casos graúdos de Shapiro tinham algo em comum: os fatos normalmente eram incontestados; a única questão em discussão era a pena — ou melhor, como a transação penal seria articulada com o promotor e o juiz. Isso não era segredo. No dia em que foi contratado para representar Christian Brando, filho de Marlon, pelo assassinato do amante de sua meia-irmã, Shapiro disse ao jornal *Los Angeles Times* que se reuniria com os promotores e tentaria resolver o caso sem levá-lo a julgamento. Muitos advogados veriam uma declaração dessas como uma abdicação inútil do poder de barganha, mas Shapiro confiava muito no próprio dom de fechar acordos. Havia ainda outra constante nos casos de celebridades: Shapiro tratava esses clientes como chamarizes, cobrando pouco ou nada em honorários, uma prática que só contribuiu para atrair ainda mais clientes famosos — e, claro, para fisgar também as almas inocentes de quem Shapiro cobrava os olhos da cara. (Ele nunca parava de buscar clientes. Quando a defesa de Simpson resolveu criar um 0800 para receber pistas que ajudassem a identificar o verdadeiro assassino — uma manobra ridícula — o advogado, naturalmente, incluiu no menu a opção de digitar 4 para contratar os serviços dele. Constrangido pela repercussão pública que esse detalhe gerou, Shapiro rapidamente removeu a opção, e o número também não tardou a ser tirado do ar. Como era de se esperar, o serviço não trouxe nenhuma informação útil.)

Shapiro fez tantos acordos e com tanto êxito — as celebridades que ele representava raramente iam presas — que o advogado acabou passando a impressão de que não sabia atuar nos tribunais. É verdade que Shapiro não apreciava muito essa parte do trabalho. Exemplo disso é que ele detestava visitar clientes na cadeia. Esse problema veio à tona em um delicado julgamento federal de narcotráfico em que Shapiro atuou em 1989. Seu cliente, George Guzman, que havia sido detido em um carro contendo cocaína, queixava-se com amargura de nunca ter recebido uma visita de Shapiro. Guzman ficou ainda mais ofendido ao ser orientado por Shapiro a não dirigir-lhe a palavra no tribunal. Ainda assim, ao apresentar os argumentos finais no julgamento, Shapiro foi tomado de tal forma pela emoção do momento que abraçou o cliente na frente do corpo de jurados e gritou: "Este homem é inocente!". Essa cena espantosa mereceu uma reprimenda do juiz, mas nada que se comparasse à surpresa de Guzman: o detento se desvencilhou tão depressa que distendeu um músculo nas costas. Mas nunca se queixou desse incidente; foi absolvido pelo júri.

Muitos casos de Shapiro atraíam grande interesse da mídia, e o advogado meteu na cabeça que tinha um dom especial para lidar com repórteres. Em janeiro de 1993, mais de um ano antes dos assassinatos na Bundy Dr., Shapiro escreveu um artigo revelador para a revista *The Champion*, voltada para advogados criminalistas. Intitulado "Using the Media to Your Advantage" [Como usar a mídia a seu favor], o artigo trazia um guia passo a passo para advogados que trabalhavam em casos de grande repercussão. O artigo continha vários conselhos sensatos — "seja verdadeiro", "seja educado", "seja ágil" — e, no entanto, demonstrava que seu autor ignorava completamente as implicações maiores de suas recomendações. Em alguns aspectos, Shapiro encontrava maneiras espertas de lidar com o frenesi criado pela mídia em torno desses casos graúdos. Os conselhos que dava eram demagógicos, mas provavelmente se justificavam pelas circunstâncias. Por exemplo: "Digo aos repórteres com antecedência que vou dar uma coletiva no fim do dia, e os levo para alguma área fora do tribunal. Costumo dar preferência a um gramado com árvores ou outro cenário agradável. [...] A reportagem mais importante de um noticiário de uma hora normalmente destina apenas quinze ou vinte segundos para uma declaração dada em coletiva. Essas 'frases de efeito' devem ser concisas e fáceis de assimilar. [...] Escolha as perguntas que quer responder. Não precisa se preocupar se o que vai dizer realmente responde à pergunta, porque só a resposta vai ao ar. [...] Ao lidar com a imprensa em geral, evite clichês. Chamar um caso de tragédia ou dizer que o cliente foi vítima de armação não transmite uma imagem de seriedade. Para descrever uma morte trágica, eu uso o termo 'incidente humano terrível'." (E Shapiro fazia o que pregava. Em 11 de junho de 1990, quando assumiu o caso de Christian Brando, o terceiro parágrafo da matéria do *Los Angeles Times* dizia: "'Foi um incidente humano terrível', disse Shapiro sobre o disparo que matou Dag Drollet no mês passado".)

Olhando de perto, a sinceridade calculada do método de Shapiro pode até soar um tanto ardilosa, mas pouco poderia prejudicar um caso sobre um pequeno delito em Hollywood. Ainda assim, Shapiro aprendeu, por sua conta e risco, que o caso de Simpson era diferente — porque a questão racial é diferente. Em conversas comigo e com Mark Miller, da *Newsweek*, Shapiro levantara um dos assuntos mais delicados da vida americana. Não havia "gramado com árvores ou outro cenário agradável" que pudesse ajudá-lo nesse caso. De repente Shapiro estava fora da sua zona de conforto, e ele sabia disso. Era por isso que estava possesso comigo.

•••

Ainda assim, a bronca de Shapiro comigo não passou de um leve aborrecimento. A rigor, ele levava a vida que pediu a Deus. Não dava entrevistas, mas gostava de ser cortejado pela realeza da mídia americana. Não era só Larry King que escrevia para ele todo dia. Barbara Walters, da ABC, apareceu para reverenciá-lo, assim como Connie Chung, da CBS. Por enquanto, Shapiro se fazia de rogado; não daria entrevistas — até porque não queria que lhe perguntassem na frente das câmeras se acreditava na inocência de Simpson. (Mas de posar para fotografias ele gostava: posou para as lentes de Richard Avedon para a *New Yorker*, de Annie Leibovitz para a *Vanity Fair*, e de calção de boxe para a *People*.) Então, Shapiro levou Walters e Chung para jantar, e ficaram de manter contato.

Foi uma época inebriante, e Shapiro adorava essa agitação. Certo dia, logo depois de ser contratado, Shapiro relembrava os velhos tempos com o amigo de longa data Joel Siegel no telefone. Siegel tentava convencer Shaps — apelido de Robert no ginásio — a fazer um diário contando suas experiências no caso Simpson. "É só ser bem subjetivo e contar como você vê tudo isso. Ao final do caso, terá escrito um livro", disse Siegel. "Pense bem, não estamos ficando mais jovens, todos envelhecemos, mas esse livro vai ficar para sempre." Shapiro recusou de início, embora a ideia de ganhar tamanha atenção o agradasse. No meio da conversa, perguntou a Siegel se podia colocá-lo em modo de espera. Precisava atender outra ligação. Em poucos instantes, estava de volta.

"Joel", disse Shapiro, "diga 'oi' para O.J. Simpson."

Siegel se viu inesperadamente em uma teleconferência com o suspeito de assassinato mais famoso dos Estados Unidos e seu advogado. Simpson sabia que Siegel trabalhava na mídia, é claro, e começou a desabafar sua raiva pelo tratamento injusto que, a seu ver, recebia da imprensa. "Por que não falam com os meus amigos?", perguntou Simpson. "Não sou do tipo que bate em mulher."

Shapiro disse que tinha outro assunto a tratar. Eles tinham feito grandes progressos na contratação de peritos jurídicos e científicos, mas ainda havia a questão do advogado de tribunal. Shapiro considerava quem, dentre três candidatos principais, poderia ajudá-lo no tribunal. Chocado com o que ouvia, Siegel não resistiu em compartilhar sua sorte. Sem que Shapiro soubesse (muito menos Simpson, claro), colocou Roger Cossack na linha, outro velho amigo dele e de Shapiro em Los Angeles. Naquela bizarra teleconferência de quatro linhas telefônicas, O.J. Simpson avaliou os advogados que poderiam defendê-lo no tribunal.

Simpson não gostou de um dos candidatos — que, na verdade, formavam uma equipe: Leslie Abramson e Gerald Chaleff. Não conhecia Chaleff, advogado de defesa bem cotado que trabalhava em Santa Monica e havia representado Angelo Buono no caso dos "Estranguladores da Colina". O problema era com Abramson. O santo de Simpson simplesmente não bateu com o da advogada de Erik Menendez e sua cabeleira crespa.

A segunda possibilidade era Johnnie Cochran. Simpson gostava dele, e não estava muito em condições de recusá-lo.

No entanto, foi do terceiro candidato que Simpson mais gostou. O.J. acompanhava Gerry Spence há anos pela televisão. Com seu característico chapéu de caubói e jaqueta de couro com franja, o sábio do vale de Jackson Hole, Wyoming, havia conquistado com seu charme caipira clientes tão diversos como Karen Silkwood e Imelda Marcos. O.J. o achava perfeito.

"Quero Gerry Spence", disse o ex-jogador.

O SR. COCHRAN PERGUNTA

Um dos mitos mais persistentes sobre o caso Simpson foi o de que o réu estava "engajado" na própria defesa. As notícias que saíam na imprensa mostravam Simpson quase como integrante da equipe de defesa. Dizia-se que O.J. estava "bolando a estratégia" e "planejando sua própria defesa". Os advogados de Simpson forjaram essa ideia, em primeiro lugar, para agradar e fazer média com o cliente. Além do mais, a ideia de Simpson como uma figura formidável por si só, um afro-americano de prestígio, contribuiu para alavancar o apoio da comunidade negra ao réu. E os advogados sabiam que muitos jornalistas se deixariam levar, sem maior análise, por esse suposto engajamento de Simpson, ainda que descaradamente falso. Tratar o réu em pé de igualdade com seus advogados condiz bem com o tom paternalista que muitos jornalistas da grande mídia usam ao escrever sobre questões raciais. De acordo com essas normas implícitas, repórteres brancos se sentem à vontade para falar abertamente sobre as limitações intelectuais de outros brancos, mas não de negros. Absurdamente, pensa-se que os negros têm brios sensíveis demais para suportar a verdade. Chamar a atenção para as limitações intelectuais de qualquer afro-americano é pedir para ser acusado de racismo, especialmente se o cidadão em questão tiver a notoriedade de um O.J. Simpson. Por isso, aceitar a ideia de Simpson como semelhante a seus advogados poupava a imprensa tradicional de encarar a verdade óbvia, que ele era um ex-atleta de pouca escolaridade e semianalfabeto que mal compreendia os meandros jurídicos do processo que pesava contra ele.

O.J. sequer entendia a natureza da estratégia de defesa montada por Shapiro. Por exemplo, quando Simpson escolheu Gerry Spence para ser seu advogado, Shapiro não ficou nada convencido. Não que ele tivesse algo contra Spence; apenas considerava o advogado de Wyoming uma escolha obviamente equivocada para a tarefa. A defesa se apoiaria na tese de discriminação racial da polícia, o que já estava decidido desde o início. O que Spence teria a oferecer, nas palavras cifradas de Shapiro, para "um júri do centro da cidade"?

A verdade é que Shapiro não queria colocar outros advogados na equipe. Na primeira semana após o crime, havia reunido todos os colaboradores que desejava, e qualquer outra ajuda de peso seria, a seu ver, desnecessária, para não dizer uma ameaça. No entanto, os amigos de O.J. — o mesmo grupo que tinha pressionado Simpson para tirar Howard Weitzman do caso — pensavam diferente. Preocupavam-se com a fama de Shapiro como negociador de acordos e sua relativa inexperiência com julgamentos. O líder informal dos "assessores" de O.J. Simpson, Wayne Hughes, um magnata do mercado de *self-storage*, deixou claro que ele e seus colegas queriam outro advogado de tribunal de alto calibre na equipe. Shapiro acabou aceitando. Porém, era Gerry Spence que O.J. queria.

Movido por um sentimento de obrigação para com seu cliente, Shapiro chegou a convidar Spence para ir à Califórnia conversar sobre o caso. Na sexta-feira, 15 de julho, Spence viajou para Los Angeles para participar de um encontro sigiloso na casa do amigo de Shapiro, Michael Klein, em Beverly Hills. Shapiro ventilou a possibilidade de Spence entrar para a equipe de defesa em termos que certamente o levariam a recusar a proposta. "Eu serei o advogado principal", Shapiro disse a Spence, que tinha fama de ter gênio forte. Também lhe falou dos planos de usar a tese da discriminação racial como componente-chave da estratégia da defesa e de sua intenção de centrar essa estratégia em Mark Fuhrman. (Embora Shapiro tivesse falado comigo sobre Fuhrman na quarta-feira, 13 de julho, minha matéria só chegaria às bancas na segunda-feira seguinte, depois da viagem de Spence a Los Angeles.) Como Shapiro supunha, Spence não tinha experiência nem disposição para defender aquele caso de duplo homicídio com base em uma tese fantasiosa de complô de policiais racistas. E, também como Shapiro certamente previra, Spence não tinha o menor interesse em ser subalterno de ninguém. "Preciso ser o capitão do barco," disse a Shapiro.

Durante o encontro, Shapiro mencionou por alto que também vinha negociando a entrada de Johnnie Cochran na equipe como advogado de tribunal. Que outra pessoa poderia encabeçar uma defesa centrada na questão racial senão o mais influente advogado negro de Los Angeles? Spence asseverou que Cochran parecia uma escolha muito mais apropriada para a tarefa. Shapiro concordou, assim como Wayne Hughes, e, por fim, todos os amigos de Simpson que haviam sido consultados. Por um tempo, só O.J. mostrou-se relutante. Gostava de Cochran, e até chegara a conversar com ele várias vezes depois do crime, mas não tinha certeza se queria tê-lo como advogado. Uma das maiores e mais reveladoras ironias do caso era que Simpson fosse a única — "Não sou negro. Sou O.J." — pessoa incapaz de entender o papel preponderante da questão racial em sua própria defesa. Simpson era tão alienado do universo da comunidade negra de Los Angeles que só ele não percebia o que era igualmente óbvio para brancos e negros: que Johnnie L. Cochran Jr. e aquele caso tinham nascido um para o outro.

• • •

Shapiro e os demais convenceram Simpson a se desapegar de Spence, e Cochran foi oficialmente contratado na segunda-feira, 18 de julho. Desde o dia dos assassinatos, Cochran vinha comentando o caso quase todos os dias no *Today* e outros programas de televisão, apresentando a si próprio como analista externo independente. O que de fato fazia era preparar o terreno para assumir o papel que provavelmente lhe seria confiado. Pouco depois da perseguição policial a O.J. e Cowlings, por exemplo, Cochran disse a Bryant Gumbel no *Today*: "Acho que o sr. Cowlings devia ser considerado um herói que ajudou a salvar a vida de O.J. Simpson. Gostaria de pedir a todos os telespectadores que não façam nenhum julgamento precipitado, mas mantenham a neutralidade enquanto não forem apresentadas todas as provas, para que, quem sabe, possamos ter um julgamento justo". Durante a audiência preliminar, Katie Couric perguntou no *Today* se Cochran acreditava que a polícia havia desrespeitado os direitos de Simpson ao revistar sua casa. "Acho que a situação está mais favorável à defesa agora", respondeu Cochran. "Ao que me parece, eles foram lá para procurar suspeitos, e criaram essa justificativa fantasiosa para terem pulado o muro depois. Os policiais aplicaram a Quarta Emenda [à Constituição dos Estados Unidos, contra buscas e apreensões arbitrárias] de trás para frente. Fizeram a busca primeiro, e só depois pediram permissão." Em suma, como Cochran disse em outra ocasião no mesmo programa: "Acho que a defesa teve uma atuação muito convincente. [...] Penso que agora o cerne do caso passou a ser claramente a Quarta Emenda e se ela ainda vale no distrito de Los Angeles".

Uma autoconfiança inesgotável e um entusiasmo contagiante eram as marcas distintivas do caráter de Cochran, e Simpson absorveu rapidamente o bom humor de seu novo advogado. Cochran sempre cumprimentava seus amigos e colegas com um "Tudo certo, meu amigo?", e, antes de ouvir a resposta, já emendava: "Comigo está tudo bem. E com você? Comigo, tudo certo". Era uma fala mais mecânica que espontânea, mas costumava funcionar. No primeiro dia em que Cochran apareceu ao lado de O.J. Simpson como seu advogado, o ex-atleta tinha um aspecto bem melhor do que vinha mostrando desde a prisão. Isso foi na segunda vez que Simpson compareceu em juízo para ouvir as acusações, no dia 22 de julho de 1994, quando se declarou, em alto e bom som, "com certeza absoluta, 100% inocente". Seu estado de espírito refletia o de Cochran: otimista, seguro, alegre até. A partir do momento em que Cochran entrou para o caso, questionar a inocência de Simpson tornou-se irrelevante. Cochran tinha um talento e sabia disso. Entre os advogados de sua geração, era o que mais aperfeiçoara a arte de vencer causas julgadas pelo tribunal do júri no Centro de Los Angeles. Agora, colocaria sua arte a serviço de O.J. Simpson.

•••

Com os ombros esfolados pelo atrito constante com a alça do saco de estopa e os dedos jovens cada vez mais endurecidos e retorcidos sob o sol da Louisiana, Johnnie L. Cochran, o pai, só tinha um pensamento: aquilo não era para ele. Trabalhava no campo na minúscula cidade de Caspiana, cerca de trinta quilômetros ao sul de Shreveport, e, pela primeira vez na vida, a colheita nos três hectares de algodoal havia ficado a cargo dele.

Era junho de 1935, e Johnnie acabara de fazer 19 anos. O norte da Louisiana era uma região miserável, mas a família Cochran era ambiciosa, até na minúscula Caspiana, onde viviam apenas cerca de trinta famílias. Filho único, Johnnie tivera toda a sorte que um filho de meeiro poderia esperar. Seu pai valorizava a educação, e, abrindo mão de sua ajuda no campo, mandou o jovem Johnnie ir morar com uma tia em Shreveport para que pudesse frequentar a escola.

Ali, Johnnie L. Cochran encontraria o trabalho que pedira a Deus: corretagem de seguros. Depois de se formar no ensino médio, entrou para um dos mais importantes círculos sociais e financeiros da vida nos Estados Unidos do começo do século xx, ainda que praticamente invisível aos brancos. Cochran foi trabalhar na Louisiana Life, uma das diversas empresas de seguros de proprietários negros que brotavam na virada do século. Em uma época em que bancos e seguradoras de proprietários brancos se recusavam a fazer negócios com negros, essas pequenas empresas de seguros, que por vezes penavam para se estabelecer, eram basicamente o único meio de que dispunham os afro-americanos para garantir o futuro. Da mesma forma, trabalhar nessas empresas representava, fora à igreja, uma das poucas oportunidades de emprego para a comunidade negra que não fosse braçal. O slogan de uma das empresas de seguros mais famosas na comunidade negra — "The Company with a Soul and a Service" [A empresa com uma alma e um serviço] — revela que essas empresas viam sua missão como algo para além do puramente comercial: também serviam como tímidas ferramentas de emancipação negra. O conflito entre esses propósitos — Deus e Mamon, o espiritual e o terreno — era uma constante na história da família Cochran.

Quando chegava o dia do pagamento, o jovem corretor de seguros, todo arrumado, percorria os bairros negros de Shreveport de porta em porta. Cobrava cinco centavos por semana pelas apólices, o suficiente para pagar cerca de 100 dólares em indenização por morte. Educado mas persistente, Cochran fez carreira e ganhou a vida no final da década de 1930. Foi promovido a gerente e casou-se com uma garota da cidade. Entre 1937 e 1940, teve com a esposa, Hattie, três filhos, um após o outro: Johnnie Jr., Pearl e Martha. Assim como aconteceu com outras tantas famílias, o fantasma da Segunda Guerra Mundial veio tumultuar a vida ordenada que levavam.

Durante boa parte da vida, Hattie teve uma saúde frágil. Quando o serviço militar voltou a ser obrigatório, receou ter que cuidar das crianças sozinha. Johnnie pai foi classificado como 1-A pelos recrutadores, o que o tornava um forte candidato a servir fora do país. A família então percebeu que o patriarca só se manteria fora de perigo se conseguisse um emprego civil na área bélica, algo raro na Louisiana. Johnnie, porém, tinha uma tia em São Francisco que sempre dizia que as empresas de lá precisavam de mão de obra apta nas novas fábricas que então surgiam na região da baía de São Francisco. E lá se foi Johnnie para a Costa Oeste, a bordo do lendário trem da Sunset Limited.

O trajeto se tornaria um caminho batido. A família Cochran participou de uma das maiores ondas de migração já vistas em um país: o êxodo de negros do Sul durante e após a guerra. Os destinos eram determinados pela genealogia e pelos costumes: quem era do Mississippi ia para Chicago; quem era da Carolina do Norte ia para Nova York; e quem era do Texas e da Louisiana, como a família Cochran, ia para a Califórnia. Johnnie logo encontrou emprego. Começou a trabalhar na construção de enormes navios de transporte de tropas, no estaleiro da Bethlehem Steel, em Alameda, cidade vizinha a Oakland. Alugou um apartamento de três quartos e avisou Hattie e as crianças que fossem para lá.

Embora a guerra o tivesse colocado às voltas com soldas e maçaricos, Cochran estava determinado a voltar ao mundo corporativo. Começou a fazer cursos por correspondência. Estudava depois de longos dias nas docas, aperfeiçoando as técnicas de venda que lhe seriam úteis depois da guerra. Semanas antes do dia em que o Japão se rendeu, a empresa de seguros Golden State Mutual Life Insurance Company, a maior das empresas de proprietários negros da Costa Oeste dos Estados Unidos, localizou Cochran em Alameda e ofereceu-lhe um emprego para início imediato. Johnnie pediu demissão do estaleiro no mesmo dia. E prosperou. Promovido a gerente em 1947, foi escalado para abrir uma filial em San Diego em 1948, e, no ano seguinte, conseguiu um emprego ainda melhor em Los Angeles.

Àquela altura, Johnnie, que durante a guerra vivia em uma habitação popular, já tinha um bom pé-de-meia e pensava em investir no florescente mercado imobiliário de Los Angeles. Seu plano era comprar um prédio residencial. Porém, quando sugeriu a Hattie que fossem morar em um dos apartamentos, a mulher bateu o pé. Queria viver com a família em uma casa — e das grandes. Johnnie, como de costume, fez a vontade da esposa e comprou uma casa em uma simpática rua no bairro multirracial de West Adams. Johnnie Jr., o queridinho de Hattie, estava prestes a começar o ensino médio, e sua mãe estava determinada a lhe dar nada menos que o melhor.

• • •

Easy Rawlins, o detetive particular fictício dos romances de Walter Mosley, certa vez descreveu a Los Angeles do início da década de 1950 assim: "Para os negros do Sul, a Califórnia era um paraíso. Dizia-se que dava para comer fruta direto do pé e achar trabalho suficiente para um dia se aposentar. Era quase tudo verdadeiro, mas a realidade não era como no sonho. A vida ainda era difícil em Los Angeles, e, mesmo trabalhando todos os dias, não dava pra sair da base da pirâmide". Aquele era — e ainda é, sob muitos aspectos — o paradoxo da vida dos negros na cidade. Depois da Segunda Guerra Mundial, milhares de afro-americanos que compraram imóveis no sul da Califórnia eram bem remunerados nas fábricas onde trabalhavam e viviam o sonho americano em um nível que seria inimaginável em lugares como Caspiana, na Louisiana, por exemplo. Mas ninguém (muito menos os negros de Los Angeles) achava que a cidade era o paraíso. O racismo, ainda mais gritante no uniforme azul da polícia de Los Angeles, impregnava feito fumaça.

Hattie Cochran estava decidida a não permitir que nenhum de seus filhos ficasse por baixo. Ela e o marido já haviam conseguido sair do gueto, e suas ambições para Johnnie Jr. estavam em um patamar ainda maior, em uma vida de realizações e destaque. Mesmo com toda a garra que tiveram em trazer a família para a classe média, o pai era um tanto acanhado e se contentava com coisas simples, como família, casa e igreja. Hattie Cochran tinha sede de sucesso e projetava suas ambições no primogênito. A vida de Johnnie Cochran Jr. confirma a famosa observação de Freud: "O filho que tem a predileção absoluta da mãe carrega por toda a vida o sentimento de triunfo, a certeza do sucesso, o que, não raro, o leva de fato ao sucesso". A mãe de Johnnie concluiu que a educação era o caminho para o sucesso, e tinha uma ideia simples de qual era o tipo de lugar que levaria um adolescente a seguir a direção certa: uma escola de brancos.

Assim, Hattie moveu céus e terra para que Johnnie fosse um dos cerca de trinta alunos negros do total de aproximadamente 2 mil estudantes da Los Angeles High School, embora nem morasse no mesmo bairro. Para o filho de Hattie, a experiência de conviver com filhos de médicos e advogados seria transformadora, como havia previsto a mãe. "Quem quisesse se integrar bem, como eu, tinha que ir à casa das pessoas e imaginar outra vida", Cochran disse, falando sobre aquela época. "Eu convivia com crianças que tinham coisas que eu apenas *sonhava* em ter. Eu me lembro de ir à casa de um colega que tinha piscina. Achei o máximo! Outro menino tinha um *estande de tiro ao alvo* no sótão. Um estande de tiro ao alvo. Era inacreditável. Eu nunca tinha sequer pensado em tiro ao alvo! Mas foi isso que me deu vontade de arregaçar as mangas e dizer: 'Eu também consigo!'." Essas cenas de convívio entre colegas predominantemente judeus foram tão decisivas para Cochran quanto a tarde com o jogador de beisebol Willie Mays havia sido para O.J. — Simpson viu que a saída para uma vida melhor estava no esporte; Cochran, por sua vez, se deu conta de que a educação era o caminho para o sucesso.

Cochran frequentou a maior universidade pública da cidade, a Universidade da Califórnia em Los Angeles, que na época estava em pleno apogeu pós-guerra, recebendo os filhos e filhas de uma classe média trabalhadora e ultrapassando a rival particular do outro lado da cidade, a Universidade do Sul da Califórnia. (Por sinal, o caso Simpson ilustra bem as mudanças nos destinos das duas escolas. Décadas antes, a particular USC formava as lideranças de Los Angeles; já entre os ex-alunos da pública UCLA figuravam não apenas Cochran, mas também Robert Shapiro, Marcia Clark e Lance Ito — todos filhos talentosos de famílias de condições modestas quando chegaram ao campus de Westwood. Somente um ex-aluno da USC teve papel de destaque no julgamento de Simpson: o próprio réu.) Cochran teve uma trajetória de sucesso na UCLA, onde entrou para a fraternidade negra de elite Kappa Alpha Psi e formou laços duradouros com um veterano da fraternidade chamado Tom Bradley. Ainda na faculdade, Cochran treinava sua notável oratória vendendo seguros para a Golden State Mutual, mas logo percebeu que o melhor lugar para investir seus talentos seria a advocacia.

Cochran formou-se na Loyola Law School em 1962 (seis anos antes de Shapiro) e deparou-se com o clássico dilema do advogado recém-formado: fazer o bem ou se dar bem. Pensou que poderia unir as duas coisas. Os primeiros sinais da luta pelos direitos civis começavam a surgir em Los Angeles, e Cochran e a nova esposa, Barbara, uma professora que frequentara a UCLA com ele, ouviram Martin Luther King Jr. discursar no púlpito da Segunda Igreja Batista, que eles frequentavam. A mensagem de Luther King comoveu o casal. Mas as lições do trabalho do pai de Cochran também. Trabalhar para a comunidade negra, decidiu, também poderia ser bom para Johnnie Cochran. Ele passou os três primeiros anos de trabalho como promotor de justiça, representando pessoas acusadas de pequenas infrações e construindo sua reputação de advogado de tribunal. Quando saiu do setor público, estabeleceu-se como advogado de defesa, com um escritório perto do centro da cidade e outro no bairro de Compton, de maioria negra. Quando os Tumultos de Watts eclodiram em 1965, Cochran simplesmente não se envolveu. E quando a NAACP e outras entidades de direitos civis se mobilizaram para integrar o corpo de bombeiros e as escolas da cidade, Cochran não deixou marcas nessas lutas. Apesar dessas omissões, o jovem Johnnie Cochran ganhou notoriedade pública em um caso que refletia os penosos dilemas raciais da cidade.

Em maio de 1966, Leonard Deadwyler, que fora detido por excesso de velocidade enquanto corria para chegar com a esposa grávida ao hospital, foi morto com um tiro por um policial. Legítima defesa, alegou a polícia de Los Angeles. A família Deadwyler contratou Cochran para representá-la, e a investigação do médico-legista foi televisionada para toda a cidade. Em função do caráter peculiar do inquérito, Cochran não podia se dirigir diretamente às testemunhas; tinha que pedir ao promotor adjunto que fizesse as perguntas. Cochran, na época com 29 anos de idade, mal abriu a boca durante as audiências, mas as palavras do promotor ao mediar o interrogatório — "O sr. Cochran pergunta..." — tornaram-se uma espécie de mantra que ecoava por toda a cidade. Ao término do inquérito, o promotor de justiça resolveu não indiciar o policial, e a família Deadwyler perdeu a causa contra o município. No entanto, a carreira de Cochran deslanchou — e sua bandeira estava hasteada. Muitos anos depois, pouco antes do assassinato de Nicole Simpson e Ronald Goldman, Cochran resumiu o impacto do caso dos Deadwyler em uma entrevista a Gay Jervey, da revista *American Lawyer*: "O que ficou muito claro para mim com o caso Deadwyler foi que a questão do abuso de autoridade policial mobilizava a comunidade das minorias. Vi como esses casos podiam gerar repercussão".

• • •

A publicidade que Cochran ganhou no caso Deadwyler despertou nele uma sensação de invencibilidade, e essa postura se estendeu para sua vida pessoal. Em 1967, Cochran começou a viver uma extraordinária vida dupla — que exigia, entre outras coisas, uma audácia espantosa.

No decorrer daquele ano, Barbara Cochran começou a suspeitar que estava sendo traída. Johnnie ficava até tarde no trabalho noite após noite e fazia viagens suspeitas no fim de semana. Barbara contratou um detetive particular, que informou que Cochran estava passando aquelas noites na casa de Patricia Sikora, uma secretária forense loira. Quando Barbara interpelou Johnnie, conforme escreveu mais tarde em um livro, o marido ficou violento e a agrediu em diversas ocasiões. Segundo o relato, ele batia na parte de cima da cabeça dela e gritava: "Vou te bater sem deixar hematomas!". (Cochran negou que a tivesse agredido.) Não muito tempo depois desses incidentes, Barbara expulsou o marido da casa em que moravam com a filha. O advogado, porém, prometeu melhorar, e Barbara o aceitou de volta após uma breve separação.

As agressões pararam, mas Cochran continuou se relacionando com Patty Sikora, a quem dizia que ele e Barbara estavam no meio de uma longa batalha judicial pelo divórcio. Patty acreditou, e o relacionamento prosseguiu. Na expectativa de que o casamento de Johnnie com Barbara chegaria formalmente ao fim, ela chegou a adotar o sobrenome de Cochran. Na realidade, enquanto ainda morava com Barbara, Cochran levava praticamente uma vida de casado com Patty: viajavam juntos, compravam imóveis juntos, e tinham um círculo de amigos. Como Barbara viria a confirmar anos depois (com ajuda da amante), Johnnie "passava na casa de Patty quando saía do trabalho. Ele lia, ajudava April [filha do casamento anterior da secretária] com a lição de casa, ou via televisão enquanto Patty preparava o jantar para a família. Depois que colocavam April para dormir, às vezes ainda sobrava um tempinho para namorar. Só então John vinha embora para casa". Barbara pensava que o marido ainda trabalhava até tarde.

Inacreditavelmente, Cochran conseguiu conciliar essa vida dupla durante dez anos. Nesse período, teve um filho com Patty e outra filha com Barbara. As duas mulheres tinham suas suspeitas: a amante desconfiava que o divórcio nunca se concretizaria, e Barbara desconfiava que havia outra mulher. Mas nenhuma delas colocou um ponto final na relação com Cochran. Até que, em 1977, Barbara cansou-se de ser feita de boba e se mudou para a bela casa que o casal havia comprado cinco anos antes em Los Feliz, bairro chique da cidade. A década de 1970 havia sido próspera para Cochran, e ele tinha comprado o que mais tarde chamaria de "meu primeiro Rolls[-Royce]" para combinar com a bela casa nova. Porém, na iminência de um acordo de divórcio que poderia sair caro, Johnnie Cochran resolveu dar uma guinada na vida. Um jovem e engajado liberal chamado John Van de Kamp havia sido eleito promotor de justiça naquele ano, e Johnnie aceitou trabalhar com o rapaz como assistente de promotoria.

• • •

Como sempre, as motivações de Cochran eram dúbias. Diminuir sua renda naquele momento permitiria reduzir o montante a ser pago no acordo de divórcio com Barbara. Além disso, a temporada em um cargo público de destaque lhe seria útil quando voltasse a advogar. Mas Cochran levou sua sincera paixão pela justiça racial para o trabalho na promotoria, e não poupou esforços para deixar um legado na causa que lhe era mais cara.

Cochran havia concentrado sua prática jurídica na violência racial da polícia de Los Angeles. Material não faltava. O caso mais famoso depois da família Deadwyler foi o assassinato do Pantera Negra Geronimo Pratt, condenado apesar de Cochran reiteradamente afirmar que se tratava de armação. O caso gerou uma polêmica na comunidade negra de Los Angeles que persiste até os dias de hoje. Posteriormente, Cochran entrou para a promotoria pública em meio às investigações sobre Eulia Love, morta a tiros por policiais — uma mulher cujo maior crime aparentemente foi não pagar a conta de gás. Como promotor principal, Cochran finalmente estava em condições de enfrentar o DPLA em pé de igualdade. Ele e Van de Kamp organizaram o que ficou conhecido como "unidade paralela", um núcleo especial de promotores adjuntos que investigava, de forma independente, todos os casos de pessoas mortas a tiros por policiais da cidade. O DPLA menosprezava a unidade. O poderoso sindicato de policiais chegou a fazer piquete em um evento filantrópico de Van de Kamp, mas o fato é que o trabalho do núcleo especial parece realmente ter contribuído para reduzir os abusos da polícia. A unidade também demonstrava como o mundo jurídico de Los Angeles era pequeno: o subordinado de Cochran, que tocava a rotina do núcleo, era Gil Garcetti, então promotor adjunto. (Ironicamente, ao se tornar promotor de justiça em 1995, Garcetti, a contragosto, teve de extinguir a unidade, entre outras razões, porque o julgamento de Simpson estava drenando demasiados recursos do escritório da promotoria.)

Os três anos na Promotoria de Justiça só abrilhantaram a carreira de Cochran. Na década de 1980, o advogado descobriu que as irregularidades na polícia de Los Angeles eram uma mina de ouro, e seu escritório tornou-se o porto seguro de vítimas de abusos policiais. Em pouco mais de uma década de processos, Cochran acumulou mais de 40 milhões de dólares em indenizações contra o município — o que significava que, de acordo com a praxe jurídica, o advogado deve ter embolsado uns 15 milhões em honorários só com esses casos. Graças à amizade com o colega de fraternidade (e, posteriormente, prefeito de Los Angeles) Tom Bradley, Cochran chegou ao topo de uma emergente elite negra na cidade. Bradley nomeou-o membro da Board of Airport Commissioners, a autoridade aeroportuária que administra o Aeroporto Internacional de Los Angeles, e isso, por sua vez, alimentou uma crescente demanda corporativa para os cerca de dez advogados da firma Law Offices of Johnnie L. Cochran Jr. A vida pessoal de Cochran também se estabilizou nesse período. Ele se separou de Patricia pouco depois de se divorciar de Barbara e iniciou em 1985 um próspero casamento com a atual esposa, a consultora de marketing Dale Cochran. Todos os filhos de Hattie tiveram sucesso. A irmã de Johnnie, Pearl, tornou-se uma gestora de primeiro escalão no sistema educacional de Los Angeles, e seu marido conquistou um posto de chefia na polícia local. Martha tornou-se corretora de imóveis e casou-se com um contador. O irmão mais novo, Rolonzo, nascido em 1955, teve um destino um pouco mais modesto e trabalha como instrutor em uma empresa de telefonia de longa distância.

O cargo público de Cochran na gestão de Tom Bradley não o impediu de tirar dinheiro dos cofres públicos em nome de seus clientes. Os advogados de seu escritório, todos membros de minorias, trabalhavam com muito zelo para ganhar dinheiro explorando os conflitos raciais da cidade. Na esteira dos distúrbios de 1992 em Los Angeles, por exemplo, Cochran assumiu um processo cível representando Reginald Denny, um caminhoneiro branco que foi tirado à força do veículo no sul da área central de L.A. e espancado por um grupo de negros. O processo não cobrava indenização dos negros que haviam espancado Denny quase até a morte — afinal, eram pobres —, mas do governo de Los Angeles, cujos policiais intervieram e salvaram a vida de Denny. A tese audaciosa de Cochran acusava a polícia de discriminação racial por não policiar devidamente o local onde Denny foi agredido, um bairro de negros. (O caso continua em aberto.) Qualquer que fosse o caso, cível ou penal, na promotoria ou na defesa, Cochran operava verdadeiros milagres com jurados negros, o que se devia em parte a seu talento para transformar qualquer coisa em questão racial. Cochran sabia que um réu negro dificilmente sairia perdendo se alegasse racismo no Fórum Central de Los Angeles, e explorava esse fenômeno com determinação e sucesso ímpares.

Por exemplo, a dimensão racial que tomou o julgamento de Todd Bridges, ator mirim negro que havia feito o seriado *Diff'rent Strokes* [exibido no Brasil pelo SBT como *Arnold*], foi exacerbada. Na época, o caso repercutiu bastante na mídia, e o escritório da promotoria escalou um de seus talentos promissores para o julgamento: Bill Hodgman — mais uma vez, mostrando como o mundo pode ser um lugar pequeno. Não eram propriamente os fatos do caso que estavam em discussão. No dia 2 de fevereiro de 1988, Kenneth "Tex" Clay, condenado por tráfico de drogas, também negro, levou oito tiros em uma boca de fumo no sul da área central de L.A. No julgamento, Clay disse em juízo que Bridges, que sempre comprava cocaína naquela boca, tinha vindo até a casa com um amigo, e atirou em Clay, gritando: "Eu avisei, Tex! Eu bem que avisei!". Outras três testemunhas corroboraram a versão da vítima sobre os fatos.

Cochran chamou Bridges, de 25 anos, em sua própria defesa. Ele testemunhou que, na época do crime, estava "usando cocaína freneticamente havia quatro dias. Sem parar, 24 horas por dia". Ele disse que se lembrava de ter ido até a casa de Clay na hora do crime: "Cheguei chutando a porta para ver se Tex ia fugir". Mas, depois disso, não se lembrava de mais nada. Cochran perguntou se ele se recordava de ter atirado em Clay, ao que Bridges respondeu: "Acho que não. Não sabia quem tinha atirado. É um dos efeitos colaterais das drogas".

Nas alegações finais, Cochran evitou falar das circunstâncias do crime e começou a criticar o que chamava de "mercado do entretenimento de Los Angeles", que o advogado defendia ter levado Bridges a se afundar no vício em cocaína. Cochran disse que Bridges, ator desde os 6 anos de idade, havia sido explorado pela elite branca, que era, por extensão, a mesma elite que agora conspirava para condená-lo pelo crime. Cochran instou o júri a enfrentar essas forças malignas e absolver o jovem. Houve dois julgamentos, ambos perante júris majoritariamente negros. O primeiro terminou em absolvição das acusações principais e anulação do julgamento das demais. O segundo terminou em absolvição total.

O mito em torno do advogado cresceu. Embora pouco conhecido no mundo dos brancos, sua reputação era inigualável entre os negros de Los Angeles, principalmente entre a classe média que se voluntariava para servir no júri e lia o *Sentinel*. Na verdade, ele era figura cativa há um bom tempo nas publicações voltadas para a comunidade negra da cidade. No dia 8 de dezembro de 1994, por exemplo, uma grande foto na capa do *Sentinel* mostrava Cochran recebendo o prêmio anual da Brotherhood Crusade, uma organização fraternal de Los Angeles. Três semanas depois, o *Sentinel* dedicou mais de uma página à cerimônia de premiação de Cochran, incluindo quinze fotos. Atribui-se ao presidente da organização, Danny J. Bakewell Sr., o seguinte comentário sobre Cochran: "Em uma época em que as pessoas pensam no negro americano quase sempre com pena e de forma superficial, [Cochran] é um indivíduo que luta incansavelmente contra os que não querem justiça para todos". Em fevereiro de 1995, a semana em que fez sua exposição inicial no caso Simpson, Cochran foi homenageado com uma placa na Calçada da Fama do parque Watts. Falando da atuação de Cochran no caso Simpson, o artigo no jornal *L.A. Watts Times* dizia que Cochran era "um líder cuja missão se compara à de Moisés, que exigia que o faraó libertasse o povo de Deus".

Nos anos que precederam o caso Simpson, Cochran estendeu a batalha contra o racismo em nome de seus clientes para além dos tribunais. Começou também a usar a imprensa. Ao representar o cantor Michael Jackson no inquérito sobre pedofilia aberto pela Promotoria de Justiça de Los Angeles, Cochran organizou uma coletiva de imprensa em apoio ao cantor, com a presença de mais de dez dos principais líderes religiosos negros de Los Angeles. O evento foi no mínimo peculiar. Os religiosos nunca haviam manifestado apoio a Michael Jackson antes, e o cantor, na verdade, nunca havia passado pelas vidas nem pelas igrejas deles. Entretanto, na entrevista, que teve ampla cobertura, os religiosos atacaram o "frenesi da promotoria" em torno do caso — embora Michael Jackson nunca tenha sido indiciado por nada. Cochran pediu a seu próprio pastor, William Epps, da Segunda Igreja Batista, que organizasse a coletiva, e as palavras ditas por Epps na ocasião poderiam muito bem ter saído da boca de Cochran. "Quero acreditar que não há motivação racial", disse às câmeras sobre a investigação de Michael Jackson. "Mas que parece estranho, parece."

Assim, o Johnnie Cochran que entrou para o caso de Simpson já era figura conhecida no meio jurídico de Los Angeles. A contratação dele representava uma etapa lógica da tese que Shapiro havia exposto para seu círculo de amigos advogados na semana após os crimes. Cochran já havia tido bastante sucesso usando o mesmo tema repetidas vezes: que seus clientes (até mesmo Reginald Denny, que era branco!) eram vítimas de conspirações de agentes de estado brancos. Com O.J. Simpson, seria a mesma coisa. Porém, Cochran deu à tese uma força infinitamente maior que Shapiro ou qualquer outro advogado branco poderia ter dado. Pelo visto, pouco importava se Cochran estava colocando suas sólidas e vastas credibilidade e reputação a serviço de uma mentira. Ele assumiu o caso com o objetivo de transmitir um silogismo simples: se Cochran apoia a causa de todos os negros, Simpson também. Para isso, Cochran começou a abandonar as dúvidas que ainda nutria (ainda que em seu íntimo) sobre a inocência de Simpson. Como disse Cochran em uma entrevista a Katie Couric no *Today*, logo depois de ser contratado: "No caso de O.J. Simpson, acho que a vitória seria ele ser absolvido e solto, porque este é um daqueles casos em que, desde o início, ele disse que era inocente".

"E o senhor acredita nele?", perguntou Couric.

"E eu acredito nele", respondeu Cochran. "Acredito nele. Totalmente."

Couric insistiu, perguntando: "O senhor acredita mesmo, do fundo do coração, com 100% de certeza, que ele é inocente?".

Cochran foi categórico: "Do fundo do meu coração. Acredito, sim. Completamente".

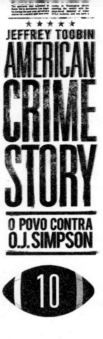

TERAPIA DE GRUPO

Em um primeiro momento, a transição de Cochran para a equipe de defesa transcorreu sem sobressaltos. No segundo comparecimento do réu em juízo, na sexta-feira, 22 de julho — quando Simpson, após ouvir as acusações, declarou-se "com certeza absoluta, 100% inocente" —, o juiz Cecil Mills anunciou que o julgamento seria presidido pelo juiz Lance A. Ito, do tribunal superior. Como a mulher de Ito, Margaret York, era capitã do DPLA, a defesa podia solicitar o afastamento de Ito sem objeções. No entanto, Cochran e Shapiro concordaram que Ito era uma escolha adequada. Na segunda-feira seguinte, pela primeira vez, Ito reuniu as duas partes na sua sala de audiência.

A equipe de defesa não podia esperar alguém melhor que Ito. Desde que Jerry Brown deixara o cargo de governador da Califórnia, em 1978, os republicanos que vieram depois dele nomearam para os tribunais de primeira e segunda instância do estado um fluxo constante de ex-promotores conservadores, adeptos do movimento da Lei e Ordem. Ito parecia refletir essa tendência. Depois de passar quase toda a carreira como promotor público adjunto em Los Angeles, foi nomeado juiz municipal em 1988 pelo então governador George Deukmejian, e promovido no ano seguinte para o tribunal superior. Porém, ao contrário de muitos colegas, Ito tinha a reputação de um juiz aberto a discussões, que ouvia os argumentos dos advogados de defesa — especialmente os dos advogados de defesa em questão. Cochran e Shapiro o conheciam bem. Durante sua passagem pela promotoria da cidade, Cochran o supervisionara. Shapiro, sempre buscando contatos, também tinha cruzado com o juiz algumas vezes ao longo dos anos. Quando, alguns dias antes dos assassinatos em Brentwood, a Ordem dos Advogados de Century City nomeou Shapiro advogado de defesa do ano, em 1994, este recebeu um recado de Ito dizendo que o prêmio era "merecido e esperado". (Shapiro disse a F. Lee Bailey que aprovara Lance Ito porque o juiz "o adorava".)

Ito também era conhecido por ser um juiz enérgico. Era um traço importante, porque a celeridade de O.J. ainda era um dos objetivos da defesa. Shapiro e Cochran sabiam que a popularidade de Simpson diminuía, por isso era imperativo que o julgamento não demorasse. O juiz concordava, determinando que a seleção do júri começaria em sessenta dias, no dia 20 de setembro. Comparado aos padrões da Califórnia, o cronograma de Ito impunha uma velocidade de dobra. Normalmente, um caso complexo de assassinato levaria um ou dois *anos* para chegar a julgamento. Os atrasos geralmente ocorriam a pedido dos réus, que torciam para que os processos caíssem no esquecimento. No caso Simpson, por outro lado, a defesa acreditava que qualquer tempo adicional só ajudaria a promotoria a refinar as provas periciais contra o cliente, cada vez menos popular.

Do lado da promotoria, a estratégia de Clark e Hodgman não mudou muito depois da audiência preliminar. Através dos depoimentos de Kato Kaelin e Allan Park, provariam que Simpson teve tempo e oportunidade de cometer os crimes: mostrariam por meio de Kaelin que Simpson estava sozinho depois das 21h40 no dia 12 de junho e, por meio de Park, que a casa da Rockingham ficou vazia entre 22h35 e 22h55. Perante o júri, os promotores apontariam a violência doméstica como a motivação do réu. Tomariam por base de sua argumentação as provas materiais que ligam Simpson à cena do crime e às vítimas: os fios de cabelo e as fibras, as pegadas, e, principalmente, o sangue. É verdade que viam como um inconveniente a pressa da defesa, mas, por lei e consenso geral, os promotores quase nunca pedem prorrogação. Depois de acusarem alguém de um crime grave, segundo reza a tradição, ou justificam muito bem uma prorrogação, ou deixam o barco correr. Por isso, seja qual fosse a data marcada, Clark e sua equipe deviam estar prontos.

Durante os meses que antecederam a escolha do júri, a defesa também trabalhou em cima dos temas levantados na audiência preliminar. É claro que os advogados de defesa não tinham provas (ou esperança de encontrar alguma) de que outra pessoa que não Simpson tinha cometido os assassinatos. Restava então uma única opção: minar a credibilidade da promotoria. Para isso, adotariam várias abordagens. Primeiro, atacariam a cronologia elaborada pela promotoria, tentando mostrar que Simpson não teve tempo de cometer o crime. Em seguida, para reduzir o valor probatório dos exames, alegariam que o DPLA tinha coletado o sangue e outras provas materiais com displicência. Além disso, a equipe de defesa argumentaria, como Shapiro havia feito na entrevista comigo, que pelo menos um policial agiu de forma consciente para incriminar o réu. Todas essas estratégias eram formas de apontar improbidade, conduta ilícita e omissão por parte da polícia. Eram essas as estratégias que adotariam nas audiências iniciais com Lance Ito.

Como ainda ocorreria muitas vezes no julgamento, já nas primeiras semanas no tribunal superior os dois lados tinham interesses velados tanto nas medidas que tomavam juridicamente como no trato com a mídia. Praticamente todos os pedidos da defesa durante o verão solicitavam que o juiz corrigisse alguma infração da polícia contra o cliente — desde a busca na casa de Simpson pouco depois do crime, que a defesa julgava ilegal, até a queixa de que os peritos da equipe de defesa não tiveram acesso às amostras de sangue. Como bem sabiam, a maioria desses pedidos estava fadada ao fracasso. Nos anos anteriores, os juízes nomeados pelos republicanos na Califórnia e na Suprema Corte dos Estados Unidos tinham diminuído consideravelmente os direitos dos réus, e portanto raramente excluíam provas. Porém, nas circunstâncias singulares do caso Simpson, mesmo sem que os pedidos fossem deferidos, a defesa podia sair "ganhando". As audiências levantaram uma enxurrada de acusações contra a polícia — amplificadas pela intensa cobertura da mídia — para influenciar os futuros jurados no caso. A relação da defesa com Ito também melhorou. Embora tivesse se recusado a excluir as provas resultantes da busca policial na casa de Simpson na Rockingham, Ito criticou severamente o detetive Vannatter em seu veredicto: disse que a declaração de Vannatter, repleta de erros (na qual o agente escreveu que a substância encontrada no Ford Bronco era sem dúvida sangue e que O.J. foi para Chicago inesperadamente), era "no mínimo, imprudente" — palavras que foram amplamente divulgadas na mídia, para o êxtase da defesa.

Os advogados de defesa também se valeram de uma boa dose de cinismo em suas primeiras demandas perante o juiz. Logo depois de

Simpson comparecer em juízo para ouvir as acusações, por exemplo, entraram com uma petição "emergencial" para que Ito suspendesse todos os exames de DNA encomendados pela acusação. Queriam parte de todas as amostras, de modo que os peritos da defesa pudessem conduzir testes independentes. O pedido criava uma complicação técnica: qual era a quantidade de sangue que os laboratórios necessitavam para realizar os diversos exames genéticos requeridos? Ito estava claramente navegando em águas desconhecidas, e admitiu a certa altura que tinha se "graduado em ciência política sem jamais ter posto os pés no lado sul do campus da UCLA", onde ficavam os laboratórios. Ainda assim, após dias de complexas audiências, Ito chegou a uma solução razoável para ambas as partes: a promotoria podia realizar seus testes como previsto, mas o juiz ordenou que, na medida do possível, o governo deveria reservar 10% de cada amostra para que a defesa pudesse fazer seus próprios experimentos de DNA.

Meses mais tarde, no entanto, ficou claro que, apesar de todas as demandas aflitas por amostras de sangue, a defesa nunca chegou a fazer os refinados exames de DNA prometidos. Colocar a causa em discussão era apenas mais uma oportunidade para retratar o cliente como vítima da má conduta policial — um réu injustiçado e sem acesso às provas do processo. Aliás, à luz desse episódio, é razoável concluir que os advogados de defesa não tinham interesse em fazer os exames porque sabiam quais seriam os resultados.

• • •

No final do verão, os dois lados já tinham grande parte da estratégia definida. Assim, cada um começou a se preocupar, à sua maneira, com o próximo e mais importante desafio: identificar e escolher os jurados que fossem mais receptivos a seu caso.

Como sempre, Shapiro procurou o melhor profissional disponível no mercado. Contratou Jo-Ellan Dimitrius, uma consultora de júri que trabalhava em um escritório perto de Los Angeles. Entre seus ex-clientes estão os réus do caso da escola McMartin e os policiais acusados de espancar Rodney King. (Quanto ao trabalho dela em favor dos agressores de King, era com resultados que Shapiro se preocupava, não com pureza ideológica.) Shapiro pediu que Dimitrius realizasse todas as pesquisas de opinião e entrevistas de grupo focal que precisasse, e prometeu que iria consultá-la pessoalmente no momento de selecionar os jurados.

Já os promotores seguiram um caminho mais tortuoso para a seleção do júri. Suas iniciativas nessa área tão crucial eram o reflexo, em uma escala menor, dos problemas que os afligiam desde o início: as consequências da insistência em seguir padrões éticos elevados, arrogância, recorrente falta de sorte, e, acima de tudo, a incapacidade de lidar com a eterna questão da discriminação racial. Dessa forma, a escolha do júri evidenciava a mistura peculiar de virtudes e defeitos de Marcia Clark, que acabaram fazendo com que a promotora e sua equipe se tornassem espectadores do julgamento que se desdobrava a seu redor.

Pouco antes do início da seleção do júri, a acusação generosamente abriu mão do que poderia ser uma vantagem no decorrer do processo: o escritório de Garcetti informou que não pediriam a pena de morte. Jurados favoráveis à pena capital — quer dizer, jurados que em algum momento se declarassem dispostos a pelo menos considerar a sentença de morte — também são conhecidos por serem mais propensos à condenação. Sem um passado criminal extenso, Simpson não era um candidato provável para a pena de morte, mas a promotoria deu uma grande vantagem estratégica à defesa ao descartar essa possibilidade.

Em circunstâncias normais, os promotores não se preparam muito para a seleção do júri em julgamento penal. As promotorias quase nunca têm os recursos necessários para contratar consultores de júri. Por isso, advogados geralmente contam com a própria experiência e intuição para tomar as decisões. Desde o início, Marcia Clark achava que uma abordagem convencional seria mais benéfica para sua equipe, o que, até certo ponto, era compreensível. São altos os riscos que os promotores assumem ao basear suas decisões sobre jurados em generalizações étnicas — é justamente por isso que os consultores de júri realizam pesquisas de opinião e entrevistas de grupo focal. Grosso modo, essa atitude dos promotores é flagrantemente inconstitucional. Desde o caso Batson contra o estado de Kentucky, em 1986, o Supremo Tribunal dos Estados Unidos tem mantido que a promotoria não pode sistematicamente recusar potenciais jurados de um caso criminal apenas por causa de sua cor. O caso Batson e outros que se seguiram deixaram os promotores à deriva em relação ao que pode configurar um viés racial na escolha do júri. O assunto ainda causa embaraço a muitos promotores idôneos. No verão de 1994, as pesquisas de opinião pública já tinham apontado grandes diferenças raciais nas reações sobre o caso Simpson. Qual a necessidade, Clark se perguntava, de trazer esse tipo de discórdia para dentro do campo da promotoria?

Além disso, ela tinha suas próprias ideias sobre a seleção do júri. Nos diversos casos que levava a juízo no Fórum Central, a promotora sentia que acabava invariavelmente desenvolvendo especial afinidade com um grupo específico: as mulheres negras. Caso após caso, ela ganhava seus sorrisos, seus acenos e sua simpatia. Após os julgamentos, Clark falava com os jurados, e a recepção mais calorosa sempre vinha das mulheres afro-americanas. Contava até com uma espécie de fã-clube, um grupo de ex-juradas, todas negras, que lhe escreviam cartas e mantinham contato muito tempo depois do fim do julgamento. Clark sentia que essas mulheres — *suas* juradas — responderiam bem à história que ela contaria sobre a morte de Nicole Brown Simpson. Afinal, mulheres negras eram as principais vítimas de violência doméstica. Entenderiam que a violência de Simpson culminou inexoravelmente em assassinato. Clark não precisava que ninguém de fora lhe dissesse o que sua profunda intuição dos tribunais lhe dava por óbvio.

No entanto, ao menos um consultor deu as caras durante a seleção do júri — e não era qualquer um. Em 1976, Donald Vinson era um respeitado (ainda que obscuro) professor de marketing da usc quando recebeu um telefonema inesperado dos advogados da Cravath, Swaine & Moore. A firma nova-iorquina estava representando a ibm em um complexo caso antitruste, e queria que Vinson aplicasse seus conhecimentos em ciências sociais na escolha do júri. Incentivado pela empresa, Vinson inventou um novo campo de estudo. Usando as mais sofisticadas técnicas de investigação — com grupos focais, pesquisas de opinião e até júris simulados, que davam opiniões diárias sobre o desempenho dos advogados no julgamento —, Vinson revolucionou a forma como os advogados endinheirados se preparavam para o tribunal. Ele deixou a usc e fundou a empresa Litigation Sciences, que se tornou líder no mercado e foi vendida por milhões de dólares para a agência de publicidade Saatchi and Saatchi em 1987. Com o fim da vigência de seu acordo de não competição em 1989, Vinson começou do zero e criou uma nova empresa, a DecisionQuest, que logo se transformou na nova líder do setor. Na época do julgamento de Simpson, Vinson tinha cerca de duzentos funcionários e continuava perseguindo maiores desafios e espaços de projeção.

Na verdade, a ambição de Vinson já vinha de antes. Em janeiro de 1994, quando o primeiro julgamento de Lyle e Erik Menendez terminou sem um consenso do júri, Vinson ficou estarrecido. Sem modéstia, talvez, ele achava que a falha da promotoria refletia, pelo menos em parte, à falta de acesso a especialistas como ele. Vinson acreditava que a absolvição, mesmo que temporária, de réus claramente culpados, como os irmãos Menendez, contribuía para desacreditar todo o sistema judicial. Ele e o amigo John Martel, destacado advogado civil de São Francisco, analisaram a situação e decidiram se oferecer como consultores voluntários no próximo julgamento do caso Menendez. Em março de 1994, encontraram-se com Gil Garcetti e David Conn, que conduziriam o segundo julgamento, e os promotores aceitaram a oferta de Vinson. Depois de uma rodada inicial de grupos focais, Garcetti e Conn tornaram-se imediatamente admiradores do trabalho de Vinson, e recomendaram-no a Clark. Vinson aceitaria outro projeto *pro bono*, e Clark relutantemente concordou em ver o que ele tinha a oferecer.

O primeiro teste ocorreu no dia 23 de julho de 1994, quando Vinson organizou um grupo focal no Plaza Research Center, um edifício discreto perto do Aeroporto Internacional de Los Angeles. A DecisionQuest recrutou dez "jurados" para um julgamento simulado elaborado por Vinson. Clark gravou uma versão de vinte minutos de sua exposição inicial no julgamento, e Bill Hodgman, fazendo as vezes de um dos advogados de Simpson, gravou uma declaração em nome da defesa. O plano era reproduzir as gravações para os "jurados" e ouvir suas reações. (Desconfiada, Clark achou que o experimento poderia vazar e pediu que sua gravação não fosse reproduzida. Em vez disso, enquanto o júri simulado esperava, John Martel escutava a gravação de Clark e a repetia para uma câmera, de modo que o grupo de fato ouvia Martel representando os promotores e Hodgman representando a defesa.)

Clark, Hodgman e Garcetti observaram o júri simulado por trás de um espelho unidirecional, e se surpreenderam com o que ouviram. A DecisionQuest tinha recrutado um grupo diversificado — cinco homens e cinco mulheres; seis pessoas brancas e quatro negras — e todos esperavam alguma correlação entre a identidade étnica e os resultados. No entanto, a divergência racial, pelo menos nesse teste, era clara e esmagadora: os brancos eram a favor da condenação, e os negros da absolvição. O mais interessante é que todos defendiam seus pontos de vista com veemência. Depois da votação inicial, Vinson conversou com os indivíduos negros do grupo para tentar descobrir o que poderia fazê-los mudar de opinião sobre Simpson. Como experiência, pediu que os participantes mudassem as suposições que tinham feito sobre o caso: primeiro, pediu que assumissem que testes periciais provavam de modo inconteste que o sangue à esquerda das pegadas na casa da Bundy Dr. era de O.J. Simpson; em seguida, pediu que assumissem o mesmo em relação às secreções sebáceas no interior da luva deixada na cena do crime. Era praticamente um veredicto dirigido de condenação. Não importava. Três dos quatro participantes negros *ainda* diziam que votariam pela absolvição.

Havia mais. Vinson questionou ainda as mulheres negras do grupo de forma mais específica sobre a questão da violência doméstica. Pediu-lhes que assumissem que Simpson tinha de fato espancado, ameaçado e perseguido a ex-mulher. Não houve mudança:

"Todo relacionamento enfrenta algumas dificuldades."

"As pessoas apanham. Acontece."

"Não significa que ele matou a mulher."

Clark não dava o braço a torcer. Não acreditava em nada daquilo — nem no método, nem nos resultados, nem em Vinson. Um homem robusto, de cabelos curtos e grisalhos, um Ph.D. que preferia ser chamado de "doutor", Vinson afirmava com toda a segurança que seus conselhos valiam cada milhão gasto pelas grandes corporações e firmas de advocacia. Porém, para Clark, ele não passava de um esnobe arrogante. Vinson, por sua vez, não tinha uma opinião muito diferente da promotora: uma funcionária pública de mente fechada que preferia os clichês dos tribunais a informações sólidas. Nenhum deles estava totalmente errado sobre o outro, mas a incapacidade de Clark de separar a mensagem do mensageiro traria consequências desastrosas para o caso.

Seguindo o conselho de Garcetti, que continuava sendo fã de Vinson, Clark aceitou dar prosseguimento à pesquisa para obter dados mais detalhados. Sensível ao medo de Clark quanto a possíveis vazamentos em meio ao cenário de histeria que dominava Los Angeles, Vinson propôs que o próximo teste fosse realizado fora da cidade, em um lugar demograficamente compatível com o local do julgamento. Phoenix parecia uma boa opção, segundo Vinson, que se dispôs inclusive a providenciar um avião particular para tirar Hodgman e Clark da cidade de forma sigilosa, sem o risco de que repórteres tomassem conhecimento da viagem. Os promotores dispensaram o avião, mas aceitaram ir a Phoenix para saber mais sobre como possíveis jurados reagiriam ao caso.

Clark e Hodgman se encontraram no aeroporto de Burbank no final da tarde de 18 de agosto para pegar o curto voo até Phoenix. (Vinson e sua equipe partiram de um aeroporto diferente.) Apressada para pegar o voo, Clark parou abruptamente em frente ao detector de metais.

"Meu Deus", disse. "Estou com a minha arma."

Devido a sua posição de grande visibilidade pública, os detetives do caso Simpson persuadiram Clark a andar armada. No aeroporto, só lembrou da arma quase na hora de embarcar. Hodgman correu até o portão de embarque para tentar segurar o voo. A equipe de segurança do aeroporto não gostou do descuido, e informou-a de que teria que preencher um formulário com chancela federal para ser autorizada a viajar. Funcionários do aeroporto correram para buscar os devidos documentos, mas ninguém conseguiu encontrá-los a tempo de Clark e Hodgman pegarem o voo. Os promotores ficaram esperando no saguão, e quando o funcionário voltou com o formulário, já vinha acompanhado por um repórter e um fotógrafo do *National Enquirer*. Quando finalmente conseguiram pegar outro voo e chegar ao hotel no subúrbio de Peoria, Clark e Hodgman estavam estressados e exaustos, e ainda por cima cercados por um esquadrão de jornalistas querendo saber o que faziam em Phoenix.

"E agora, o que fazemos?", eles se perguntaram.

"Vamos abortar a missão", disse Clark. "A imprensa vai querer saber de tudo amanhã. Vamos pra casa."

John Martel, que se dava melhor com Clark, tentou persuadi-la. Talvez pudessem salvar ao menos parte do projeto, sugeriu. Em vez de fazer apresentações para o júri simulado, Vinson propôs simplesmente entrevistar os participantes sobre o que pensavam do caso até o momento. Assim, não haveria o que vazar; seria apenas uma pesquisa de opinião sobre o impacto da mídia no caso. A contragosto, Clark aceitou.

A sessão do dia seguinte envolvia um júri simulado com dezessete membros, novamente distribuídos de forma mais ou menos uniforme segundo raça e gênero. Como no primeiro grupo, a divergência racial de opiniões foi quase absoluta, e as mulheres negras eram as que mais apoiavam o réu. Perguntas mais detalhadas revelaram resultados ainda mais surpreendentes. Vinson pediu aos jurados que avaliassem todos os envolvidos no caso em uma escala de 1 a 10 com base na simpatia que sentiam por cada um. Das mulheres negras, O.J. Simpson recebeu as notas 9 e 10. Nicole Brown Simpson — uma vítima de assassinato! — obteve um 7, um 5 e um 3. Em seguida, pediu-se aos falsos jurados que descrevessem a impressão que tinham dos advogados. Quase todos os participantes negros julgaram Robert Shapiro "inteligente" e "sagaz", enquanto as avaliações de Clark eram avassaladoras:

"Ardilosa."

"Escandalosa."

"Vaca."

"Vaca."

"Vaca."

Marcia Clark teve que ir se sentar em uma sala contígua e ouvir pelo circuito fechado de televisão como as mulheres negras — as *suas* juradas — a descreviam nesses termos pouco lisonjeiros.

Para piorar a situação, muitos desses falsos jurados passaram grande parte da semana seguinte dando entrevistas — no *Today*, na CNN e em vários outros veículos de comunicação — discorrendo exaustivamente sobre como as "provas" da acusação eram pouco convincentes. Martel estava fora de si, ávido por responder em público que a promotoria não havia apresentado prova alguma no grupo focal. Mas a porta-voz de Garcetti, Suzanne Childs, preferiu não comentar o assunto. Assim, o público continuou com a impressão de que houve algum tipo de falha da promotoria em Phoenix.

A apenas algumas semanas da seleção do júri, os promotores precisavam avaliar os resultados. Levando em conta os dois grupos focais e uma enquete telefônica realizada em Los Angeles pela DecisionQuest, não havia ambiguidade: os afro-americanos continuavam acreditando na inocência de Simpson, sobretudo as mulheres negras. De acordo com a pesquisa telefônica, os homens negros eram três vezes mais propensos a acreditar que Simpson era culpado do que as mulheres negras. Além disso, na opinião da maioria delas, um possível histórico de violência doméstica contra a ex-mulher não fazia de Simpson um assassino. Ainda segundo a enquete, um total de 40% das mulheres negras considerava comum o uso de força física entre duas pessoas casadas. E, por fim, constatou-se também que a maioria das mulheres negras não suportava Marcia Clark.

Vinson tentava entender o porquê. Avaliando os dados com base nas ciências sociais, acreditava que havia uma razão "psicossexual" para os resultados. Segundo ele, os afro-americanos viam O.J. Simpson como um símbolo da virilidade masculina negra em um mundo predominantemente branco. O réu era bonito, másculo, simpático e charmoso. Por essa razão, de acordo com Vinson, as mulheres negras tendiam a ver Clark como uma "vaca castradora" que tentava estigmatizar esse símbolo de masculinidade negra. Tudo em Clark transmitia severidade: o comportamento, as roupas e até mesmo a fala acelerada, que, na opinião de Vinson, intimidava as pessoas com menor nível de escolaridade. Ele expôs à promotora suas teorias e também lhe ofereceu alguns conselhos pessoais. Vinson sugeriu que Clark adotasse um visual mais ameno para o julgamento, quem sabe fazendo um penteado novo ou trocando os ternos formais por vestidos.

Na véspera da seleção do júri, Marcia Clark parou por um momento e refletiu — sobre os grupos focais, a enquete telefônica, as análises demográficas repletas de jargões e até as dicas de moda. Tomou então uma decisão: que se dane Don Vinson. Ela seguiria a própria intuição.

• • •

Lance Ito esqueceu-se de ligar o microfone quando tomou seu assento na segunda-feira, 26 de setembro de 1994 — um pequeno sinal de que o juiz, normalmente meticuloso, estava um pouco nervoso no primeiro dia da seleção do júri. Tinha sido um feito considerável de sua parte começar na hora marcada, mas ele, como todos os demais no tribunal, sabia que as decisões tomadas naquele momento seriam mais importantes que qualquer outra dali por diante.

Ito reuniu um grupo enorme de potenciais jurados — mais de novecentos — a serem entrevistados para o caso. A promotoria solicitou o isolamento do júri, um pedido que tinha se popularizado nos últimos anos em casos de maior repercussão. Isolar o júri quer dizer que os jurados e suplentes ficariam quase que inteiramente sem contato com o mundo exterior durante o julgamento. Com exceção dos cônjuges, todos os contatos seriam monitorados, para evitar a troca de informações sobre o caso. Não era de se estranhar que muitos se recusassem a participar de júris desse tipo, principalmente em julgamentos mais extensos. Como o distrito de Los Angeles pagava aos jurados apenas 5 dólares por dia, somente aposentados ou funcionários de baixo ou médio escalão de grandes instituições — do tipo que continuam a pagar os funcionários durante serviços de júri — aceitariam trabalhar no caso. De maneira geral, os advogados acreditavam que júri isolado era sinônimo de condenação, mas o caso, como já ficou claro, apresentava complicações atípicas. Júris isolados também tendem a afastar a maioria dos candidatos, deixando apenas aqueles com fortes motivações — ou interesses velados. Em casos como o de Simpson, os partidários mais acalorados tendiam a favorecer a defesa.

Muito agradaria aos promotores que o juiz dissesse aos candidatos que, mesmo com toda a polêmica em torno do julgamento de Simpson, aquele era, na verdade, apenas mais um caso penal. Mas Ito, levado pela emoção do momento, fez exatamente o oposto quando o grande grupo se reuniu diante dele. "Nunca vi um caso tão incomum quanto este", disse o juiz. "Esta é talvez a decisão mais importante que os senhores tomarão na vida." Ito acreditava que os candidatos mereciam saber tudo o que poderiam estar prestes a enfrentar. Quando o primeiro grupo sentou-se diante dele na ampla sala do júri, no Fórum Central, Ito informou que o julgamento se estenderia "até o final de fevereiro de 1995". (Errou por mais de sete meses.)

Os novecentos jurados em potencial preencheram breves questionários na primeira parte do processo de seleção do júri, a fase da "provação". Os candidatos forneciam informações demográficas básicas sobre si mesmos e apresentavam razões pelas quais servir como jurado seria uma "provação". O grupo inicial refletia bem a lista de jurados da área central de Los Angeles. Além de uma quantidade mais ou menos igual de homens e mulheres, 28,1% dos candidatos eram negros, 37,9% brancos, e o restante se dividia entre latinos, asiáticos e outras etnias. (No geral, 31% dos jurados alistados no Centro de Los Angeles são negros e 30% são brancos.) Os candidatos formavam um grupo com um bom nível de instrução: quase três quartos tinham ensino superior completo ou incompleto.

O objetivo da fase de provação era determinar quais jurados tinham conflitos pessoais irreconciliáveis com o serviço de júri e quais passariam à próxima rodada de perguntas. Como ficou claro, Ito se deixava persuadir facilmente: quem não quisesse participar era liberado. Dos 219 candidatos que compareceram no primeiro dia, Ito dispensou noventa somente com base no questionário. A maioria falou que seus empregadores não lhes pagariam durante um serviço de júri prolongado ou que não podiam participar por motivos pessoais. Na etapa seguinte, o juiz e os advogados se dirigiram a uma pequena antessala a fim de questionar os jurados que deram respostas ambíguas. Deirdre Robertson, escrivã a serviço de Ito, informou o número do primeiro candidato a ser questionado.

"Número... 32."

Ito sorriu, pois aquele era o número de Simpson ao longo da carreira no futebol americano. "Será que é um presságio?", brincou o juiz, e o réu acenou avidamente com a cabeça.

A fase da "provação" levou apenas quatro dias, menos do que o esperado. Para surpresa de Ito, muitos candidatos pareciam ansiosos por fazer parte do corpo de jurados. Na quinta-feira, 29 de setembro, o juiz tinha em mãos uma lista de 304 interessados, da qual seriam selecionados os doze jurados e os doze suplentes.

●●●

Os advogados de ambos os lados passaram os próximos dez dias debruçados sobre as respostas fornecidas pelos candidatos em um questionário bem mais elaborado que o primeiro, entregue pelo juiz. Lance Ito pediu que os dois lados enviassem suas perguntas, e, em um prenúncio agourento de como o julgamento seria conduzido, o magistrado simplesmente jogou as mãos para o alto e deixou que perguntassem praticamente tudo o que queriam. Essa abordagem liberal resultou em uma aberração: um documento de oitenta páginas e 294 perguntas, cujas respostas deveriam ser escritas à mão, muitas vezes em forma de redação. O questionário começava com perguntas razoáveis sobre a ocupação dos candidatos e experiências anteriores no serviço do júri, mas logo descambava para uma sequência de perguntas provocativas e absurdas: "Já pediu autógrafo a uma celebridade?", "Conhece alguém que já teve dificuldades em terminar um relacionamento abusivo?", "Em sua opinião, qual é a principal causa de violência doméstica?" (eram fornecidas três linhas para a resposta), "Já namorou uma pessoa de outra raça?", "Qual a importância da religião na sua vida?", "Você ou alguém próximo a você já se submeteu a uma amniocentese [retirada de líquido amniótico do abdome materno para fins de análise]?", "Já escreveu uma carta ao editor de um jornal ou revista?", "Faz doações para alguma instituição de caridade ou organização?", "Torce ou já torceu pelo time de futebol americano USC Trojans?", "Acredita que praticar esportes pode ajudar a construir o caráter de um indivíduo?".

Enquanto digeriam a vasta coleção de respostas, os promotores se deram conta de um fato importante: esse processo espinhoso de seleção atuara como um aspirador de pó para jurados do sexo masculino, brancos e instruídos — grupos que tinham mostrado predisposição em favor da acusação. Pouco menos de um terço dos novecentos candidatos iniciais era formado por negros. No grupo que avançou para o próximo estágio, esse número subiu para cerca de metade. E três quartos dos candidatos negros eram do sexo feminino — o grupo que mais se mostrava a favor de Simpson.

Os advogados tiveram a oportunidade de conhecer os jurados pessoalmente no dia 12 de outubro, quando teve início, na sala de audiência do juiz Ito, o interrogatório individual a possíveis jurados — o chamado *voir dire*. De acordo com a Proposição 115, uma iniciativa popular aprovada em 1990, no âmbito do movimento da Lei e Ordem [responsável por modificar e endurecer diversos procedimentos judiciais em processos penais], o *voir dire* deve ser conduzido sobretudo pelo juiz, e não pelos advogados. Essa é a praxe em tribunais federais americanos, e não apenas acelera consideravelmente o processo como também impede que os advogados usem as perguntas para expor os argumentos que serão defendidos durante o julgamento. Porém, em outra amostra perturbadora do que estava por vir, Ito cedeu e deixou que os advogados interpelassem livremente os jurados, muitas vezes de maneira hostil. Clark, por exemplo, perguntou a vários deles se "a fama do réu afetaria sua capacidade de emitir um veredicto".

Um tópico abordado pelos advogados de defesa ganhou especial destaque. A cada pergunta, Robert Shapiro e Johnnie Cochran procuravam enfatizar aos jurados que o caso se centrava na questão racial.

"Bem, com relação a outros aspectos de suas respostas", Cochran disse a um candidato branco no primeiro dia, "na pergunta sobre a questão da discriminação a afro-americanos. O senhor disse que era grave, correto?"

"Sim...", respondeu.

"Certo", continuou Cochran. "Agora, no que diz respeito à questão racial como um todo, ao casamento inter-racial, o senhor disse que não tinha problemas com isso, correto?"

E assim foi, dia após dia. Mais uma vez, para a surpresa de Ito, em vez de demonstrar resistência, muitos candidatos pareciam participar de uma audição para um papel de estrelato. Ao que tudo indicava, muitos também mentiam. Na enquete telefônica de Vinson, cerca de 60% dos entrevistados disseram que tinham uma opinião mais ou menos formada sobre o envolvimento do réu nos assassinatos. No entanto, dos que responderam aos questionários, apenas 23% fizeram essa afirmação. Das duas, uma: ou aquele grupo de jurados em potencial demonstrava excepcional imparcialidade, ou — o que era mais provável — estavam escondendo o jogo para conseguir avançar no processo.

Na escolha do júri, assim como no resto do processo, os advogados de Simpson articulavam suas estratégias de tribunal e de relações públicas. Em 27 de outubro, por exemplo, Hodgman questionou incisivamente um negro idoso cujas respostas demonstravam uma longa lista de queixas contra o DPLA. Qualquer promotor que se preze usaria o *voir dire* desse jurado como justa causa para afastá-lo. E foi isso que Hodgman fez, embora o processo claramente estivesse aborrecendo o jurado, que disse ao impassível promotor: "O senhor está me irritando". A defesa, no entanto, lançou um ataque coordenado na mídia contra Hodgman. Logo após a sessão daquele dia, Cochran saiu da sala de audiência de Ito no nono andar e dirigiu-se à sala de imprensa, no 12º, onde deu uma coletiva improvisada. "Estamos muito preocupados com o teor das perguntas e a forma como estão sendo direcionadas a certos jurados", disse Cochran. Como se o recado não estivesse claro o suficiente, enquanto Cochran discursava no andar de cima, Shapiro dirigia-se aos repórteres reunidos no saguão do tribunal. Sobre o interrogatório de Hodgman, o advogado declarou: "Há um esforço insidioso para eliminar jurados negros por justa causa por serem negros e terem heróis negros, e porque O.J. Simpson é um deles. Não há nenhum outro motivo". Os ataques dos advogados foram destaque no noticiário local daquela noite, e viraram manchete de primeira página do *Los Angeles Times* no dia seguinte: PROMOTORES ATACAM JURADOS NEGROS, ALEGA EQUIPE DE SIMPSON.

Ainda assim, o caso estava progredindo aos poucos, conforme as partes interrogavam alguns jurados por dia. Foi quando todo o avanço foi abruptamente interrompido — e o caso quase entrou em completo colapso —, graças ao trabalho literário de uma única e diminuta mulher.

• • •

Não há uma única maneira apropriada de lamentar a perda de um amigo. Podemos dizer que Faye Resnick lidou com a morte de Nicole Brown Simpson de um modo que refletia a vida bizarra e caótica que levava. A amiga decidiu se lamentar procurando uma vidente que, além da ajuda espiritual, lhe deu alguns conselhos professionais. Ao conversar comigo antes do início do julgamento de Simpson, Resnick disse: "Quando consultei uma vidente depois do assassinato de Nicole, a mulher me transmitiu um recado da Nicole. [...] Ela disse: 'Você deve escrever um livro. Nicole quer que você siga seu coração. Ela quer que você diga tudo o que pensa'".

Californiana esbelta e de cabelos ruivos, Faye Resnick tinha 37 anos na época do julgamento. Quando nos conhecemos, usava pulseiras nos dois braços e três anéis na mão esquerda, um deles no polegar. Ex-mulher de Paul Resnick, um rico empresário de Los Angeles, ela se envolvia superficialmente em projetos de caridade e fazia de tudo para manter a boa aparência. O conselho de Nicole do além-túmulo se encaixava perfeitamente com as necessidades de Resnick. Diante dos minguantes recursos de seu acordo de divórcio e um estilo de vida caro, Faye precisava do dinheiro que o contrato para escrever um livro poderia proporcionar. O seu meio social, no qual Nicole também tinha vivido, pode ser resumido em uma breve frase do livro que ela de fato chegou a escrever: "Quase todas as mulheres que conheço colocaram silicone nos seios".

Resnick e Nicole se conheceram em 1990. Tornaram-se grandes amigas depois que Faye se separou de Paul Resnick no início de 1991. Resnick também se tornou amiga de O.J., enquanto ele e Nicole viviam um relacionamento marcado por idas e vindas, em 1993 e 1994. Após o assassinato, no entanto, ela estava convicta de que ele tinha matado Nicole, e falava do assunto de forma mordaz. De acordo com Resnick, "na casa dele, as crianças não podiam nem brincar". Ela disse ainda que em determinados momentos as crianças não podiam ficar na cozinha, porque O.J. e a governanta não suportavam a bagunça que elas faziam. "O.J. é de câncer com ascendente em câncer, assim como eu", disse ela. "Eu entendo, também não gosto de bagunça, mas criança é assim mesmo." De forma implícita, Resnick atribuiu sua própria reincidência nas drogas ao estresse causado pela mediação das brigas entre O.J. e Nicole. Na década anterior aos assassinatos, ela passou duas vezes pelo centro de reabilitação Betty Ford, e, em junho de 1994, na semana anterior ao assassinato de Nicole, ela deu entrada no centro Exodus Recovery, em Marina del Rey. Pouco depois do crime, Resnick disse que temia ser morta pelos partidários de O.J.

Cerca de uma semana após o crime, Resnick relatou seus crescentes temores a Arthur Barens, um advogado que conheceu enquanto trabalhava em uma campanha de arrecadação de fundos para o sistema de ensino de Beverly Hills. Barens ajudou Resnick nos primeiros encontros com os promotores do caso. Foi enquanto conversavam em outras reuniões que veio à tona a ideia de escrever um livro. "A ideia do livro surgiu porque ela queria fazer alguma coisa para ajudar os filhos de Simpson e as mulheres vítimas de violência", disse Barens. "Ela me disse na época que mantinha um diário em que relatava o que acontecia entre O.J. e Nicole. Temia pela própria integridade. Eu disse que, para sua segurança, ela devia gravar tudo o que lembrava." Resnick gravou algumas fitas e entregou-as ao advogado. Se o objetivo era resguardar Resnick, Barens podia simplesmente ter depositado as fitas no cofre particular de um banco; em vez disso, entrou em contato com Warren Cowan, executivo de relações públicas, para saber como fazer o melhor uso delas.

Cowan colocou Barens em contato com seu cliente Michael Viner, um ex-empresário de gravadora que tinha fundado, uma década antes com a esposa, a atriz Deborah Raffin, a empresa Dove, especializada em audiobooks.

Viner fechou um contrato relâmpago com Resnick. Pagou à mulher um adiantamento de seis dígitos e foi à caça de um colaborador para ela. "Eu conhecia Mike Walker por alto, e o tinha visto no *Nightline* e no *Larry King Live*", explicou Viner. "Então fui atrás dele." Pouco depois da assinatura dos contratos, Walker e Resnick viajaram para o chalé de esqui de Viner em Stowe, Vermont, onde tiveram três semanas e meia para produzir um manuscrito, em total sigilo. A parceria teve suas tensões. De acordo com Walker, "lá pelas tantas liguei para Viner e disse: 'Olha, essa mulher tá me deixando louco. Ela quer cappuccino'. No dia seguinte, uma máquina de cappuccino chegou por FedEx".

Apesar dos contratempos, a dupla conseguiu produzir o manuscrito de *Nicole Brown Simpson: The Private Diary of a Life Interrupted* [Nicole Brown Simpson: O diário privado de uma vida interrompida]. Resnick e Walker retratavam Nicole como uma jovem desmiolada e obcecada por sexo, cuja futilidade era superada apenas pela do ex-marido. Por exemplo, no livro, diziam que Nicole adorava fazer sexo oral com estranhos — uma prática que Resnick chamava de "olá de Brentwood". Mais relevante para o julgamento era que Resnick retratava Simpson como um ex-marido extremamente ciumento, que falava abertamente que considerava matar Nicole. No livro, Resnick citava frases de Simpson: "Não aguento mais, Faye, não aguento mais. Tô falando sério. *Vou matar aquela vadia*". (Quando perguntei a Resnick se ela havia tido alguma influência literária, ela respondeu: "Não me inspirei em livro nenhum. O filme que me inspirou foi *O Dossiê Pelicano*".)

O mais irônico é que, apesar das acusações contra O.J., o livro de Resnick acabou se tornando um presente para o réu — e mais um exemplo da falta de sorte dos promotores. Devido ao histórico de abuso de drogas, Resnick seria, na melhor das hipóteses, uma testemunha de acusação controversa. Ainda assim, se tivesse simplesmente se apresentado depois do crime e contado sua história à polícia, os promotores provavelmente a teriam chamado ao banco das testemunhas. O livro, no entanto, fez com que Resnick se tornasse indesejada aos olhos de Clark e Hodgman. Era mais um caso de escândalo lucrativo, dessa vez em maiores proporções. Resnick, sem dúvida, era bem próxima a O.J. e Nicole. Muitas, se não a maioria, de suas acusações tinham um fundo de verdade. Porém, como estava tirando visível proveito financeiro do acesso que teve aos principais envolvidos, acabaria dando muita munição à defesa em seus depoimentos. Tanto durante como após o julgamento, Resnick foi uma das vozes públicas mais proeminentes contra Simpson. Mas a ganância — dela e da editora — tornou-a cúmplice da absolvição de O.J.

Visando o máximo de publicidade, Viner e Resnick decidiram lançar o livro no meio do processo de seleção do júri, no dia 17 de outubro. A imprensa reagiu como o esperado, fazendo grande alarde das acusações de Resnick contra Simpson. No dia do lançamento, o livro marcou uma pontuação modesta na escala Richter das notícias sobre Simpson: pontuou mais que minha matéria sobre Fuhrman, mas certamente menos que a divulgação da fita com os torturantes telefonemas de Nicole ao 911. O interessante é que o episódio do livro se deu enquanto Lance Ito conduzia o caso, e a reação do juiz revelou muito sobre o próprio Ito e os rumos futuros do julgamento.

· · ·

Lance Ito acompanhava bastante o noticiário. Certo dia, em uma conversa casual no tribunal, o juiz comentou que lia cinco jornais por dia. Em uma ordem posterior dada aos potenciais jurados sobre o que podiam ver na televisão, o próprio juiz listou, aparentemente de cabeça, 25 programas que estavam proibidos, como *Marilu*, *Leeza*, *Jenny Jones*, *Sally Jessy Raphaël*, *Oprah*, *Donahue*, *Geraldo*, as notícias da MTV e um tal de *Press Box*, de um canal chamado Prime Ticket. Fora do expediente, o juiz usava um boné de beisebol do *Today*. No meio do processo de seleção do júri, Ito inclusive deu uma polêmica entrevista a Tricia Toyota, do canal KCBS, em Los Angeles. Não disse nada de extraordinário, mas sem dúvida dificultou os esforços dos jurados para evitar a cobertura jornalística do julgamento. O juiz chegou a ter que afastar alguns candidatos que tinham assistido a partes da entrevista. Durante o julgamento, Ito muitas vezes adiava as sessões do tribunal para receber em seu gabinete figuras importantes da mídia, como Geraldo Rivera, e ocasionalmente algum artista de cinema, para conversar em particular.

Como resultado de sua obsessão pela mídia, Ito não conseguia compreender o real significado do livro de Resnick. A atitude mais sensata seria ignorá-lo e, se o assunto algum dia viesse à tona, lembrar aos jurados que deveriam confiar apenas nas provas apresentadas no tribunal. Assim como os demais escândalos do caso, Resnick também seria esquecida aos poucos. Mas Ito não conseguiu deixá-la de lado. Na terça-feira de manhã, 18 de outubro — sem que houvesse um pedido das partes — Ito suspendeu o processo de seleção do júri por 48 horas, segundo informou aos potenciais jurados, por causa da "publicação de um livro que gerou grandes preocupações no tribunal quanto a uma possível interferência no direito do sr. Simpson a receber um julgamento justo. Preciso examinar cuidadosamente as implicações". O juiz chegou até mesmo a escrever aos chefes das grandes redes de notícias solicitando o cancelamento de entrevistas agendadas com Resnick. (A cnn atendeu ao pedido, mas a entrevista de Connie Chung com a autora na cbs foi ao ar mesmo assim.) A decisão de Ito de interromper o processo de seleção provocou uma reação previsível: alimentou a curiosidade do público sobre o livro — e provavelmente também a dos potenciais jurados. Graças ao empurrãozinho de Ito, o livro disparou para o primeiro lugar na lista de mais vendidos do *New York Times*, ultrapassando a obra *Cruzando o Limiar da Esperança*, do Papa João Paulo ii. (Quanto ao suposto desejo de Resnick de ajudar a família de Simpson, a Dove doou 10 mil dólares à fundação que os pais de Nicole criaram em sua memória. A doação corresponde aproximadamente a um centavo de cada um dos mais de um milhão de exemplares vendidos.)

Surpresos com a reação de Ito, os advogados de defesa tentaram usar a crise de Resnick para fazer com que o juiz anulasse o processo inteiro. Em uma reunião privada na manhã de quarta-feira, 19 de outubro, Shapiro rogou ao juiz que tomasse uma ou mais das seguintes providências: retirar todas as acusações contra Simpson; declarar Barens, Viner e a Dove Books culpados de obstrução à Justiça; penalizar a Promotoria de Justiça de Los Angeles por não impedir a publicação do livro; e adiar o julgamento por um ano e liberar o réu sob fiança. Com exceção do pedido de adiamento, todas as demandas de Shapiro eram absurdas, mas Ito ouviu pacientemente toda aquela lenga-lenga. Quanto à fiança, Shapiro disse que a tentativa de fuga de Simpson no dia 17 de junho não deveria ser usada contra ele. "Ele teve tempo de refletir sobre o processo e as provas, e agora está pronto para responder às acusações perante a Justiça, e deseja limpar seu nome", disse Shapiro.

Clark ficou furiosa quando ouviu o advogado de defesa queixando-se de como, já antes do julgamento, seu cliente estava sofrendo com a publicidade. "A defesa também deixou informações vazarem, como o juiz sabe muito bem, de uma forma totalmente abominável e prejudicial", disse Clark, fervendo de indignação. "Tentaram difamar Mark Fuhrman com a mais cruel das alegações de racismo, uma acusação das mais incendiárias. [...] Tentaram tirar proveito dessa campanha difamatória... e de novo no questionário, em cada pergunta feita sobre questões raciais e racismo. A defesa está novamente colocando a questão racial em jogo para se safar, ao mesmo tempo que nega estar fazendo isso. Trata-se de um jogo muito sutil, mas também muito perigoso para o povo, porque a defesa vem tentando da forma mais abominável desacreditar o policial que encontrou a prova principal do crime."

Shapiro odiava ser confrontado com sua parcela de culpa pela polêmica racial que cercava o caso. Como sempre, o advogado queria duas coisas ao mesmo tempo: usar a tese de discriminação racial para absolver Simpson, mas sem admitir que era o que estava fazendo. "Em relação à questão racial", Shapiro disse, "já me coloquei diante dos senhores e do povo americano, e disse que a raça não é e nem será nosso foco neste caso. Ainda defendo isso. O que estará em foco neste caso é a credibilidade. Com respeito ao artigo da *New Yorker*", prosseguiu Shapiro, em resposta ao que Clark havia dito, "achei que seria somente um ensaio fotográfico... apenas fotos, sem texto". Isso é mentira. Nunca disse a Shapiro que nossa entrevista seria assim. Ele continuou o discurso perante o juiz: "Quando o artigo de Jeff Toobin foi publicado, fiquei chocado de encontrar uma foto minha ali sugerindo, de forma indireta, que eu tinha feito comentários depreciativos sobre o detetive Fuhrman. Não é verdade. Na realidade, uma leitura atenta e uma análise jornalística mostram que o artigo expõe uma teoria que poderia mais tarde ser explorada pela defesa".

O monólogo proferido por Shapiro foi demais para Cochran. Ele já estava no caso havia cerca de quatro meses, e, até o momento, se submetia às decisões do advogado principal. Mas a atitude manipuladora de Shapiro — chamar Fuhrman de racista e depois negar que a questão racial era importante — deixava Cochran estarrecido. Ao longo daqueles quatro meses, Simpson já tinha passado mais tempo com Cochran do que com Shapiro, e o advogado negro sabia que ocuparia um papel importante, se não o principal, quando o julgamento começasse. Cochran queria a questão racial em primeiro plano no caso, e também queria deixar claro ao juiz e aos promotores que não se desculparia por isso.

"Eu gostaria de dizer algo sobre a 'questão racial'", interveio Cochran, começando um monólogo que poderia ser visto como a profissão de um credo pessoal. "Advogo causas judiciais há muito tempo, tanto cíveis como penais, em todo o país, e todos sabem que em um caso como este — um caso de assassinato — é impossível não falar de raça. Não estamos dando uma cartada. [...] As questões raciais existem. Os jurados sabem disso. Todo mundo sabe disso. [...] A questão racial está presente em tudo no nosso país."

"Quando as pessoas fazem pouco caso da questão racial, basta esperar alguns anos. Surge uma grande revolta e aí elas dizem: 'Não vamos mais suportar isso'. É lamentável, mas isso acontece por causa de pessoas que são totalmente insensíveis aos problemas raciais no país e nas classes desfavorecidas."

Para Johnnie Cochran, a ligação entre seu cliente milionário e "os problemas raciais no país e nas classes desfavorecidas" era tão óbvia que dispensava maiores esclarecimentos.

• • •

Porém, qual era o objetivo de toda essa conversa? Não deveria ser uma discussão jurídica sobre um pedido feito em um processo penal? Deveria. Ainda assim, Shapiro continuava falando de suas controvérsias com a mídia, Clark vociferava contra ele, e Cochran discursava sobre a classe negra desfavorecida. Era assim que Lance Ito conduzia a sustentação oral: como uma espécie de terapia em grupo através de um fluxo coletivo de consciência, um processo em que os advogados podiam falar pelo tempo que quisessem sobre qualquer coisa que lhes viesse à mente.

O assunto que os advogados estavam, ao menos em teoria, discutindo no momento era se Simpson deveria ou não ser libertado sob fiança. Em uma tentativa sutil de ganhar a confiança de seu cliente — em parte mostrando que ele mesmo tinha confiança no réu —, Cochran sugeriu que Ito falasse diretamente com o acusado sobre o assunto. Então, sentado em uma cadeira em frente à mesa do juiz, Simpson disse: "Bem, sinto que fui atacado aqui hoje. Eu sou um homem inocente. Quero ser julgado. Quero acabar logo com isso".

"Tenho dois filhos lá fora. Essa é a minha única preocupação. No início, quando me disseram que era melhor ir com calma, talvez tivesse sido melhor ter ido com calma mesmo. Li no livro de Gerry Spence que não se deve apressar o júri. Estou com duas crianças lá fora que perderam a mãe. E não fiz isso. Quero que o julgamento comece o quanto antes. Todas as pessoas que conheço e todos que vieram conversar comigo me disseram que a essa altura é impossível obter um julgamento justo. Disseram que talvez fosse melhor esperar, que talvez fosse melhor deixar pra depois. Não posso me dar ao luxo de ficar longe dos meus filhos por mais tempo do que já fiquei."

"A promotora Clark disse que eu estava tentando fugir. Todo mundo sabe que eu liguei para o meu sogro. Eu não estava no melhor estado de espírito — admito que não estava no estado de espírito normal no momento que estava tentando chegar à minha esposa..."

"Meritíssimo, com licença", Shapiro atalhou, tentando fazer com que o cliente parasse de divagar.

"Eu estava voltando para casa", continuou Simpson.

Shapiro virou-se para O.J. "Sr. Simpson, como seu advogado, eu o proíbo de falar, e devo adverti-lo de que se o senhor continuar a fazê-lo, eu me demito." Essa ameaça — registrada em uma transcrição que Shapiro, com seu know-how de mídia, sabia que seria divulgada para o público — era, na verdade, uma maneira de atingir seu rival, Howard Weitzman, que havia sido criticado por não tomar medidas enérgicas como essa para evitar que O.J. falasse com a polícia no dia 13 de junho. Dessa vez, Simpson conteve a língua.

Como ainda faria mais vezes, Ito conseguiu se afastar do precipício. Aplacado o furor que o livro de Resnick causou nele, o juiz aceitou retomar a seleção dos jurados no dia seguinte. É óbvio que não libertou Simpson sob fiança, mas fez um ajuste no processo de seleção: os jurados passariam a ser interrogados em particular, e não mais em grupo, com o intuito de incentivar respostas francas.

A polêmica em torno do livro de Resnick levou Ito a adotar uma linha dura em relação aos hábitos de consumo de mídia dos jurados. Depois que o livro de Resnick foi publicado, o juiz determinou que os candidatos restantes não poderiam ver televisão, ler jornais ou revistas nem pôr os pés em uma livraria. Ito dispensou uma jurada depois que ela admitiu ter assistido a episódios gravados de *Barrados no Baile* e *Melrose Place*. Seu marido havia apagado todos os intervalos comerciais, mas o juiz não deu ouvidos. Outro candidato foi mandado embora porque tinha assistido a desenhos animados com o neto, e o mesmo ocorreu com uma mulher que tinha visto um filme com Barbara Stanwyck na televisão. A cada peneirada, o percentual de afro-americanos e mulheres na lista de jurados só fazia crescer.

Finalmente, chegou o dia em que as partes exerceriam seu direito às recusas imotivadas, isto é, a recusar jurados sem apresentar justificativas. Cada lado tinha direito a vinte recusas. Na defesa, Jo-Ellan Dimitrius se reunia com Shapiro e Cochran. A consultora esteve presente na sala de tribunal durante todo o processo de seleção do júri, e os advogados conferenciavam com ela a cada decisão. Dimitrius registrou as principais conclusões de sua pesquisa em um memorando para a equipe de defesa, que chamou de "considerações gerais sobre a seleção do júri". Na seção "perfil preferencial dos jurados", Dimitrius listava os seguintes atributos: "Jovem, menos escolarizado, trabalhador da classe operária, afro-americano, jurado pela primeira vez, baixa renda". (Não é de se admirar que a lista nada mais fosse que um reflexo das descobertas de Vinson.) Cochran e Shapiro buscaram seguir à risca as sugestões da consultora.

Dos dias de seleção do júri, Marcia Clark permitiu a presença de Vinson no tribunal somente uma vez, e, logo em seguida, o expulsou. Nunca mais voltou a consultá-lo. No dia 8 de dezembro, as partes exerceram suas últimas recusas e aprovaram uma lista de doze jurados e doze suplentes. Era impressionante o quanto o perfil étnico dos participantes divergia em relação ao grupo inicialmente convocado, e mais ainda em relação ao distrito de Los Angeles como um todo: dos 24 jurados, quinze eram afro-americanos, seis eram brancos, e três hispânicos — em um distrito onde apenas 11% dos habitantes eram negros.

Ao longo dos vários meses que se seguiram, dez jurados foram substituídos por suplentes. (Curiosamente, nenhum suplente foi afastado do caso.) Com base nas respostas dos questionários, os doze jurados que tiveram votos decisivos no caso contra O.J. Simpson tinham as seguintes características:

- Todos os doze eram democratas.
- Dois tinham nível superior.
- Nenhum lia jornais regularmente.
- Nove moravam em casas alugadas; três moravam em casa própria.
- Dois desempenhavam funções de supervisão ou gestão no trabalho; dez não.
- Oito assistiam regularmente a programas de jornalismo sensacionalista como o *Hard Copy*. (O resultado da pesquisa de Vinson também associava o interesse por tabloides à crença na inocência de Simpson.)
- Cinco afirmavam já ter tido experiência negativa com a polícia — pessoalmente ou na família.
- Cinco dos jurados consideravam aceitável o uso de força física entre familiares.
- Nove — três quartos do júri — achavam que o sucesso de O.J. Simpson no esporte diminuía a probabilidade de ter assassinado a esposa.

O grupo final era composto de um homem afro-americano, um homem de origem latina, duas mulheres brancas, e oito mulheres afro-americanas.

De modo geral, Marcia Clark estava satisfeita, principalmente com os suplentes. Ela e Bill Hodgman nem chegaram a usar todas as vinte recusas imotivadas a que tinham direito.

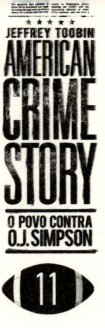

A EQUIPE DOS SONHOS

Em 1960, aos 72 anos e com a saúde debilitada, a reputação de John Tobin como advogado criminalista de defesa permanecia intacta em Massachusetts. Naquele ano, como de costume, Tobin participava do caso de assassinato mais comentado do momento: a morte de Betty Edgerly, uma dona de casa da cidade de Lowell. O corpo de Betty foi retirado do rio Merrimack em pedaços, e sua morte macabra inspirou o nome pelo qual o crime ficou conhecido: o "Assassinato do Tronco". O marido, George, foi acusado do crime.

Um teste de polígrafo era a principal prova contra George, e John Tobin não sabia nada sobre a nova ciência da "detecção de mentiras". O advogado buscou indicações de um especialista, mas só o que conseguiu foi o nome de um recém-graduado da faculdade de direito: Francis Lee Bailey.

Bailey tinha apenas 27 anos na época. Era filho de um publicitário que enfrentava dificuldades financeiras e uma professora de creche. Seus pais o mandaram para uma escola preparatória e ele ganhou uma bolsa de estudos para Harvard, onde mal ficava na média, até que foi convocado para servir na Marinha dos Estados Unidos. Lá, recebeu treinamento como piloto de caça. Voar e comprar aviões se tornaram sua eterna obsessão. Como atribuição secundária, Bailey trabalhava no escritório jurídico de sua unidade, o que transformou sua vida ainda mais do que a escola de voo. Ele era uma espécie de pau para toda obra no sistema judiciário militar, alternando entre as funções de promotor, advogado de defesa, investigador e juiz. Tornou-se um especialista no uso do polígrafo, um aparelho que sempre teve mais aceitação na área militar que na civil. Quando entrou para a escola de direito da Universidade de Boston, Bailey aperfeiçoou sua técnica com o polígrafo ao fazer bicos como investigador a serviço de advogados que se preparavam para o tribunal. Ainda administrava sua pequena empresa de investigação quando foi aprovado no exame da ordem em novembro de 1960, poucas semanas antes de ser contatado por John Tobin.

Tobin confidenciou ao jovem advogado que estava em uma sinuca de bico. Resultados de testes de polígrafo geralmente são inadmissíveis como provas em julgamentos criminais, mas Tobin cometeu a mancada de permitir que o júri soubesse que seu cliente tinha reprovado em um teste aplicado por um examinador inexperiente. Agora todo o caso dependia da capacidade da defesa de desacreditar Augustine Lawlor, o farmacêutico que ofereceu serviços de poligrafia à polícia. Tobin estava farto daquela situação, e depois de falar brevemente com Bailey sobre a nova tecnologia, perguntou ao jovem advogado: "Lee, você estaria disposto a participar do caso e interrogar esse tal de Lawlor? Acho que nenhum outro advogado em Massachusetts reconheceria um detector de mentiras mesmo a um palmo de distância. Você pode ser de grande ajuda".

F. Lee Bailey nunca tinha posto os pés em uma sala de tribunal, mas agarrou a oportunidade.

Ao longo dos anos, Bailey escreveu muito sobre a própria carreira e sobre o direito penal de maneira geral. Sua especialidade era, na teoria e na prática, a arte da inquirição cruzada, isto é, aquela que se faz à testemunha da outra parte. Sua primeira lei é bem simples: "A primeira coisa a ser feita em uma inquirição cruzada é identificar claramente tudo o que a testemunha alega saber e não saber do assunto", Bailey escreveu. "Antes de se ater a uma versão objetiva e única dos fatos, a testemunha pode se esquivar de perguntas ou contorná-las com algum tipo de explicação."

Portanto, a missão de Bailey era encurralar Lawlor, o poligrafista. O jovem advogado levou uma pilha de livros sobre polígrafos para o tribunal com o intuito de fazer com que Lawlor desse crédito a algum deles — com isso, Bailey poderia mostrar como o examinador inexperiente tinha deixado de seguir as orientações do livro. Esperto, Lawlor disse que não podia atestar a qualidade de nenhum dos livros.

Mas Bailey, bem preparado, levou também o manual de instruções do polígrafo usado pelo farmacêutico, e a testemunha, sem saída, teve que admitir que o manual descrevia os procedimentos corretos. Bailey prontamente mostrou ao júri como a testemunha tinha desconsiderado uma série de instruções do manual. Caía por terra a credibilidade do depoimento de Lawlor.

Uma única inquirição bem-sucedida não faz carreira, mas, em uma reviravolta digna de uma história de suspense, Tobin sofreu uma convulsão já na fase final do julgamento do caso Edgerly. Do leito do hospital, pediu que Bailey apresentasse os argumentos finais.

Bailey atendeu ao pedido, é claro, e decidiu aguardar o veredicto em um bar da vizinhança. "Fiquei bebendo uísque, inquieto", ele descreveu a cena. "Nunca bebi muito quando estava de serviço, e não tinha dinheiro para comprar bebida na época da faculdade. Mas, naquele dia, bebi feito um pinguço enquanto o júri deliberava. O engraçado é que o álcool não deu tanto efeito. Devia ser por causa da tensão. Ou da adrenalina. Só sei que a maioria dos advogados de tribunal bebe. E que os bons são fortes pra bebida."

O veredicto saiu em menos de um dia: absolvido. Nascia ali uma grande carreira — e uma lenda.

• • •

Ao contar a história do caso Edgerly — como o fez em duas autobiografias e centenas de conversas —, Bailey sempre se demorava em sua parte favorita: o momento em que humilhou o pobre Lawlor. Bailey tinha apenas 61 anos na época do julgamento de Simpson, mas seus olhos de pálpebras marcadas, que carregavam o peso de décadas de bebida e trabalho em excesso, brilhavam quando falava sobre a humilhante capitulação de Lawlor. Se de fato George Edgerly tinha assassinado a esposa não importava muito. Bailey não tinha nada a ver com isso. O contato reiterado com homicídios pode calejar a consciência, e foi o que aconteceu com Lee Bailey. Ele se tornou um homem completamente cínico, preocupado apenas com duas coisas: o dinheiro e a lei. Não queria saber se os clientes eram inocentes ou culpados. Certa vez escreveu: "Prefiro casos que me tragam muito dinheiro ou grandes desafios". Volúvel e rancoroso, Bailey trocava de mulher e sócio como quem troca de camisa. (Já se casou quatro vezes.)

Apesar da vida pessoal conturbada e dissoluta, o ego insaciável e uma forte tendência à misantropia, Bailey se destacava por um grande feito: foi ele que inventou a defesa criminal contemporânea. Antes de Bailey ganhar notoriedade na década de 1960, a defesa criminal era uma área periférica da advocacia, um tanto desprestigiada e pouco rentável de modo geral. Bailey foi o responsável por mudar esse quadro. Primeiro, compreendeu como a mídia funcionava e aprendeu a manipulá-la em seu favor. Se não inventou as coletivas de imprensa improvisadas nos degraus do Fórum de Justiça, é certo que Bailey tornou-as sua marca registrada. Entendia a importância de manter uma boa aparência. Suas roupas eram sob medida, bem como seus sapatos, que o deixavam mais alto. Seu apetite pelos holofotes levou-o a adentrar territórios de ética duvidosa quando, em alguns casos, aceitava como parte de seus honorários os direitos para escrever um livro sobre seu trabalho no processo. Bailey também se preparava à exaustão antes de pisar no tribunal, algo que, antes dele, apenas os melhores advogados das maiores firmas faziam. O advogado já era adulto quando o termo "superstar" entrou na moda, e foi ele, sem dúvida, o primeiro superstar do mundo jurídico. Em um espaço de doze anos desde sua estreia no caso Edgerly, Bailey já possuía uma mansão no sul de Boston e ia trabalhar de helicóptero. Antes dos 40, gabava-se de ter cobrado um milhão de dólares de um cliente.

Nunca lhe faltavam clientes, seja qual fosse o valor cobrado. Um ano e dois dias depois de se tornar membro da ordem, Bailey conheceu o dr. Samuel Sheppard, um osteopata do subúrbio de Cleveland que tinha sido acusado, como Edgerly, de assassinar a própria esposa. O caso foi ainda mais impressionante, e inspirou a série de televisão *O Fugitivo*. Bailey precisou de meia década para ganhar a liberdade de Sheppard. Durante esse tempo, jogou limpo e jogou sujo, conforme a conveniência. Para promover sua tentativa de submeter Sheppard a um teste de polígrafo na prisão, Bailey participou do *Mike Douglas Show* e demonstrou a técnica em uma comediante. Em um cenário mais austero — o Supremo Tribunal dos Estados Unidos —, Bailey alegou com êxito que a condenação inicial de Sheppard deveria ser anulada por causa da excessiva publicidade prévia ao julgamento. Enquanto o caso Sheppard ainda tramitava na Justiça, Bailey também representou Albert DeSalvo, o confesso "Estrangulador de Boston". (Bailey arrazoou que DeSalvo devia ser enviado a um hospital psiquiátrico e não a uma prisão, mas o juiz a frente do caso rejeitou o argumento. DeSalvo foi assassinado na prisão em 1973.) Bailey também conseguiu a absolvição do dr. Carl Coppolino, acusado de envenenar o marido da amante em New Jersey — mas nem mesmo Bailey foi capaz de ajudar o médico quando, mais tarde, foi indiciado e condenado por envenenar a esposa na Flórida.

Depois que Bailey se tornou uma figura conhecida, sua sede de publicidade — e de dinheiro — levou-o de vez para o mau caminho. Em 1973, o advogado foi denunciado na Flórida em um processo por fraude postal como cúmplice de seu ex-cliente Glenn Turner, cujo empreendimento motivacional, conhecido como Dare to be Great and Koscot Interplanetary, não passava, na verdade, de um esquema em pirâmide. (De modo típico, Bailey aceitou trabalhar com Turner porque o empresário lhe prometeu um Learjet novo como pagamento.) Graças ao empenho de seu advogado, Alan Dershowitz, o processo contra Bailey foi extinto. Depois desse fiasco, Bailey representou Patricia Hearst, herdeira de um magnata da imprensa, em um caso relacionado a seu sequestro por membros do grupo terrorista Exército Simbionês de Libertação. O desempenho de Bailey foi muito criticado, e Hearst acabou condenada por assalto a banco. Em 1982, Bailey foi mais uma vez acusado de um crime: dirigir embriagado. Seu amigo Robert Shapiro representou-o no julgamento, em São Francisco, e ganhou a causa. Não por acaso, o abuso de álcool tem sido o tema principal de sua vida profissional. Na primeira linha de sua autobiografia de 1975, Bailey declara: "Julgamentos complicados me dão sede". Faz tempo que ignora o conselho dos amigos para ir mais devagar. "É o meu combustível", disse certa vez.

Mesmo com todos os problemas e traumas, Bailey continuou advogando nos tribunais durante os anos 1980 e 1990, obtendo bons resultados na maioria dos casos. A bem da verdade, Bailey não só era mais experiente em casos de homicídio que todos os advogados do caso Simpson, como também tinha conduzido o mais recente julgamento desse tipo. Em março de 1994, Bailey conseguiu a absolvição de Paul Tanso, acusado de cometer duplo homicídio no bairro de North End, Boston. Com todo seu brilhantismo, Bailey inquiriu o suposto cúmplice de Tanso e mudou assim o rumo do processo. Sua marca registrada continuava a mesma desde que John Tobin o tirara do anonimato quase quarenta anos antes. Apesar de toda sua fama, Bailey nunca foi do tipo teatral. Era na preparação, e não na perfomance, em que apostava suas fichas. E ele era mestre nisso. De forma incansável, meticulosa e impiedosa, Bailey sempre investigava os fatos — ou contratava quem o fizesse.

• • •

Logo após ser contratado por O.J. Simpson, na semana seguinte aos assassinatos, Shapiro ligou para Bailey, e embora tratasse o colega mais velho com todo o respeito que merecia por sua louvável trajetória como advogado de defesa, era inegável que desde o início já havia certo clima de tensão no ar. No fundo, Shapiro gostava daquela inversão de papéis: doze anos antes, Bailey, acusado de dirigir embriagado, chamara Shapiro para defendê-lo. E agora Shapiro estava com um caso que, em outra época, sem dúvida teria ido parar nas mãos de Bailey. Quando, no dia 24 de junho, o advogado mais velho apareceu no *Larry King Live* — já quase um fórum oficial do caso Simpson — e anunciou que tinha se juntado à equipe de defesa, sua fala já refletia a possibilidade de atritos futuros entre ele e Shapiro. "Somos amigos próximos", disse Bailey ao ser questionado sobre Shapiro. "Sou o padrinho do filho mais velho de Bob. [...] Também gostaria de deixar bem claro que é ele o advogado principal do caso; eu sou só um consultor."

King perguntou por que Bailey tinha esperado tanto tempo para anunciar sua entrada na equipe.

"Só porque eu recomendei que isso acontecesse, com todo o ataque que vem sendo orquestrado contra Bob Shapiro, dizendo que ele não consegue dar conta deste caso — o que é pura bobagem, porque, quando eu estava em apuros, foi ele quem ganhou minha causa. Ele é o único advogado do país autorizado a usar meu nome no papel timbrado. Achei melhor deixar o processo avançar um pouquinho até que ficasse bem claro que ele estava com tudo sob controle. E está. Ele tem feito um trabalho brilhante."

Na verdade, pouco havia sido questionado sobre a competência de Shapiro até Bailey tocar no assunto aquela noite. Quanto ao suposto drama sobre a hora certa de anunciar a entrada na equipe, também era invenção de Bailey. Sua exposição estava carregada de protestos exagerados. Ao defender Shapiro, Bailey na verdade o rebaixava.

Ainda assim, Bailey dava conselhos muito específicos a Shapiro desde o dia em que foi contratado. Na época da faculdade, quando trabalhou como detetive particular, Bailey nunca duvidou da importância desse tipo de profissional. Aconselhou Shapiro a contratar detetives para procurar pistas favoráveis ao cliente antes que elas se perdessem. Shapiro tinha pouca experiência com detetives particulares (além de Bill Pavelic, que havia contratado antes), por isso deixou a responsabilidade nas mãos de Bailey. O advogado logo deu a primeira sugestão: contrate Pat McKenna e mande-o para Chicago.

McKenna, um homem trabalhador e simpático nascido em Chicago, morava perto de uma das casas de Bailey em West Palm Beach, Flórida. Os dois já tinham trabalhado juntos em alguns casos no passado. Ao falar com Shapiro e depois Bailey, McKenna não hesitou e pegou o primeiro voo a Chicago para descobrir tudo o que podia sobre a breve estadia de Simpson na cidade horas após os assassinatos.

Ao chegar ao O'Hara Plaza, McKenna se deparou com uma cena caótica: policiais de Chicago, detetives de Los Angeles, uma multidão de repórteres de todo o mundo, além de agentes do Serviço Secreto dos Estados Unidos que estavam esperando a chegada do presidente Clinton ao hotel. Por meio de um antigo contato na polícia de Chicago, McKenna conseguiu localizar algumas pessoas que tinham visto Simpson logo após seu desembarque de um voo noturno proveniente de Los Angeles. As testemunhas relataram que O.J. estava de bom humor. Seu comportamento, ao que tudo indicava, não era o de um assassino. Era a partir desses minúsculos fios de relatos que McKenna — e Bailey — acreditavam ser possível costurar dúvidas razoáveis sobre as alegações contra o réu.

McKenna viajou para Los Angeles e, chegando ao escritório de Shapiro, encontrou um ambiente de trabalho peculiar. Depois da movimentada audiência preliminar, Shapiro tinha voltado a trabalhar de forma mais esporádica, como era seu costume. Enviava à equipe memorandos enigmáticos. No dia 18 de agosto, por exemplo, Shapiro mandou a seguinte mensagem para todos os investigadores: "Goldman foi demitido do California Pizza Kitchen. Teria dado uma Coca-Cola a um cliente sem cobrar. Vou averiguar". Quando Shapiro estava no escritório, os investigadores muitas vezes o encontravam autografando fotos suas com uma caneta de ouro. A presença intermitente de Shapiro no escritório do 19º andar, considerado o centro nevrálgico do trabalho, criava uma atmosfera de desorientação, em parte por causa do atrito entre os funcionários. Shapiro havia contratado seus próprios investigadores, liderados por Bill Pavelic, que mostrou o arquivo de Fuhrman para a defesa pela primeira vez. O temperamental ex-detetive do DPLA não gostava de estranhos como McKenna dando pitaco em sua área. Os problemas foram agravados quando Shapiro, novamente aconselhado por Bailey, contratou outro investigador, John McNally, um ex-policial de Nova York que trabalhara com Bailey por mais de vinte anos. Com seu jeito rude, McNally tomou uma antipatia imediata por Shapiro e sua estreita relação com a mídia. Pouco depois de chegar, McNally mexia em algumas caixas com documentos do processo quando, para sua surpresa, viu um homem perambulando pelo escritório e tirando fotos. Era Roger Sandler, o fotógrafo das revistas *Time* e *Life*. Havia documentos confidenciais por toda parte, e McNally queria expulsá-lo na hora, mas o fotógrafo tinha carta branca de Shapiro.

Sem querer se intrometer e preocupado com suas próprias causas, Bailey passava pouco tempo em Los Angeles, e se limitava a ouvir as reclamações de McKenna e McNally. O advogado continuava próximo a Shapiro, e sempre que ia a Los Angeles ficava na casa do melhor amigo de Shapiro, Michael Klein, em Beverly Hills. Bailey fez tudo que pôde para apaziguar seus investigadores, e contratou outro protegido, Howard Harris, um especialista em banco de dados, cuja missão era digitalizar os volumosos arquivos do caso. Houve uma época em que McKenna ficou várias semanas sem ver Shapiro, e só o encontrou quando foi à casa dele instalar o computador de seu filho. "Não se preocupem", Bailey dizia a seus investigadores quando se queixavam de Shapiro. "Ele tem um estilo diferente do nosso. É um advogado brilhante." Na maior parte do tempo, Bailey ficava na Flórida, mas conseguiu publicar uma edição em brochura de sua autobiografia, *The Defense Never Rests* [A defesa nunca descansa]. Uma nova chamada foi adicionada à capa: "O aclamado advogado de defesa de O.J. Simpson recria seus mais famosos casos de esposas assassinadas".

Durante o verão, as tensões aumentaram entre o lado de Shapiro (Pavelic e vários investigadores que trabalhavam meio período) e o grupo de Bailey (McKenna, McNally e Harris). Em parte, os desentendimentos eram de natureza filosófica. A equipe de Bailey preferia fazer uma dissecação minuciosa do caso da promotoria. Por exemplo, McKenna e McNally — e ocasionalmente até Bailey — percorriam de cima a baixo a Bundy Dr. e batiam às portas das casas tentando encontrar testemunhas que contradissessem a teoria da promotoria sobre quando o cachorro começou a latir (e, portanto, quando o crime ocorreu). Dessa forma, Bailey esperava minar paulatinamente o caso da promotoria.

Em contrapartida, Pavelic preferia uma abordagem mais direta, e passava a maior parte do tempo procurando teorias sobre a identidade do "verdadeiro assassino". Quase todos os dias, o investigador chegava ao escritório de Shapiro com uma nova teoria mirabolante. Em 22 de junho, por exemplo, Pavelic enviou um memorando a Shapiro afirmando: "Há rumores de que a namorada de Ron descobriu tudo sobre ele e Nicole Simpson... e matou os dois". Pavelic tinha ainda muitas outras teorias.

"Um ladrão viu os caras que cometeram o crime!", anunciou um dia. No memorando que descrevia essa versão, Pavelic relatou que tinha falado com o ladrão, que "lembrava claramente ter ouvido um dos suspeitos dizendo: *Corta a garganta dessa vadia amante de crioulo*". (Para o azar da defesa, o ladrão também alegava ter visto Polly Klaas sendo assassinada e John Gotti matando alguém.)

"Foi encontrado sêmen no ânus de Goldman. Foi um crime passional entre gays!" (A autópsia não revelou indícios nesse sentido, e Goldman não era homossexual.)

"Durante uma parada gay, um manifestante viu dois homens cobertos de sangue em uma cabine telefônica gritando: 'O.J. vai pagar pelo que fez com a gente!'." (Difícil de acreditar. "Você só pode ser maluco", McNally disse a Pavelic.)

Pavelic não via problema em eventuais conflitos entre as teorias. Seu entusiasmo não tinha limites, assim como seu desprezo pelos investigadores de Bailey. Howard Harris passou bastante tempo configurando um programa de computador que permitiria à equipe de defesa acessar praticamente todos os endereços e telefones de Los Angeles. No dia em que o programa ficou pronto, Pavelic digitou o próprio nome na busca, e, para sua perversa satisfação, nada apareceu na tela — embora morasse na mesma casa havia anos.

Um dia, no final do verão, Shapiro convidou todos os investigadores para assistir ao filme *Forrest Gump* na mansão do amigo Robert Evans, em Beverly Hills. Antes que apagassem as luzes, Shapiro levantou-se e falou: "Sei que não tenho estado muito presente. Dizem que ando muito distante. Mas isso tudo vai mudar".

McNally, que gostava de provocar Shapiro, falou: "O problema não é esse, Bob. O problema é que ninguém trabalha por aqui". Shapiro pediu que colocassem o filme.

Após a escolha do júri, McNally decidiu dar um basta. A gota d'água foi quando Shapiro disse aos investigadores que Skip Taft, gerente de negócios de O.J., estava anunciando cortes de pagamento. McNally ainda tinha uns 22.500 dólares a receber por seu trabalho durante o verão. Em vez de aceitar o corte, John McNally resolveu voltar de vez para Nova York.

Os desentendimentos entre os investigadores eram apenas um reflexo da tensão velada que havia entre os advogados de defesa. Quando Cochran foi contratado, estava claro que sua posição era abaixo de Shapiro na hierarquia implícita da equipe. No entanto, o exato papel de Cochran no julgamento vindouro — uma questão que ficou indefinida durante todo o outono — pesava sobre Shapiro. Por um lado, o advogado sabia que não ganharia o caso sozinho e acolheu Cochran de braços abertos. Porém, desde o início, Shapiro se via como uma espécie de mestre de cerimônias da defesa, uma ideia que se tornava cada vez mais difícil de sustentar. Durante o outono, Cochran passou muito tempo na prisão com O.J., e Simpson foi ficando cada vez mais próximo dele e distante de Shapiro, que detestava visitar clientes no presídio. Além disso, a questão racial ganhava ainda mais destaque na estratégia de defesa, e Shapiro — apesar de ter sido o primeiro a aventar a ideia — não gostava de encarar as explosivas discussões em torno do assunto.

Simpson tinha contratado Cochran para representá-lo no tribunal, e o julgamento estava para começar. Poderia Cochran continuar em segundo plano? Não, não poderia — e esse pensamento inquietava Shapiro. Para evitar o inevitável, ele tentou manter o controle do caso da única maneira que sabia.

Em uma tarde no final do processo de seleção do júri, Bailey e Kardashian falavam com Simpson na pequena cela ao lado da sala de audiência do juiz Ito quando Shapiro veio se juntar aos três. Disse que tinha acabado de falar com os promotores, e que agora entendia melhor a teoria da acusação. "Os promotores acreditam que você estava bravo com Nicole porque ela não te convidou para jantar no Mezzaluna com as crianças", disse a Simpson. "Eles acham que você tava puto em casa, e então resolveu ir à casa dela, talvez pensando em furar os pneus do carro da mulher. Depois de um desentendimento, você a teria matado. E Goldman teria chegado logo em seguida."

Simpson e os advogados escutaram toda a história sem fazer nenhum comentário.

"Ou seja", continuou Shapiro, "há margem pra alegar homicídio com grau atenuado de culpa. E o Bob [Kardashian] teria que explicar a faca, mas não pegaria mais do que cinco anos de condenação como cúmplice por encobrimento."

Todos ficaram em silêncio. Não acreditavam que, àquela altura do campeonato, Shapiro fosse propor um acordo judicial. Mas fechar acordos era a especialidade dele, e para o advogado essa era a única maneira de continuar no comando do caso. Simpson não rejeitou a proposta, mas tampouco a levou a sério, e a conversa simplesmente mudou de rumo.

Ao dar essa cartada final, Shapiro negligenciava os próprios conselhos sobre a importância de respeitar os desejos de clientes famosos.

Não havia motivo lógico para sugerir um acordo naquele momento. A polêmica racial em torno de Fuhrman tinha contaminado o julgamento de uma forma que só traria vantagem à defesa. Graças a Cochran, havia certa tendência a que a seleção do júri constituísse um corpo de jurados politizado e a favor da defesa. Ao propor que Simpson se declarasse culpado — justo quando sua completa absolvição era mais provável do que nunca —, Shapiro se indispunha sobremaneira com seu cliente (e também com Kardashian, fiel escudeiro de Simpson). Foi então que a saída de Shapiro da liderança se tornou inevitável.

...

O fim iminente de seu reinado como principal advogado de defesa levou Shapiro a manifestar comportamentos cada vez mais inadequados. No início de dezembro, o advogado mandou um presente para vários repórteres que cobriam o caso (inclusive para mim): um grande frasco de colônia masculina da marca D.N.A. A notícia sobre o presente não tardou a vazar na imprensa, e quase todas as reportagens salientavam a natureza inapropriada do gesto. (Como a maioria dos repórteres, devolvi o presente com um bilhete educado.) Até o amigo de Shapiro, Michael Klein, ficou consternado: "Bob, você não percebe que estamos tratando do assassinato de duas pessoas?".

Klein também presenciou outro estranho episódio envolvendo Shapiro. No final de dezembro, o advogado decidiu tirar alguns dias de férias e levar a esposa e os dois filhos para o Havaí. Klein comprou os bilhetes pela United Airlines, onde tinha contatos importantes. Na véspera da viagem, Shapiro ligou para Klein em pânico. Exigia que Klein usasse um pseudônimo nas reservas: Tony DiMilo. Klein não entendeu o porquê do sigilo. No entanto, mesmo desconfiado de que havia algo de errado com o amigo, aceitou fazer a mudança. Era uma formalidade inútil, claro, porque Shapiro foi reconhecido imediatamente, tanto no avião como no hotel. Durante a viagem, Bailey também recebeu um bizarro telefonema de Shapiro. Ainda na esperança de recuperar o controle do caso, ele suplicou: "Você precisa dar um jeito de afastar Johnnie".

Bailey foi evasivo na conversa, mas nunca diria algo assim a Cochran. Sempre atento à dimensão política do caso, Bailey sabia que Shapiro não tinha a menor chance de continuar no comando. Na verdade, Bailey tinha passado grande parte do outono cultivando sua relação com Cochran, de modo a garantir para si mesmo um papel de destaque no julgamento. Durante a longa chamada telefônica do Havaí, Shapiro falou com Bailey, por alto, sobre a questão da remuneração. É um assunto sempre delicado entre advogados, e, no caso de Bailey, era um ponto que estava em aberto há vários meses. Entretanto, como Bailey andava ocupado com outros negócios e tinha investido pouco tempo no caso Simpson, não se preocupou muito em resolver a questão. Ainda assim, não estava preparado para o que Shapiro lhe disse naquele momento: "Você sabe que está trabalhando como voluntário, certo?".

Bailey estava, de fato, trabalhando como voluntário, embora não soubesse disso. O acordo financeiro entre Shapiro e Simpson constava em uma carta datada de 24 de agosto de 1994. (Shapiro nunca a mostrou a Bailey.) "Prezado O.J.", dizia a carta. "A título de remuneração pelos serviços jurídicos por mim prestados, receberei de V. S.ª até o final do [...] julgamento a importância de 1 milhão e 200 mil dólares, a ser paga assim que possível ou em parcelas mensais de no mínimo 100 mil dólares." O documento declarava ainda: "V. S.ª não estará obrigado a efetuar qualquer pagamento adicional referente a serviços jurídicos prestados por [...] F. Lee Bailey, que serão de minha inteira responsabilidade, caso necessários". (O acordo de Cochran, assinado à parte, estipulava uma remuneração de 500 mil.) Bailey não sabia de nada disso na época. Tampouco sabia que, quando o papel de Shapiro no julgamento fosse reduzido, ele pararia de receber cheques mensais, e que, no final de tudo, receberia apenas cerca de 700 mil dólares de Simpson, além das despesas.

Na época da conversa telefônica, Bailey irritou-se com o modo presunçoso como Shapiro se referiu à questão da remuneração e à sua condição de colaborador voluntário. De fato, Bailey estava no caso mais pela gratificação pessoal que pelo dinheiro, mas ser tratado assim por Shapiro o indignava. (Mais tarde, Bailey negociou um modesto acordo financeiro com Skip Taft.) Com o telefonema, Shapiro só conseguiu antagonizar Bailey, um antigo aliado. Logo ficaria evidente que Shapiro não tinha mais ninguém a seu lado.

No dia 21 de dezembro, tentando aproximar-se de Cochran, Bailey lhe enviou um memorando de treze páginas e espaçamento simples com algumas considerações preliminares — isto é, um primeiro esboço da defesa —, destacando as melhores estratégias e táticas para o julgamento. O memorando, que se demonstraria bastante certeiro, lista uma série de possíveis argumentos de defesa para o julgamento, como "indícios comportamentais", que provariam que Simpson estava "tranquilo, feliz e afável" antes da viagem a Chicago, e que "seu estado emocional mudou" quando foi informado do assassinato. Havia também a defesa baseada na "cronologia do crime", que demonstraria que em nenhum momento houve uma janela de tempo de quinze minutos ou mais durante a qual O.J. poderia ter saído e cometido o assassinato. Sobre esse aspecto, Bailey escreveu: "Trabalhando de forma adequada, podemos plantar dúvidas nesse fértil jardim e esperar que cresçam e floresçam". Havia ainda a "falta de motivação" — não havia motivos para Simpson "massacrar a mãe das duas crianças pequenas que ele adorava", ainda mais "depois de demonstrar tanta calma ao confrontar [...] as aventuras sexuais de Nicole".

Em suma, segundo Bailey, as provas do caso "justificam uma atitude de indignação controlada. [...] Não se trata de fazer um pedido educado ao júri, mas uma exigência formal fundada na busca pela justiça. [...] A maneira com que a investigação do caso foi mal conduzida do início ao fim — inclusive a proteção e a preservação da cena do crime, a intervenção da equipe médica, o acesso irrestrito ao Ford Bronco, o atraso injustificável no exame de sangue, e a adulteração da amostra sanguínea para incriminar O.J. — será descrita no futuro como uma mancha na história da Justiça". Bailey acrescentou ainda uma nota de rodapé, demonstrando grande entendimento sobre o caso: "Nada do que foi descrito anteriormente terá muito valor a menos que nosso competente colega Cochran exponha tais argumentos traduzidos na linguagem popular do Centro de Los Angeles. Dada a composição do júri, ele provavelmente seria muito eficaz em fornecer essa tradução ele mesmo".

•••

Nada esperava por Pat McKenna na Flórida a não ser os resíduos de um divórcio conturbado. Portanto, ao contrário de McNally, o investigador decidiu ficar em Los Angeles, a despeito do corte de pagamento. Ele e Harris tiraram alguns dias de férias no fim do ano, e, quando voltaram ao escritório de Shapiro, no dia 4 de janeiro de 1995, detectaram certa frieza da parte de Bonnie Barron, secretária de Shapiro. McKenna a abraçou, como de costume, mas ela não retribuiu o abraço. Mais tarde naquela noite, enquanto tomavam uma bebida no hotel Bel Age, Harris e McKenna ainda tentavam decifrar o estranho comportamento da secretária. Durante a conversa, o celular de Harris tocou. Do outro lado da linha, estava Kristin Jeannette-Meyers, uma enérgica repórter que cobria tudo sobre a equipe de defesa para o canal Court TV.

Harris escutou a repórter por um momento. Um largo sorriso tomou conta de seu rosto e ele começou a exclamar sem parar: "Meu Deus! Meu Deus! Meu Deus!".

Quando Harris passou o telefone para McKenna e ouviu o que Jeannette-Meyers tinha a dizer, o investigador reagiu da mesma maneira. Era por *isso* que Barron estava chateada.

Jeannette-Meyers estava lendo uma coluna de Mike McAlary publicada naquele mesmo dia no *Daily News* de Nova York, com o título VAIN SHAPIRO DESERVES HIS FATE [SHAPIRO PAGOU PELA VAIDADE, em tradução livre]. A matéria começava dizendo: "O advogado passou o ano inteiro enganando o país. Todos acreditaram nele: um advogado heroico e esforçado em busca de um veredicto fantástico e grandioso. Infelizmente, Robert Shapiro é a típica invenção hollywoodiana: um personagem de caráter e profundidade desprezíveis".

A coluna continha informações privilegiadas conhecidas apenas por algumas pessoas. Mencionava as férias de Shapiro em Maui, no Havaí, que ele tinha viajado na primeira classe e os filhos na classe econômica, e que tinha se registrado hotel Grand Wailea com o pseudônimo Tony DiMilo. "Ao contrário da Vênus", brincou McAlary, "essa estátua não tem cabeça." McAlary observou que Shapiro "deixava os membros da equipe de defesa pasmados com seu desconhecimento dos fatos". O advogado achava, por exemplo, que Ron Goldman, na noite do crime, tinha ido a pé do Mezzaluna, onde trabalhava como garçom, à casa de Nicole, quando na verdade usou um carro emprestado. A matéria ilustrava a vaidade de Shapiro com ricos exemplos, como o fato de ter contratado uma secretária extra para selecionar, recortar e arquivar matérias a seu respeito. (A secretária em questão era Petra Brando, filha de Marlon e irmã de Christian, ex-cliente de Shapiro.) A coluna de McAlary terminava explicando como Shapiro tinha decidido cortar as despesas da equipe de defesa: "De sua poltrona na primeira classe do avião, Shapiro telefonou para o escritório e demitiu uma das secretárias contratadas com o dinheiro de O.J. para recortar jornais".

Quando a repórter terminou de ler a coluna, McKenna e Harris sabiam exatamente o que fazer. Usando o celular de Harris, ligaram para John McNally, em Nova York. Rindo, McKenna perguntou a McNally: "Seu desgraçado! Como teve coragem de falar aquela merda toda sobre Shapiro pros jornais?".

McNally devolveu, também rindo: "Que se foda aquele cuzão. Além do mais, ele ainda tá me devendo dinheiro".

Para Robert Shapiro, a coluna de McAlary não era motivo de risada. Havia semanas que andava agitado, tomado por sentimentos conflitantes em relação à sua função no caso. Por um lado, adorava o recém-descoberto prestígio social, e ficava satisfeito com a atenção que recebia em restaurantes e eventos públicos. No verão, quando o telão do Rose Bowl focou em seu rosto durante um show dos Rolling Stones, Shapiro acenou para a câmera e a multidão aplaudiu com entusiasmo. Porém, também se irritava com a intromissão da imprensa em quase todas as suas aparições públicas. No dia 25 de dezembro de 1994 — pouco antes da matéria de McAlary ser publicada — uma coluna de fofocas do *Los Angeles Times* observou maldosamente que Shapiro "não perdia uma única inauguração". Até Simpson percebeu que o advogado atraía muita atenção da mídia e pediu a ele que fosse mais discreto. Shapiro concordou, mas a orientação, além de chateá-lo, foi uma péssima notícia para a esposa, Linell, que adorava as noitadas.

A matéria de McAlary feriu o elevado senso de dignidade de Shapiro. Furioso, o advogado encarregou Bill Pavelic de conduzir uma investigação secreta para descobrir quem tinha vazado as informações confidenciais. A resposta, previsível, veio depressa: o informante era McNally. Entretanto, em vez de culpar McNally, Shapiro voltou-se contra Bailey, a quem responsabilizou pela hostilidade do investigador. Shapiro decidiu então pagar na mesma moeda: disse a Mark Miller, da *Newsweek*, que não falava mais com o velho amigo Bailey. Na edição de domingo, 15 de janeiro de 1995, o repórter fala da suposta cisão na equipe de defesa. Segundo o artigo, uma fonte anônima da defesa (evidentemente Shapiro) acreditava que "instigados por Bailey, 'sabotadores em nossa própria equipe' estão tentando destruir a credibilidade e a reputação [de Shapiro] por meio do vazamento de informações para a mídia".

David Margolick, um repórter do *New York Times* que cobria o caso, decidiu averiguar e ligou para Shapiro naquele domingo. Dessa vez, o advogado aceitou ser citado diretamente. A matéria de Margolick, de 16 de janeiro, diz haver "um grande desentendimento, aparentemente irreparável", entre Shapiro e Bailey. Margolick cita Shapiro: "A palavra-chave pra mim é 'lealdade'. Meu compromisso com ele era pra toda a vida, porque ele me deu a oportunidade de representá-lo quando sua reputação profissional estava em jogo. Mas os acontecimentos recentes foram tão dolorosos que nunca mais poderemos voltar a ter qualquer ligação". Shapiro também disse a Margolick que torcia para que Bailey deixasse a equipe. "A presença dele perante este júri em particular não acrescenta nada. Johnnie e o restante da equipe dão conta do recado." Porém, com relação à palavra final sobre a permanência ou saída de Bailey: "Prefiro deixar a decisão com o sr. Cochran". Quando o *Los Angeles Times* entrou em contato, no dia seguinte, Shapiro foi ainda mais mordaz: "Não podemos deixar cobras dormindo na nossa cama".

Casos que envolvem muitos advogados de defesa inevitavelmente geram tensões internas, mas o ataque público de Shapiro a um colega foi inédito. (A guerra se estendia à vida pessoal de Shapiro, que insistiu que o amigo Michael Klein expulsasse Bailey de sua casa. Klein, um tanto constrangido, atendeu ao pedido.) Como todos os outros integrantes da equipe, Shapiro sabia da importância das relações públicas. Naquele momento, às vésperas das declarações iniciais — quando as partes expõem sumariamente aos jurados as provas que pretendem produzir —, a prioridade deveria ser enfatizar a inocência de Simpson, ou pelo menos explorar os pontos fracos da acusação. Em vez disso, Shapiro colocou a liberdade do cliente em risco, desviando o foco para suas próprias queixas, em claro detrimento de O.J. Em tempos de crise — por exemplo, durante a coletiva de imprensa após o sumiço de Simpson, no dia 17 de junho —, Shapiro sempre colocava os próprios interesses acima dos interesses do cliente. Para piorar a situação, grande parte de suas queixas contra Bailey eram infundadas. McNally de fato usou a imprensa para atacar Shapiro, mas Bailey não tinha nada a ver com a tramoia. Em resposta aos discursos inflamados de Shapiro, Bailey sabia que a melhor arma era demonstrar grandeza de espírito. Em nota, ele afirmou apenas que "se recusava sob qualquer circunstância a denegrir a imagem do sr. Shapiro. O que importa nesse caso não é Shapiro ou Bailey, e sim O.J. Simpson".

A polêmica terminou da única maneira possível: Simpson exigiu uma reunião na cadeia com os advogados para acabar com toda aquela troca pública de acusações. "Já joguei futebol com muita gente de que não gostava", disse Simpson, "mas time é time, e a gente precisava se entender. Vocês também precisam. É o trabalho de vocês."

Na manhã daquela quarta-feira, 18 de janeiro, os advogados se encontraram no escritório de Cochran pouco depois das 7h. Roosevelt Grier, pastor e ex-astro do futebol americano, também estava lá. Ele se aproximou de Shapiro e disse: "Avaliei a situação, e acredito que o irmão Bailey é inocente das acusações que fez contra ele. Acho que você deveria lhe pedir desculpas". Completamente sozinho na equipe de defesa, Shapiro não teve escolha senão proferir algumas palavras superficiais de desculpas a Bailey. Também atendendo a sugestão de Grier, Shapiro e Bailey chegaram juntos ao tribunal — "de braços dados", segundo a imprensa, o que não deixava de ser verdade. Quando saíram do carro de Shapiro, Bailey pousou a mão sobre o pulso do colega. Por um momento, era como se Shapiro olhasse para um peixe podre: não se desvencilhou, mas desceu os degraus até a porta com um misto de sorriso e careta.

Após a sessão daquele dia, os advogados se dirigiram ao saguão para uma coletiva. De pé entre Bailey e Shapiro, Cochran, agora claramente o líder da equipe de defesa, sorria enquanto afirmava que a defesa era uma frente unida. "A equipe dos sonhos nunca vai se separar", proclamou Cochran. Shapiro, com o olhar aflito, assentia de forma obediente. Questionado sobre a discórdia entre os colegas, Bailey se limitou a dizer: "Já passou". Aquela cena de união era ameaçada apenas pela presença — no fundo, atrás dos três advogados — do associado de Cochran, o jovem Shawn Chapman, e da colega de Shapiro, a advogada júnior Sara Caplan. Toda vez que os advogados diziam aos jornalistas que a rivalidade tinha acabado, virado história, ficado para trás e perdido a importância, os dois subordinados, que assistiram ao circo pegar fogo de camarote, desatavam a rir.

• • •

Shapiro continuava ressentido. Na sala do tribunal, o advogado sentava-se na extremidade oposta à de Bailey, e, durante os nove meses seguintes, os dois não trocaram uma única palavra. Fora do tribunal, a petulância de Shapiro tomava outra forma. Aos poucos — mas inexoravelmente —, expunha para um número cada vez maior de pessoas sua verdadeira opinião sobre o cliente. Desde que Shapiro assumira o caso, a esposa dele, Linell, não tinha o menor pudor em expressar sua opinião em encontros sociais: "Culpado, culpado, culpado". Dentro e fora dos escritórios da equipe de defesa, principalmente conforme se intensificava a polarização racial sobre o caso, Shapiro decidiu provar sua afinidade com a West Los Angeles que tanto estimava. A opinião daquela parte da cidade era a dele também. "Claro que foi ele", dizia Shapiro.

Por sua vez, Bailey, que não se preocupava muito se os clientes eram culpados ou inocentes, só queria voltar à ativa. Ironicamente, o ataque de Shapiro ocorreu antes que Bailey tivesse dito uma única palavra na sala de audiência.

No último arrazoado antes das declarações iniciais, Bailey finalmente se pronunciaria no tribunal pela primeira vez. A promotoria havia pedido ao juiz que aceitasse como prova o histórico de agressões de Simpson contra a ex-mulher. Era uma demanda importante, e cabia a Ito apreciá-la, mas os promotores desviaram o foco da questão principal e chamaram um perito canadense para depor sobre violência doméstica em geral. No final daquela sonolenta tarde de quinta-feira, Bailey começou a inquirir o dr. Donald Dutton, de Vancouver.

A natureza presenteou Bailey com uma voz potente, que se projetava para todos os cantos da sala. Suas mãos tremiam bastante, mas com uma delas no bolso e outra no púlpito, Bailey ainda sabia captar a atenção dos ouvintes. O advogado usava um modo de falar quase obsoleto nos tribunais norte-americanos, uma espécie de inglês britânico que combinava ironias extravagantes e floreios discursivos. Quando o dr. Dutton não entendia uma pergunta, Bailey colocava a culpa nas "vicissitudes do colóquio", e quando a testemunha canadense não compreendia algum outro assunto, Bailey pedia que tentassem "superar a barreira da língua em comum".

Ao inquirir Dutton, o promotor Scott Gordon pediu-lhe que explicasse uma expressão que tinha usado: "personalidade narcisista".

"Uma personalidade narcisista", explicou o especialista, "é observada em pessoas com uma visão exagerada ou grandiosa de sua própria importância. Essas pessoas têm a necessidade constante de receber algum tipo de reforço, exageram ao ouvir qualquer tipo de crítica e são incapazes de desenvolver empatia pelos outros."

No silêncio que antecedeu a próxima pergunta, Bailey parou e olhou para os demais membros da equipe de defesa. Em seguida, inclinou-se e sussurrou para Gerry Uelman: "Parece que ele está falando de todos nesta mesa".

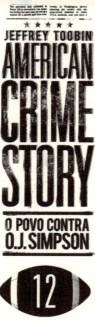

UMA VISITA DE LARRY KING

A decisão, o último entrave às declarações iniciais no julgamento de O.J. Simpson, era a mais importante da carreira de Lance Ito. De certa forma, a questão era simples: autorizar ou não a promotoria a apresentar ao júri o histórico de violência física e psicológica de O.J. Simpson contra a ex-esposa? No entanto, tal demanda suscitava profundas reflexões sobre a natureza dos julgamentos penais. Seria admissível omitir informações do júri, ainda que verdadeiras? Poderia haver provas *excessivamente* prejudiciais a um réu? Quando o marido trata a esposa com violência, é mais provável que venha a assassiná-la? O réu é julgado por seus atos ou por seu caráter?

Nessa e em todas as questões suscitadas no caso Simpson, Lance Ito procedeu de forma metódica. Todos os dias, o juiz vinha trabalhar cedo, por volta das 7h, quando o trânsito saindo de Pasadena, onde morava, ainda estava tranquilo, e o Fórum Central praticamente vazio. Subia até o nono andar e percorria o linóleo gasto do corredor que separava seu gabinete de sua sala de audiência, conhecida como Sala 103. De uma das janelas do comprido e estreito gabinete, dava para ver o prédio do *Los Angeles Times* e, atrás dele, as muitas torres comerciais do centro, embora a vista estivesse obstruída pelos papéis empilhados no parapeito. A decoração de Ito era típica de um workaholic moderno. Apenas dois objetos pessoais se destacavam das pilhas de arquivos e cabos de computador: um elegante retrato formal de Ito com a esposa, Margaret York, uma das mulheres do mais alto escalão do Departamento de Polícia de Los Angeles, e um pequeno pedestal com antigas bandeiras japonesas. Na idade adulta, Ito resolveu levar suas origens a sério. Californiano de terceira geração, crescera sabendo que os pais haviam se conhecido em um campo de concentração para nipo-americanos em Wyoming durante a Segunda Guerra Mundial. Até o nome de Lance Allan Ito era testemunha dos tempos difíceis da guerra: é uma homenagem ao advogado Lance Smith, que havia cuidado do patrimônio da família Ito durante sua permanência no campo de concentração, e ao pastor Allan Hunter, que levava comida e apoio moral aos detentos.

Pouco antes de a câmera na parede da sala de audiência começar a gravar, por volta das 9h, Ito saía do gabinete para tomar assento no tribunal e verificar se a papelada do dia estava em ordem. Como ainda não estava de toga, o bolso da camisa aparecia cheio de canetas — seu kit nerd. Quando estava com as vestes solenes completas, Ito se curvava, deixando a toga misturar-se com a barba preta, o que lhe dava um aspecto flácido e rechonchudo. Porém, essa era uma imagem equivocada. O juiz, na época com 44 anos, era magro, enxuto até, e já havia corrido em algumas maratonas.

Ao contrário das partes no processo, o juiz Ito trabalhava praticamente sozinho. Uns poucos estudantes de direito da cidade se revezavam em visitas a seu gabinete no decorrer do julgamento, mas era Ito que cuidava de todos os papéis, e tomava todas as decisões. Tinha medo, quase fobia, de comparecer despreparado ao julgamento, por isso estudava todos os casos citados pelos advogados. Eram muitas horas trabalhando depois das audiências, fosse no gabinete ou em casa, graças a uma conexão com a rede de computadores do trabalho.

Ito, como qualquer um, entendia a importância do histórico de violência doméstica de Simpson para a tese da acusação. Os promotores haviam pedido seu parecer sobre 59 "fatos ou episódios relevantes de desvio de conduta do réu" — inclusive a condenação de Simpson em 1989 por agredir Nicole, e a ligação desta para o 911 em 1993, em que ela pede ajuda policial enquanto se ouve O.J. aos berros no fundo. A decisão de Ito determinaria se a abordagem da promotoria seria mais direta e técnica, baseada exclusivamente em provas circunstanciais e periciais, ou um dramalhão em cima de uma situação de violência doméstica que foi se agravando até culminar em morte.

Ito se debatia entre as duas possibilidades com uma meticulosidade *sui generis*. Pediu às partes que fizessem uma tabela enumerando os incidentes, com uma argumentação sucinta que explicasse por que a prova em questão deveria ser admitida ou excluída. Assim como fez várias vezes no decorrer do processo, Ito pediu aos advogados que entregassem as informações em um disquete, para que pudesse acessá-las livremente. Ele lia os processos, relia alguns, e então começava a analisar os episódios de violência doméstica, um por um. Para não atrasar o julgamento, Ito teria até 18 de janeiro para proferir sua decisão. Até lá, não revelaria suas conclusões a ninguém. Ou quase ninguém.

O magistrado contou a Larry King qual seria sua decisão.

• • •

Lance Ito era uma figura paradoxal. Embora fosse um jurista consciencioso, cujo trabalho refletia a seriedade e o rigor de sua conduta, na prova de fogo que foi o julgamento de Simpson, deixou transparecer outra faceta de seu caráter. Infelizmente, ao longo desse extenso processo, o lado menos admirável de Ito começou a vir à tona. Com frequência, durante o julgamento, o juiz se comportou como qualquer outro morador de Los Angeles fascinado por celebridades. O problema, porém, foi mais grave que um simples deslumbramento. Ito padeceu, afinal, de uma ânsia desmedida de agradar, uma relutância em ofender — e uma ausência fatal de decoro.

A revelação que fez a Larry King, escandalosamente inapropriada (a qual o entrevistador, para alívio de Ito, guardou em segredo na época) foi apenas um dos sintomas do mal que afligia o magistrado. Sua extraordinária entrevista para a KCBS — que só aconteceu porque Ito cedeu aos apelos do marido de Tricia Toyota, um velho amigo seu — foi outro sintoma. Um terceiro exemplo foi quando se discutia se câmeras na sala do tribunal deveriam ou não ser mantidas.

No fundo, Ito adorava a atenção das câmeras, e nunca pensara seriamente em privar os espectadores da possibilidade de assistir ao julgamento, mas o juiz gostava de provocar a imprensa. No dia da audiência com advogados da mídia, 7 de novembro, Ito resolveu dar seu próprio show. Solicitou que as 21 caixas de correspondências que havia recebido pedindo a proibição de câmeras no tribunal fossem empilhadas ao lado de sua bancada. (O jornalista de Chicago Mike Royko havia iniciado uma campanha para que as pessoas escrevessem cartas para o tribunal). Apontando para a correspondência, Ito perguntou a Kelli Sager, advogada que representava diversos veículos de imprensa: "Você diz que fala em nome do público e que ele tem interesse em saber o que se passa aqui, mas a imensa maioria das pessoas quer que eu desligue as câmeras. O que me diz sobre isso?".

Sager, que marcou presença diversas vezes no decorrer do julgamento, acabou com a cena das caixas empilhadas em dois tempos. "Meus clientes certamente teriam prazer em promover uma campanha de cartas se fosse essa a forma adotada pelo judiciário para decidir questões neste caso", disse. "Mas peço a Vossa Excelência que não tome decisões [...] com base na opinião pública. Se 20 mil pessoas escrevessem dizendo 'Achamos que os exames de DNA devem ser acolhidos como prova', tenho certeza de que Vossa Excelência não tomaria uma decisão com base nessas manifestações." Ito abaixou a cabeça. As câmeras continuaram lá, e a pilha de caixas entrou para a entrevista da KCBS como símbolo da ingenuidade de Ito.

Quem já tinha visto pela televisão a sala onde Ito presidia as audiências sempre dizia a mesma coisa: como era pequena! A sala era do tamanho de uma quadra de tênis, com apenas quatro fileiras de bancos para espectadores. Nos tribunais, assim como em casamentos, o lado em que você está determina onde vai sentar, de modo que a acusação e a defesa marcaram seus respectivos territórios logo no início do julgamento. Atrás dos promotores, próximo à ala dos jurados, ficavam as famílias das vítimas. Kim, irmã de Ronald Goldman, vinha praticamente todos os dias, assim como sua madrasta, Patti. O pai de Ronald, Fred, estava presente várias vezes por semana. Já a família Brown era menos assídua: a mãe de Nicole, Juditha, era quem mais aparecia; já as três irmãs, Denise, Dominique e Tanya, raramente eram vistas. A imprensa, ocupando sua apertada cota de 25 lugares, rodeava a família das vítimas. Atrás dos repórteres, ficavam, em pé, três fotógrafos e dois técnicos que operavam remotamente a câmera da parede.

A defesa também tinha um elenco quase fixo. As duas irmãs de O.J., Carmelita Durio e Shirley Baker, além do marido de Shirley, Ben, vinham todos os dias. Acreditavam piamente na inocência de Simpson, mas tratavam quem não acreditava — inclusive as famílias das vítimas e muitos dos repórteres — com toda a delicadeza. Ito mantinha quatro lugares no lado da defesa para seus próprios amigos, e, na fileira de trás, meia dúzia de ganhadores do sorteio do dia para assistir à audiência se acomodavam em seus lugares. E isso era tudo: cerca de cinquenta pessoas. Era o tipo de lugar em que os rostos novos chamam atenção, e, no dia 14 de janeiro, não havia como não notar a chegada de Larry King.

O *Larry King Live* era um dos programas em que Faye Resnick daria entrevista após o lançamento de seu livro em outubro, e Ito havia escrito para a CNN e as outras emissoras pedindo o adiamento das entrevistas. Ao contrário do programa de Connie Chung na CBS, o programa de Larry King cancelou a entrevista, e Ito lhe escreveu para agradecer e convidou o apresentador a dar um pulo em seu gabinete. (Foi um gesto delicado, mas que também mostrava o quanto gostava de receber visitas ilustres.) Assim, no dia 14, durante o recesso do meio da manhã, Larry King, sua produtora executiva sênior, Wendy Walker Whitworth, e a filha de Larry King, Chaia, foram conduzidos ao gabinete de Ito. Mal se contendo de empolgação com a presença do jornalista, o juiz disparou a falar sobre a decisão que precisava tomar a respeito dos indícios de violência conjugal. "Sei que a ligação de Nicole para o abrigo é contundente", disse Ito para seus atônitos convidados, "mas é uma prova indireta. Não posso aceitá-la." A conversa prosseguiu por cerca de quarenta minutos, sobre vários assuntos — os planos de Ito de trabalhar no juizado de menores no futuro, os estudos de Chaia na American University —, até que por fim Larry King perguntou: "Não está na hora de voltar para o tribunal?".

Com o recesso programado para durar apenas quinze minutos, Ito viu-se diante de um grupo impaciente quando retomou seu assento. Para o espanto geral, Larry King e sua comitiva entraram também pela porta dos fundos do tribunal. O.J. levantou-se em deferência à ilustre visita e avançou para cumprimentá-lo, mas os oficiais de justiça o conduziram de volta ao lugar. Mesmo contido, O.J. ainda disse a Larry King: "Obrigado por ser tão justo". Em seguida, o apresentador foi até Robert Shapiro, que lhe deu um abraço de urso. Depois, cumprimentou Lee Bailey. Todo essa atenção dedicada à defesa incomodou Suzanne Childs, a irrequieta assessora de comunicações de Gil Garcetti (e futuro interesse romântico de King). Childs saiu de seu lugar, foi correndo até King e levou-o à bancada da promotoria. "Eu sempre vejo seu programa!", disse Marcia Clark.

Naquele momento, Wendy Walker Whitworth começou a se sentir constrangida pela comoção que tinham causado, e apressou-se em sair. Para seu azar, a porta que encontrou dava para a cela onde Simpson ficava durante os recessos. Um oficial de justiça a deteve.

"A maioria das pessoas procura ficar bem longe daí", observou com sarcasmo.

Por fim, Larry King e sua comitiva, tendo percorrido a sala de tribunal como se fosse o convés de um navio de cruzeiro, saíram pela porta da plateia. O juiz Ito observou toda a cena com um sorriso sereno.

Minha própria visita ao juiz durante o julgamento serviu para mostrar a mesma avidez desconcertante por cair nas graças dos ilustres. Ao final de uma manhã, ainda na fase inicial do processo, a diretora de relações públicas do tribunal superior, Jerrianne Hayslett, disse que o juiz queria me ver na hora do almoço. Ito recebeu muitos repórteres ao longo do julgamento, embora a maioria dos juízes em casos de grande repercussão como esse prefira nem cumprimentar os jornalistas. Hayslett me levou ao gabinete de Ito.

A maior parte da nossa conversa girou em torno de banalidades: falamos sobre o tempo, minha decisão de trocar o direito pelo jornalismo, a paixão dele pelo mercado de pulgas do Rose Bowl, em Pasadena. A certa altura, comentei que aquele caso devia estar dando um trabalho e tanto.

Ito pausou por um instante, depois abriu um sorriso. "Quer ver uma coisa?", perguntou.

"Claro", respondi.

"Quer ver uma coisa incrível?"

Eu queria.

Ito tirou de dentro da escrivaninha um envelope que segurava como uma valiosa relíquia e me entregou. Abri e encontrei uma carta, cujo verso o remetente havia cuidadosamente forrado com papelão, para emoldurar.

Na breve mensagem, o autor dizia que acompanhava o caso pela televisão, e achava que Ito estava fazendo um ótimo trabalho em circunstâncias difíceis. "Arsenio Hall", dizia a assinatura, com um floreio.

Respondi que era uma carta muito bacana. Ito sorriu satisfeito.

• • •

As contradições entre o juiz sério e o desmiolado eram reflexo do passado de Lance Ito. De todos os envolvidos no caso, ele era o único nascido em Los Angeles, onde tinha raízes profundas. O avô do juiz havia participado da fundação da primeira igreja metodista inter-racial da cidade, e seu pai, James Ito, fora criado na classe média consolidada. James formou-se na faculdade, começou a cultivar hortaliças em um terreno de onze hectares em West Covina e até entrou para a Guarda Nacional da Califórnia no início da Segunda Guerra Mundial. Assim como aconteceu com vários outros nipo-americanos, a guerra virou a vida de James Ito pelo avesso. Foi exonerado da Guarda, teve de vender seu patrimônio e entrar para um campo de concentração — tudo em apenas duas semanas.

Lance nasceu em 1950, e seus pais, que acabaram se tornando professores, foram morar em Silver Lake, um bairro de classe média perto do estádio do Los Angeles Dodgers. James Ito já havia alimentado esperanças de ter uma carreira de mais prestígio, mas a guerra as frustrou, e ele canalizou suas esperanças para o jovem Lance, cuja infância foi praticamente o estereótipo da vida americana. No ensino médio, foi presidente do grêmio estudantil na multirracial John Marshall High School, e destacou-se no escotismo, merecendo a cobiçada Eagle Scout, medalha máxima dos escoteiros nos Estados Unidos. Seu chefe escoteiro, um jovem advogado chamado Delbert Wong, tornou--se uma espécie de mentor e exemplo para ele. (Wong seria um dos primeiros americanos de ascendência asiática a se tornar juiz de um tribunal superior na Califórnia. Já estava aposentado da magistratura quando Ito o designou para examinar o conteúdo do "envelope misterioso" do caso Simpson.)

Ito não foi lá um adolescente muito rebelde: sua maior ousadia foi recusar-se a aprender japonês, contrariando a vontade dos pais. Ao chegar à UCLA em 1968, trazia consigo o intelecto privilegiado e tudo a que uma boa vida em tempos de Beach Boys dava direito: uma coleção de pôsteres da *Playboy* para decorar o quarto, um aparelho de som, uma bela namorada e um Mustang Boss 302 com persiana no vidro traseiro, tomada de ar no capô e rodas cromadas Magnum 500. Tinha também uma visão irreverente da traumática experiência nipo-americana nos Estados Unidos. Ito morava no Sproul Hall, moradia estudantil da UCLA — que ganhou o apelido de Bacchus House, em alusão a Baco, nome latino para o deus grego do vinho — e no dia em que se relembrava o ataque a Pearl Harbor, o futuro juiz colocava um chapéu de aviador de couro surrado e uma capa improvisada e corria pelos corredores gritando: "Banzai!".

De qualquer forma, as sementes de uma carreira jurídica estavam lançadas. Na faculdade, Ito foi diretor do estacionamento estudantil na UCLA, uma tarefa de mediação fundamental em uma cidade abarrotada de carros como Los Angeles. Ito também se sobressaiu nos estudos e se formou com louvor em Ciência Política, além de conquistar uma vaga na eminente escola de direito da Universidade da Califórnia, em Berkeley, a Boalt Hall. Formado pela Boalt em 1975, Ito passou dois anos em um escritório de advocacia, e depois se tornou promotor público adjunto em Los Angeles.

A experiência de Ito na promotoria foi determinante para sua carreira. Especializou-se em processos contra gangues violentas de Los

Angeles e, por fim, foi designado para uma unidade especial dedicada a julgar esses casos grandes e complexos (e, de quebra, conheceu sua futura esposa, que na época era investigadora de homicídios, no local de um crime, às 4h da manhã). Foi em 1983 e 1984 — durante o mandato de Robert Philibosian, um dos poucos republicanos a trabalhar como promotor de justiça de Los Angeles nos últimos anos — que a carreira de Ito decolou.

Nas palavras de Philibosian: "Lance era democrata e eu republicano, mas ele simpatizava muito com o que estávamos tentando fazer na época". Uma das coisas mais importantes que Philibosian fez ao deixar a promotoria de Los Angeles foi ajudar a promover uma revolução para derrubar o Supremo Tribunal da Califórnia, na época um dos tribunais mais liberais do país. Liderada por Rose E. Bird e outras pessoas nomeadas durante os dois mandatos de Jerry Brown como governador, o tribunal, composto por sete integrantes, travou uma longa e rancorosa batalha com os promotores, que só terminou quando Bird e dois de seus colegas foram destituídos por voto popular em 1986 — briga que Philibosian ajudou a liderar. (Hoje, o tribunal é bem mais conservador.) "Lance não era muito fã de Rose Bird", disse Perry Mocciaro, colega de Ito na faculdade de direito, com quem o juiz manteve amizade. "A imagem que fazia dela não era diferente da que faziam todos os demais promotores do estado." Ito não teve participação direta na destituição, mas não fazia questão de esconder o que achava do tribunal de Bird. Naquela época, a moldura da placa do carro dele trazia a identificação SUPREMO TRIBUNAL DA CALIFÓRNIA, mas a placa personalizada do jovem promotor, só para se ter uma ideia, trazia os dizeres 7 BOZOS [Sete patetas]. Em 1987, Philibosian recomendou Ito a um colega republicano, o então governador George Deukmejian. O governador o nomeou juiz municipal naquele ano, e, em 1989, para o tribunal superior, onde permaneceu até se aposentar. Alçado à magistratura, Ito trocou a placa do carro, mas não trocou, aparentemente, a postura por trás dela.

• • •

A palavra "verdade" era um dos bordões mais ouvidos nos discursos de ataque à ministra Bird e outros liberais do Judiciário. Ito também viria a usá-la em um de seus primeiros pareceres no caso Simpson. "A Justiça deve sempre lembrar que este processo é uma busca pela verdade", escreveu.

A afirmativa de que o julgamento é a busca da verdade pode parecer elementar para leigos, mas, na realidade, a ideia é objeto de um acirrado debate ideológico no meio jurídico. A abordagem centrada na verdade transcende as tradicionais linhas de combate entre o Estado e a defesa. A "escola da verdade", como às vezes é chamada, diz que o princípio primordial é proteger réus inocentes de serem condenados injustamente. Porém, não há uma preocupação com o réu culpado que é condenado, mesmo quando a polícia possa ter violado alguns princípios da Constituição na coleta de provas. E é aí que mora o problema.

Durante mais de uma geração, a saída do sistema judiciário para improbidade policial foi excluir as provas obtidas nessas condições — e isso significa que, às vezes, os culpados ficam soltos. Os adeptos da escola da verdade dizem que, embora não aprovem a ação policial inconstitucional, acreditam que excluir provas não é necessariamente a melhor forma de lidar com os desvios de conduta. Sugerem que, caso a polícia viole os direitos de alguém, é preferível que a pessoa ofendida ajuíze uma ação civil de indenização contra a polícia — ou então que os policiais infratores recebam sanções administrativas por violar a Constituição. Contudo, em qualquer processo penal, segundo a escola da verdade, devem ser apresentadas ao júri todas as provas fidedignas contra o réu, sem levar em conta a conduta da polícia. Como disse Akhil Reed Amar, professor da Escola de Direito da Universidade de Yale e um dos principais adeptos da escola da verdade: "Os processos penais não devem ser tratados como uma competição ou jogo em que o juiz só tenta aparar as arestas entre os dois lados. O importante é que o júri tenha acesso a todos os fatos para tomar a decisão correta". Quando os juízes precisam deliberar se vão apresentar ou não todas as informações disponíveis ao júri — sobre os antecedentes do réu, por exemplo —, os adeptos da escola da verdade em geral defendem que os jurados devem tomar conhecimento de tudo e tirar as próprias conclusões.

•••

O dia escolhido por Lance Ito para ouvir os argumentos das partes e analisar a admissibilidade das provas relacionadas aos episódios de violência doméstica — 11 de janeiro de 1995 — revelou-se fundamental para o desenrolar do caso. Foi o dia em que Ito determinou que os jurados ficassem confinados em um local secreto — o InterContinental Hotel, no Centro de Los Angeles. Os jurados agora estavam oficialmente sem nada para fazer. Essa imposição pessoal a esses cidadãos, assim como a decorrente oneração dos contribuintes do distrito, deram nova urgência à vontade de Ito de iniciar logo o julgamento. Antes de 11 de janeiro, repórteres e outros espectadores eram autorizados a entrar na sala do tribunal mais ou menos por ordem de chegada. Mas nesse dia, pela primeira vez, os lugares da plateia estavam marcados, e os oficiais de justiça só permitiam a entrada de quem tivesse ingressos numerados. Os preparativos finais estavam quase concluídos. O restante dos lugares foi preenchido por familiares das duas vítimas. Não havia dúvidas: o momento crucial estava próximo.

A tensão do réu era visível. O.J. Simpson tinha fama de tagarela. Os amigos dele sabiam que, quando conversavam com ele ao telefone, podiam tranquilamente abaixar o gancho por alguns minutos, que voltariam para o mesmo monólogo, ininterrupto. E nenhum assunto o fazia falar mais que seu relacionamento com Nicole. As pessoas que visitavam Simpson na cadeia o achavam quase obcecado pelo tema. "Nicole queria voltar comigo", dizia O.J. "Eu queria me afastar dela. Como podem dizer que matei ela porque eu queria voltar?" Simpson também falava bastante no tribunal. Todo juiz dá uma certa liberdade para os advogados e os clientes se comunicarem no tribunal, mas Simpson parecia intimidar Ito, e, durante todo o julgamento, o juiz praticamente deixava o réu à vontade para tagarelar. O problema ficou evidenciado no dia 11. Enquanto os advogados destrinchavam o relacionamento de O.J. e Nicole, o réu também fazia comentários em alto e bom som.

A defesa era representada por Gerald Uelman. O professor de Los Angeles, de fala vagarosa, não levava muito jeito para as relações públicas, e logo de saída fez algo que nem Cochran nem Shapiro teriam ousado. Uelman pediu ao juiz que expulsasse os familiares de Nicole Brown da sala, pois eles poderiam ser chamados a depor sobre assuntos que seriam discutidos no tribunal naquele dia. Na verdade, a família de Nicole havia sido exaustivamente interrogada sobre o assunto pelos investigadores da polícia; a defesa guardava cópias de todos os relatórios. A demanda de Uelman apenas instigou a promotoria a levantar a bandeira dos direitos da vítima. A família de Nicole Brown, disse Christopher Darden, "gostaria muito de saber a verdade e conhecer as circunstâncias da morte da filha e irmã. Depois de sofrer com a morte dela pelas mãos do réu, duvido que vá acontecer algo aqui [...] hoje que as afete mais do que já foram afetadas ." Ito concordou. A família de Nicole Brown ficou.

A posição da defesa sobre os indícios de violência doméstica era simples e foi bem colocada por Uelman já no começo da audiência. Ele citou as razões apresentadas pela promotoria, que diziam: "Trata-se de um caso de violência doméstica que envolve assassinato, e não de um caso de assassinato que envolve violência doméstica". E redarguiu: "Ao rotular o crime como um caso de violência doméstica, eles estão tentando distorcer esse processo, que deixa de ser uma investigação sobre quem matou Nicole Brown Simpson e Ronald Goldman no dia 12 de junho de 1994 para se tornar uma investigação geral sobre o caráter de O.J. Simpson, na qual ele é convocado a explicar cada aspecto dos últimos 17 anos de sua vida. Porém, existe um problema fundamental nisso que a promotoria está tentando fazer". O problema, disse Uelman, citando um caso conhecido, era que "é fundamental para a jurisprudência norte-americana que o réu seja processado pelo que fez, e não por seu caráter".

O argumento de Uelman era trivial e totalmente pertinente. Mas, por trás do discurso arrastado e das prestigiosas credenciais, escondia-se um homem que não perdia uma briga. Uelman daria ao caso seu próprio "rótulo". "Não há aqui nenhum traço convencional de violência doméstica ou crime passional", disse ele. "Quantos casos de violência doméstica envolvem mais de uma vítima?"

"Quantos envolvem assassinato com uso de faca?"

"Quantos envolvem silêncio absoluto antes do crime, indicando que o ato foi cometido na surdina, e não foi precedido por nenhum tipo de briga ou confronto violento?"

"Na verdade, se fôssemos colocar um rótulo no caso com base nesses fatores, o rótulo seria o de um típico crime relacionado a drogas, em que a existência de mais de uma vítima, o uso de facas, a dissimulação, são todos elementos bem mais frequentes do que em casos de violência doméstica."

A menção de Uelman a drogas gerou certo clima de apreensão na sala. A insinuação era (e continua a ser) um disparate, mesmo na teoria de Uelman. Em primeiro lugar porque, à luz de qualquer teoria, Nicole era o verdadeiro alvo do crime e Ronald Goldman só estava no local por acaso — e seu assassinato se encaixava totalmente com a hipótese de um ataque de ciúmes de Simpson. Em segundo lugar, o que Uelman disse sobre facas não procede: a esmagadora maioria dos traficantes prefere armas de fogo. E, por fim, a maioria dos assassinatos em casos de violência doméstica acontece em residências ou próximo a residências, o que significa que muitas vezes a vizinhança não escuta. E o mais importante: nem Nicole nem Goldman tinham qualquer tipo de relação com o mundo das drogas que os pudesse tornar alvos de um "homicídio relacionado a drogas". A insinuação do advogado — uma calúnia que faria Nicole Brown e Ronald Goldman se revirarem no túmulo — marcou o início de uma nova fase da estratégia de defesa. A pista falsa da tese de "assassinato motivado por drogas" era o tipo de tática mais característica de F. Lee Bailey, que, sentado à bancada da promotoria, ao lado da tribuna, abriu para Uelman um largo sorriso em reconhecimento à manobra astuciosa do colega.

Uelman começou então a rebater, uma a uma, as 59 alegações de violência doméstica. Ele estava praticamente em sincronia com o réu, que, sentado entre Shapiro e Cochran, ia tecendo comentários sobre cada uma das acusações. (Shapiro também anotou as respostas de Simpson a todas as agressões a ele imputadas.)

O primeiro episódio foi em 1977, quando Simpson foi acusado de quebrar alguns porta-retratos durante uma briga com Nicole. "Foi *ela* que quebrou", O.J. cochichou para Cochran.

Uelman passou rapidamente para um dos episódios mais importantes, a briga na casa do casal no dia 1º de janeiro de 1989, após a qual O.J. optou por não contestar as acusações de que teria agredido Nicole. "Com relação a esse episódio", Uelman disse ao juiz Ito, "temos boletins de ocorrência, relatos em forma de cartas com explicações escritas pelo próprio réu, entrevistas e muitas informações sobre o que teria de fato acontecido. E, ao que tudo indica, o que aconteceu foi que, ao final de uma celebração de ano-novo em que tanto O.J. Simpson quanto Nicole beberam além da conta, eles começaram a discutir no quarto. A briga culminou em agressão física, e o sr. Simpson admite que durante o confronto estapeou e socou Nicole Brown Simpson."

Ao ouvir isso, O.J. quase pulou da cadeira. "Não é verdade!", falou para Cochran, que lhe deu um tapinha no ombro e pediu que se acalmasse. Em conversas com amigos e em várias entrevistas após o processo penal, Simpson demonstrou ter uma visão bem específica, e estreita, sobre suas ações durante aquela briga de ano-novo. Em depoimento no processo civil em que também figurou como réu, afirmou: "Nunca, nenhum vez, bati nela com o punho fechado. [...] Nunca dei um tapa em Nicole". Quanto ao que aconteceu naquele dia de janeiro, relatou: "Eu me ataquei com ela. [...] Quer dizer, pus as mãos nela e estava tentando tirar Nicole do meu quarto. [Curioso o possessivo usado aqui, já que ela também morava lá.] Ela caiu quando estava do lado de fora." A descrição que Uelman fez do incidente — que O.J. "estapeou e socou" Nicole — não conferia com a interpretação do próprio Simpson.

A promotoria alegava que O.J. também agrediu Nicole depois que um homem gay deu um beijo no filho deles, Justin. Em seus apontamentos sobre as respostas de O.J., Shapiro escreveu: "O.J. diz que isso aconteceu no Havaí, quando toda a família de Nicole estava presente. Nicole disse para O.J.: 'Várias pessoas pensam que seu pai é gay'. O.J. ficou furioso. Os dois trocaram insultos, mas não houve agressão física".

E a lista de incidentes continuava. Em 1993, depois do divórcio, Simpson escondeu-se atrás de um arbusto em frente à janela de Nicole em Gretna Green e ficou espiando enquanto ela fazia sexo oral em Keith Zlomsowitch. O ex-jogador disse a Cochran: "Foi na calçada" — isto é, ele espiava de um local público, e não escondido em um arbusto dentro da propriedade.

Após esse incidente, Simpson encarou Nicole e Zlomsowitch em um restaurante em Brentwood. "Eu só disse 'oi' para ela", defendeu-se O.J.

Ele seguia Nicole e, às vezes, usava disfarces. "De onde tiraram isso?", questionou Simpson.

No meio da tarde, durante a exposição de argumentos, um advogado que representava o abrigo Sojourn para mulheres vítimas de agressão, em Santa Monica apareceu no tribunal e entregou um fino envelope aos promotores. Ao fim de um longo dia no tribunal, Lydia Bodin, uma das promotoras adjuntas, divulgou o conteúdo do envelope. "O abrigo Sojourn informa que, no dia 7 de junho de 1994, recebeu o contato de Nicole Brown Simpson. Ela se queixou de que estava sendo perseguida. Estava com medo, confusa, não sabia o que fazer. Ela identificou o réu como a pessoa que a vinha perseguindo."

Mais uma vez, não foram poucos os que abafaram uma exclamação: a ligação tinha sido registrada apenas cinco dias antes do crime. Depois de ouvirem as palavras "7 de junho", Cochran e Shapiro pareceram abalados.

Era um momento triste. Sob qualquer parâmetro, Nicole Brown Simpson era uma mulher abastada, mesmo depois do divórcio. Apesar disso, na hora em que teve mais medo, quando estava com a vida por um fio, ela não se sentia capaz de procurar a polícia, os amigos ou mesmo a família. Não tinha a quem recorrer, a não ser um abrigo para mulheres vítimas de violência — a mesma instituição à qual o marido havia sido forçado a fazer uma doação depois de agredi-la em 1989.

E nem mesmo o último apelo de Nicole a esse abrigo, como todos que estavam ali puderam perceber, pôde salvar sua vida. Por um momento, até O.J. Simpson ficou sem palavras.

· · ·

O antagonista direto de Uelman na promotoria era Hank Goldberg. Ele até parecia, em alguns aspectos, uma versão em miniatura de Uelman. Também afável, com a pele e os cabelos tão claros que pareciam deixá-lo quase invisível, Goldberg fez um arrazoado quase perfeito sobre os indícios de violência doméstica — especialmente para um juiz como Ito, que tinha um pendor para a escola da verdade.

Goldberg começou propondo uma hipótese retórica ao magistrado. "Suponha que fôssemos julgar o caso, Meritíssimo, sem dizer ao júri que Nicole Brown Simpson já fora casada com o réu; como se fosse apenas o caso de uma mulher que foi assassinada", disse Goldberg. "Ronald Goldman seria apenas um homem que foi assassinado, e não mencionaríamos ao júri a existência de relacionamento algum."

A proposta, disse Goldberg, era evidentemente absurda. "Beira o inimaginável, porque o júri teria de pôr em dúvida todas as nossas provas, não importa quão contundentes fossem, que apontassem para o réu como autor do crime. Afinal, por que cargas d'água Orenthal Simpson mataria uma completa estranha, essa tal de Nicole? [...] Por que teria assassinado duas pessoas com tamanha brutalidade? Não faria sentido algum, e com certeza solaparia a tese da promotoria."

"Somente quando se entende a relação entre os envolvidos, quando se entende o ciúme, a possessividade, é que o assassinato e a brutalidade do assassinato de Nicole passam a fazer sentido."

Por fim, em um douto parecer de dez páginas em espaçamento simples divulgado em 18 de janeiro de 1995, Ito permitiu que a promotoria apresentasse ao júri provas relacionadas à maioria dos incidentes de violência doméstica relatados. A promotoria teria permissão para usar as provas mais contundentes — a agressão de 1989, a ligação para a polícia em 1993 —, mas não todas. Aparentando certo arrependimento, Ito não admitiu como prova a ligação de Nicole para o abrigo Sojourn em 7 de junho (era essa a parte da decisão que o juiz havia confidenciado a Larry King vários dias antes). "Para uma pessoa comum", escreveu Ito, "a relevância e o valor dessas provas são óbvios e convincentes, sobretudo as declarações feitas logo antes do crime." Porém, Ito acertadamente excluiu o relato de Nicole por constituir prova testemunhal inadmissível — assim como todas as "declarações em que uma vítima de homicídio expressa medo do réu, mesmo no próprio dia do crime".

No geral, a decisão de Ito sobre os indícios de violência doméstica era um exemplo paradigmático (e admirável) de como funcionava, na prática, sua filosofia jurídica centrada na verdade — assim como um alegre aceno para as declarações iniciais da promotoria. A preferência do juiz pela doutrina da verdade se estendia inclusive à nomenclatura utilizada por ele. Como disse Ito em seu parecer, a equipe de defesa de Simpson havia lhe pedido que proibisse a promotoria "de usar termos como 'esposa agredida', 'cônjuge agredida', 'violência conjugal', 'perseguidor' e 'perseguição' porque são indevidamente prejudiciais, incendiárias e não têm fundamento probatório". Ito ocupou-se rapidamente desse argumento. Com base no que havia visto das provas da promotoria, sentenciou de maneira seca e fria: "Restrição indeferida".

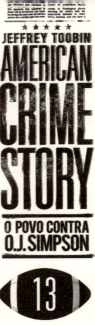

A CULPA É DA FAYE

Christopher Darden andava de um lado para o outro em frente à ala dos jurados. Enquanto caminhava, mantinha os olhos fixos no chão, e seu paletó balançava entreaberto.

"Estamos reunidos aqui hoje para resolver um problema, para responder a uma pergunta. Uma pergunta que tem ecoado na mente dos cidadãos de todo o país nos últimos sete meses. Uma pergunta que meu povo em Richmond, Califórnia, meus amigos em Fayetteville, Geórgia, e o país inteiro certamente gostariam de ver respondida. Todos querem saber a verdade. Todos que conheço me perguntam: O.J. Simpson realmente matou Nicole Brown e Ronald Goldman?".

A expressão "meu povo em Richmond" não foi acidental. A escolha das palavras e a referência ao local estavam carregadas de significado. Em geral, os americanos brancos não se referem aos familiares como "meu povo", e a maior parte deles não vive em Richmond, na Califórnia. A cidade natal de Darden fica perto de Oakland e tem uma população majoritariamente negra. Ao mencionar a cidade, o promotor tentava timidamente criar empatia com os jurados afro-americanos.

Darden estava nervoso, como qualquer um em sua posição estaria. Quando chegaram ao tribunal naquela manhã, 24 de janeiro, os advogados tiveram que passar por um corredor polonês de 26 câmeras e talvez o dobro de fotógrafos. Sete helicópteros da imprensa sobrevoavam o local. Até os espectadores de sempre — repórteres e familiares que se encontravam quase que diariamente nos últimos meses — demonstravam um comportamento mais silencioso, quase que reverente. Além disso, havia um rosto novo e importante entre eles. Eunice Simpson, mãe do réu — alta e imponente, embora debilitada pela artrite —, apareceu de cadeira de rodas no corredor central da sala de audiência. Juditha Brown, avó materna de Sydney e Justin Simpson, deu um abraço em Eunice. Com as mãos tremendo no colo pouco antes de Darden se levantar para dar início às declarações de abertura, Juditha deixou os óculos caírem no chão. De sua cadeira, Kim Goldman inclinou-se casualmente para apanhá-los. Recuperar os óculos de Juditha custara a vida do irmão de Kim.

A escolha de Chris Darden para expor os argumentos iniciais da acusação demonstrava o quanto o trabalho da promotoria tinha evoluído nos meses que antecederam o julgamento. Pouco depois da prisão de Simpson, Garcetti pediu a Darden que conduzisse a investigação do júri de acusação sobre o Ford Bronco. Na época, Darden estava desocupado. Havia sido nomeado para liderar o escritório da promotoria de Inglewood, mas ainda não tinha sido transferido. Como a reputação de Darden era impecável como investigador (mas nem tanto como advogado de tribunal), Garcetti e Hodgman acharam apropriado que trabalhasse com o júri de acusação. Porém, com o aumento das demandas no julgamento, especialmente na área pericial, Clark e Hodgman perceberam que não conseguiriam dar conta de tudo sozinhos. Clark, velha amiga de Darden, insistiu em que ele fosse convidado a se juntar à equipe. As tensões raciais em torno do caso tornavam Darden o candidato perfeito. A equipe precisava de um promotor negro.

A ascensão de Darden também era reflexo do declínio de Don Vinson. No final de janeiro, os resultados dos grupos focais de Vinson já eram coisa do passado. Os promotores decidiram usar os indícios de violência doméstica como eixo argumentativo. Clark e Hodgman dividiram o trabalho para que Hodgman focasse nas provas periciais e Clark se ocupasse dos depoimentos relacionados a 12 de junho de 1994. Com isso, os testemunhas de violência doméstica, cada vez mais numerosas, ficaram a cargo de Darden. Os advogados de acusação tentariam provar que o motivo do crime estava na relação ente O.J. e Nicole. Portanto, Darden era a pessoa mais indicada para dar início à apresentação da acusação perante o júri.

Darden foi direto ao cerne da teoria da promotoria: "A resposta à grande pergunta é: 'Sim, O.J. Simpson matou Nicole Brown e Ronald Goldman'. Sei que os senhores, ao longo do processo, vão refletir sobre o motivo. Já devem estar se perguntando: por que ele faria uma coisa dessas? O.J. Simpson não seria capaz de fazer isso. Não o O.J. Simpson que conhecemos. [...] Mas essa é outra questão importante. [...] Os senhores conhecem O.J. Simpson? [...]".

"Nós o vimos saltando sobre catracas e cadeiras e correndo para pegar o avião nos comerciais da Hertz. Nós o vimos usando um *black power* enorme no filme *Corra Que a Polícia Vem Aí 33 1/3* e em várias outras ocasiões, e por isso achamos que o conhecemos." Aqui, Darden fez uma pausa.

"Mas o que estávamos vendo, senhoras e senhores, era a figura pública, a persona pública, o atleta, o ator. E não é o ator que está sendo julgado aqui hoje, senhoras e senhores. Não é a figura pública. Como muitos homens públicos, [...] Simpson tem um lado privado, uma vida privada, uma imagem privada. E é essa a imagem que vamos expor neste julgamento, o outro lado de O.J. Simpson, o lado que os senhores nunca viram antes. [...]"

"Quando o que está por trás da imagem pública vier à tona, os senhores verão uma imagem diferente. E as provas vão mostrar que a verdadeira imagem de O.J. é a de um homem violento, que batia na mulher — um agressor, um controlador [...] a imagem do assassino de Ron e Nicole." Darden recitou a lista de abusos no relacionamento do casal: "Abuso doméstico, violência doméstica, perseguição, intimidação, agressão física, maus tratos, humilhação pública". A certa altura, disse ainda: "Lembrem-se de que todos esses tipos de abuso tinham por objetivo controlá-la". No entanto, a lista de incidentes, se analisada de perto, era bem diminuta. Durante o julgamento de Simpson, a acusação conseguiu apontar apenas um exemplo de espancamento: o incidente de 1989, em que Simpson foi preso e optou por não contestar as acusações. Não havia outros exemplos comprovados de violência física entre o casal. Nicole citava vários outros incidentes no diário que elaborou para o processo de divórcio, mas Ito tinha decidido (com razão) que o diário não seria admitido como prova. Neste ponto, o caso Simpson ilustrava um dos aspectos mais trágicos da violência doméstica: que ela geralmente ocorre sem testemunhas.

Ainda assim, como o promotor de justiça queria direcionar o foco do julgamento para a violência doméstica, Darden insistiu nessa linha argumentativa, por vezes se valendo de psicologia barata. "Ele acabou com a autoestima dela", disse Darden. "Era controlador a ponto de tentar definir a identidade de Nicole. Tentava definir quem ela era." Na teoria de Darden, até o que muitos considerariam uma mostra de generosidade era usado contra Simpson. Darden declarou com desdém que O.J. dava dinheiro a Nicole. "Aos 19, ela já tinha um Porsche. Foi ele quem deu." Segundo Darden, o presente também evidenciava seu desejo de estar no controle.

É provável que fosse tudo verdade, mas o discurso do promotor também podia ser visto como um grande constructo retórico baseado em poucos fatos concretos. Tal problema seria ainda mais agravado, é claro, pela composição do júri, cheio de pessoas predispostas a admirar Simpson e não dar tanta importância aos indícios de violência doméstica.

Darden encerrou sua fala com a história do recital de dança de Sydney na noite de 12 de junho. O promotor ganhava confiança à medida que falava, e já se dirigia ao júri e não mais aos próprios sapatos. O.J. chegou tarde ao espetáculo, e trazia flores para Sydney. Cumprimentou a todos da família Brown — "exceto Nicole", enfatizou Darden. Simpson colocou uma cadeira no canto do auditório, "sentou-se de frente para Nicole e ficou encarando a ex-mulher. Era um olhar ameaçador, um olhar penetrante. Havia raiva em seus olhos, e todos ficaram muito desconfortáveis com a situação".

A família Brown decidiu jantar no Mezzaluna. "Na saída, deixaram claro que o réu não era bem-vindo, e ele não foi convidado. Não ser convidado confirmou o que O.J. já sabia: estava tudo acabado. Já não seria tratado como membro da família. Já não era o centro dos eventos familiares. Nicole estava seguindo em frente com sua vida."

"Ao saírem do local, os familiares de Nicole olharam para o réu e viram que estava nervoso e deprimido, e ficaram preocupados, imaginando: o que será que ele vai aprontar dessa vez?"

"A sra. Clark", murmurou Darden, "vai contar exatamente o que o réu aprontou ao longo daquela noite."

Sua conclusão foi de uma simplicidade quase elegante: "Ela o deixou. Ela não estava mais sob seu controle. Ele não podia suportar perdê-la, e por isso a matou."

● ● ●

Marcia Clark tinha um estilo diferente de Darden. Metódica e quase radiante, a promotora ficava atrás do púlpito e andava somente quando necessário — ao contrário do colega. Abriu o discurso apresentando todos os advogados da equipe de acusação, tarefa tradicionalmente atribuída ao advogado principal. Em parte, era essa a sua missão naquele dia. Um bom promotor demonstra liderança no tribunal, tem controle sobre todo o caso. Clark queria mostrar ao júri quem estava no comando.

Darden não se valeu, em sua fala, de nenhum recurso visual, já Clark empregou uma série de fotos, slides e gráficos integrados com elegância a sua exposição. Isso era incomum. A maioria das promotorias de justiça não tem recursos para bancar mais do que um quadro-negro. No entanto, apesar de Clark ter dispensado os serviços da DecisionQuest na escolha do júri, a acusação continuou aceitando a assistência voluntária da empresa na elaboração de gráficos e outros recursos visuais. A DecisionQuest acabou fazendo centenas dessas apresentações de última linha no decorrer do julgamento, um trabalho que teria custado quase um milhão de dólares a um cliente pagante.

Dando continuidade ao relato de Darden, Clark apresentou outro personagem aos jurados: "Kato", cujo sobrenome seria raramente pronunciado durante o julgamento. A advogada contou como, naquela noite de 12 de junho, ele e Simpson foram comer no McDonald's e se despediram por volta das 21h40.

Em ritmo acelerado, Clark narrou os passos de Nicole nas horas que antecederam o crime. Após o recital de dança, Nicole e sua família jantaram no Mezzaluna. Eles voltaram para casa e, também às 21h40, Juditha Brown telefonou para Nicole para dizer que tinha deixado os óculos caírem na calçada em frente ao restaurante. "Foi a última vez que Juditha falou com a filha Nicole", disse Clark. Nicole então ligou para o Mezzaluna e pediu a Ron Goldman, um amigo que trabalhava como garçom no restaurante, que levasse os óculos para ela. Ele passou em casa primeiro, e logo se dirigiu à residência de Nicole, onde chegou por volta das 21h50.

Era uma declaração de abertura bastante pormenorizada, que buscava relacionar uma infinidade de horários e lugares — uma estratégia arriscada para um promotor, já que uma declaração de abertura não é nada mais (e nada menos) que uma introdução às provas que serão efetivamente mostradas. Promessas não cumpridas, mesmo em se tratando de assuntos relativamente inócuos, podem deixar o promotor em uma situação delicada — ou pior. Não havia motivo para fazer um relato tão preciso; era improvável que o júri se lembrasse desses detalhes nos meses subsequentes. Entretanto, tal atitude mostrava o quanto Clark estava confiante de ter uma história perfeitamente amarrada nas mãos.

A precisão de Clark contemplava até o mundo animal — pelo menos no que dizia respeito a latidos de cães: "Por volta das 22h15, Pablo Fenjves, que morava do outro lado do beco, atrás da casa de Nicole, ouviu o latido de um cachorro". Logo depois, Clark repetiu o horário, dessa vez sem dizer "por volta das". O cachorro latiu às "22h15". Com isso, a promotora amarrava os argumentos da acusação a uma teoria de que os assassinatos ocorreram pouco antes das 22h15. Como Clark já sabia, mesmo antes da declaração de abertura, outro indício plausível indicava que o crime teria ocorrido cerca de quinze minutos depois. Sustentar que o crime ocorreu às 22h30 ou mesmo um pouco depois — ou, melhor, deixar o momento exato em aberto nessa fase inicial — ainda poderia servir aos propósitos da promotoria. Mas, novamente, a arrogância de Clark a levava a se comprometer de maneira imprudente com uma única versão dos fatos.

Recorrendo poucas vezes a anotações, Clark juntou as pontas soltas da história de maneira elegante. Ninguém sabia o paradeiro de O.J. das 21h40, quando ele e Kato se despediram, até o momento em que Allan Park, o motorista da limusine, o viu entrando em casa apressado às 22h55. Durante esse período, Kato ouviu fortes pancadas do lado de fora de casa, perto do ar-condicionado, justamente onde seria encontrada a luva ensanguentada. (Em nenhum momento de sua exposição Clark mencionou o nome do detetive que encontrara a luva, Mark Fuhrman.) Clark observou que, apesar do frio daquela noite, O.J. pediu que Park ligasse o ar-condicionado da limusine enquanto corria para chegar a tempo no aeroporto, onde Simpson pegaria o voo de 23h45 para Chicago. Por fim, a promotora falou da descoberta dos corpos.

"Mostrarei agora o que Sukru Boztepe viu quando o cachorro de Nicole o levou até o número 875 da South Bundy Dr.", disse Clark, acenando para Jonathan Fairtlough, promotor júnior, cuja função ao longo de todo o julgamento seria controlar a projeção de vídeos e slides no telão posicionado acima do banco das testemunhas.

"P-7", disse a Fairtlough, indicando o número do slide.

A foto tinha sido tirada a partir da calçada, e mostra a escada que leva à porta de entrada da casa de Nicole. A jovem estava em posição fetal, caída em uma poça de sangue. Clark já tinha mostrado as fotos aos familiares de Nicole, para que não tivessem que vê-las pela primeira vez na sala de audiência. Ainda assim, Juditha e Lou Brown estremeceram e se encolheram horrorizados ao ver novamente a cena da morte da filha. Clark narrou como o policial Riske se esgueirou pela calçada, tentando não pisar no rastro de sangue, "até perceber [...] que não era somente Nicole que tinha sido assassinada, mas também Ron".

"P-11", disse o promotor júnior.

Os parentes de Nicole — seus pais e as três irmãs — ergueram os ombros com assombro quando a fotografia de Ronald Goldman apareceu na tela. Era uma imagem muito mais forte: o corpo caído contra o canto da grade, a camisa levantada até a cabeça, o musculoso tronco exposto, desfigurado por ferimentos a faca cobertos de sangue coagulado. As palavras de Clark deixaram a cena ainda mais chocante: "Ele estava literalmente encurralado em uma gaiola sem ter para onde correr. Por isso foi assassinado tão rapidamente". A palavra "gaiola" era de uma precisão terrível para descrever o local da morte de Goldman. Em seguida, Clark mostrou uma foto de Nicole tirada do topo da escada. Seu corpo estava curvado e não dava para ver os ferimentos, mas a quantidade de sangue era chocante.

Em seguida, Clark passou à última e mais importante parte de sua exposição, sobre o sangue encontrado no local do crime. Depois de uma breve e modesta introdução à genética forense — "alguns de vocês viram *Jurassic Park*, em que eles usaram DNA para fazer dinossauros" —, a promotora apresentou uma prévia dos resultados de testes periciais. Fairtlough projetou slides que mostravam várias manchas de sangue:

Na maçaneta esquerda do Ford Bronco de O.J.: "Confere com o sangue do réu", disse Clark.

No painel central do Ford Bronco: "Compatível com uma mistura do sangue do réu e de Ron Goldman".

As meias encontradas no quarto de Simpson: "O sangue de uma mancha confere com o do réu. O sangue de outra mancha confere com o de Nicole".

Cada uma das gotas de sangue à esquerda das pegadas deixadas na cena do crime por um sapato tamanho 44:

"Confere com o sangue do réu."

"Confere com o sangue do réu."

"Confere com o sangue do réu."

"Confere com o sangue do réu."

"Os resultados da análise de sangue confirmam o que o restante das provas vai deixar claro: que no dia 12 de junho de 1994, após um relacionamento violento em que o réu batia, humilhava e controlava a vítima, depois de ter roubado sua juventude, liberdade e autoestima, Orenthal James Simpson tirou a vida de Nicole enquanto ela tentava se libertar, no que seria seu derradeiro ato controlador." Clark fez uma pequena pausa.

"E nesse terrível ato final, Ronald Goldman, um inocente espectador, foi assassinado de forma cruel e sem sentido."

• • •

Logo após a declaração de abertura de Clark, um produtor do canal Court TV, responsável pelas filmagens na sala de audiência, disse ao juiz que a câmera tinha mostrado acidentalmente o rosto de um dos jurados suplentes por cerca de um segundo. Ito ficou furioso e disse categoricamente: "Vou ser obrigado a suspender a cobertura televisiva". Entretanto, seguindo o estilo que o caracterizaria durante todo o julgamento, Ito se acalmou e mudou de ideia na manhã seguinte. Ele, mais do que ninguém, adorava toda aquela atenção. As câmeras podiam ficar. Chegou a elogiar o canal por ter reconhecido o erro. Então, dando continuidade aos procedimentos, chamou Johnnie Cochran para começar sua apresentação em nome da defesa.

Cochran usava um terno azul lavanda de botão duplo, uma gravata com listras verticais brancas e uma camisa também com listras verticais, azuis e brancas, em contraste com um colarinho branco. De alguma forma, toda a exuberância na roupa de Cochran lhe caía bem. O advogado estava diante do mesmo púlpito usado pelos promotores, mas irradiava uma confiança inigualável. Seu peito estava tão estufado que parecia a ponto de explodir dentro do terno bem ajustado ao corpo.

Quem se perguntava qual seria o papel da questão racial na defesa de O.J. Simpson não precisou esperar nem um minuto pela resposta. Já no início de sua exposição, Cochran avisou aos jurados que tinha muito a dizer sobre justiça. Olhando no rosto de cada um, continuou: "Acredito que o dr. Martin Luther King foi muito certeiro ao dizer que a injustiça em qualquer lugar é uma ameaça à justiça em todo lugar. Por isso, embarcamos nesta busca pela justiça, nesta busca pela verdade, nesta busca pelos fatos". Fez uma pausa para saudar os jurados. "Estamos muitíssimo satisfeitos com o fato de os senhores terem concordado em servir como jurados, dando-nos seu tempo, deixando suas vidas e se prestando ao isolamento, por assim dizer. É um sacrifício admirável", continuou. "O próprio Abraham Lincoln disse que o maior ato de cidadania é o serviço do júri."

Depois de citar King e Lincoln, Cochran passou a discutir aspectos do caso sobre os quais Clark e Darden "não falaram em suas declarações". Começou com a história da empregada que morava ao lado de Simpson na Rockingham, Rosa Lopez. Na noite do crime, segundo Cochran, Lopez "escutou algo muito estranho. Ouviu alguém à espreita perto da casa". Quando Lopez saiu para passear com seu cachorro, às 22h15 — a suposta hora do crime —, viu o Ford Bronco estacionado no mesmo lugar em que estava no início da noite. Em seguida, Cochran falou sobre Mary Anne Gerchas — "uma mulher interessantíssima" — que procurava apartamentos para alugar na Bundy Dr. na noite do crime. Pouco depois das 22h30, segundo Cochran, Gerchas caminhava pela rua quando viu "quatro homens se aproximando, a uns três metros de distância. Dois pareciam latinos e os outros creio que eram brancos. Alguns deles estavam de gorro. Os dois que estavam atrás pareciam carregar algo nas mãos".

Cochran afirmou que essas testemunhas tinham sido ignoradas pela polícia e pela promotoria. Com desdém, observou que Lopez fora interrogada por um tal Mark Fuhrman. "O detetive Mark Fuhrman será uma peça-chave deste caso por diversos motivos. Curiosamente, a acusação não mencionou o nome dele nenhuma vez ontem. Parece que querem esconder sua existência, mas isso não será possível. Ele é parte imprescindível deste caso. Só nos resta perguntar: por que não foi mencionado? Acho que a resposta vai ficar muito clara conforme o julgamento avança." Quanto a Gerchas, Cochran disse que a mulher ligou para a polícia, que lhe disse: "Desculpe, mas estou falando com uma vidente no momento. Retornaremos a ligação assim que possível". Cochran sacudiu a cabeça em desaprovação à falta de respeito com a "interessantíssima" Mary Anne Gerchas.

Porém, o tratamento dispensado a todas essas testemunhas se encaixa dentro de uma lógica mais abrangente. "Este processo está marcado pelo juízo precipitado", afirmou Cochran. Segundo o advogado, havia "uma obsessão para vencer a qualquer custo, por qualquer meio necessário". Ao citar a frase mais famosa de Malcolm X, "por qualquer meio necessário", Cochran declarava guerra ao DPLA. Em outras palavras, o advogado afirmava que o caso contra O.J. Simpson era na verdade uma conspiração para incriminá-lo.

O processo estava marcado por algo mais. Assim como a pesquisa com os potenciais jurados realizada pela promotoria, os grupos focais da defesa também mostraram que as mulheres negras nutriam sentimentos hostis em relação a Nicole Brown Simpson. Em sua exposição, Cochran deu aos jurados todos os motivos para reforçarem a imagem de O.J. como ídolo e a de Nicole como uma vagabunda. O advogado discordou da afirmação de Darden, segundo a qual O.J. "exercia controle absoluto sobre Nicole, escolhendo até seus amigos. [...] As provas vão mostrar que a srta. Nicole Brown Simpson era uma mulher muito forte e independente", continuou Cochran. "Ela escolhia seus próprios amigos. Ninguém, nem mesmo O.J. Simpson, podia lhe dizer quem seriam seus amigos. Ela tinha os amigos que queria, fazia o que queria."

Em seguida, Cochran entreteve o júri com histórias da vida excitante de Nicole. Sob o pretexto de refutar a acusação de perseguição, Cochran pôs-se a enumerar as proezas sexuais da moça: o dia em que ela transou no sofá com Keith Zlomsowitch enquanto as crianças dormiam no andar de cima, [...] quando transou com um dos melhores amigos de Simpson (Marcus Allen, embora Cochran não tenha citado seu nome), [...] quando um homem "montou nas costas da srta. Nicole Brown Simpson enquanto fazia massagem ou algo do tipo em seu ombros", [...] quando "a srta. Nicole Brown Simpson chegou à Rockingham dizendo que tinha arranjado um namorado, alguém diferente de Keith". Com tais exemplos, Cochran apenas preparava o terreno para apresentar seu ponto principal sobre a sórdida vida pessoal de Nicole: que ela girava em torno da sinistra figura de Faye Resnick.

"Permitam-me dizer algo sobre Faye Resnick", disse Cochran com seriedade. No dia 3 de junho de 1994, ela foi expulsa de casa pelo namorado, Christian Reichardt, porque andava fumando cocaína purificada. "Eles faziam muito isso em Brentwood. Depois de ser posta na rua [...], Faye mudou-se para casa de Nicole Brown Simpson."

Cochran deu a entender que Nicole e Faye usavam drogas juntas: "Como eram amigas, as duas saíam muito à noite. Tudo indica que saíam duas, três, quatro noites por semana, e ficavam fora até às 5h da manhã. Ninguém segurava essas mulheres... Saíam para dançar e faziam o que bem entendiam, e sabemos que Faye Resnick usava drogas na época." Cochran acrescentou que o problema de Faye com drogas se agravou tanto que no dia 8 de junho foi forçada pelo ex-namorado e ex-marido a dar entrada em um centro de reabilitação. O advogado contou também que Faye Resnick "ligou para a srta. Nicole Brown Simpson na noite de 12 de junho do centro de reabilitação, possivelmente depois das 21h". Depois de uma pausa, Cochran disse em tom sombrio: "Em breve vamos falar mais sobre esse assunto e sobre o papel dela em toda essa história".

A declaração de abertura de Cochran foi ousada. A maioria dos advogados de defesa usa essa oportunidade para lembrar aos jurados que o réu deve ser considerado inocente até que se prove o contrário, para insistir que mantenham a mente aberta — sempre buscando fazer o mínimo de promessas. Em um processo penal, o réu não tem obrigação de apresentar provas, e poucos advogados de defesa querem assumir a responsabilidade, no início de um longo julgamento, de identificar as testemunhas arroladas. Nesse sentido, a exposição de Cochran foi ainda mais notável. Ele fez um grande número de alegações específicas sobre provas do caso, e descreveu em pormenores algumas das testemunhas que chamaria a depor. A fala confiante de Cochran demonstrava sua posição de liderança na equipe de defesa. Ele se tornou a voz de O.J. Simpson perante o júri. Fez de tudo para usar o prestígio de que gozava na comunidade negra de classe média em favor do cliente. Cochran era o único da equipe de defesa que tinha o status — e a cor — para fazê-lo.

...

Havia um novo personagem no tribunal durante as declarações de abertura, em quem as histórias de Cochran sobre Faye Resnick despertaram um vivo interesse. Com 1,80 metro de altura e quase o mesmo de circunferência, Lawrence Schiller se tornaria uma presença frequente nos corredores da Sala 103 e na sala de imprensa no 12º andar. Com 58 anos de idade, calvo, barbudo, sempre mastigando punhados de M&Ms com os dentes amarelados, Schiller representava uma espécie de apoteose para aquele espetáculo: um exemplo perfeito de aproveitador amoral. Schiller tinha uma leve semelhança com o ator Zero Mostel, e surgia no caso Simpson como se fosse a reencarnação do personagem de Mostel no filme *Primavera para Hitler* (1967) — o homem que tentou enganar o público com um musical da Broadway de mesmo nome.

Schiller já tinha trabalhado como fotógrafo para a *Life* e outras revistas, e havia décadas vivia às margens do show business, deixando um rastro de divórcios, sócios ressentidos e falências. Especializou-se em uma área obscura e abominável do mercado literário: a compra de direitos autorais de biografias de assassinos. Já fechou acordos com Jack Ruby, Susan Atkins (da família Manson) e Gary Gilmore. Foram as conversas de Larry Schiller com Gilmore e outros entrevistados que serviram de material para a obra-prima de Norman Mailer, *A Canção do Carrasco* (1979). O único fato surpreendente nessa história era que Schiller tivesse demorado tantos meses para se envolver no caso Simpson. Até porque tinha bons contatos: conhecia Robert

Kardashian de longa data, e muitos anos antes tinha morado perto de O.J. e sua primeira esposa. Por meio de Kardashian, Schiller conseguiu um convite para visitar Simpson na cadeia. Como contaria mais tarde a um amigo, ele disse a O.J.: "Há um grande potencial literário na sua história. Você precisa de alguém que possa explorar esse potencial" — ou seja, ele mesmo.

Simpson concordou, e Schiller teve a ideia de escrever um livro com as respostas de O.J. para as milhares de cartas que recebia na prisão. Com a ajuda de Kardashian, o nome de Schiller foi colocado na lista de "testemunhas importantes" autorizadas a visitar Simpson na cadeia. (Havia 52 pessoas nessa lista, e muitas delas, como Paula Barbieri, eram amigos de Simpson, e não potenciais testemunhas para o julgamento. Este é mais um exemplo do tratamento especial que as autoridades dispensavam a Simpson.) Dizer que Schiller era uma "testemunha importante" no caso era um absurdo, e ele sabia disso. Os guardas da prisão, porém, nunca fizeram nenhuma objeção à sua presença, mesmo quando começou a levar consigo um enorme gravador de alta qualidade aos encontros com o réu.

Trabalhando de casa em Studio City, Schiller usou seu computador para editar as cartas e respostas de O.J., e até para diagramar as páginas. Quando finalizado, o livro de Schiller defendia O.J. de forma quase cômica. Em um capítulo sobre abusos conjugais, por exemplo, a primeira carta para Simpson começa dizendo: "Sr. Simpson, gostaria de dizer uma coisa. Todo mundo vive falando que você teria abusado da sua ex-mulher, mas ninguém fala do quanto ela abusou de você. [...]". Simpson respondia a essas cartas com chavões de banal devoção, sendo que a maioria destacava sua suposta fé inabalável em Deus. (Na verdade, antes de ser preso, Simpson não frequentava a igreja, nem mostrava qualquer interesse por assuntos religiosos em conversas com amigos.) Falando sobre como seria sua vida depois da prisão, Simpson escreveu: "Tenho certeza de que vou criar meus filhos para respeitar a Deus. Sem sombra de dúvida. Já consigo imaginar como serão nossos dias de domingo. Não vou jogar golfe. Domingo iremos à igreja. [...]".

Andando pela sala de imprensa, Schiller ria ao pensar nas disparatadas alegações de inocência de Simpson. Seu interesse era puramente comercial. Em colaboração com sua editora, Little, Brown and Company, Schiller providenciou a impressão do livro, sob nomes falsos, em três gráficas do país. Assim, de acordo com o plano, os livros chegariam às livrarias pouco antes da declaração de abertura de Cochran. No que provavelmente foi sua maior jogada de marketing, Schiller também organizou a venda simultânea de fitas cassete em que O.J. lia trechos do livro. Schiller acreditava no potencial de venda das fitas, mas, acima de tudo, sabia que a mídia não tardaria a divulgar massivamente a possibilidade de escutar a voz de Simpson, gerando, assim, uma enorme publicidade gratuita para o livro.

Dito e feito. O livro, intitulado *I Want to Tell You*, foi lançado alguns dias mais cedo, em 7 de janeiro, e se tornou um enorme sucesso, com mais de 650 mil exemplares vendidos. Confirmando as previsões de Don Vinson, as livrarias perceberam que mulheres negras eram as que mais compravam o livro.

Não era só na culpa evidente de Simpson que Schiller via graça. Também achava ridícula a ideia de que fosse Simpson quem tivesse dito e escrito tudo o que lhe é atribuído no livro. Um dos trechos mais citados se encontra na última página: "Meu coração me diz que a resposta para a morte de Nicole está em algum lugar no mundo de Faye Resnick". Nas palavras de Schiller: "Coloquei isso no último minuto".

Tudo fazia parte, portanto, de um ataque coordenado contra Nicole, seu estilo de vida e, especialmente, seus amigos — as indiretas de Uelman sobre traficantes de drogas, o comentário de Cochran ("[elas] saíam duas, três, quatro noites por semana e ficavam fora até às 5h da manhã"), e, por último, o livro de Schiller. Em todas essas alegações — durante todo o julgamento e também depois dele — não surgiu o menor indício que ligasse qualquer outra pessoa ao crime exceto O.J. Simpson. A defesa nunca tentou explicar por que traficantes ligados a Faye Resnick teriam querido matar Nicole Brown Simpson (muito menos Ron Goldman). Para a estratégia da defesa, não fazia diferença. O objetivo era estigmatizar o caráter da vítima.

A obsessão da defesa por Resnick surgiu nos grupos focais, isto é, da profunda aversão que as mulheres negras tinham por Nicole Brown Simpson. Usar Resnick para difamar Nicole não era muito diferente de apelar para a cartada racial — no caso, era uma forma de direcionar o ressentimento das mulheres negras para a loira sedutora que fisgou tamanho ídolo negro.

• • •

No restante de sua exposição, Cochran ateve-se de forma previsível à linha argumentativa da defesa. O advogado descreveu o que chamava de "círculo de benevolência" de O.J. Simpson — termo que fazia referência às contribuições financeiras do réu para a caridade (que na verdade eram mínimas) e para a família de Nicole (que eram consideráveis). O advogado disse que O.J. sofria de uma artrite tão grave que, no dia do crime, "ele não conseguiu embaralhar as cartas enquanto jogava *gin rummy* [jogo de cartas parecido com buraco] no Country Club". Cochran mencionou um homem chamado Tom Lang (não o detetive), que dizia ter visto Nicole na noite do crime enquanto passeava com seu cachorro. Segundo Lang, Nicole abraçava um homem em frente de casa, e parado ali perto estava também "um homem que ele identificou como latino ou branco, que parecia estar com raiva". Cochran desacreditou o trabalho dos funcionários do DPLA que coletaram e analisaram as provas, e fez uma breve crítica aos exames de DNA. Ao mesmo tempo, garantiu que exames de DNA (de um tipo supostamente mais confiável) tinham comprovado que o sangue encontrado sob as unhas de Nicole eram incompatíveis com seu próprio sangue, com o de Goldman ou o de Simpson. Por último, Cochran fez reiteradas menções a Rosa Lopez — a empregada da casa ao lado que testemunharia que o Ford Bronco de O.J. estava estacionado na Rockingham na suposta hora do crime segundo os cálculos da promotoria. (No total, Cochran mencionou o nome de Lopez mais de uma dúzia de vezes.)

De certa forma, foi uma declaração de abertura notável. Cochran citou diversas testemunhas específicas que poderiam contradizer diretamente as teorias da promotoria. Se os advogados de defesa pudessem sustentar as alegações de Cochran, a promotoria estaria perdida. Porém, como se constatou mais tarde, eles não podiam provar nada; na verdade, nem sequer tentaram. Até o final do julgamento, a defesa não respaldaria *nenhuma* das espantosas alegações de Cochran. Não convocariam ao banco das testemunhas Tom Lang, Faye Resnick ou sequer Rosa Lopez (que de todo jeito acabaria participando do julgamento). No final das contas, o sangue nas unhas de Nicole era dela. E Simpson não embaralhou as cartas porque seu amigo Alan Austin não deixou: Austin sabia que O.J. roubava sempre que dava as cartas. E a grande testemunha de Cochran, Mary Anne Gerchas, era na verdade uma mentirosa patológica que passava a vida tentando se esquivar de credores. Logo após a declaração de abertura de Cochran, Gerchas confessou em juízo ter fraudado o hotel Marriott em mais de 24 mil dólares. Antes disso, Gerchas alegou que uma impostora tinha feito a dívida no hotel usando o nome dela. A defesa também não chamou Gerchas para depor.

Em sua exposição, Cochran construiu uma fachada de afirmações. Por trás dela não havia nada além de retórica. Mas não havia problemas, pois as provas importavam menos que suas palavras. As sementes estavam lançadas: o DPLA era corrupto, O.J. era um homem bom, e Nicole fez por merecer.

• • •

A declaração de abertura de Cochran também foi uma manobra antiética. Na Califórnia, era uma exigência legal que cada parte entregasse à outra todas as declarações das testemunhas que planejavam convocar no decurso do julgamento. Durante o processo de produção, iniciado antes mesmo da audiência preliminar, a acusação forneceu à defesa vários documentos. A defesa, por sua vez, não ofereceu quase nada à acusação. Isso, por si só, não era tão incomum — em um processo penal, a defesa sempre gera muito menos material investigativo que a acusação. No entanto, conforme os meses se passavam e a promotoria continuava exigindo as declarações das testemunhas da defesa, os advogados de defesa invariavelmente respondiam que estavam a par de suas obrigações, mas não tinham o que compartilhar.

Então, durante a exposição de Cochran, seu auxiliar, Carl Douglas, anunciou que tinha encontrado declarações de doze testemunhas mencionadas por Cochran, as quais não tinham sido entregues à acusação. Muitas dessas declarações, inclusive a de Mary Anne Gerchas, haviam sido tomadas pela defesa vários meses antes. Essa falha processual colocou os promotores em grande desvantagem — não tanto por não terem podido se preparar para o testemunho de Gerchas, que só seria ouvida meses depois, mas porque, se tivesse tomado conhecimento das alegações de Gerchas, Clark poderia tê-las contestado em sua exposição. A notícia sobre a declaração de Gerchas pegou Clark e o restante da equipe de surpresa.

No dia seguinte, Carl Douglas tentou remediar o problema da omissão de provas. O trabalho de Douglas era controlar a agenda de Cochran e garantir que o advogado tivesse em mãos o documento certo na hora certa. Quando o centro de operações da defesa mudou do escritório de Shapiro para o de Cochran, no segundo dia do ano, Douglas ficou com a tarefa ingrata de reorganizar os arquivos.

Com seu jeito ladino, quase arcaico de falar, o advogado tentou explicar que a retenção dos documentos tinha sido apenas um erro infeliz. "Vossa Excelência está ciente de que estamos empenhados em resolver essa questão", disse Douglas. "Vossa Excelência está igualmente ciente de que o trabalho da defesa foi dividido entre mais de um escritório, vários investigadores etc. É com muito pesar que venho perante Vossa Excelência [admitir] que não temos coordenado nossos esforços tão bem quanto eu gostaria. Digo isso, Meritíssimo, porque tenho alguns documentos que tenciono entregar à promotoria. [...] Meritíssimo, reconheço e antecipo que muitos farão de tudo para contestar tanto a minha integridade pessoal quanto a integridade da equipe de defesa. Gostaria de declarar perante Vossa Excelência, olhando em seus olhos com toda a sinceridade e seriedade, que tudo não passou de um descuido meu, o qual muito me envergonha e pelo qual assumo completa responsabilidade."

Ito, que ficou observando a mesa da acusação enquanto Douglas falava, disse: "Devo dizer, sr. Douglas, que trabalhei muitos anos com o sr. Hodgman. Eu o conheço como colega de trabalho e como advogado de tribunal, e nunca havia visto as expressões que vi hoje em seu rosto".

O juiz virou-se para o promotor barbudo e normalmente inabalável e disse: "Sr. Hodgman, respire fundo e tente se acalmar. Vamos dar uma olhada nisso".

Entre outras atribuições na promotoria, Bill Hodgman supervisionava o processo de adução de provas. As doze declarações das testemunhas em questão foram apresentadas um dia depois de a defesa divulgar que tinha uma lista de 34 novas testemunhas que pretendia convocar durante o julgamento. Eram graves infrações do princípio de produção antecipada de provas, e Hodgman se sentiu pessoalmente ofendido com o que considerava um golpe sujo. Quando o ator Todd Bridges foi acusado de tentativa de assassinato, Hodgman cultivou uma relação cordial com Cochran; no julgamento do financista Charles Keating, também presidido pelo juiz Ito, Hodgman ganhou o respeito do tribunal e de seus adversários. Como Ito bem observou, Hodgman parecia transtornado.

Shapiro também notara isso. Quando Hodgman se levantou para falar, Jo-Ellan Dimitrius sussurrou para Shapiro na mesa da defesa: "Bill não tá com uma cara muito boa". Shapiro concordou, brincando: "É verdade. Amanhã vai ter que ser sair carregado em uma maca".

VALEU, CARL

No dia 25 de janeiro, Ito terminou a sessão mais cedo para que os promotores se reunissem e decidissem que sanções sugeririam impor à defesa por infringir as regras para adução de provas testemunhais. Sem muito ânimo, Hodgman acompanhou os colegas até o escritório da promotoria, no andar de cima, onde discutiriam o assunto.

Bill Hodgman não via muita vantagem em participar do caso Simpson. Não tinha sido eximido de todas as responsabilidades administrativas e tampouco tinha controle total sobre o julgamento. Embora Clark tivesse sido recentemente sua assistente na promotoria e os dois fossem identificados no papel como os advogados principais, o caso permanecia basicamente nas mãos dela. Os dois tinham personalidades incompatíveis: Clark era volátil, passional e desorganizada; Hodgman era metódico, contemplativo e um tanto apático. Ele marcava reuniões às 15h30 e Clark chegava às 17h. Clark não fugia do trabalho — provavelmente trabalhava mais horas que Hodgman —, mas lidava com as coisas de forma tão caótica que deixava o colega enlouquecido. Hodgman também se sentia traído pelas infrações no processo de adução de provas e outros deslizes éticos de Cochran e de seus colegas da equipe de defesa. Em resumo, o estresse era grande e as recompensas muito pequenas.

Enquanto Hodgman e Clark colocavam Gil Garcetti a par dos últimos acontecimentos, Hodgman sentiu algo esquisito no peito. Não era exatamente dor, mas um aperto. Ele se levantou e caminhou pela sala, mas a sensação persistia. Garcetti achou melhor chamar um médico, e, por volta das 18h20, uma ambulância levou Hogman, com 41 anos na época, ao Centro Médico da Califórnia. Os médicos descobriram um padrão irregular no eletrocardiograma do promotor, e decidiram mantê-lo internado até o dia seguinte. Um membro antigo da equipe de Garcetti telefonou para a casa de Ito para informá-lo do ocorrido. Pela manhã, a notícia já tinha vazado para a imprensa, e o hospital foi cercado por veículos de emissoras de TV. Médicos de jalecos brancos davam informes periódicos, procedimento que normalmente só adotavam quando o paciente era uma autoridade pública. No final das contas, Hodgman estava bem; seu estado clínico era temporário, causado, ao que parecia, por estresse e excesso de trabalho. Depois de alguns dias de molho em casa, ele retornou ao escritório. Embora tenha continuado a supervisionar o caso, teve que abdicar de seu papel no tribunal. Dali em diante, Marcia Clark e Chris Darden representariam a acusação.

A saída de Hodgman acabou sendo um dos episódios mais importantes do julgamento. Com a ausência do promotor, a equipe de acusação perdeu seu ponto de apoio, a voz da experiência e da tranquilidade. Hodgman sabia a diferença entre uma disputa corriqueira e uma crise legítima. Já Clark e Darden trabalhavam em uma atmosfera de constante instabilidade — muitas vezes gerada por eles mesmos.

A mudança de tom ficou evidente logo de cara. Ao se dirigirem ao juiz Ito para tratar das infrações cometidas pela defesa, Clark e Darden quase perderam a compostura. Sim, a conduta da defesa fora inapropriada, mas em um julgamento longo como aquele, à primeira vista, a retenção de algumas declarações de testemunhas não causaria grandes problemas. Em vez de encaminhar os argumentos da acusação e chamar as testemunhas para depor, os dois promotores vociferaram por horas.

Clark declarou: "Infelizmente, o desvio de conduta da defesa é uma transgressão grave e flagrante, e não uma transgressão menor como querem dar a entender perante o tribunal. Cochran está tentando varrer a sujeira para debaixo do tapete, alegando desconhecimento e usando o sr. Douglas como bode expiatório, o que é inaceitável. O advogado deveria arcar com as consequências de seus atos, que foram voluntários, deliberados e intencionais. Trata-se de uma afronta a este tribunal. [...]". E assim por diante.

O comportamento de Darden foi ainda mais estranho. Cochran era muito respeitado pela comunidade jurídica negra de Los Angeles. Não era à toa que Darden, relativamente inexperiente, ficava intimidado com sua mera presença (e o advogado mais experiente se aproveitava disso). A influência de Cochran sobre Darden beirava o misticismo —, ou, mais precisamente, o paternalismo. O promotor muitas vezes se comportava como um adolescente que de tudo desdenha mas sempre busca aprovação. Quando Cochran falava no tribunal, Darden se debruçava na mesa, apoiava a cabeça nas mãos, bufava e contraía os lábios de maneira teatral.

Naquele dia (e em vários outros), a impressão que Darden passava era a de que dizia a primeira coisa que lhe viesse à cabeça. "Se tivéssemos tomado conhecimento de algumas dessas testemunhas", Darden dizia a Ito (e, obviamente, à câmera de televisão), "poderíamos ter informado à defesa que são viciados em heroína, ladrões e criminosos, e que uma delas — segundo eles, uma testemunha importante — é a única pessoa que já vi passar atestado de mentirosa patológica em um tribunal." Eram palavras duras para se referir a pessoas que tinham sido apenas mencionadas por um advogado em um julgamento criminal. É verdade que a reputação de algumas testemunhas era questionável, como a de Gerchas, mas também havia cidadãos comuns e respeitáveis que cooperaram com ambos os lados e que simplesmente se lembravam dos eventos de maneira favorável ao réu. Aquele discurso difamatório refletia mais a imaturidade de Darden do que o verdadeiro caráter das testemunhas.

Ainda divagando, Darden começou a falar de Cochran. "Ontem, enquanto estava sentado ali [...] ouvindo a exposição do sr. Cochran, notei que a maior parte de sua declaração de abertura estava digitada. Quer dizer, ele teve tempo de digitar a declaração de abertura. Uma ótima declaração de abertura, por sinal. Sempre me surpreendo com o trabalho do sr. Cochran no tribunal, Meritíssimo. Sou apaixonado pelo seu trabalho. Não gosto de tê-lo como adversário. Mas se ele teve tempo de digitar a declaração de abertura, também teve tempo de entregar a documentação. Estou desapontado com o sr. Cochran."

E assim foi durante horas. Em dado momento, Darden solicitou que o julgamento fosse adiado por trinta dias devido ao desvio de conduta da defesa — uma ideia obviamente absurda, considerando que o júri estava isolado à espera de ouvir os depoimentos. Ito, como de costume, não disse nada durante os longos e enfadonhos discursos dos advogados, nem mesmo quando Darden declarou toda sua admiração por Cochran. Depois de quinze minutos de fala, os advogados começavam a se repetir, e a coisa toda se transformava em um festival de insultos. Ito não movia um músculo. Um juiz mais firme e seguro de si teria dado um basta nesse comportamento e limitado a discussão em respeito ao júri, que já estava hospedado em um hotel havia duas semanas e nem sequer tinha ouvido todas as declarações de abertura.

Por fim, Ito encontrou uma solução razoável para a controvérsia. Aceitou adiar a conclusão da declaração de abertura de Cochran para a segunda-feira, 30 de janeiro, informando o júri de que o atraso fora causado por um desvio de conduta da defesa e permitindo que Clark fizesse uma breve redeclaração de abertura no dia seguinte.

• • •

Às 10h05 do dia 31 de janeiro, Lance Ito perguntou: "Sr. Darden, qual será sua primeira testemunha?". (No outono, durante a escolha do júri, Ito disse ao corpo de jurados que *o julgamento inteiro* terminaria até o final de fevereiro.)

Os promotores sabem que têm total atenção do júri no início de um julgamento. Por isso, gostam de começar com um depoimento dramático, impactante e que não seja facilmente contestável pela defesa. Darden e Clark escolheram bem.

"Sharyn Gilbert, Meritíssimo."

Gilbert, uma mulher negra corpulenta e amável, trabalhava como atendente do 911 em Los Angeles na madrugada do dia 1º de janeiro de 1989. O telefone tocou às 3h58.

Aquela não era a famosa chamada de emergência feita por Nicole em 1993, mas era, à sua maneira, muito mais chocante. Quando Darden reproduziu a fita, não se escutava ninguém falando, apenas um silêncio com ruídos de fundo, como se alguém tivesse deixado o telefone pendendo de uma mesa. Em seguida, uma mulher começa a gritar. Então, escuta-se nitidamente o som de um tapa, uma pancada ou algo do gênero. Depois de cerca de três minutos, a linha ficou muda.

O computador de Gilbert registrou a origem da chamada: North Rockingham Ave., 360. A atendente enviou urgentemente uma viatura ao local, e quem ficou encarregado da tarefa foi o policial John Edwards, que já estava em uma viatura, acompanhado da recruta Patricia Milewski. Darden então chamou Edwards para depor. O policial disse que encontrou Nicole com o rosto inchado, cambaleando perto de uns arbustos, usando apenas uma calça de moletom e um sutiã. Lembrava também de seus gritos proféticos: "Ele vai me matar! Ele vai me matar!".

Na inquirição da defesa, estranhamente, Cochran recusou-se a colocar todas as cartas na mesa. Claro, não perdeu a chance de alfinetar o detetive, observando que mofava como policial de ronda havia dezenove longos anos, e continuou tentando desacreditar a vítima perante o júri, fazendo uma série de perguntas que sugeriam (sem quaisquer provas) que Nicole estava bêbada durante a briga no ano-novo. Mas não chamou a atenção do júri para um fato bombástico: em 1991, John Edwards foi identificado por uma comissão independente como um dos 44 policiais "problemáticos" do DPLA. A comissão, criada para investigar o departamento de polícia após o espancamento de Rodney King, descobriu que os policiais em questão eram alvo de um número desproporcionalmente elevado de queixas por desonestidade, desrespeito, uso excessivo de força, entre outras faltas. Com a publicação do relatório da comissão, a comunidade negra de Los Angeles passou a ver os 44 policiais como um importante símbolo da crueldade do DPLA. Apesar disso, o advogado preferiu não insinuar a conexão de Edwards com um dos seus temas favoritos: o racismo da polícia.

O motivo daquele acanhamento atípico tornou-se evidente depois que outros policiais envolvidos no incidente de 1989 foram chamados ao banco das testemunhas. O mais interessante era que os depoimentos mostravam não como os policiais tinham sido desnecessariamente rigorosos com O.J. Simpson, mas o contrário. Diante de uma mulher gravemente agredida, ainda com marcas de mãos no pescoço, Edwards não prendeu o homem que admitiu ter causado as lesões, nem mesmo depois de ouvir do casal que a polícia tinha sido enviada várias vezes ao local por queixas de violência doméstica. Em vez disso, mesmo depois que O.J. admitiu ter agredido Nicole, e mesmo depois que Nicole disse ao policial que O.J. tinha armas em casa, Edwards gentilmente consentiu que Simpson voltasse para dentro de casa para trocar de roupa, já que estava só de roupão. Logo depois, adotou uma atitude passiva enquanto O.J. entrava em seu Bentley e se mandava. Durante o interrogatório da acusação, Darden perguntou por que Edwards não prendeu Simpson no ato.

"Porque eu sabia que se levasse uma pessoa do porte de O.J. Simpson à delegacia, de roupa de baixo, haveria muita repercussão. A imprensa daria as caras e as coisas fugiriam do controle."

Edwards admitiu que nem chegou a preencher por completo o boletim de ocorrência sobre o incidente, e que omitiu do documento a declaração de Simpson afirmando ter tido relações sexuais naquele dia com uma das mulheres que estavam morando na casa. Por que Edwards deixou isso de fora? Em parte por não achar relevante, mas também porque "pareceria algo sensacionalista".

A deferência com que a polícia tratava Simpson ficou ainda mais evidente quando foi chamada a testemunha seguinte: Mike Farrell, o detetive responsável pela investigação de violência doméstica em 1989. A investigação de Farrell consistiu basicamente em ligar para O.J. e depois para Nicole. Tudo indica que a conversa com Nicole girou em torno de como a vítima poderia retirar a queixa contra o agressor. Como ocorre muitas vezes com vítimas de violência doméstica, Nicole preferia seguir em frente com a vida a levar o marido a juízo. Farrell declarou: "Ela disse que, se possível, não gostaria de entrar na Justiça". Farrell admitiu sob juramento que só encaminhou o caso para a promotoria pública porque era obrigado pela lei de violência doméstica da Califórnia.

A indulgência da polícia colocava Clark e Darden em uma posição delicada. No processo de homicídio contra Simpson, naturalmente, eles ficaram ao lado do DPLA, apoiando as ações do órgão, mas estava claro para todos os promotores que a polícia fora extremamente negligente no caso de violência doméstica. Em uma memorável nota de rodapé de um informe apresentado ao juiz Ito sobre o tema, os promotores manifestaram claro repúdio às ações do DPLA, seus pretensos aliados. "Nicole tinha todos os motivos para se sentir desamparada e acreditar que a polícia não faria nada contra o réu", escreveram. "Membros da divisão [de West Los Angeles] do DPLA frequentavam a casa do réu e costumavam usar a piscina e as quadras de tênis. Quando os policiais decidiram chamar uma celebridade para a festa de Natal, o réu aceitou prontamente o convite. Sempre que os policiais pediam, ele dava autógrafos em bolas de futebol americano. Por sua vez, os policiais nunca prenderam o réu nas sete ou oito vezes em que foram enviados à Rockingham em resposta aos pedidos de socorro de Nicole antes do incidente de 1989."

No entanto, a verdadeira dimensão do isolamento de Nicole só seria conhecida no depoimento seguinte.

$$\bullet\ \bullet\ \bullet$$

Os advogados de ambos as partes se mantinham informados tanto através dos meios de comunicação quanto de seus próprios investigadores.

Durante a escolha do júri, por exemplo, os promotores tomaram conhecimento de uma testemunha por meio de um livro intitulado *Raging Heart* [Coração em fúria], de Sheila Weller, uma das obras instantâneas publicadas meses após o crime. A primeira cena do livro de Weller descrevia uma conversa entre O.J. e um homem "que chamaremos de Leo" no quarto de Simpson, na noite do dia 13 de junho, depois que o ex-jogador já tinha voltado de Chicago e sido interrogado pelos detetives no Parker Center. Simpson diz a "Leo" que a polícia afirmou ter encontrado sangue em sua casa, e pergunta: "Quanto tempo leva para sair o resultado dos exames de DNA?". "Leo", que não sabia, chutou que levaria uns dois meses. "Querem que eu faça um teste no detector de mentiras", continuou Simpson, acrescentando que não queria passar pelo detector. "Já sonhei que a matava algumas vezes", disse o ex-astro, com uma espécie de risada.

Os promotores não demoraram muito para identificar "Leo" como Ron Shipp, ex-policial do DPLA, amigo de longa data de Simpson. Shipp era uma figura típica, ainda que reveladora, do clube de puxa-sacos de O.J. De certo modo, os dois tinham muito em comum: eram negros, tinham quase a mesma idade e provinham de origens semelhantes. Shipp conheceu Simpson na década de 1960, quando seu irmão jogava futebol americano contra Simpson no ensino médio. Porém, o astro só passou a fazer parte da vida do ex-policial no final dos anos 1970, quando este trabalhava fazendo rondas em West Los Angeles. Nessa época, Shipp frequentava a mansão de O.J. na Rockingham umas duas vezes por semana para usar a quadra de tênis ou só para bater papo. Em 1982, Shipp foi transferido para o centro, e passou a visitar a casa de Simpson com menos frequência, cerca de uma vez por mês. (Shipp também era uma espécie de conselheiro para Jason Simpson, o filho problemático do primeiro casamento de O.J. Ele conversou com Jason quando O.J. descobriu que o filho estava usando cocaína, e também quando Jason atacou com um taco de beisebol a estátua de Simpson em tamanho real que ficava na beira da piscina.) Nos anos seguintes, Shipp não prosperou muito. Envolveu-se gravemente com alcoolismo, foi suspenso da força policial, aceitou a aposentadoria antecipada em 1989 e teve negado seu pedido para reingressar na polícia um ano depois. Sua investida na carreira de ator não deu muito resultado; só conseguiu um papel secundário em um programa de TV que conseguiu com a ajuda de O.J.

Embora as leis da Califórnia vedassem à acusação mencionar a questão do polígrafo perante o corpo de jurados, os promotores queriam pedir a Shipp que relatasse no tribunal o trecho da conversa com O.J.

em que este revelava seus "sonhos" de matar Nicole. Segundo o procurador Hank Goldberg, o depoimento ilustraria "o estado mental do réu e mostraria sua intenção na época do assassinato". (Em um arrazoado posterior, Marcia Clark citou uma autoridade hollywoodiana para defender a admissibilidade do depoimento sobre os sonhos do réu: "Como bem disse Walt Disney em *A Bela Adormecida*, se não me engano: 'Um sonho é um desejo do coração'".) Já que Cochran era parente distante de Shipp, foi Carl Douglas quem interrogou a testemunha em nome da defesa. Insistiu que Ito rejeitasse o depoimento de Shipp porque, em suas palavras, sonhos "não predizem eventos que podem ter ocorrido no passado ou que possam vir a ocorrer no futuro". Como provas, os sonhos homicidas de Simpson eram pouco relevantes, especialmente fora do contexto em que foram mencionados, isto é, a conversa sobre o polígrafo. Ito avaliou se aceitava ou não o depoimento em questão como prova — e, ao aceitá-lo, deu uma grande mancada. Apesar de todas as suas limitações como juiz, Ito demonstrava considerável competência nas centenas de decisões judiciais proferidas durante o processo. Mas não dessa vez. (Ito basicamente reconheceu o erro ao final do julgamento, quando pediu ao júri que desconsiderasse o depoimento sobre os sonhos do réu.)

Simpson assimilara os primeiros dias do julgamento de forma impassível. Passava o tempo rabiscando ou sussurrando comentários a Shapiro, à sua esquerda, ou a Cochran, à sua direita. No entanto, quando Shipp caminhou até o banco das testemunhas, Simpson mudou de postura. Balançou a cabeça, murmurou algo baixinho e deixou transparecer seu desprezo.

Depois de prestar juramento, Shipp tentou evitar o olhar de Simpson. O ex-policial parecia sinceramente angustiado — ainda que se sentisse em dívida com Simpson e ainda nutrisse certa afeição por ele, seu conhecimento dos fatos pesava-lhe a consciência. Era óbvio o quanto Shipp tinha desfrutado a época em que tinha livre acesso aos portões elétricos da Rockingham, quando vivia em um mundo privilegiado e podia ter um gostinho da celebridade.

"O senhor levava outros policiais à casa do réu...?", perguntou Darden.

"Levava, sim, às vezes, quando estava de patrulha. Eu não dizia aonde estávamos indo e me divertia vendo a reação deles quando tocava a campainha e O.J. aparecia e falava com eles."

"Quantos policiais mais ou menos o senhor levou à Rockingham?"

"Nossa, pensando melhor agora... Acho que devem ter sido uns quarenta, talvez."

Darden perguntou se ele e Simpson ainda eram amigos.

"Ainda gosto muito dele, mas... não sei. Quer dizer, é estranho estar sentado aqui, sabe?"

Shipp tinha deixado clara sua afeição por Simpson após o incidente envolvendo Nicole no dia 1º de janeiro de 1989. Dois dias depois de ser agredida, Nicole ligou para o policial — que tinha treinamento básico para lidar com situações de violência doméstica —, contou-lhe o que tinha acontecido e pediu a ele que falasse com seu marido e o fizesse se dar conta da gravidade do incidente. Shipp realmente falou com Simpson, que "estava muito chateado, porque achava que ia perder o contrato com a Hertz e ficar com a imagem manchada". Então, em vez de ajudar Nicole, Shipp intercedeu junto a seus supervisores na divisão de West Los Angeles para que as queixas contra Simpson fossem retiradas.

É possível, assim, resumir a experiência de Nicole Brown Simpson com o DPLA após a agressão sofrida em 1989. Os policiais enviados ao local deixaram O.J. se escafeder noite afora. O detetive encarregado explicou à vítima como retirar as queixas. Nicole procurou a ajuda de um policial conhecido, Ron Shipp, que ficou do lado do marido dela. Shipp recorreu a um supervisor para tentar retirar as acusações e depois voltou a entrar em contato com Nicole para lhe implorar que deixasse intacta a preciosa "imagem" de O.J. Em um julgamento rodeado de rumores sobre conspirações no DPLA, a única conspiração de fato consistia na tentativa de ajudar O.J. Simpson a se evadir da Justiça depois de bater na mulher. Não é de se estranhar, portanto, que, na semana anterior à sua morte, Nicole tenha ligado para um abrigo para mulheres vítimas de agressão, e não para a polícia, a fim de relatar que o ex-marido a estava perseguindo.

• • •

A defesa poderia ter interrogado Ron Shipp de forma eficiente com perguntas do tipo: "Sr. Shipp, o senhor sente vontade de fazer na vida real tudo o que faz em seus sonhos?", ou "Será que o senhor — ou qualquer outra pessoa — é capaz de decifrar o verdadeiro significado de um sonho específico?". Tal abordagem teria logo mostrado ao júri o quanto valia aquele depoimento sobre os sonhos do réu.

Porém, Carl Douglas escolheu outra tática: a guerra. Nisso, ele refletia a vontade de seu cliente. Simpson estava chocado de ver aquele bajulador se voltando contra ele. A situação ia na contramão da ordem natural das relações a que estava habituado há décadas, nas quais reinava soberano. Indivíduos como Ron Shipp não faziam esse tipo de coisa. E, se fizessem, eram punidos. Infelizmente, Simpson acabou deixando a punição daquele lacaio nas mãos de Carl Douglas, que era com quase toda certeza o advogado menos preparado entre os que compareciam regularmente perante o júri. O depoimento de Ron Shipp foi muito diferente do que a defesa tinha planejado; a inquirição acabou se tornando um ensaio sobre fama e poder — que acabava explicando, ainda que de forma restrita, por que O.J. Simpson tinha assassinado a esposa e por que achava que podia se safar.

Em vez de se abster de comentar os sonhos comprometedores do réu, Douglas acabou chamando mais atenção para o assunto. Abriu a inquirição bombardeando Shipp com perguntas que visavam demonstrar que a testemunha não tinha revelado o teor da conversa com Simpson à polícia, aos investigadores da defesa ou ao próprio Douglas. Shipp já tinha respondido basicamente as mesmas perguntas ao ser inquirido pela acusação. Foi então que o advogado cometeu um erro básico: fez uma pergunta com "por que" — que dá margem para que a testemunha diga o que bem entender. Por que o senhor não falou com essas pessoas sobre os sonhos de Simpson?

Porque, respondeu Shipp, "eu não estava nem um pouco a fim de me envolver nessa história. Também não queria que me vissem como o cara que dedurou O.J. Simpson".

De repente, a menção de Simpson a seus sonhos homicidas já não era inofensiva; era uma confissão de culpa. Insatisfeito com a resposta, Douglas rebateu: "O senhor não está dedurando ninguém, não se preocupe". Clark protestou, e Ito repreendeu o advogado: "Sr. Douglas, esperava mais da parte do senhor", disse o juiz. "Peço ao júri que desconsidere o comentário do advogado."

Contente com o vacilo de Douglas, Clark rabiscou um bilhete a Darden: *Valeu, Carl.*

Douglas partiu então para outra série de perguntas que visavam provar que Shipp tinha inventado a história dos sonhos. Por que não havia contado antes à polícia? Não estaria apenas tentando alavancar sua carreira de ator? Estava com algum papel naquele momento? Queria ficar famoso?

Shipp respondeu a todos os ataques, cada vez mais virulentos, com compostura e serenidade. "Sr. Douglas", disse em dado momento, "deposito toda a minha fé em Deus e na minha consciência. Desde a morte de Nicole, eu me sinto culpado, uma culpa íntima, só minha, por talvez não ter feito tudo o que deveria."

Clark escreveu mais uma vez: *Valeu, Carl.*

Havia certa ironia nos ataques à testemunha, porque Douglas — e os demais advogados — sabiam que Shipp provavelmente estava dizendo a verdade sobre o que ouvira do réu. O ex-policial afirmou ter conversado com Simpson na noite de 13 de junho, uma segunda-feira. O ex-atleta tinha sido interrogado poucas horas antes por Vannatter e Lange. No decorrer da conversa, Lange perguntou a Simpson se Weitzman já tinha aventado a possibilidade de submetê-lo ao teste do polígrafo. "O que você acha?", perguntou Lange.

"Vocês querem saber o que eu acho?", Simpson refletiu em voz alta. "Tenho certeza que vou acabar fazendo o teste, mas fico preocupado com meus pensamentos. Já tive uns pensamentos esquisitos... A gente pensa de tudo quando vive dezessete anos com uma pessoa. Queria entender melhor como esse troço funciona. Se for mesmo confiável, não me importo."

Quando Shipp falou com Weller, não tinha como saber o que Simpson dissera à polícia naquele 13 de junho. Ainda assim, os comentários de Simpson nas duas conversas —com os detetives à tarde e com Shipp à noite — eram notavelmente semelhantes. O interrogatório da polícia, portanto, confirmava de forma convincente e independente o relato de Shipp.

Mesmo assim, Douglas continuou a hostilizar Shipp. Sugeriu que Simpson tinha ido dormir às 20h ou 20h15 na noite de 13 de junho. O policial negou. Douglas retrucou que parentes de O.J. podiam confirmar o horário.

Nesse momento, Shipp fez algo surpreendente. Em vez de responder a Douglas, passou a se dirigir diretamente ao réu. "É isso que eles vão alegar?", questionou seu antigo benfeitor. Douglas continuou batendo na mesma tecla, e Shipp começou a sacudir a cabeça. Após uma longa pausa, olhou de novo para Simpson e disse simplesmente: "Isso é lamentável, O.J.".

Simpson não estava acostumado a ser confrontado dessa forma por tipos como Ron Shipp. O ex-jogador de futebol parecia abalado; esfregava as mãos, nervoso. Shapiro reparou o desconforto do cliente e passou o braço por cima de seus ombros em sinal de proteção.

Douglas fez então sua última pergunta do dia: "O senhor e O.J. eram amigos íntimos?".

"Eu diria que éramos bons amigos", disse Shipp. "A gente não costumava sair pra jantar ou coisa do tipo."

Douglas aferrou-se ao uso da palavra "costumava". Frisou que Shipp e O.J. quase *nunca* comiam juntos. Shipp concordou prontamente. Apesar das insinuações de Douglas nesse sentido, o policial não estava tentando evocar uma falsa intimidade com O.J. O efeito impactante do depoimento de Shipp advinha justamente do fato de que o policial tinha plena consciência de sua natureza bajuladora. Não escondia sua veneração por O.J., e também sabia que o réu, no fundo, não dava a mínima para ele.

"O.J. Simpson gosta muito de futebol americano, não é verdade?", perguntou Douglas.

"Gosta. Ele adora futebol."

"Ele vai a muitos jogos."

"Vai", respondeu Shipp.

"O senhor e O.J. Simpson nunca foram a um jogo de futebol juntos..."

"Nunca."

"...nos 26 anos em que o senhor foi supostamente amigo dele, não é mesmo?"

"Nunca."

"O senhor e a sua esposa nunca saíram com Nicole e O.J. Simpson durante todo esse tempo, não é mesmo?", debochou Douglas.

"Tem toda a razão. [...]", respondeu o policial.

"O senhor alega que foi diversas vezes à casa do réu jogar tênis, mas em nenhuma dessas ocasiões jogou na mesma quadra que ele, correto?"

"Nunca."

Por fim, concluiu com desprezo: "O senhor nunca foi amigo deste homem, não é mesmo?".

Shipp suspirou. "Certo. Está bem. Se o senhor quer mesmo saber, acho que eu devia ser, pra ele, como todos os outros: só mais um criado. Vivia fazendo coisas pra O.J. na polícia, tipo consultar placas de carros. Era isso que eu era. Como eu já disse, eu me amarrava no cara."

Valeu, Carl.

UMA PALAVRA SUJA E OBSCENA

Dizem os advogados que a voz de uma vítima nunca perde seu vigor emocional no além-túmulo. Na chamada ao 911, no dia 25 de outubro de 1993, Nicole diz: "Ele voltou. Por favor. [...] É o O.J. Simpson. Vocês já devem ter a ficha dele aí. Dá pra mandar alguém?". Em seguida, aos prantos: "Dá pra mandar alguém pra cá, por favor?".

Quando Darden reproduziu a fita para o júri, a sala de audiência mergulhou no mais absoluto silêncio. A maioria dos presentes, inclusive diversos jurados, já tinha ouvido partes da gravação em outras ocasiões, por isso alguns trechos não eram novidade. No entanto, ao ser tocada do início ao fim, a fita ganhou um novo significado, e causou novas reações horrorizadas. Era evidente que Nicole não fingia a voz embargada, o terror e o choro conforme vacilava entre pedir ajuda à atendente e acalmar o ex-marido.

"Certo, fique na linha", respondeu a atendente.

"Não dá. Ele vai me enfiar a porrada", disse Nicole, respirando fundo para tentar se acalmar.

Durante o julgamento, havia uma forma simples de medir o quanto um depoimento afetava Simpson: quanto mais doloroso, mais ele falava. Diante de depoimentos inofensivos, O.J. ficava quieto, fazia rabiscos ou ouvia de forma casual. Já em depoimentos mais comprometedores, O.J. logo reagia, embora só pudesse apelar para Shapiro, à sua esquerda, e para Cochran, à direita. Os indícios de violência doméstica, ainda que pouco convincentes para o júri, deixavam Simpson especialmente inquieto, pois feriam seu ego. Ele se defendia com sua desculpa preferida: dizia que ela queria reatar o relacionamento. Segundo o réu, a porta dos fundos da casa de Nicole, que dava para a Gretna Green Way, danificada por ele durante a briga de outubro de 1993, já estava quebrada. Simpson matraqueou durante quase todo o tempo de reprodução da fita. Cochran acenava com a cabeça, inexpressivo; Shapiro remexia-se inquieto e tentava ignorá-lo. O.J., alheio a ambas as reações, continuava falando.

Era quase impossível entender o que O.J. dizia na gravação, mas sua voz transmitia uma fúria espantosa, tanto na intensidade quanto na duração de seu ataque verbal. Durante os treze minutos e meio de telefonema, Simpson não parava de gritar, e a ferocidade em sua voz não se deixava aplacar.

Nicole suplicava: "O.J., O.J., as crianças. O.J., O.J., as crianças estão dormindo". Esse é um dos poucos momentos em que suas palavras podem ser compreendidas com clareza: "Chupando o pau dele aqui na sala, você tava pouco se fudendo para as crianças. Elas tavam aqui. Você tava pouco se lixando para as crianças nessa hora".

A atendente perguntou: "Ele tá irritado com alguma coisa que a senhora fez?".

"Coisa do passado", suspirou Nicole. "Ele sempre volta pra esse assunto." Tratava-se do encontro de Nicole com Keith Zlomsowitch, em 1992. O.J. tinha observado a cena pela janela, escondido do lado de fora da casa.

Nicole suplicava: "Por favor, O.J., por favor... O.J., O.J. Vai embora! Vai embora, O.J., por favor. Vai embora!".

"Eu vou é dar com a mão na tua cara, isso sim."

Apesar do impacto causado pela fita, as próximas duas testemunhas deixaram claro as limitações da exposição de Darden sobre a tese de violência doméstica. Carl Colby e Catherine Boe, marido e mulher, eram vizinhos de Nicole em Gretna Green. O casal relatou que às vezes via Simpson na calçada, espiando a casa de Nicole. Porém, era tudo muito vago, sobretudo tendo em vista que os filhos de O.J. moravam lá e ele tinha o direito de visitá-los. Além disso, Boe era uma mulher um tanto avoada. Em conferência à parte entre os advogados e o juiz, durante a audiência, Darden disse, rindo: "Da sra. Colby, pode-se esperar qualquer coisa". Cochran comentou: "Parece um ser de outro planeta". Em dado momento, Boe começou a explanar sobre quais espécies de árvores ao redor de sua casa desprendiam frutas silvestres e a especular por que O.J. provavelmente não queria estacionar seu carro branco debaixo delas. Darden teve que desviar o rosto da ala dos jurados porque não se aguentava de tanto rir.

• • •

Tudo indicava que o depoimento de Denise Brown seria diferente. A irmã mais velha de Nicole acompanhara de perto, e por muito tempo, o relacionamento entre O.J. e a vítima, inclusive seu lado mais obscuro. Desde que o detetive Tom Lange ligou para a casa dos pais de Nicole, depois do crime, Denise ficou convencida de que O.J. havia matado a irmã. De todas as pessoas, ela era a mais indicada para explicar os motivos por trás do assassinato. Ao caminhar até o banco das testemunhas na tarde de sexta-feira, 3 de fevereiro, Denise não chegou sequer a relancear o ex-cunhado.

As quatro irmãs da família Brown tinham a aparência e o jeito de falar bem parecidos, e refletiam os valores de uma criação abastada em Orange County. Todas tinham silicone nos seios, mas nenhuma tinha diploma universitário. As duas mais velhas, Denise e Nicole, uma morena e a outra loira, eram as que chegavam mais perto de encarnar o estereótipo da garota californiana ideal: esbeltas e atléticas, gostavam de se divertir, e tinham sido princesas do baile na Dana Point High School. Denise terminou o colegial em 1975 e trabalhou um tempo como modelo em Nova York. Nicole formou-se em 20 de maio de 1977 e conheceu O.J. Simpson três semanas depois.

De certa forma, Denise orbitou a vida de Nicole por muitos anos, ora competitiva, ora solidária; ora briguenta, ora amorosa. Namorou muitos amigos de Simpson, como Al Cowlings, o dono de boutique Alan Austin e o executivo do ramo da publicidade Ed McCabe. Casou-se em 1984, mas se separou pouco tempo depois. Anos mais tarde, teve um filho com outro homem. Em 1994, ela e o filho estavam morando na casa dos pais dela. Um mês antes do assassinato de Nicole, Denise ficou presa por oito dias — de 9 a 17 de maio de 1994 — na cadeia de Huntington Beach, após admitir que dirigia embriagada. (Já havia sido processada pelo mesmo crime em 1992, mas não foi condenada à prisão na época.)

Embora ainda bonita, Denise Brown tinha um lado áspero inconfundível. Quando subiu no banco das testemunhas, de terninho preto e uma grande cruz de ouro no pescoço, era óbvio que queria ver o réu condenado.

"Srta. Brown", disse Darden. "A senhorita é a irmã mais velha de Nicole Brown?"

"Sou. [...]"

"Tem outras irmãs?"

"Sim. [...]"

"Quantas?"

"Dominique, Tanya e, claro, Nicole."

Darden começou perguntando quando Denise conheceu "o réu". A mulher respondeu que foi em uma viagem a Buffalo, em 1977, quando Nicole a convidou para ver uma partida do Buffalo Bills. Segundo ela, durante o jogo, "um amigo do O.J. se aproximou da gente e disse 'oi'. Nicole disse 'oi' também e beijou-o nas duas bochechas".

Darden perguntou se aconteceu algo fora do comum depois disso.

"Aham", disse Denise. "O.J. não gostou nada daquilo e começou a gritar com ela."

Ainda não havia passado nem cinco minutos de depoimento, quando do Shapiro e Cochran pularam de seus assentos para fazer objeções. Com os advogados reunidos junto de sua mesa, sem que os jurados pudessem ouvir, Ito dirigiu-se a Darden, perplexo: "Sr. Darden, pensei que trataríamos apenas de fatos essenciais, não de incidentes. A minha decisão sobre as provas de violência doméstica não cobre nada dessa época. Aonde o senhor quer chegar?"

"Não pretendo citar ou recolher qualquer depoimento de que o réu agrediu Nicole em 1977, Meritíssimo", disse Darden. "Só estou tentando definir e explicar a natureza do relacionamento do casal e como o mesmo se desenvolveu ao longo dos anos." O juiz nem precisou ouvir os advogados de defesa para rejeitar o argumento de Darden. O promotor estava tentando apresentar novas condutas questionáveis de O.J. perante o júri sem o aval do juiz. Os advogados de defesa, é claro, perceberam a jogada assim que Darden começou o interrogatório, e Ito cortou imediatamente as asas do advogado.

O erro de Darden era amador. Além disso, era uma péssima estratégia colocar Denise no banco das testemunhas e tentar logo de cara arrancar histórias sobre o mau comportamento de O.J. Devidamente preparada, Denise poderia ter dado ao júri informações valiosas sobre o relacionamento de Nicole e O.J., com seus bons e maus momentos. Seu depoimento ajudaria a entender por que Nicole sentia-se tão atraída por O.J. Na verdade, ajudaria a entender por que ela o amava tanto e por que continuou com ele, apesar dos abusos. Um panorama sincero do relacionamento teria dado a Denise muito mais credibilidade quando começasse a descrever as más ações de O.J. Em vez disso, Darden buscou apresentar O.J. como um agressor compulsivo. Não era verdade e, mesmo que fosse, era improvável que um júri que já se mostrava favorável ao réu acreditasse nisso.

Darden retomou seu lugar no púlpito ainda contrariado pela decisão de Ito e se dirigiu à testemunha: "Srta. Brown, não vamos mais falar sobre eventos ocorridos entre 1977 e 31 de dezembro de 1984, tudo bem?". Ou seja, sem nenhum contexto, Darden saltaria direto para o primeiro incidente de violência doméstica. Com apenas uma ou duas perguntas introdutórias, Denise relatou um episódio ocorrido no restaurante Red Onion, em 1987, na cidade de Santa Ana: "Teve uma hora em que o O.J. colocou as mãos entre as pernas de Nicole e disse: 'É daqui que saem os bebês, e isto aqui é meu'. Ela agiu como se nada tivesse acontecido, como se estivesse acostumada a ser tratada daquele jeito. Para ser sincera, achei aquilo humilhante".

Era óbvio que Denise estava fazendo de tudo para condenar O.J., observando de forma voluntária (e inadmissível) que Nicole estava "acostumada" com esse tratamento, e que ela, Denise, o achava "humilhante". Cochran percebeu o que estava acontecendo. Depois de se aproximar novamente da mesa do juiz, implorou a Ito: "Pode ser que lá pra maio ou junho, quando o veredicto do júri tiver saído, nos lembremos disso e acharemos graça, mas, por enquanto, não podemos permitir que isso aconteça. Simplesmente não acho certo".

Ito deixou Darden responder.

"Meritíssimo", disse o promotor, "não sei o que o sr. Cochran quis dizer com 'não podemos permitir'. Ele por acaso está vestindo a toga de juiz hoje?" Cochran atordoava Darden de tal forma que o promotor achou que podia se valer de ataques pessoais em vez de argumentos jurídicos.

Cochran retrucou como se estivesse falando com uma criança: "Eu disse que não podemos permitir isso sem objeções. Foi só o que quis dizer".

Mais uma vez, Ito instruiu Darden a impor maior controle sobre o depoimento. Novamente, com quase nenhuma introdução, Darden pulou para outro incidente de violência doméstica: uma briga entre O.J. e Nicole na casa da Rockingham, em meados da década de 1980. A briga começou, segundo Denise, quando ela acusou O.J. de não valorizar Nicole.

"Por que a senhorita disse isso ao réu?"

Shapiro protestou, e Ito manteve a objeção pela razão óbvia: "O motivo pelo qual a testemunha acha que a srta. Brown Simpson não era valorizada é irrelevante".

Darden perguntou o que aconteceu em seguida.

"Ele começou a gritar comigo: 'Não é verdade. Faço tudo por ela. Dou tudo pra ela'. Ele não parava, e a coisa virou uma grande briga, com quadros derrubados das paredes, roupas voando pelos ares." Denise parecia prestes a chorar. "Ele correu pro andar de cima, pegou umas roupas, desceu varado as escadas e agarrou Nicole pelo braço. Falou pra ela ir embora da casa dele, pra nós duas irmos embora da casa dele. Ele a pegou e a arremessou contra a parede, depois a jogou pra fora de casa. Ela acabou caindo... acabou caindo de bunda no chão, apoiada nos cotovelos. [...] Ficamos todos sentados gritando e chorando. Depois ele me agarrou e me jogou pra fora de casa também."

"A senhorita está bem?", perguntou Darden.

"Estou", disse Denise, fazendo uma pausa entre as lágrimas. "É que é muito difícil. Mas vou ficar bem."

Darden virou-se para o juiz. "Meritíssimo, se Vossa Excelência estiver de acordo, podemos suspender a sessão até segunda-feira de manhã?"

Essa é uma clássica estratégia dos tribunais encerrar a sessão de sexta-feira à tarde com um momento dramático — dando ao júri o que pensar durante o fim de semana —, e Darden escolhera cuidadosamente esse fechamento. Entretanto, como de costume, Cochran estava uns três passos a frente de Darden. Antes de saírem para o recesso do fim de semana, os advogados travaram um acalorado debate junto à mesa do juiz. Cochran repreendeu Darden por armar aquela cena dramática no final de uma sexta-feira. "A quem eles acham que estão enganando?", disse Cochran. "Escutem o que estou dizendo: o tiro vai sair pela culatra. Eles insistem nesse jogo, e não está certo."

Darden se defendeu. "Sr. Cochran", começou, "que reação o senhor esperava da testemunha, ainda mais levando em conta as circunstâncias, a relação dela com o réu e há quanto tempo ela o conhece? Ela está de luto, sr. Cochran. É o que acontece quando se perde um ente querido. Não é algo que posso controlar. Não é algo que posso interromper. Não fui eu que empunhei a faca. Não fui eu que matei a vítima. [...] Pra falar a verdade, fico comovido, me sinto mal. Talvez eu tenha demorado um pouco para interrompê-la, mas vou tentar melhorar da próxima vez. Devo dizer, no entanto, que o sr. Cochran tem sido meu mentor há anos, e aprendi que..."

O "mentor" cortou a fala de Darden.

"Bem, ele vai ver o resultado dessa encenação sobre o júri", disse Cochran. "Acho que não surtirá o efeito que o senhor espera." Cochran acreditava no resultado dos grupos focais — e na própria intuição. "Vamos esperar", disse o advogado de defesa. "Veremos se eles são manipuláveis ou não. Os senhores continuam insistindo nessas manobras e veremos qual será o resultado. [...] Vou lembrá-los disso." (Cochran tinha razão. Após o julgamento, vários jurados se declararam ofendidos com a postura obviamente tendenciosa de Denise, e admitiram ter desconsiderado boa parte do que ela dissera.)

• • •

A segunda-feira de manhã começou com outro fiasco de Darden. Pouco depois de começar a interrogar Denise Brown de novo, Darden colocou uma foto de uma maltratada Nicole no projetor do tribunal, que ficou conhecido durante o julgamento pelo nome da sua marca: Elmo. A acusação já havia mostrado fotos tiradas pela polícia no incidente de 1º de janeiro de 1989. A nova foto mostrava lesões semelhantes, mas não idênticas.

Denise afirmou ter visto a foto na gaveta do banheiro de Nicole. "A senhora e ela conversaram sobre a foto?", perguntou Darden.

"Sim."

"O que ela disse sobre a foto?"

"Protesto", disse Shapiro. "Testemunho indireto, Meritíssimo."

Ito pediu para que os advogados se aproximassem. Não havia dúvida de que a pergunta de Darden induzia ao testemunho indireto, vedado por lei, mas essa nem era a pior parte. O juiz perguntou a Darden a qual incidente de violência doméstica a foto estava ligada.

"Não sei a qual incidente a foto está diretamente relacionada", o advogado respondeu.

Ito suspirou e pediu aos jurados que se retirassem para a sala do júri. Em seguida, exigiu que Darden explicasse por que julgava admissível apresentar aquela foto. Darden limitou-se a dizer que ela tinha sido encontrada no cofre particular que Nicole mantinha em um banco depois de sua morte, junto com as fotos da agressão de 1989.

"Promotor", disse Ito, cada vez mais impaciente, "o senhor não pode simplesmente mostrar fotos chocantes sem conectá-las a fatos relevantes para o caso".

Dessa vez, a reação dramática da defesa era justificada: "Sou advogado há muito tempo", disse Shapiro, "mas devo confessar que nunca presenciei algo tão extraordinário como uma foto claramente inadmissível ser projetada em uma tela gigante para a apreciação dos jurados...".

Darden não especificara a data e o local em que a foto foi tirada, bem como as circunstâncias relevantes que a rodeavam. Ao mostrar a imagem, o promotor obviamente tencionava que os jurados inferissem ser O.J. o autor das lesões. Porém, não tinha como prová-lo. Em casos menores e sem tanta publicidade, esse tipo de erro pode levar à anulação de uma condenação por recurso. Como declarou Ito, com característica moderação: "O que me preocupa é a natureza provocativa da foto. É inaceitável apresentá-la ao júri sem nenhum embasamento".

Ito aplicou uma sanção relativamente leve. Limitou-se a pedir ao júri que desconsiderasse a fotografia e mandou Darden prosseguir. Dali em diante, o promotor tratou de finalizar o interrogatório de Denise bem depressa. Trouxe à tona que, quando Nicole estava grávida, O.J. chamou-a de "porca gorda" — um comportamento repugnante, sem dúvida, mas que não chegava a configurar violência conjugal. Denise concluiu seu depoimento descrevendo o comportamento de O.J. no recital de dança de Sydney no início da noite de 12 de junho de 1994.

Darden perguntou sobre a conduta de O.J. naquela noite.

Denise declarou: "Hum... Ele estava com um olhar bem esquisito. Um olhar muito distante. [...] Não era o O.J. de sempre, que chega num lugar e chama logo a atenção com aquela atitude de quem está seguro de si, sabe? Não... ele... ele tinha um olhar meio vidrado, assustador, sombrio. Não parecia em nada com o O.J. que conhecíamos".

Talvez fosse essa de fato a impressão que Denise teve de O.J., mas Cochran tinha os jurados nas mãos; indiferentes às lágrimas da testemunha, fitavam Denise com severidade e frieza.

● ● ●

Com o depoimento de Denise Brown, a acusação basicamente concluiu a argumentação sobre violência doméstica. Para um júri predisposto a acreditar nesse tipo de prova — ou que nutrisse certa hostilidade pelo réu — o depoimento poderia ter causado um impacto considerável. Afinal, O.J. chegou de fato a ser condenado por bater na esposa, e ainda houvera, pelo menos segundo a irmã da vítima, vários outros episódios de agressão. A fita com a chamada de emergência de 1993 sugeria, no mínimo, que O.J. tinha acessos de fúria e era capaz de agredir a esposa verbalmente, e os indícios de que perseguia Nicole, ainda que vagos, sugeriam um comportamento obsessivo do réu. Porém, no geral, as provas de violência doméstica não eram tão impactantes a ponto de preocupar a defesa. Shapiro, por exemplo, mal interrogou Denise Brown. O mantra usado por Cochran na declaração de abertura — este é um caso de assassinato, não de violência doméstica — continuou sendo o cerne da estratégia de defesa.

Agora, cabia à promotoria provar a tese de assassinato. Marcia Clark chamou uma série de testemunhas que haviam prestado depoimento na audiência preliminar: os garçons do restaurante Mezzaluna que serviram Nicole e sua família no dia 12 de junho; o barman que recebeu o telefonema de Juditha Brown por volta das 21h40 e então correu para fora do estabelecimento para localizar os óculos que ela tinha deixado cair; e, por fim, os vizinhos de Nicole que, conduzidos pelo akita abandonado da vítima, encontraram os corpos. De modo geral, os advogados da equipe de defesa não se ocuparam muito dessas primeiras testemunhas — até que os policiais começaram a ser chamados a depor.

A postura de Cochran mudou durante a inquirição de Robert Riske. Policial de ronda, Riske foi o primeiro membro do DPLA a chegar à cena do crime, na Bundy, às 0h13 do dia 13 de junho. Interrogado por Clark, Riske declarou que foi levado até os corpos por Sukru Boztepe e sua esposa, Bettina Rasmussen. Riske não fez muita coisa na ocasião. Depois de inspecionar rapidamente os corpos, o policial andou pela casa, removeu Justin e Sydney de seus quartos no andar superior da casa e pediu reforços. (O radar racial já estava ligado mesmo durante aquele inócuo depoimento. Riske mencionou que um sargento chamado Coon chegou à cena do crime, o que levou Clark a perguntar: "Esse sargento Coon é parente de algum outro policial?". Como o júri certamente sabia, Stacy Koon era um dos policiais que espancaram Rodney King. Não havia grau de parentesco entre eles.)

Dois tópicos se destacaram no interrogatório feito por Cochran. Primeiro, o advogado fez várias perguntas sobre o copo de sorvete da marca Ben & Jerry que Riske encontrou na escada dos fundos. Riske disse que o sorvete estava "derretendo", e não "derretido". Segundo Cochran, isso significava que o crime tinha ocorrido às 23h ou mais tarde; caso contrário, o sorvete estaria completamente "derretido".

De que tipo era o sorvete? O senhor tirou fotos? Onde exatamente encontrou o sorvete? Por que não o fotografou? Por que não o preservou como prova e o analisou? Por incrível que pareça, Cochran passou várias horas perguntando essas trivialidades a Riske e aos policiais que depuseram em seguida.

Outro tópico em destaque foi a atuação do médico-legista, que só chegou à cena do crime às 9h10 para retirar os corpos. Cochran disse ao júri que se o médico-legista tivesse chegado mais cedo, poderia ter conseguido precisar a hora da morte. Outras tantas horas de inquirição foram dedicadas a esse assunto.

Os dois tópicos tinham algo em comum: como argumentos de defesa, eram absurdos. A polícia não tinha como saber ao certo o quanto o sorvete já tinha derretido quando foi largado perto da escada, supostamente por Nicole. Portanto, examiná-lo ou fotografá-lo não traria nenhuma informação relevante. Da mesma forma, mesmo que os legistas tivessem chegado à cena do crime minutos depois de Riske, o horário da morte não poderia ser identificado com exatidão. De acordo com a promotoria, o homicídio teria ocorrido por volta das 22h15; já segundo a defesa, 22h35 ou mais tarde. O fato é que a patologia forense não é capaz de estabelecer a hora da morte com tanta precisão. No entanto, os argumentos sobre o sorvete e o legista foram úteis para Cochran. À medida que as perguntas eram repetidas — para Riske; para seu chefe, o sargento David Rossi; para os detetives Ron Phillips e Tom Lange —, Cochran colocava os policiais cada vez mais na defensiva. Por força da simples repetição, Cochran fazia parecer que houvera um grande desleixo da polícia na cena do crime. Assim, o foco mudou de O.J. Simpson para as deficiências do DPLA.

O advogado passou quatro dias interrogando Lange, detetive coencarregado do caso junto com seu parceiro, Vannatter. Lange não se deixava abalar pelas perguntas. Na verdade, às vezes parecia que o detetive estava lutando para ficar acordado. Calvo, com um bigode espesso que parecia camuflar qualquer mudança na expressão, Lange respondia impassível às investidas de Cochran. Não, não ligou de imediato para o médico-legista; não, não preservou o sorvete como prova. Em certos aspectos, Cochran violou as regras da inquirição cruzada, pois não se limitou a fazer perguntas fechadas, isto é, perguntas que só podem ser respondidas com sim ou não. A atenção de Cochran se dispersava, e deixava que as testemunhas divagassem também. No entanto, o que Cochran sabia fazer muito bem era contar histórias. As respostas às suas perguntas quase não importavam. Era com o júri que Cochran falava.

O advogado se preparava justamente para contar uma história quando, ainda no início do interrogatório de Lange, perguntou ao detetive sobre sua chegada à cena do crime: "O senhor foi de carro da sua casa, em Simi Valley, até o local, certo?".

"Certo."

"E quanto tempo levou de Simi Valley até Brentwood?"

"Uns cinquenta minutos..."

A ênfase quase encantatória no local de residência de Lange não era nada acidental. O lugar — ou apenas o nome "Simi Valley" — era motivo de repulsa entre os negros (e muitos brancos) de Los Angeles, porque foi lá que se deu a notória absolvição dos policiais que espancaram Rodney King. Simi Valley era uma localidade altamente conservadora, de maioria esmagadora branca — e não coincidentemente — o endereço de muitos policiais de Los Angeles. Simi Valley era vista como a paradigmática comunidade racista do sul da Califórnia. Cochran queria que o júri soubesse que Lange morava lá.

Na verdade, a referência já havia sido planejada muito antes. Bill Pavelic, o ex-policial renegado do DPLA que trabalhava para a equipe de defesa, pesquisou os nomes dos policiais envolvidos no caso em diversos bancos de dados e nunca descobriu onde moravam. No entanto, quando Pavelic topou com os detetives durante uma busca na propriedade de Simpson, decidiu puxar papo com Lange. Foi uma conversa bem casual.

"O terremoto danificou muito sua casa?", perguntou Pavelic.

"Não muito", disse Lange.

"Ah, é? Onde você mora?"

"Simi Valley."

Sabendo que poderia ser útil, Pavelic guardou a informação e, algum tempo depois, compartilhou-a com Cochran.

Durante a inquirição da defesa, logo após as duas primeiras referências ao endereço de Lange em Simi Valley, Cochran perguntou sobre os sapatos encontrados pelo detetive na casa de Simpson.

"O senhor levou os sapatos para Simi Valley?"

"Correto", disse Lange.

O advogado usou a primeira parte da inquirição para firmar a imagem de Nicole como predadora sexual. Perguntou, incisivo, se Lange tinha solicitado que o corpo da vítima fosse examinado para detectar a ocorrência de estupro. Como não havia nenhum indício de agressão sexual — a vítima estava inteiramente vestida, por exemplo — o exame indicaria apenas se ela havia tido relações sexuais recentes.

Em seguida, Cochran devotou-se à questão das velas. Queria saber quantas velas acesas Lange encontrou ao entrar na residência. Havia velas acesas na sala de estar? Sim. No quarto? Até mesmo no banheiro? Sim. E, claro, a ampla banheira estava cheia de água.

"Então o senhor estima que havia pelo menos nove velas acesas?"

"Certo."

Tinha até música ambiente. "Que tipo de música estava tocando?", perguntou Cochran.

"Instrumental, algo no estilo *new wave*, eu acho", respondeu Lange, provavelmente querendo dizer *new age*.

Cochran perguntou: "Uma música suave e romântica?".

Lange disse que não sabia ao certo, mas a resposta a uma pergunta dessas não importava.

Cochran fez uma série de perguntas a respeito de visitantes frequentes da casa da vítima, observando que Marcus Allen, astro do futebol americano, parecia estar entre eles. O advogado deixou no ar a natureza do envolvimento entre Allen e Nicole.

"O senhor sabe se a srta. Nicole Brown Simpson estava recebendo alguma visita naquela noite depois das 22h? Um homem? Sabe algo sobre isso?"

Ito rejeitou uma objeção da acusação e deixou Lange responder: "O único visitante homem de que tenho conhecimento é a outra vítima".

Como se já não estivesse claro o bastante, Cochran continuou: "Mas, dentro de suas atribuições como investigador, o senhor decidiu não solicitar exame para checar se houve estupro, como poderia ter feito. Não é verdade?".

Era verdade, e não era de estupro que Cochran falava. Era como se o advogado tivesse escutado todos os argumentos apresentados por Don Vinson, o consultor de seleção do júri ignorado pela acusação. As perguntas reforçavam a imagem de Nicole como uma vagabunda que vivia atrás de homens e que tinha predileção por negros.

Era visível a inquietação de Chris Darden enquanto observava Cochran empregar essa tática, e o promotor descontou sua frustração de uma forma particularmente inadequada. Na noite de 22 de fevereiro, o primeiro dia de depoimento de Lange, Darden trabalhava em seu escritório quando viu passar na TV o debate sobre o julgamento que ia ao ar diariamente no programa *Rivera Live*, no canal CNBC. O promotor ligou para a emissora para dar sua opinião (mais tarde, afirmou que não sabia que seus comentários estavam sendo transmitidos, o que era pouco verossímil). Falando com Geraldo

Rivera, Darden criticou o desempenho de Lange como testemunha. "Queria que os policiais fossem um pouco mais agressivos", disse o promotor. "Estão respondendo a todas as perguntas feitas pela defesa, mas algumas delas são ridículas, a meu ver. Gostaria que apontassem isso ao júri de vez em quando." Sobre Cochran, Darden acrescentou: "Tenho certeza de que está marcando alguns pontos".

O telefonema irrefletido de Darden só lhe causou problemas. Para começar, era indecoroso que um promotor público ficasse de papo com um apresentador de televisão ao mesmo tempo que participava de um julgamento de homicídio. Isso por si só já feria as diretrizes do escritório da promotoria. Para piorar, Darden estava criticando publicamente um aliado em potencial, Lange, e censurando implicitamente todos os policiais que já tinham deposto. Na quinta-feira de manhã, 23 de fevereiro, Darden levou uma bronca dos colegas, que o mandaram parar de bancar o comentarista jurídico na TV. Lange e Vannatter — que vinham esquentando a cabeça durante todo o julgamento com a aparente falta de apoio de Clark e Darden — estavam furiosos.

Cochran notou a atmosfera carregada e procurou tirar vantagem da situação. As insinuações do advogado no segundo dia da inquirição de Lange foram ainda mais grotescas, especialmente quando voltou a usar sua tática preferida: difamar Nicole.

"Bem", começou Cochran, "no decurso do inquérito, o senhor sabia quem era Faye Resnick?"

"Sim."

"E como, no decurso do inquérito, o senhor tomou conhecimento do nome Faye Resnick?"

"Quando descobri que Faye Resnick era amiga da vítima, Nicole Brown Simpson", explicou o detetive.

Cochran queria expor aos jurados sua teoria — totalmente infundada — sobre Faye Resnick: que os assassinatos teriam sido cometidos por traficantes que estavam atrás da mulher. Para isso, o advogado precisava demonstrar que Resnick tinha morado com Nicole por alguns dias no início de junho. Ao mesmo tempo, Cochran não queria convocar Resnick como testemunha de defesa. Ela detestava Simpson, não acreditava em sua inocência e afirmava que O.J. lhe confessara que queria matar Nicole. Pelas regras, Cochran não podia convocá-la como testemunha para depor sobre algumas coisas (que ela tinha se mudado para a casa de Nicole), mas não outras (que O.J. lhe dissera que queria matar a amiga). Assim, Cochran tentou arrancar a lasca que queria da história por meio do depoimento de Lange.

"O senhor ficou sabendo", Cochran perguntou a Lange, "se Faye Resnick se mudou para a casa de Nicole Brown Simpson na sexta-feira, 3 de junho de 1994?"

Clark protestou. A resposta envolveria testemunho indireto, isto é, relatar o que alguém disse a Lange. Ito manteve a objeção.

Cochran mudou de abordagem. "O senhor chegou a apurar se a srta. Nicole Brown Simpson morou com alguém além dos filhos nas semanas que antecederam o dia 12 de junho?"

"Sim", disse Lange.

"Por acaso o senhor descobriu que Faye Resnick foi morar com Nicole Brown Simpson por volta do dia 3 de junho de 1994?"

Clark protestou de novo, mas dessa vez Ito deixou Lange responder. O detetive disse que ouviu falar que Resnick tinha se mudado para a casa naquela data.

Quando Cochran fez outra pergunta sobre Resnick, Ito pediu que os advogados se aproximassem de sua mesa. Fez a Clark uma pergunta que dizia muito sobre sua filosofia de trabalho como juiz: Resnick tinha realmente morado com Nicole? "É um fato contestável?" Como sempre, Ito se preocupava mais com a obtenção de informações precisas para o júri do que com minúcias legais relativas à produção de provas. Clark estava tão furiosa que mal conseguia falar. "Eu não...", Clark balbuciou. "Não sei ao certo quando Faye Resnick morou com ela, ou se chegaram a morar na casa de forma contínua. [...] Não importa se é um fato contestável ou não. [...] Os autos já estão repletos de baboseiras lançadas ao júri pela defesa, cujo método de inquirição consiste em fazer perguntas do tipo: 'Ficou sabendo disso?', 'Tem conhecimento daquilo?'." Clark recomendou a Cochran chamar uma testemunha que pudesse atestar diretamente se Resnick tinha ou não morado com Nicole.

Ao ouvir isso, Cochran decidiu debochar de seus adversários: "Eu escolho a testemunha que quiser", disse. "Obviamente, eles não defendem um caso no tribunal há um bom tempo, e claramente não sabem o que estão fazendo, mas é assim que funciona uma inquirição."

Darden reagiu à provocação de Cochran bradando alto para que todos no tribunal pudessem ouvir: "Quem aqui não sabe defender um caso?".

"Contenha-se, sr. Darden", pediu Ito. Na tentativa de manter certa ordem aparente, o juiz tinha estipulado que apenas um advogado de cada lado poderia se pronunciar sobre um tema em discussão. Quem estava com a palavra era Clark — e além do mais, Darden estava apenas batendo boca com Cochran.

No entanto, Darden não se conteve — ele não conseguia se controlar quando o assunto era Cochran. O promotor continuou falando contra as ordens do juiz. "Ele acha que é o único advogado que sabe defender um caso?", Darden disse em um rompante.

Ito estava estarrecido com a atitude de Darden, em desobediência direta à sua ordem: "Vou ter que detê-lo por desacato", ameaçou o juiz.

Ainda assim, Darden não parou. "Desacato? Fiquei sentado aqui o tempo todo ouvindo..."

"Sr. Darden", continuou Ito, "estou lhe avisando..."

"Esta inquirição está uma bagunça", Darden disparou.

O magistrado saiu de onde estava durante a discussão com os advogados e voltou para seu assento. Entre suspiros, dispensou o júri e mandou os advogados retornarem às suas respectivas mesas. A breve pausa se prestaria a aliviar a tensão e a dar ao promotor algum tempo para se recompor.

Após a saída do júri, Ito virou-se para Darden e disse: "Sr. Darden, quero lhe dar um conselho. Respire fundo umas três vezes, como eu vou fazer agora, e pense bem nas suas próximas palavras. O senhor gostaria de fazer um intervalo?".

"Não preciso de um intervalo", disse Darden.

"Ouvirei então o que o senhor tem a dizer. Eu lhe fiz uma intimação. Algum comentário?"

"Gostaria de chamar meu advogado, Meritíssimo", disse Darden. (Não é um bom sinal quando um promotor sente a necessidade de chamar o próprio advogado no meio de um julgamento de homicídio.)

"Pode chamá-lo", disse Ito, friamente.

Era tão simples. Ito só queria um pedido de desculpas. Todo advogado de defesa sabe que os juízes às vezes agem de forma irracional, tomam decisões erradas ou agem impetuosamente. No caso, Ito tinha cometido um erro ao admitir testemunhos indiretos, e Darden estourou. Como promotor, era seu trabalho e seu dever pedir desculpas e dar andamento ao processo. Benevolente e tolerante até demais, Ito não poderia ter sido mais claro em relação ao que queria quando disse: "Encorajo o promotor a pensar com cuidado no que vai dizer a este tribunal em seguida... Essa é uma boa oportunidade para levantar e dizer: 'Xi, sinto muito, acabei perdendo a cabeça, minhas sinceras desculpas ao tribunal e ao advogado'. Uma vez que eu tenha recebido essa resposta, poderemos seguir em frente".

Ito deu a Darden um momento para conversar com Clark. Eles se afastaram, e Darden sacudiu a cabeça. Quando Ito perguntou o que eles tinham decidido, Clark reafirmou que Darden queria um advogado para defendê-lo na ação por desacato. Ito deu a Darden mais um tempo para pensar no assunto. Mais uma vez, Clark disse que Darden queria ser representado por um advogado. Ele não pediria desculpas. Darden estava isolado perto da ala dos jurados, de cabeça baixa, com os braços cruzados, atordoado.

Ito não queria alongar aquilo por mais tempo. "Estou lhe oferecendo a terceira e última chance de pôr um fim nessa história. É muito simples." Novamente, silêncio.

O advogado Gerry Spence, de Wyoming, estava sentado na seção de imprensa do tribunal. (Ele comentava o julgamento para o canal CNBC e outras emissoras de televisão.) Spence estava tão frustrado com a intransigência de Darden que bateu com um bloco de notas na coxa e disse: "Meu Deus do Céu!".

"Sr. Spence, seus comentários são desnecessários", declarou Ito.

Ainda assim, Darden continuou calado.

• • •

Christopher Darden não era nada ingênuo. Ele sabia que devia ter aprendido a ignorar Johnnie Cochran. Porém, os sentimentos do promotor eram tão intensos que ele não conseguia se conter.

Em alguns aspectos, as histórias das famílias Darden e Cochran eram estranhamente parecidas. Ambas vieram do Sul à Costa Oeste como parte do grande movimento de migração de afro-americanos atraídos pela perspectiva de trabalho nas fábricas durante a Segunda Guerra Mundial. A família de Cochran era da Louisiana e se estabeleceu primeiramente em Oakland; o pai de Chris Darden era dos arredores de Tyler, Texas, e fixou residência em Richmond, uma cidade ao lado de Oakland. Johnnie Cochran, o pai, trabalhava na construção de navios de transporte de tropas para a empresa Bethlehem Steel, enquanto Eddie Darden soldava submarinos para a Marinha.

Apesar das semelhanças, as duas famílias negras eram separadas por um abismo quase invisível aos brancos, que tendem a considerar que todos os afro-americanos pertencem a uma única classe social, sempre enfrentando as mesmas dificuldades. Não que os Cochran fossem aristocratas e os Darden miseráveis, mas havia sim uma diferença de classe entre eles. Johnnie Cochran, o pai, largou o trabalho braçal assim que o Japão se rendeu. Seu primeiro filho cresceu não apenas com a esperança, mas com a expectativa de superar o considerável sucesso do pai. Por outro lado, Eddie Darden não largou o maçarico até o dia em que se aposentou, décadas mais tarde. Seu filho, Chris, o terceiro de oito, não contou com a ajuda da família para ingressar no mercado de trabalho.

Richmond não era uma cidade de muitas oportunidades. Era uma comunidade pacata de 21 mil habitantes no início da guerra, que, em um ano, veio a se tornar uma verdadeira metrópole, com 100 mil habitantes. As empresas Kaiser, Southern Pacific Railways e Bethlehem Steel — e ainda os grandes estaleiros militares de Port Chicago e Mare Island — absorviam novos trabalhadores tão logo se acomodavam nos barracos precários que proliferavam nas ruas desarborizadas. Porém, à diferença de Oakland, onde os negros ganharam certa representação política, Richmond permaneceu por anos sob o controle de uma pequena elite branca. Os serviços públicos eram deficientes. A cidade não tinha tribunal superior nem hospital público. "Uma lavoura", descreveu um dos poucos advogados negros proeminentes em Richmond, "o Mississippi do Oeste".

No caso de Eddie Darden, o racismo se estendia ao local de trabalho. Ralava como empregado civil no grande estaleiro naval de Mare Island, na cidade de Vallejo. Os cargos mais bem pagos eram de trabalhadores qualificados, como soldadores, técnicos em tubulação e operadores de jatos abrasivos. A maior parte desses trabalhos ia para os brancos. Por muitos anos, os trabalhadores negros, como o pai de Chris, conseguiam apenas as vagas de ajudantes — assistentes com salário inferior ao dos trabalhadores qualificados. Foi só com o advento das ações afirmativas, nas décadas de 1960 e 1970, que uma boa quantidade de negros como Eddie Darden se tornou mão de obra qualificada. Além de cuidar dos oito filhos, Marie, mãe de Chris, trabalhava no refeitório de uma escola — outra ocupação sem futuro tradicionalmente desempenhada pelos afro-americanos de Richmond.

O dinheiro da família Darden deu para comprar uma pequena casa de madeira de dois andares no sul de Richmond, onde ficava a classe trabalhadora, mas não era suficiente para luxos e certas necessidades básicas, como visitas periódicas ao dentista, para todos os filhos. Por não ter cuidado dos dentes na infância, Chris sofreu de problemas dentários durante toda a vida.

No entanto, quando o assunto era educação, a família Darden pensava de forma bem similar aos Cochran. Os pais de Darden acreditavam que somente as escolas com número significativo de crianças brancas tinham os recursos adequados, por isso era nelas que queriam matricular os filhos. Nesse aspecto, a família de Darden deu sorte, porque a John F. Kennedy High School foi construída a poucas quadras de casa justamente quando os primeiros filhos do casal chegavam à idade escolar. Era um edifício moderno, com piscina, campos desportivos e capacidade para cerca de 2 mil estudantes. O colégio atraía os melhores alunos da cidade. Edna, a filha mais velha, foi representante do grêmio estudantil em 1972. O irmão mais velho de Chris, Michael, se destacou na equipe de atletismo, embora mais tarde tenha caído no mundo das drogas. Chris Darden não era o filho predileto, como Johnnie Cochran. Ele entrou no colégio em 1974 com algo a provar.

Darden era um garoto quieto e com temperamento volátil. Destacou-se como aluno e atleta, ao mesmo tempo que trabalhava em uma loja de bebidas. Sua paixão era o futebol americano, e jogava como *wide receiver*. (Não usava a camisa 32 nem idolatrava O.J. Simpson. Como a maioria das pessoas em Richmond, Darden torcia pelo Oakland Raiders.) Darden nunca brilhou muito no futebol porque jogava atrás de Robert "Spider" Gaines, que foi para a Universidade de Washington e acabou ganhando o prêmio de melhor jogador no Rose Bowl. Mais obstinado do que talentoso, Darden direcionou suas energias ao atletismo, correndo na prova de 400 metros se tornando capitão da equipe de cross-country. Também integrou a National Honor Society, organização dedicada à valorização de estudantes que se destacam no ensino médio. Darden conseguiu juntar dinheiro para se matricular em uma faculdade local com cursos de curta duração. Um ano depois, ingressou na Universidade Estadual de San Jose.

Os meados dos anos 1970 foram uma época conturbada para se dedicar ao atletismo na Universidade Estadual de San Jose. Nos Jogos Olímpicos de 1968, na Cidade do México, Tommie Smith e John Carlos, estudantes da universidade, ganharam ouro e bronze na prova de 200 metros rasos. Durante a execução do hino nacional, na cerimônia de premiação, os dois jovens chocaram o mundo ao fazerem a tradicional saudação do movimento Black Power — braços erguidos e punhos cerrados dentro de luvas negras. Smith e Carlos já tinham deixado a universidade quando Darden começou os estudos, mas o espírito impetuoso dos corredores ainda ressoava na equipe de atletismo e entre os estudantes negros em geral. Contudo, a parte mais importante da formação de Darden durante a faculdade, mais do que a equipe de atletismo, foi a fraternidade Alpha Psi Alpha.

As fraternidades predominantemente negras desempenham um papel importante na comunidade afro-americana. Com a falta de acesso a muitas oportunidades garantidas aos brancos, muitos jovens universitários negros formam laços vitalícios com as fraternidades, cuja influência extrapola os muros do campus. Não se comparam às fraternidades brancas, como são retratadas no filme *O Clube dos Cafajestes* (1978) — sobretudo no caso da Alpha Psi Alpha, a mais antiga e prestigiada fraternidade negra dos Estados Unidos, que já admitiu Martin Luther King Jr. e Thurgood Marshall. A fraternidade tinha membros ativistas e até militantes. (Por outro lado, Johnnie Cochran era integrante da Kappa Alpha Psi da UCLA, uma fraternidade negra mais sociável, conhecida por agregar os "playboys".) Os membros da Alpha Psi Alpha não tinham um espaço no campus da San Jose. Reuniam-se nas salas de aula, onde organizavam diversos projetos, como um programa de tutoria para crianças de bairros carentes.

O apelido de Darden na fraternidade era Sugar D — porque, segundo diziam, ele era uma pessoa doce. Darden também era uma espécie de líder silencioso, e liderava mais pelo exemplo que pelas ordens. O grande compromisso que demonstrava perante os colegas afro-americanos não passava despercebido mesmo naquela época intensamente politizada. Nas entrevistas de admissão a novos membros, Darden sempre fazia a mesma pergunta: "O que você pretende fazer pelos seus?". Mesmo antes de o caso Simpson tornar Chris Darden famoso, um membro mais jovem da fraternidade guardou por muitos anos um bilhete que Darden lhe entregou quando foi aceito na fraternidade: "Não importa quem você é, de onde vem ou como pensa — o que importa é o que você faz com isso". Assinado, Sugar D.

Darden largou o atletismo de repente. Uma professora de história e estudos afro-americanos, Gloria Alibaruho, tornou-se sua mentora. Mais tarde, Darden escreveria sobre a época em que estudou o mundo de seus antepassados: "Meus olhos se abriram como cortinas e passei a entender minha própria existência. Martin Luther King me ensinou o que era justo, os jornais do Partido dos Panteras Negras eram a voz dos injustiçados, mas foi Gloria Alibaruho que me ensinou quem eu era. Foi como descobrir a gravidade. Ela explicou o universo para mim. Entendi por que me tratam assim. Entendi por que as mulheres seguram a bolsa quando entro no elevador".

Alibaruho sentou para conversar com Darden, e, apelando para sua crescente consciência política, perguntou literal e metaforicamente: "Quando você vai parar de correr em círculos?". Darden seguiu o conselho da professora e foi estudar direito. Alugou um apartamento em Richmond e passou a atravessar diariamente a Bay Bridge para chegar à UC Hastings, em São Francisco. Não foi nada fácil se manter nos estudos. Como admitiu mais tarde, Darden cometia muitos furtos na época da faculdade. Teve ainda um filho durante os estudos, mesmo sem estar casado. Formou-se em 1980 e começou a trabalhar para o NRLB [National Labor Relations Board, entidade federal que regula relações trabalhistas], com salário de 17 mil dólares ao ano. Poucos meses depois, mudou-se para Los Angeles e ingressou na Promotoria de Justiça. O salário era melhor —24 mil ao ano — e, como disse na época: "Quero gente como eu tomando decisões".

• • •

Darden tinha chegado mais longe e superado mais obstáculos do que qualquer advogado no caso Simpson, e provavelmente também era o que tinha as melhores intenções. Contudo, era diferente de Cochran, Shapiro e Marcia Clark em um ponto: infelizmente, não era um advogado de tribunal muito talentoso.

Para começar, Darden tinha pouca experiência com julgamentos. Após trabalhar alguns anos em casos menores, como é de praxe, Darden passou a maior parte de seus quinze anos como promotor na SID, a divisão de investigações especiais da Promotoria de Justiça de Los Angeles. A divisão é responsável por um dos trabalhos mais politicamente delicados dentro da promotoria — investigar servidores públicos, em especial policiais do DPLA —, e o fazem com toda a meticulosidade. Visto que processar policiais, aliados frequentes da promotoria, era uma tarefa espinhosa, os advogados da SID apresentavam acusações apenas nos casos mais importantes. Por isso, não é de se estranhar que Darden tenha participado de apenas um grande julgamento durante o período em que trabalhou na divisão. Ele acabou se tornando, porém, o promotor à frente de um dos episódios mais notórios da história do DPLA: a batida policial de 1988 nos prédios da esquina da 39th Street com a Dalton Avenue. A operação era para ser uma simples apreensão de drogas, mas os estragos causados pelos oitenta policiais do DPLA que participaram da operação tiveram efeitos dramáticos e duradouros. No final das contas, a incursão custou à cidade mais de 3 milhões de dólares em acordos com as vítimas, e Darden investigou e processou os três principais policiais responsáveis. "Chris achava que devíamos responsabilizar o comando da polícia, o que acabou envolvendo Daryl Gates", disse Ira Reiner, o então promotor de justiça de Los Angeles. O chefe de polícia escreveu uma carta a Reiner afirmando que Darden estava passando dos limites, sendo agressivo demais. "Qualquer outra pessoa não teria dado a mínima", continuou Reiner, "mas não Chris. Ele queria mandar uma carta de resposta. Era um clássico caso de má conduta policial, e nós o levamos adiante, é claro. Chris encarregou-se de tudo com empenho e fervor. É assim que ele trabalha". No caso apresentado por Darden, todos os três policiais acusados foram absolvidos.

O primeiro momento importante de Darden no julgamento de Simpson veio um pouco antes das declarações de abertura, enquanto Ito decidia se a defesa poderia questionar Mark Fuhrman sobre a ocasião em que usou a palavra "crioulo" para se referir a negros. Outros promotores tinham conduzido a maior parte da argumentação jurídica sobre a questão, mas Darden surgiu no dia 13 de janeiro como uma espécie de perito no assunto.

"É uma palavra suja e obscena", disse Darden. "Não permito o uso dessa palavra em minha casa. Tenho certeza de que o sr. Cochran também não. Isso porque é um termo extremamente depreciativo e aviltante, tão preconceituoso e hostil que usá-lo em qualquer situação sempre provocará algum tipo de reação emocional nos afro-americanos presentes."

Segundo Darden, permitir o uso da palavra "servirá apenas para uma coisa: ofender os jurados negros. Será um teste... um teste para saber de que lado estamos. Do lado dos promotores e policiais brancos? Ou do lado do réu e seu famoso advogado, também negro? É assim que vai ser: ou estamos do lado dos brancos ou o dos negros. Simples assim. É o que vai acontecer".

O discurso de Darden tinha duas leituras possíveis: uma explícita e outra implícita. Em parte, o promotor queria dizer exatamente o que disse: "crioulo" é um epíteto ofensivo como nenhum outro, e Ito devia pensar bem antes de permitir seu uso no tribunal. No entanto, as palavras de Darden também refletiam sua frustração com a defesa, que soube já de início se aproveitar do viés racial do julgamento. A estratégia adotada por Shapiro praticamente desde o dia em que Simpson foi preso — e à qual Cochran adicionou mais floreios que o planejado inicialmente — requeria colocar o racismo no centro da discussão. Essa estratégia começou com Fuhrman, e a questão racial seguiu ganhando ênfase na escolha dos jurados, na obsessão da defesa com a má conduta policial e na difamação de Nicole. Tendo dedicado sua carreira a desmascarar o autêntico racismo policial, Darden fervia de raiva ao ver O.J. Simpson — que nada fizera pela comunidade afro-americana ao longo da vida — usando sua condição racial para sair na vantagem. Frustrado, o promotor começou a tresvariar.

"O sr. Cochran e a defesa têm um propósito ao enveredar por esse caminho. O propósito é apelar para a emoção dos jurados e incitá-los a escolher um lado sem se basear nas provas do caso. E as provas contra o réu são esmagadoras", continuou. "Não preciso instruir o tribunal a esse respeito, mas todos temos direito a um julgamento justo, assim como o réu. Não andamos por aí maquinando como insinuar ao júri que o réu tem fetiche por mulheres brancas e loiras. Seria inadequado. Seria apelar para a emoção do júri. Seria ultrajante."

Era Darden que se comportava de forma ultrajante, discorrendo sobre a obsessão por mulheres brancas diante das câmeras de TV. Depois de quase vinte minutos sem dizer coisa com coisa, ele finalmente se sentou.

Johnnie Cochran tinha planejado deixar o tribunal mais cedo naquele dia, mas decidiu ficar para responder ao monólogo de Darden. Cochran caminhou lentamente em direção ao púlpito. Mais importante, experiente, forte e sábio, o advogado de defesa ganhava de Darden em termos tanto físicos quanto intelectuais. "Tenho um funeral hoje. Há poucas coisas na vida mais importantes do que comparecer a um funeral... Ainda mais quando se recebe um convite para dizer algumas palavras. Mas seria negligente de minha parte não aproveitar esta oportunidade para responder ao meu bom amigo, o sr. Chris Darden."

"Meu bom amigo" — isso era um prenúncio do ataque que estava por vir.

"Os comentários desta manhã são, talvez, os mais inacreditáveis que já ouvi em um tribunal nos 32 anos em que exerço a advocacia. São comentários humilhantes para a comunidade afro-americana. Por isso, antes de ir ao funeral, gostaria de pedir desculpas aos afro-americanos de todo o país. Nem todo afro-americano pensa desse jeito. É humilhante para nossos jurados ouvir que os afro-americanos, oprimidos por mais de duzentos anos neste país, não se garantem dentro do sistema social vigente, não podem ouvir essas palavras ofensivas. [...] Sinto-me envergonhado pelo sr. Darden, que acabou se tornando um defensor desse homem [Fuhrman]."

Darden ficou fora de si. Levantou-se e ficou caminhando em minúsculos círculos atrás da cadeira, como se indeciso entre ficar e sair. Por fim, sentou-se e virou a cadeira para longe do púlpito, em um gesto simbólico — ainda que infantil — de protesto.

Ao exagerar a polêmica em torno do termo crioulo, Darden deu espaço para que Cochran expressasse justificada indignação. "Eu lhes garanto que os negros de todo o país estão se sentindo ofendidos neste exato momento", continuou Cochran. "Devo dizer que tudo isso foi desnecessário e injustificável, uma postura lamentável vinda de alguém por quem tenho profundo respeito. Acho que o assunto o deixou exaltado demais." O que sem dúvida era verdade.

Ao encerrar seu discurso, Cochran subiu a um novo patamar dramático, abraçando efusivamente Simpson e todos os advogados na mesa da defesa. Saindo por fim para o funeral, o advogado ainda teve tempo de sussurrar algumas palavras a Darden — a clássica reprimenda: "Crioulo, *faça-me o favor...*"[1]

• • •

Depois disso, Darden jamais recuperou a compostura. Nas discussões entre os advogados, junto à mesa do juiz, o promotor não raro demonstrava surpreendente falta de profissionalismo. Certa ocasião, ainda no início do julgamento, ele sugeriu que Ito esclarecesse uma instrução a uma testemunha, e acrescentou em seguida: "Não estou criticando seu trabalho, juiz. O senhor é meu camarada". Cochran, abismado, interrompeu: "Não é uma questão de ele ser ou não seu 'camarada'. Peço a anulação do depoimento". Às vezes, o humor de Darden saía pela culatra. Em outra ocasião, também em conferência à parte, queixou-se de que Cochran havia pisado em seus sapatos Ferragamos recém-lustrados. "Acho que ele devia comprar outro par pra mim." Sempre tolerante, Ito respondia: "Pessoal, por favor". Darden também deixava a emoção transparecer na frente do júri, fazendo caretas ou franzindo a testa para sinalizar suas impressões sobre o depoimento. Às vezes, quando estava irritado, balançava suas chaves. Seja qual fosse a intenção de Darden com tais gestos, o júri reconhecia neles apenas nervosismo e imaturidade.

Naturalmente, o corpo de jurados havia sido dispensado antes do confronto entre Darden e Ito, no dia 23 de fevereiro, durante o depoimento de Lange. Depois de ser convidado a se desculpar pela terceira vez — e depois de outros tantos momentos angustiantes de silêncio —, Darden cedeu e proferiu algumas palavras relutantes de conciliação.

---

1   No original, "*Nigger, please*".

"Meritíssimo", disse. "Obrigado pela oportunidade de rever a transcrição de nossa conferência privada. Parece que Vossa Excelência tem razão. Talvez meus comentários tenham sido um pouco inadequados. Peço-lhe desculpas. Jamais quis lhe faltar ao respeito."

Ito, por sua vez, foi muito mais compreensivo do que Darden tinha razões para esperar: "Sr. Darden, desculpas aceitas. Também peço desculpas pela minha atitude. Somos colegas há vários anos, e sei que sua reação foi atípica. Vou registrá-la como tal".

Em seguida, Ito convidou o júri para voltar à sala de audiência, e Cochran prosseguiu com suas perguntas ao detetive Lange. No entanto, a inquirição não durou muito tempo devido à eclosão de uma nova crise. A estrela da declaração de abertura de Cochran — Rosa Lopez, a empregada dos vizinhos de O.J. — ameaçava voltar para El Salvador, sua terra natal.

"NÃO POSSO FICAR, MERITÍSSIMO"

Em sua exposição inicial, Marcia Clark surpreendeu Johnnie Cochran ao declarar de maneira enfática que o crime ocorreu exatamente às 22h15. Em conversas com os colegas da defesa, Cochran soube pelo investigador Bill Pavelic de uma testemunha que alegava ter visto o Ford Bronco de Simpson estacionado em frente à casa do réu às 22h15. Era Rosa Lopez, que trabalhava como empregada na North Rockingham Ave., 348, ao lado da casa de O.J. Em resposta a Clark, a exposição inicial de Cochran apoiou-se bastante no provável depoimento de Lopez, embora o advogado nunca tivesse falado com ela. Cochran insistia que, se o crime havia ocorrido às 22h15 e o Bronco ainda estava na Rockingham às 22h15, O.J. não poderia ser o culpado.

Ninguém ficou mais surpreso ao ouvir tudo isso que Rosa Lopez. De onde estava, com a família Salinger, ao sul da mansão de Simpson, a empregada de 57 anos de idade acompanhou todo o caso pela televisão e até contou o que se lembrava da fatídica noite a vários amigos e familiares em Los Angeles. O que Lopez lhes disse, porém, foi que havia visto o Bronco por volta das *22h*, e não às 22h15. Depois que Cochran mencionou o nome dela durante a exposição inicial no dia 25 de janeiro, os jornalistas logo descobriram onde ela morava e começaram a vigiar sua casa. Porém, como se Lopez não estivesse com os nervos abalados o suficiente, foi a discrepância entre o que ela lembrava e o relato de Cochran que a deixou com os cabelos em pé. Como ela bem sabia, ver o carro do réu às 22h é uma informação, na melhor das hipóteses, neutra, e, na pior, complicava a situação de O.J., porque a cena do crime ficava a apenas cinco minutos de carro da casa dele. Lopez havia contado a várias outras empregadas que trabalhavam por lá que se lembrava de ter visto o Bronco às 22h. Começou a correr um boato na vizinhança de que Rosa estava mentindo, de que havia sido subornada ou estava sendo usada como joguete da defesa. Lopez também havia dito para a filha, que morava no bairro de Los Feliz em Los Angeles, que havia visto o carro de O.J. às 22h. Em meio a jornalistas, boatos e olhares de reprovação dos amigos e familiares, a aflição de Rosa Lopez se transformou em pânico.

Os advogados de defesa ficaram sabendo da situação desalentadora de Lopez e, como costumavam fazer diante de tarefas delicadas, recorreram ao investigador Patrick McKenna. Extrovertido e simpático, McKenna era a pessoa ideal para acalmar Lopez e impedi-la de fugir antes de depor. Ele fez o possível e o impossível. McKenna e Cochran arranjaram um advogado para Lopez. Não contente, Lopez pediu as contas à família Salinger no dia 10 de fevereiro e foi se esconder com a filha em Los Feliz. Descoberta pela imprensa, ligou para McKenna para tirá-la de lá. No dia seguinte, McKenna foi buscá-la. Um comboio de carros de reportagem de emissoras locais saiu na sua cola em uma perseguição a mais de 120 km/h pelas ruas de Los Angeles, mas o detetive conseguiu despistá-los. Lopez continuava apavorada. Alguns dias depois, sumiu do mapa. Passou a noite de quarta-feira, 22 de fevereiro, trancada no seu carro, depois dirigiu sem rumo até parar no Novo México. De lá, ligou para seu advogado, que, em nome de Cochran, implorou que retornasse. Ela aceitou pegar um voo para Los Angeles — mas frisou que seria só por um dia. Ela compareceria em juízo na sexta-feira, 24 de fevereiro, mas jurou que iria embora para sua terra natal, El Salvador, na manhã seguinte. Depois de trinta anos nos Estados Unidos, decidiu que não ficaria nem mais um dia no país.

O voo de Lopez saiu do Novo México e aterrissou em Los Angeles à 1h30 da madrugada do dia 24 de fevereiro, e quando apareceu no tribunal às 9h daquela mesma manhã, parecia exaurida e desnorteada. Sentada em um banco no fundo do tribunal, esperando sua vez de depor, vestia um conjunto roxo de veludo e trazia no rosto uma expressão aturdida.

Nascida e criada na zona rural de El Salvador, Rosa Lopez levou uma vida atribulada antes de ir aos Estados Unidos. Uma entre dez filhos de um casal de camponeses, largou a escola aos 9 anos para ajudar os pais na pequena plantação de milho, feijão e arroz. Casou--se cedo e teve sete filhos, mas apenas quatro sobreviveram ao parto. Outros dois morreram em meio a uma longa guerra civil em seu país: uma filha de 15 anos, que foi sequestrada e morta, e um filho, que trabalhava de piloto para o governo, e cujo helicóptero foi derrubado por guerrilheiros. Os dois sobreviventes foram com ela para Los Angeles, onde ela trabalhava como empregada doméstica há cerca de trinta anos. Rosa Lopez trouxe para o banco das testemunhas do caso Simpson um instinto de sobrevivência e uma boa dose de jogo de cintura.

Quando chegou a vez de Lopez depor, ela revelou uma peculiar presença de palco. Ito havia chamado uma intérprete de espanhol, mas Lopez obviamente entendia tudo que ouvia em inglês à sua volta. O objetivo daquela audiência era que Ito decidisse se iria interromper os argumentos da acusação e autorizar Lopez a depor. Estaria a testemunha realmente de partida para El Salvador no dia seguinte? E, se estivesse, seria ela importante o bastante para que a defesa fosse autorizada a chamá-la para testemunhar fora da ordem normal?

"Por que a senhora estava morando em outro estado nesses últimos dias?" Cochran perguntou a Lopez na inquirição da defesa, que durou apenas cerca de dez minutos.

"Porque os jornalistas não me dão sossego. Não aguento mais vê--los na minha frente. Eles estão me importunando." Lopez tinha um jeito enigmático, desdenhoso e estranhamente imponente de falar.

Ela declarou que tinha reservado passagens de avião para viajar a San Salvador no sábado, e que não pretendia mudar seus planos.

Era a vez da acusação. Darden se levantou para inquirir a testemunha, e a primeira coisa que fez foi esclarecer um ponto do qual Cochran já tratara. Lopez disse que tinha feito a reserva, mas ainda não tinha retirado a passagem para o voo de 25 de fevereiro a San Salvador, pela companhia Taca.

"A senhora fez só a reserva, não foi?"

"Certo."

"Foi hoje?"

"Sim."

"Hoje de manhã, antes de vir para o tribunal?"

"Certo."

Nesse momento, Cheri Lewis, uma promotora que estava sentada ao lado de Darden, se levantou para ir até o telefone da sala de audiência. Sua intenção era óbvia: descobrir se Lopez realmente havia feito a reserva. Pouco tempo depois, Darden tinha a resposta.

"Srta. Lopez", disse ele, "acabamos de ligar para a companhia aérea. Não consta reserva em seu nome. A senhora poderia explicar ao tribunal por que acabou de dizer que tinha reserva?"

Por mais que entrasse em contradição com os fatos (e aquela era a primeira vez de muitas), Lopez não se deixava abalar. Sem perder a calma, ela ajustava o relato, mas nunca a pose insolente. "É que vou fazer a reserva, senhor. Assim que sair daqui, vou comprar a passagem e partir. Se quiser, pode mandar câmeras atrás de mim."

Darden insistiu. "A senhora mentiu para nós, não foi? Sim ou não?"

"É que... é que as agências estão fechadas. Elas abrem às 10h da manhã, e me trouxeram muito cedo para cá, senhor."

"A senhora não tem a menor intenção de sair de Los Angeles, não é?"

De repente, Lopez respondeu em inglês (até então, a inquirição se dava por meio da intérprete): "Claro que tenho, senhor. Já fiz as malas. Está tudo pronto".

E assim foi — durante horas a fio. Lopez seguia imperturbável, mesmo vendo sua história cair por terra. No final, soube-se que ela havia comprado uma passagem de ida *e volta* para El Salvador algumas semanas antes, e que estava correndo atrás de auxílio-desemprego — ações que não se esperariam de alguém que estivesse pensando em deixar os Estados Unidos permanentemente. A empregada declarou também que estava ansiosa para visitar a irmã doente em El Salvador — mas depois admitiu que não se falavam havia muitas semanas.

A interlocução entre Darden e Lopez por vezes beirava o surreal.

"A senhora está aqui há 27 anos, certo?", perguntou Darden.

"Cheguei em 1969. Faça as contas."

"Certo, por que não me diz há quanto tempo mora aqui?"

"Digamos que 34 anos."

Até a suposta aversão de Lopez à imprensa parecia questionável. Ela havia dado várias entrevistas pela televisão, inclusive para um canal de língua espanhola apenas uma semana antes — ocasião em que não mencionou nenhum plano de fugir do país. Durante um recesso da sessão, ao sair da sala de audiência, Lopez parou para conversar com Kristin Jeannette-Meyers, repórter que cobria o julgamento para a Court TV. Darden perguntou se Lopez havia dito a Jeanette-Meyers que "adorava vê-la na televisão".

"Sim. É que eu vejo ela na televisão."

"Dessa repórter a senhora não ficou com medo, não é?"

"Não, porque ela não enfiou uma câmera na minha cara."

Ao final do longo dia de depoimento de Lopez, Ito concedeu um intervalo à defesa. O magistrado admitiu que Lopez havia entrado em contradição diversas vezes, mas acreditava que a mulher estava sinceramente determinada a deixar o país. Com base no exposição de Cochran, segundo a qual a empregada teria visto o Bronco às 22h15 no dia 12 de junho, Ito julgou que valeria a pena estender o julgamento para ouvi-la. Já passava das 17h, mas pediu assim mesmo aos oficiais de justiça que trouxessem os jurados do hotel para a sala do tribunal. O juiz estava disposto a ficar até meia-noite se fosse necessário.

Às 17h49, Marcia Clark subiu à tribuna e, com a voz rouca de emoção, fez um pedido. "Informei à Vossa Excelência que não poderia estar presente esta noite porque preciso cuidar dos meus filhos. Não tenho ninguém que faça isso por mim e não quero que o júri seja exposto a nenhuma prova na minha ausência." Clark achava, segundo expressou, que Ito marcaria a audição de Lopez para segunda-feira, e não para aquele mesmo dia.

Quase chorando, ela continuou: "Não posso ficar, Meritíssimo".

A situação deixou Ito francamente dividido entre duas mulheres: Rosa Lopez, que pretendia abandonar o país no dia seguinte, e Marcia Clark, que precisava tomar conta dos filhos.

Ito respaldou Clark e adiou o depoimento de Lopez para segunda-feira, apostando que não custaria à empregada ficar mais um final de semana depois de décadas vivendo nos Estados Unidos. O juiz chamou Lopez à tribuna de onde os advogados costumavam discursar, e disse que a acomodaria em um hotel durante o final de semana. Com os cotovelos apoiados na tribuna, Lopez choramingou, em inglês: "Não quero mais ficar aqui. Esses jornalistas acabaram com a minha vida".

"Sra. Lopez", continuou o juiz, solícito, "como a senhora sabe, há voos saindo regularmente para El Salvador. Vou começar com a senhora, seu depoimento perante o júri vai ser a primeira coisa que vamos fazer na segunda-feira, às 9h da manhã."

Inesperadamente, como que fazendo charme, Lopez disse ao juiz: "Vou fazer isso pelo senhor, Meritíssimo".

• • •

O problema de Marcia Clark não era tão fácil de resolver. Ela estava separada do segundo marido, Gordon Clark, havia pouco mais de um ano. No dia 9 de junho de 1994, apenas três dias antes dos assassinatos na Bundy Dr., ela havia pedido o divórcio. Com o passar dos meses, a relação dos dois foi ficando mais estremecida. A súbita celebridade de Clark, somada ao tempo que o caso Simpson tomava dela, só fazia aumentar o atrito entre eles.

Os acontecimentos de 24 de fevereiro ilustravam bem tais problemas. Marcia e Gordon Clark tinham dois meninos, na época com 3 e 5 anos de idade. Segundo o acordo provisório de guarda compartilhada subscrito pelos pais, os meninos ficariam com Gordon em fins de semana alternados, a partir das 19h de sexta-feira. Duas semanas antes, Marcia havia combinado com Gordon que ele pegaria as crianças às 19h na casa dela. Entretanto, de acordo com Marcia, os meninos preferiam que ela os levasse para a casa do pai, em vez de este ir buscá-las. Ao longo da sessão de 24 de fevereiro, ela havia dito a Ito várias vezes que precisava estar em casa a tempo de levar as crianças para a casa do ex-marido às 19h. Ela morava em Glendale, não muito longe do centro, mas quando Ito deu o expediente por encerrado, pouco antes das seis, Clark mal teve tempo de cumprir o horário combinado.

Gordon Clark não estava assistindo ao julgamento nesse dia — fazia questão de não assistir —, mas quando soube o que Marcia havia dito a Ito sobre seus compromissos maternos, ele e seus advogados ficaram pasmos. Para eles, de acordo com os termos de guarda acertados, Gordon poderia tranquilamente ter se encarregado de buscar as crianças. Assim, concluíram que Marcia estava mentindo para a Justiça para obter uma vantagem estratégica para a promotoria (ter mais tempo para preparar a inquirição de Rosa Lopez) e sensibilizar o público com sua imagem de mãe batalhadora. Foi assim que um processo particular de divórcio, sem nada de especial, entrou para a narrativa coletiva do caso Simpson — e, naturalmente, com a publicidade do litígio, o ranço de parte a parte só aumentou.

Insuflada por Suzanne Childs, relações-públicas de Gil Garcetti, a mídia assumiu impetuosamente as dores de Marcia. O divórcio dos Clark ganhou rapidamente a capa da *Newsweek*, com a manchete: "Marcia Clark luta pelos filhos. Mães pagam o pato por trabalhar?". Dentro da revista, as matérias incluíam uma página inteira de instruções a Gordon Clark — escritas por um editor de Nova York que jamais travara contato com ninguém da família — sobre como deveria se comportar durante o processo de divórcio. Com base em um único enfrentamento no tribunal e algumas informações esparsas do processo de divórcio, Marcia tornou-se, da noite para o dia, um ícone feminino, a heroína de todas as mulheres que trabalham fora. Havia um fundo de verdade nessa imagem bidimensional da promotora, mas, na vida real, as coisas não eram tão simples assim.

• • •

Em 1918, um jovem emigrante russo chamado Pinchas Kleks chegou ao litoral do território que então era conhecido como Palestina. Inicialmente, ganhava a vida entregando querosene montado em um jumento. Com esse humilde começo, Kleks conseguiu abrir um posto de gasolina e dedicou sua vida profissional a administrar uma modesta rede de postos de gasolina naquela que se tornaria a nação de Israel. Em 1930, Pinchas e a esposa tiveram um filho, Abraham.

Israelense nativo, alto e forte, Abraham Kleks amadureceu junto com a jovem nação. Concluído o ensino médio, foi direto para o Exército israelense, onde, ainda com 17 anos, serviu como tenente na Guerra de Independência. Logo depois de vencer a guerra, em 1948, Abraham decidiu cair no mundo e, acompanhando alguns amigos, foi parar na Universidade da Califórnia, em Berkeley. No Centro Comunitário Israelita de São Francisco, Abraham conheceu uma menina do Brooklyn, por quem se apaixonou. Abraham e Rozlyn casaram-se, fixaram residência nos Estados Unidos, e, um ano mais tarde, no dia 31 de agosto de 1953, tiveram uma filha, Marcia.

Abraham foi logo recrutado para servir no Exército dos Estados Unidos durante a Guerra da Coreia. Foi o início de quase duas décadas de uma vida familiar extraordinariamente itinerante. Abraham, que tinha estudado microbiologia em Berkeley, continuou se dedicando a essa área de interesse em projetos de laboratórios médicos do Exército no Texas e, posteriormente, no estado de Washington. Do Exército, Abraham foi para a FDA [Food and Drug Administration, órgão governamental responsável pelo controle de alimentos e medicamentos, entre outros], onde fez carreira passando por cargos em vários lugares do país: cinco anos em Los Angeles, quatro na região de São Francisco, um em Detroit, um na região de Washington, D.C. e dois em Nova York. No final desse circuito, a jovem Marcia concluiu o ensino médio na Susan Wagner High School, em Staten

Island, distrito ao sul de Nova York. Nessa época, ela já tinha um irmão chamado Jonathan, seis anos mais novo.

Marcia era uma menina tranquila e esperta, com um talento formidável para aprender idiomas. Dominou o espanhol e, depois de passar apenas dois meses de um verão em Israel, adquiriu também fluência em hebraico. Apesar das constantes mudanças (ou, talvez, por conta delas), acabou se engajando em várias atividades — foi animadora de torcida, atuou em peças teatrais na escola e outras coisas do tipo. Em casa, com a família, levava uma vida sem grandes conflitos, mas que também não era nenhum mar de rosas. Para sua mãe, pelo menos, elas não discutiam muito mais do que a maioria dos adolescentes discute com os pais.

A ruptura com os pais começou em 1970, após o retorno da família a Los Angeles, onde acabaram ficando de vez. O casal comprou uma casa no San Fernando Valley, e Abraham foi diretor distrital da FDA até se aposentar, em 1985, enquanto Rozlyn trabalhava para um vereador. Marcia não tinha muito o que fazer durante seu primeiro ano de volta à Costa Oeste. Os colégios da cidade exigiam um ano de residência para emitir o diploma de conclusão do ensino médio, mas ela já tinha cumprido todos os demais requisitos escolares. Marcia não via a hora de sair da casa dos pais, mas não podia ir para a faculdade sem o diploma. Em meio à tensão em casa e à frustração com a escola, ela desenvolveu um quadro de bulimia, doença com a qual se debateu, com altos e baixos, por mais de vinte anos.

Por fim, Marcia conseguiu escapar para a UCLA. Ainda durante a graduação, conheceu o primeiro marido, Gabriel Horowitz, um jovem galante e bem-apessoado que, como seu pai, também era de Israel. A quem perguntava como os dois tinham se conhecido, Gaby, como era chamado, costumava relatar que dirigia seu Mercedes pelo campus quando viu uma mulher deslumbrante — Marcia — e decidiu na mesma hora que precisava falar com ela. O namoro foi curto mas intenso, e eles se casaram pouco depois da formatura de Marcia, sem sequer contar aos pais dela.

Gaby Horowitz ganhava a vida como jogador de gamão profissional e Marcia começava a faculdade de direito. O jogo teve seu apogeu no final dos anos 1970, e durante um tempo, Horowitz se deu bem no epicentro da febre. Às vezes, jogava no Pips, um badalado clube fundado por Hugh Hefner e frequentado por diversas pequenas celebridades da época (inclusive, vez ou outra, pelo próprio O.J. Simpson).

Mas onde Horowitz batia mesmo cartão era no Cavendish West, um paraíso para os jogadores sérios de gamão e bridge na Sunset Strip. Marcia Horowitz também acabou se tornando uma improvável frequentadora do Cavendish. Raramente jogava; preferia se debruçar sobre seus livros de direito em uma mesa de jogo vazia. "Ela estava sempre por lá, quietinha", recordaria Buddy Berke, outro freguês do estabelecimento. "Ela era bonita, doce, sempre muito gentil, muito mais civilizada que Gaby."

Gabriel era, a bem da verdade, uma figura controversa no universo do gamão. De acordo com Daniel Kleinman, autor independente de livros sobre gamão e bridge de Los Angeles, "Gaby era um bom jogador, mas também, e principalmente, um exibicionista, que gostava de causar sensação. Ele se parecia com Jean-Claude Van Damme, tinha quase 1,90 metro e estava sempre em forma. Era um desses aficionados por alimentação saudável".

"Apesar de ótimo jogador, ele costumava trapacear. Uma vez, peguei Gaby mexendo as peças no tabuleiro enquanto o adversário não estava olhando. Fomos para fora do clube e perguntei a ele por que tinha feito aquilo. Ele tinha toda uma explicação. Disse que jogava muito melhor que seu oponente, e que o único jeito do outro ganhar dele era na sorte. Então se achava no direito de vencer e de trapacear."

Embora Marcia marcasse presença assídua no clube, ninguém suspeitava que estivesse envolvida nas trapaças de Gabriel. "Tudo que eu sei sobre Marcia é que ela era honesta e franca", disse Kleinman.

Marcia incentivava Gabriel a buscar alguma ocupação além do gamão, e ele decidiu aprender um pouco sobre o mercado imobiliário. Horowitz não se sentia muito seguro para falar inglês em um contexto profissional, então um amigo — o dentista e parceiro de gamão Bruce Roman — convidou-o para as reuniões da Igreja da Cientologia. Marcia não chegou a entrar para a igreja, mas às vezes acompanhava Gabriel e Bruce. Em 1979, contou aos pais que estava se separando. Cerca de um mês depois, anunciou que se casaria com Gordon Clark, que havia conhecido nas reuniões da Cientologia. Ele tinha 22 anos de idade, cinco a menos que ela, e era administrador da Igreja da Cientologia em Los Angeles. Bruce Roman, que também era ministro secular da igreja, realizou a cerimônia de casamento dos dois. (Mais uma vez, Marcia não convidou os pais para o casamento.)

A sorte de Gabriel degringolou com o fim do casamento e da febre do gamão. De acordo com Kleinman, "ele passou a trapacear em uma escala muito maior e de formas mais elaboradas. Usava variados métodos: manipulação de dados, dados magnéticos, tabuleiros eletromagnéticos." Na primavera de 1989, Gabriel Horowitz foi acidentalmente atingido por um tiro na cabeça enquanto examinava uma arma com um amigo. Por uma estranha coincidência, o amigo era Bruce Roman. No inquérito sobre o incidente, que terminou sem acusações, Roman foi representado por Robert Shapiro. Diversas pessoas que viram Gaby Horowitz depois do acidente dizem que ele perdeu a locomoção e a fala. Pouco antes do julgamento de Simpson, Horowitz mudou-se para Israel. (Mesmo o Cavendish não durou muito. Em 1987, a polícia deu uma batida no clube como parte de uma investigação sobre jogo ilegal; o dono, contudo, também representado por Robert Shapiro, nunca foi acusado na Justiça. Mesmo assim, o clube acabou fechando de vez as portas em 1994.)

Foi durante o casamento com Gordon Clark que Marcia amadureceu como promotora. Gordon parou de trabalhar na Igreja da Cientologia, voltou para a faculdade e se tornou um programador de razoável sucesso. Tiveram dois filhos. Um dia, alguns anos antes do caso Simpson, o avô de Marcia, Pinchas Kleks, que tinha vindo de Israel para fazer uma visita, passou uma tarde na plateia de um julgamento em que Marcia trabalhava. Ele sabia pouco de inglês, por isso não entendia muito do que se passava; ainda assim, a experiência de ver a neta no tribunal foi uma das maiores emoções da longa vida de Pinchas.

No final de 1993, alguns meses depois de completar 40 anos, Marcia Clark promoveu várias mudanças drásticas em sua vida. Disse a Bill Hodgman que não gostava de seu trabalho burocrático e que queria voltar aos tribunais, nem que fosse para ganhar menos. Em dezembro, durante uma longa viagem à área da baía de São Francisco, ao norte, Marcia comunicou a Gordon que queria o divórcio. Tanto para Gordon como para os pais dela, as razões não ficaram muito claras. "Ele não é para mim", disse ao pai em hebraico. Então, cerca de um mês após a separação, Marcia disse aos pais que não queria nunca mais falar com eles. Segundo ela, eles haviam sido frios e incompreensivos, e não tinha mais nada a tratar com eles. Mais ou menos na mesma época, Jonathan Kleks, que trabalhava como engenheiro no norte da Califórnia, também rompeu com os pais.

Os pais de Marcia e Jonathan ficaram arrasados. Eles haviam se afeiçoado bastante ao filho mais velho de Marcia e Gordon, que tinha 4 anos quando os pais se separaram. Com o segundo filho de Clark, que ainda era bebê, quase não tiveram contato. Acharam que a crise, qualquer que fosse sua causa misteriosa, passaria. Mas não passou.

Abraham começou a fazer visitas furtivas à creche do neto mais velho para poder passar um tempinho com ele. Uma vez, levou Rozlyn junto. Quando Marcia soube, censurou o diretor da creche na frente de uma sala repleta de gente. Abraham ligou para Marcia para dizer que Rozlyn estava prestes a passar por uma cirurgia em setembro de 1994, época da seleção do júri no caso Simpson. Marcia não retornou a ligação.

Gordon ficou abalado e magoado com a separação. Quando o julgamento de Simpson começou, ele viu na repentina celebridade de Marcia uma oportunidade para se vingar de forma bem pública. Por coincidência, no dia 24 de fevereiro, o mesmo dia em que Marcia disse que precisava deixar o tribunal durante o depoimento de Rosa Lopez, Gordon entrou com uma petição no processo de divórcio visando modificar os termos da guarda. O ajuste que ele pedia era bem simples e razoável: ampliar o tempo de visita dos filhos enquanto Marcia estivesse trabalhando até tarde no caso. Na declaração que acompanhava a petição, porém, Gordon descreve Marcia como workaholic e mãe negligente. "Sou testemunha de que na maioria das noites ela só chega em casa por volta das 22h, e mesmo em casa, sempre está trabalhando", Gordon escreveu no documento, que seus advogados sabiam que logo viria a público. Em contrapartida, Gordon frisou que sempre chegava em casa antes das 18h15. "Embora reconheça o brilhantismo, o conhecimento jurídico e a extrema competência dela como promotora, não quero que nossos filhos sejam penalizados porque ela está sempre ausente e nunca tem tempo para ficar com eles." Foi essa declaração — tornada pública pouco depois de Marcia explicar, durante o depoimento de Lopez, que precisava se retirar da sala do tribunal para pegar os filhos — que colocou a vida pessoal da promotora na mira de uma intensa discussão pública.

Profissionalmente, Marcia era um colosso; pessoalmente, era uma mulher frágil. Gordon achava que a ex-mulher bebia demais. Ela fumava mais do que gostaria — dava longos e ávidos tragos em fortes cigarros europeus. Os anos de bulimia tinham cobrado um preço doloroso. A cárie crônica é um efeito colateral bastante comum da bulimia, e no pedido original de divórcio, Marcia dizia: "Nos últimos dois anos, sofri uma catástrofe médico-odontológica que me levou a contrair um empréstimo de 16 mil dólares, dos quais ainda restam 14 mil a pagar. Além disso, precisei sacar 26 mil dólares do meu plano de previdência para custear meu tratamento dentário". Toda essa pressão em torno de dinheiro tornava o divórcio ainda mais penoso. Com uma renda anual pouco maior que metade dos 96.829 dólares de Marcia à época da separação, não havia como exigir muito de Gordon financeiramente.

O rompimento com os pais também preocupava Marcia. Ela sabia que Gordon contava com o apoio deles em sua luta para passar mais tempo com as crianças. (Desde a primavera de 1994, todos os contatos dos pais de Marcia com os netos se haviam dado por intermédio de Gordon.) Estudante aplicada de relações públicas, Marcia sabia que uma censura pública dos próprios pais mancharia em muito sua imagem de mãe batalhadora. No decorrer do julgamento, entre todas as preocupações que a afligiam, o que Clark mais temia era uma repreensão pública dos pais.

Por vezes, as tensões do fim de um longo casamento, somadas às do julgamento de Simpson e às atribulações de uma notoriedade indesejada, deixavam Clark à beira de um colapso. Um dia, no supermercado, ao passar absorventes pelo caixa, o empacotador se engraçou: "Acho que essa semana a defesa vai levar de enxurrada". Outra vez, na época do depoimento de Denise Brown, a *National Enquirer* publicou fotos que mostravam Clark de *topless* em uma viagem de férias que fizera anos antes com o então marido Gabriel Horowitz. Ela se sentiu tão humilhada que, um dia, começou a soluçar silenciosamente na bancada da promotoria. Escreveu um bilhete para Scott Gordon, o promotor que se sentava ao lado dela: "Não aguento mais". Darden percebeu o estado de nervos em que a colega se encontrava e os dois trocaram discretamente de posição de maneira que Marcia ficasse fora do alcance da câmera do tribunal. Com presença de espírito, o rechonchudo Gordon rabiscou uma resposta para Clark: "A *Enquirer* ia publicar fotos minhas assim também, mas o Greenpeace não deixou". Clark sorriu, e aquela crise, pelo menos, passou despercebida pelo público.

• • •

Ito havia pensado seriamente em mandar prender Rosa Lopez durante o fim de semana anterior ao depoimento que esta prestaria diante do júri. Mas, no final, aceitou a promessa da empregada de que compareceria ao tribunal na segunda-feira, e ordenou às autoridades do distrito que a hospedassem em um hotel no centro, o Checkers. Com receio de novas surpresas, Johnnie Cochran instruiu Pat McKenna a reservar o quarto vizinho ao da mulher e a não desgrudar o olho dela até a audiência de 27 de fevereiro.

Formavam um par inusitado: a pequena salvadorenha e o irlandês grande e bonachão. Mas logo se tornaram bons amigos. McKenna queria comprar algo para Lopez comer ou beber, mas Rosa comia pouco e bebia menos ainda. Tentando pensar em alguma coisa que pudesse animá-la, McKenna lembrou-se do quarto dela na casa da família Salinger. Como muitas mulheres latino-americanas de sua geração, Lopez gostava de manter um pequeno altar com velas, conhecidas como *veladoras*, na penteadeira. O contato que McKenna teve com o catolicismo se limitava a Chicago, por isso não estava familiarizado com a prática. Ainda assim, pouco antes da hora de retornar ao tribunal, o investigador decidiu, por sua conta, improvisar um presente para Rosa. Foi a um mercadinho e comprou algumas velas que, na falta de *veladoras*, podiam vir a calhar. A mulher, profundamente comovida, convidou McKenna para rezar com ela. Um tanto enferrujado nesse campo, o detetive topou lhe fazer companhia e pegar uma bebida do frigobar enquanto ela rezava.

Infelizmente, as velas que McKenna tinha trazido eram um pouco maiores que as *veladoras* tradicionais. Após alguns instantes de devoção, o detector de fumaça do quarto de Lopez disparou. Rosa começou a chorar. McKenna tentou abafar as velas e cobrir o detector de fumaça com um saco da lavanderia. Nada funcionou. Para complicar, era semana de premiação do Grammy em Los Angeles, e o Checkers, que era uma espécie de sede não oficial da delegação de música country, estava lotado. Como o alarme não parava de tocar, dentro em pouco o saguão do hotel estava cheio de hóspedes que haviam evacuado os quartos, a maioria mulheres de cabelo armado e homens de bota de caubói — além de Rosa Lopez e Patrick McKenna.

A trapalhada ficou pior ainda quando todos se reuniram para a audiência na segunda-feira de manhã. Marcia Clark abriu os trabalhos com um apelo veemente para que o depoimento de Lopez fosse gravado, e não tomado na presença do júri. A defesa poderia usá-lo depois se quisesse. Desse modo, a prova testemunhal da defesa não seria apresentada bem no meio da argumentação da promotoria. Ito concordou. Cochran, por sua vez, acusou Clark de ter encenado, na sexta-feira anterior, a emergência envolvendo os filhos com o intuito de ganhar tempo na discussão sobre o depoimento de Lopez. A promotora ergueu-se para protestar em franca indignação. "Como mulher, mãe solteira e promotora pública, me ofende ouvir a colocação do sr. Cochran", declarou. "Alguns de nós têm filhos para cuidar, e tais cuidados são sérios e inadiáveis. É claro que o sr. Cochran não entende, mas não deveria chegar diante deste tribunal e pôr em dúvida a integridade de alguém que tem preocupações dessa espécie." Esse era o tipo de eloquência espontânea que fazia bonito na televisão e tornava Clark tão contundente no tribunal — mesmo que, nesse caso, a lógica de Cochran pudesse estar certa.

Ito mandou o júri de volta para o hotel e ordenou que colocassem uma câmera no tribunal para gravar o depoimento de Lopez. Depois, teve de solicitar uma nova intérprete porque vários telespectadores haviam telefonado ou escrito reclamando que a intérprete de sexta falava a variante do espanhol do México, e não a de El Salvador. Além disso, a defesa admitiu ter encontrado um depoimento que Bill Pavelic tomara de Lopez pouco depois do crime. Esse era justo o tipo de revelação tardia responsável por tanto tumulto durante as declarações iniciais, e graças a ela, Clark teve a chance de descontar um pouco mais da sua indignação. A tarde já ia avançada quando Rosa Lopez subiu, enfim, ao banco das testemunhas.

Ela estava usando um vestido novo, cor de anil, com miçangas no colarinho, e reluzentes *scarpins* pretos. Eram presente de uma pessoa que torcia pela defesa em Las Vegas e que vez ou outra ligava para McKenna. Interrogando a testemunha por intermédio da intérprete, agora sim devidamente centro-americana, Cochran começou finalmente a reconstituir com Lopez os acontecimentos de 12 de junho de 1994. Em dado momento, Cochran exibiu um mapa dos arredores da Rockingham no monitor de vídeo próximo ao banco das testemunhas. Em meio ao corre-corre, Lopez havia perdido os óculos. Cochran indagou se alguém no tribunal podia emprestar óculos compatíveis. "Que tal alguém com mais ou menos a idade dela?", brincou o advogado. "Sr. Bailey, estou olhando para senhor." Depois de experimentar vários pares, Lopez ficou dividida entre o modelo aviador de Bailey e um par verde-claro cedido por uma pessoa da plateia. Durante vários minutos, Lopez, Cochran, Bailey e a intérprete ficaram todos amontoados em volta do banco das testemunhas — lembrando a cena da cabine de *Uma Noite na Ópera* (1935), com os irmãos Marx.

Quando chegou o momento mais crucial do depoimento de Lopez — o que ela havia visto às 22h na noite do crime —, ela se esquivou. Disse que levou o cachorro para passear e viu o Bronco de O.J. em algum momento depois das 22h, mas isso tanto poderia ter sido dois como quinze minutos depois das 22h em ponto. O que estava claro desde o início era que Rosa Lopez não era uma testemunha muito importante. Ela não ajudava nem prejudicava muito nenhuma das partes. E, no entanto, Ito parou tudo só para ouvi-la.

Por fim, Cochran confessou que a defesa havia encontrado *outro* depoimento anterior de Lopez, uma entrevista gravada com Pavelic. Ito dedicou grande parte do dia seguinte a uma audiência para averiguar por que a defesa não havia repassado o depoimento para a promotoria. A resposta, como ficou claro, era que reinava o caos enquanto o caso estava nas mãos de Shapiro, e ninguém sabia onde encontrar nada. (Shapiro nem chegou a participar de uma importante conferência no gabinete do juiz na terça-feira; ficou de bate-papo com Barbara Walters na sala de audiência.) Ito finalmente retomou o depoimento de Lopez na terça-feira à tarde, dizendo: "Vamos terminar o interrogatório do sr. Cochran, e depois vou pedir para a senhora voltar na quinta-feira para fecharmos".

No entanto, a empregada, percebendo sua recém-descoberta influência, decidiu que já tinha dado o que tinha de dar aquele dia, e disse a Ito, em inglês: "Estou muito cansada. Quero descansar, senhor. Não quero mais ouvir perguntas. Obrigada". E cruzou a porta da sala de audiência.

Ito parecia incapaz de dar o assunto Lopez por encerrado. O juiz dedicou toda a quarta-feira, 1º de março, ao tema das sanções à defesa por não ter apresentado os depoimentos anteriores de Lopez. Um após o outro, Douglas, Uelman e Shapiro pediram desculpas, que Clark rejeitou com ácido desprezo. (Ito acabou impondo algumas multas leves aos advogados e disse ao júri, de forma meio enviesada, que a defesa tinha infringido as regras.) Na quinta-feira, Lopez finalmente voltou a depor, e concluiu o depoimento na sexta. Sua voz, que repetia em cantilena "*no me recuerdo*" [não me lembro] e as referências a Cochran como "Sr. Johnnie" foram por algum tempo uma sensação nacional. Darden tocou em vários pontos durante a inquirição, que também oscilou sem rumo, indo do importante (Lopez admitiu que não chegou a olhar para o relógio no dia 12 de junho) a trivialidades ("Adoro pamonha!", disse Lopez sobre suas preferências alimentares).

No fim, os jurados só voltaram ao tribunal na segunda-feira, 6 de março — *nove dias* depois do último depoimento. O entreato de Lopez acabou se tornando outro exemplo do quanto a sorte conspirava a favor da defesa. Cochran ficou furioso quando Ito decidiu que Lopez não deporia na presença do júri. Porém, se os jurados estivessem presentes, teriam visto a testemunha sucumbir à inquirição da acusação. Com essa "perda" da defesa, Cochran poderia decidir depois se queria ou não mostrar a fita com o depoimento gravado aos jurados. (Em um retrato típico da harmonia na equipe de defesa, após a saída de Lopez,

Shapiro disse aos repórteres que deliberaria com os colegas mais tarde sobre o assunto; naquela mesma noite, F. Lee Bailey apareceu no *Larry King Live* para dizer que a defesa com certeza reproduziria a fita.) No final das contas, é claro, a defesa decidiu não apresentar a gravação do depoimento.

Quem saiu mais queimado do episódio Lopez foi Lance Ito. A forma como ele conduziu o depoimento dela deixava patente sua espantosa incompetência administrativa. Às custas do distrito de Los Angeles, Ito obrigou os jurados já isolados a ficarem ociosos no hotel durante todo aquele tempo — tudo para que a defesa pudesse chamar uma testemunha que não ajudou muito nenhum dos lados. E nem mesmo uma vez, durante aqueles nove dias, o juiz tentou apressar os advogados. Como costumava acontecer em momentos de estresse, ele simplesmente travou.

Concluído o depoimento, Rosa Lopez de fato voltou para sua longínqua cidade natal de Sensuntepeque, em El Salvador. A história de sua participação no caso teve um epílogo interessante. Em abril de 1995, um comediante de Baltimore chamado Mike Gabriel, só por diversão, viajou para El Salvador na expectativa de encontrar Rosa. Ele conseguiu localizá-la, e até tiraram algumas fotos juntos. Quando Gabriel — que se apresentava como instrutor de ioga para gatos, uma espécie de *sensei* místico — retornou aos Estados Unidos, anunciou que ele e Rosa estavam noivos e iam se casar. A brincadeira deu muito mais certo do que Gabriel esperava. Por vários meses, muitos jornais, revistas e programas de televisão noticiaram que o futuro casório estava esfriando. Rosa Lopez, ainda solteira, não voltou mais para os Estados Unidos.

17

"NOS ÚLTIMOS DEZ ANOS..."

Quando o depoimento do detetive Lange finalmente terminou, pouco antes do almoço, no dia 9 de março, o julgamento chegou a um momento crítico.

"A acusação chama para depor o detetive Mark Fuhrman", anunciou Marcia Clark.

Nenhuma das partes sequer tentou tratar Fuhrman como uma testemunha qualquer. Sua chegada foi cronometrada com precisão militar. A maioria das testemunhas, antes de serem chamadas a depor, aguardavam no corredor do nono andar, conversando nervosamente com os passantes. Mas Fuhrman não. A promotoria fez de tudo para poupá-lo de encontros indesejados. À diferença das outras testemunhas, Fuhrman desceu do escritório central da promotoria, no 18º andar, pelo elevador de serviço — o mesmo usado pelos jurados. Os próprios promotores se espremiam nos elevadores sociais, como todos que circulavam pelo fórum, mas a promotoria não quis correr nenhum risco com o detetive. E à diferença das outras testemunhas, o policial entrou no tribunal cercado por um quarteto de guarda-costas fortões, investigadores do escritório da promotoria. A inquirição conduzida por Clark confirmou depressa a metáfora implícita na chegada de Fuhrman: ela — e a promotoria como um todo — o estavam protegendo.

Pessoalmente, Mark Fuhrman era uma figura imponente — tipo musculoso, com 1,90 metro de altura, o primeiro homem na sala de audiência cujo porte físico se equiparava ao do réu. Estava bem vestido. O terno azul tinha um caimento perfeito; a camisa branca e a gravata vermelha estampada combinavam bem com o cabelo castanho-claro recém-cortado. A entrada de Fuhrman provocou alvoroço na sala de audiência; até mesmo O.J. Simpson parecia ligeiramente intimidado com a presença marcante do detetive.

Marcia Clark se dirigiu à tribuna, inclinou a cabeça para um lado e fez a primeira pergunta, como se ela tivesse acabado de lhe ocorrer. (Na verdade, era uma pergunta meticulosamente calculada.)

"Detetive Fuhrman, como o senhor se sente hoje como testemunha neste tribunal?"

"Nervoso", disse Fuhrman, sem aparentar o menor nervosismo.

"E?", encorajou Clark.

"Relutante", continuou Fuhrman.

"Pode nos dizer por quê?", ela perguntou.

"Do dia 13 de junho para cá, tenho visto muitas provas ignoradas, e muitas questões pessoais colocadas em primeiro plano. Isso não é nada bom."

"Entendo", disse Clark. "A imprensa anda falando bastante do senhor, não é mesmo?"

"Todo dia", disse ele, sério.

"É por isso que o senhor se diz nervoso pelo depoimento", continuou Clark. "O senhor repassou o depoimento na presença de vários promotores a fim de se preparar para a inquirição e possíveis alegações da defesa?"

"Sim."

Clark perguntou se os eventos na Bundy e na Rockingham haviam sido tratados naquela reunião.

"Não", respondeu Fuhrman.

"Ela girou em torno de questões secundárias?"

"Sim. [...] Aparentemente, as questões que discutimos não eram de natureza probatória nem tinham relação com o crime; a maioria delas era de cunho pessoal."

Clark fez uma pausa para assimilar as respostas da testemunha. Em seguida, consultou suas anotações e deu início à parte convencional da inquirição. "O senhor pode nos informar qual a sua ocupação no momento?"

A forma nada ortodoxa como Clark apresentou Fuhrman ao júri já foi por si só um sucesso. O tom indulgente das perguntas deu a Mark

Fuhrman ares de funcionário público sério, que só tentava fazer seu trabalho em meio a ataques pessoais gratuitos e irrelevantes. A mensagem que Clark tentava passar para o júri não poderia ser mais clara: aquele indivíduo era um homem de bem.

No entanto, em retrospecto — aliás, mesmo à luz do que Clark sabia na época — a inquirição de Fuhrman constituiu seu maior erro de cálculo no julgamento.

• • •

O depoimento de Mark Fuhrman, parte decisiva do julgamento de Simpson, foi outro exemplo, em menor escala, de por que o julgamento terminou da forma como terminou. Enquanto a arrogância levou a promotoria à ruína, a obsessão pela questão racial foi o que garantiu a vitória à defesa.

A estratégia que a defesa usaria para atacar Fuhrman não era nenhum mistério. Mais de sete meses antes do investigador ocupar o banco das testemunhas, meu artigo na revista *The New Yorker* já dizia que a defesa tentaria retratá-lo como racista, e, ainda, insinuar que ele teria plantado uma das luvas na mansão de Simpson. Porém, o artigo foi apenas o começo. Como sempre acontecia no caso Simpson, era só sair alguma revelação na mídia, que choviam pessoas com histórias parecidas para contar. No caso de Mark Fuhrman, minha matéria desencadeou uma onda de denúncias sobre o comportamento racista do policial — uma reação que deveria ter servido de alerta para a promotoria.

Depois que meu artigo intitulado "An Incendiary Defense" [Uma defesa incendiária] chegou às bancas na segunda-feira, 18 de julho de 1994, Kathleen Bell viu uma reportagem na televisão sobre o assunto e ficou tão impressionada que decidiu escrever uma carta para os advogados de Simpson.

"Escrevo para falar sobre uma reportagem que vi na TV ontem à noite", escreveu Bell na carta endereçada a Johnnie Cochran em 19 de julho de 1994. "Achei um absurdo a defesa insinuar que o processo contra o sr. Simpson pode ter motivação racial. Mas quando olhei para a televisão, fiquei chocada de ver que o policial Ferman [*sic*] era um homem que já tive o desprazer de conhecer. Eu liguei e deixei um recado pra vocês ontem à noite, avisando que o sr. Ferman pode ser muito mais racista do que imaginam."

Bell explicou que havia trabalhado como corretora de imóveis na cidade californiana de Redondo Beach, em 1985 e 1986. O escritório dela ficava acima de um posto de recrutamento dos fuzileiros navais, onde Fuhrman ia visitar amigos às vezes. "Me lembro bem dele pela altura e pelo porte físico", escreveu Bell. Um dia, falando do trabalho, "o policial Ferman disse que, quando via um 'crioulo' (foi a palavra que ele usou) dirigindo ao lado de uma mulher branca, já mandava logo encostar o carro. Perguntei se ele fazia isso até quando não tinha motivo, e ele me respondeu que sempre encontrava um. Olhei para os dois fuzileiros navais, em busca de um sinal de que ele estava brincando, mas logo ficou claro que era sério. O policial Ferman disse ainda que o que ele mais queria era ver alguém juntar os 'crioulos' e matar todos de uma vez. Falou em queimar, jogar uma bomba, algo assim; não lembro as palavras exatas que usou, estava muito abalada. [...]" Bell deixou nome e telefone para Cochram entrar em contato. Seu relato também veio à tona na mídia vários meses antes do início do julgamento.

No mesmo dia, 19 de julho de 1994, uma promotora adjunta chamada Lucienne Coleman trabalhava no Fórum Central quando esbarrou com Andy Purdy, detetive do DPLA. Coleman, que tinha visto a mesma reportagem que Bell, comentou que achava um absurdo a defesa alegar que Fuhrman havia plantado provas. "Não vejo nada de absurdo", respondeu Purdy. "Vindo dele, não me surpreenderia." Então contou a Coleman que, anos antes, pouco depois de casar com uma judia, Fuhrman pintou suásticas em seu armário. Algumas semanas depois de saber daquilo, Coleman encontrou outros policiais que diziam ter ouvido Fuhrman comentar sobre os "peitos turbinados" de Nicole Brown Simpson. A promotora fez o que sua consciência mandava: no início de agosto de 1994, levou todas essas informações ao conhecimento de Marcia Clark e Bill Hodgman.

Em outros tempos, Coleman era uma das melhores amigas de Clark na promotoria. As duas, bem como os maridos de ambas, conviveram durante vários anos. Porém, com o divórcio de Clark, os casal resolveu escolher um lado, como é comum acontecer nessas situações, e Lucienne ficou do lado de Gordon. Depois disso, seu relacionamento com Marcia nunca mais foi o mesmo, o que fazia de Lucienne Coleman uma mensageira bastante inoportuna.

"Que baboseira!", bradou Clark quando Coleman mencionou a reportagem sobre Fuhrman. "São baboseiras que a defesa está espalhando por aí!" A reação de Hodgman não foi tão exaltada, mas ele tampouco deu muita bola para o relato de Coleman. Clark sugeriu que Coleman levasse as queixas à corregedoria do DPLA.

Na verdade, a reputação de Fuhrman era tão conhecida que quase chegou até minha família. Na sexta-feira seguinte à publicação do artigo, minha esposa me ligou do escritório em que trabalhava, em uma grande empresa de Manhattan. Um colega dela, um jovem afro-americano formado em administração chamado Jarvis Bowers, notou a repercussão da matéria e queria uma orientação sobre como lidar com os repórteres que ficavam telefonando para saber da ligação dele com Fuhrman. Jarvis foi criado em Los Angeles, e certo dia, em 1984, quando tinha 18 anos, foi ao cinema em Westwood com o pai. O policial Mark Fuhrman deteve Jarvis por atravessar a rua de forma imprudente, aplicou-lhe uma chave de braço e o ameaçou de morte. Bowers ficou tão indignado que registrou uma queixa formal contra Fuhrman. A queixa foi julgada procedente, e o policial teve um dia de trabalho descontado do salário.

Como se pode ver, o passado de Fuhrman o condenava. Clark, no entanto, tinha outro método para determinar se Fuhrman dizia a verdade: ela simplesmente interpelou o policial sobre as acusações. Ele confessou que os relatórios psiquiátricos publicados na *New Yorker* eram autênticos, mas garantiu que os problemas ali descritos eram águas passadas. Mas e quanto a Kathleen Bell? Tudo mentira. E as suásticas? Segundo ele, aquilo nunca aconteceu. Fuhrman tinha até quem pudesse atestar seu bom caráter na Promotoria de Justiça. Nos últimos anos, o detetive vinha trabalhado em estreita colaboração com uma promotora de Santa Monica chamada Danette Meyers, que era negra. (Na época, Fuhrman chegou a contatar Meyers para alertá-la sobre a matéria da *New Yorker* e convencê-la de que era um homem mudado.) Meyers disse aos promotores do caso Simpson que Mark Fuhrman nunca demonstrou o menor indício de racismo, e que o tinha em alta conta como detetive e pessoa.

A acusação poderia ter adotado uma estratégia mais comedida em relação a Mark Fuhrman. Se Clark não o tivesse arrolado como testemunha, por exemplo, poderia introduzir a luva encontrada na Rockingham usando os depoimentos de Lange ou Vannatter, que a haviam visto ainda intocada atrás do quarto de Kaelin. A defesa provavelmente torceria o nariz — "Estão escondendo a testemunha!", diriam — mas a crítica não iria muito longe, pois nada impedia que os próprios advogados de Simpson convocassem Fuhrman. Outra opção seria convocá-lo, mas deixar claro para o júri — com palavras e atitudes — que a acusação não o estava defendendo. Nesse caso, uma inquirição breve e fria teria bastado.

Porém, Marcia Clark não era de fugir da raia. Afinal de contas, seu trabalho era distinguir os mocinhos dos bandidos, e ela não duvidava de que era capaz de fazê-lo. Diante de uma testemunha problemática como Fuhrman, muitos promotores insistiriam, no mínimo, em submetê-lo a infindáveis horas de inquirição simulada. Esse tipo de abordagem permite tanto avaliar a sinceridade da testemunha como prepará-la para o que encontrará pela frente. Clark e sua equipe não se deram ao trabalho. A preparação consistiu em um interrogatório de cerca de meia hora enquanto Fuhrman comia um sanduíche. O policial passou boa parte do tempo reclamando da imprensa. Os promotores se compadeceram, e não saíram do lado dele.

•••

No tribunal, instruído por Clark, Fuhrman falou um pouco de seu histórico profissional e depois contou ao júri sobre a ocasião em que atendeu uma ocorrência de violência doméstica na casa de Simpson, em 1985, quando o réu quebrou a janela de um Mercedes-Benz com um taco de beisebol. Logo em seguida, Clark mudou de assunto.

"Bem, voltando aos anos de 1985 e 1986, o senhor pode nos informar se conheceu ou teve algum contato com uma mulher chamada Kathleen Bell?"

"Posso", respondeu Fuhrman calmamente. "Não, nunca."

Clark exibiu no retroprojetor a carta original que Bell tinha enviado a Cochran. Os jurados puderam examinar com os próprios olhos as coisas horríveis que, segundo Bell, tinham sido ditas por Fuhrman: entre outras, que queria ver alguém "juntar os 'crioulos' e matar todos de uma vez". Uma coisa era ouvir uma negação genérica de Fuhrman, outra era ser exposto de forma tão direta àqueles sentimentos hediondos. Aquele gesto mostrava o quanto a promotora confiava na testemunha.

Clark informou então que Fuhrman havia sido instruído a assistir — adivinhe — à entrevista de Bell no programa *Larry King Live* de cerca de um mês antes.

"O senhor a reconheceu?", perguntou Clark.

"Não, eu não a reconheci."

Clark continuou: "A conversa que Kathleen Bell descreveu na carta aconteceu de fato?".

"Não, nunca aconteceu."

Eram perguntas imprudentes. Bell era uma testemunha confiável, não tinha nenhum interesse particular em favorecer uma das partes; na verdade, como disse a Larry King, ela acreditava na culpa de Simpson. Além disso, Clark sabia que a defesa poderia corroborar a história de Bell por meio das outras pessoas a quem ela tinha reportado os comentários depreciativos feitos por Fuhrman na época. O histórico psiquiátrico do policial atestava que ele já tinha manifestado sentimentos semelhantes pelo menos uma vez. Portanto, a promotora devia saber que eram altas as chances de que Kathleen Bell estivesse dizendo a verdade. Mesmo assim, Clark preferiu acreditar na própria intuição — e em Fuhrman.

O restante da inquirição transcorreu sem maiores incidentes, e serviu apenas para reforçar o papel secundário de Fuhrman no caso. Como Clark pretendia, o depoimento dele basicamente reafirmava o que os jurados já tinham ouvido de Lange e dos policiais que descobriram os corpos. No fim, meia dúzia de policiais diziam a mesma coisa: que havia apenas uma luva na cena do crime na Bundy Dr. Com o depoimento de Fuhrman, a ideia era mostrar (acertadamente) que nunca existiu uma segunda luva que pudesse ter sido levada para Rockingham, e que, além disso, o detetive nunca teve ocasião de plantar ou mover de lugar ou plantar qualquer prova, mesmo que quisesse. Clark também passou perto de fechar a semana com chave de ouro. Fuhrman declarou que, ao examinar o Ford Bronco na calçada em frente à casa de Simpson, olhou pela janela e viu uma pá e um saco de plástico grande e resistente. Com grande cerimônia, Clark entregou a Fuhrman um pacote embrulhado com papel pardo e fita para identificar provas. Pediu a Fuhrman que abrisse o pacote. Ele rasgou o saco e descreveu o que via.

"Parece ser um saco com mais ou menos um metro por um metro e meio", disse Fuhrman.

"Esse é o saco plástico que o senhor viu no porta-malas?", perguntou Clark.

"É."

Fuhrman ergueu o saco. Nem era preciso dizer que cabia um ser humano ali dentro — uma imagem mórbida que os jurados teriam o fim de semana inteiro para digerir.

Naquele fim de semana, graças à transmissão do julgamento pela TV, vários proprietários de Bronco se manifestaram. Eles ligaram para a promotoria, para a defesa e até para o juiz. A insinuação de Clark tinha ido um pouco mais longe do que os fatos permitiam. Ela teve de começar a semana seguinte com um tímido porém importante esclarecimento.

"Quanto àquele plástico," disse Clark, "por acaso o senhor sabe se ele pertence ao Ford Bronco ou algo do tipo?"

"É, agora eu sei", respondeu Fuhrman.

"E o que seria?"

"É a capa do estepe" — um item de fábrica que acompanha todos os carros desse modelo. (Quanto à pá, O.J. costumava usá-la para recolher as fezes do cachorro.)

Depois daquela explicação decepcionante, Clark passou a bola para F. Lee Bailey.

• • •

Bailey escreveu um dia: "Mesmo a boa inquirição cruzada fica à mercê da incompreensão do público, o que assume graves proporções, porque é o público que preenche a ala dos jurados. Muitos jurados se imaginam diante de um Perry Mason;[1] esperam que o advogado vá pressionar o depoente de tal forma que chegará um momento em que ele dirá, aos gritos, que o réu é inocente e que, na verdade, foi *ele* quem matou a dançarina. Coisa que até acontece, mas só na televisão, é claro".

De fato havia uma expectativa exagerada do público quando Bailey se levantou para inquirir Fuhrman — mas o maior culpado disso era o próprio advogado. Ele queria tanto estar nos holofotes — e sentia-se tão envergonhado pelo modesto papel que vinha desempenhando no julgamento — que organizou uma série de coletivas de imprensa no saguão do fórum nos dias do depoimento de Fuhrman à acusação. Nelas, anunciava que não via a hora de começar a inquirição da defesa. "Qualquer advogado em seu juízo perfeito estaria ansioso para inquirir Mark Fuhrman", disse Bailey, comparando Fuhrman a Hitler logo em seguida. O advogado criou expectativas tão altas que nem o próprio Perry Mason seria capaz de satisfazê-las.

Em uma acintosa manifestação de machismo no tribunal, Bailey não fez uma objeção sequer durante a inquirição de Clark. Preferiu sorrir maliciosamente, em silêncio, enquanto Fuhrman depunha.

---

[1] Personagem criado pelo escritor Erle Stanley Gardner, representado em série de TV homônima de grande sucesso entre o fim dos anos 1950 e o início dos 1960. Era tido como exímio advogado de defesa, cujas rigorosas inquirições quase sempre lhe garantiam a vitória nos tribunais.

Entretanto, quando chegou sua vez, o advogado correu para a tribuna. Era tamanho seu frenesi que quicava na ponta dos pés enquanto falava.

Bailey começou enfatizando a gafe de Clark com o saco plástico. "Quer dizer que, depois de nove meses de investigação, a senhora descobriu, no sábado, que essa prova crucial era inteiramente inócua?"

Clark protestou, mas o recado já tinha sido dado.

No entanto, Bailey estava tão eufórico que não conseguia manter o foco no mesmo assunto por mais de alguns minutos. Discorreu sobre a formação escolar de Fuhrman — que abandonou os estudos no ensino médio e, mais tarde, fez um supletivo para obter o diploma — e então pulou para o incidente de violência doméstica na casa da Rockingham, em 1985. Depois, voltou aos passos de Fuhrman na noite do crime, e logo já estava falando do posto de recrutamento dos fuzileiros navais frequentado por Kathleen Bell. À medida que Bailey se dispersava, Fuhrman ganhava confiança, e a certa altura arriscou até uma gracinha. Questionado sobre Bell, o detetive disse: "Bell [de 'sino']? Não me 'soa' familiar".

Bailey foi ficando frustrado, e lá pelas tantas, estava pronto para uma cartada desesperada.

"O senhor esfregou a luva no Ford Bronco, detetive Fuhrman?"

A pergunta surpreendeu a testemunha. Como Fuhrman sequer sabia se O.J. Simpson estava nos Estados Unidos na época do crime, já era um disparate sugerir que o policial teria plantado uma luva ensanguentada na casa do réu. Mas a ideia de que Fuhrman ou qualquer outra pessoa teria usado a luva como uma espécie de brocha para espalhar provas comprometedoras... Bem, chegava a ser risível. (Em plena era da aids, só os riscos à saúde já fariam a ideia parecer absurda.) No entanto, havia uma insidiosa engenhosidade na hipótese de Bailey. Se Fuhrman tivesse esfregado a luva no Ford Bronco, isso explicaria como o sangue de Goldman tinha ido parar no veículo. Aliás, depois do julgamento, vários jurados mencionaram essa possibilidade.

Fuhrman deu um sorrisinho e soltou uma ligeira risada de perversa incredulidade. Mas se limitou a responder: "Não".

"Não?", insistiu Bailey.

"Não."

Naquele dia, Bailey não fez progressos no sentido de contestar o depoimento de Fuhrman sobre sua conduta na noite do crime — na verdade, nem poderia. Então, na manhã seguinte, o advogado passou a um assunto mais promissor: racismo. Em uma decisão anterior ao julgamento, o juiz Ito determinou que a defesa poderia inquirir Fuhrman sobre suas supostas declarações a Kathleen Bell, mas não sobre os comentários que havia feito aos psiquiatras no processo por invalidez; segundo Ito, tais comentários não vinham ao caso porque eram muito antigos. Ainda assim, na manhã de 14 de março, Bailey perguntou ao juiz se poderia inquirir Fuhrman sobre outros episódios de hostilidade racial. O advogado estava disposto a vasculhar os recantos mais obscuros da vida de Fuhrman para tirar o foco dos corpos ensanguentados na Bundy. Usando Kathleen Bell como alavanca, Bailey queria transformar o julgamento de Simpson em um estudo sobre a vida social no posto de recrutamento dos fuzileiros navais dez anos antes. Queria perguntar a respeito de uma declaração que Fuhrman teria feito na presença de Andrea Terry, amiga de Kathleen Bell, em um bar de Redondo Beach. Segundo Terry, Fuhrman afirmou que um casal formado por um homem negro e uma mulher branca era um "crime contra a natureza". De acordo com Bailey, outra testemunha — um ex-fuzileiro naval chamado Maximo Cordoba — podia confirmar em juízo que Fuhrman o havia chamado de "crioulo" no posto de recrutamento.

Clark não conseguiu refutar o comentário de Terry, e Ito permitiu que Bailey fizesse a pergunta. Mas a promotora se declarou espantada com a solicitação de convocar Cordoba para depor. "Interrogamos Max Cordoba muito tempo atrás", disse Clark. "Ele nunca falou nada do tipo, nem nunca alegou que Mark Fuhrman tivesse falado."

Bailey adorava censurar Clark, e falava quase aos gritos quando se levantou para refutá-la. Ele jurou que Cordoba de fato confirmaria que foi chamado de "crioulo". "Meritíssimo", disse Bailey, sério, "falei com ele pessoalmente ao telefone, de fuzileiro para fuzileiro. Não tenho a menor dúvida de que ele subirá no banco das testemunhas e dirá, na frente de todos, do que Fuhrman o chamou com esse termo sem mais nem menos." Em vista da controvérsia, Ito determinou que Bailey só poderia perguntar sobre o episódio depois que a acusação pudesse entrevistar Cordoba novamente.

O dia seguinte foi igualmente infrutífero. Bailey tentou contraditar Fuhrman usando seu depoimento da audiência preliminar. Na época, o detetive teria dado a entender que existia mais de uma luva na cena do crime, ao usar o plural "elas". Porém, na inquirição da defesa, Fuhrman conseguiu facilmente se esquivar dessa linha de questionamento, explicando que tinha usado o plural porque se referia não só à luva, mas também a outras provas. Bailey indagou sobre a amiga de Bell, Andrea Terry, descrevendo-a, em sua obsessão por altura, como "bonita, mas alta". Fuhrman negou que a tivesse conhecido, ao que o advogado insistiu: mas ela tem "mais de 1,80 metro de altura!". Novamente, Fuhrman alegou que não se lembrava — e Bailey continuou na mesma.

Naquela noite, 14 de março, o programa *Dateline*, da NBC, transmitiu uma entrevista com Max Cordoba, que reafirmou que Fuhrman o havia chamado de "crioulo" dez anos antes. Tudo parecia ridiculamente distante do caso, como um seriado cômico passando em outro canal: Max e a louca tripulação de um posto de recrutamento dos fuzileiros navais conhecem Kathleen, a sedutora corretora de imóveis do andar de cima, que tenta juntar o policial bonitão, Mark, com sua amiga grandalhona Andrea. (Não satisfeito, Bailey queria convocar para depor até mesmo o cara que cuidava da loja de roupas femininas ao lado do posto.) Curiosamente, Cordoba também declarou no *Dateline* que nunca tinha falado com Bailey — nem de fuzileiro para fuzileiro, nem de qualquer outra forma. A primeira coisa que Clark fez na manhã seguinte, no tribunal, foi exibir aquele trecho do programa.

Bailey ficou furioso, com o rosto ainda mais vermelho do que de costume. Ressaltou que *tinha, sim,* falado com Cordoba, só não discutira o caso com ele — tarefa que deixara a cargo de Pat McKenna. Informou ainda que tinha recebido um telefonema de Cordoba no dia anterior, tarde da noite, em que este reconhecia que havia se equivocado no programa.

Então, foi a vez de Clark quicar na tribuna. Não estava engolindo a lenga-lenga de Bailey. "É por contrassensos assim que advogados ficam mal falados, Meritíssimo. Ele quis dar a entender que ouviu a história da boca de Cordoba só porque falou com ele" — e, inflando o peito, Clark arremedou as palavras de Bailey — "'de fuzileiro para fuzileiro', e agora fica aí, fazendo picuinha."

Bailey parecia prestes a ter um troço ali mesmo, na sala de audiência. Com as mãos trêmulas, as veias saltando no rosto, o advogado disputava espaço com Clark, tentando empurrá-la para fora da tribuna. A promotora percebeu, mas não deu a mínima. Em um gesto ostensivo, virou as costas para Bailey e disse ao juiz: "O sr. Bailey foi pego na mentira, reparem no nervosismo dele. Querem saber de uma coisa? Aqui neste processo, não. Ele não vai se safar dessa. Tem um monte de gente assistindo".

Em seguida, Clark reproduziu mais um trecho da entrevista no *Dateline*, e Bailey se levantou apoiando a mão na tribuna: "Protesto, Meritíssimo! Peço a Vossa Excelência que dê um basta nisso". Com o rosto a poucos centímetros de Bailey, Clark o repreendeu como se estivesse falando com uma criança malcriada: "Com licença, Sr. Bailey, espere sua vez para levantar e falar". O advogado parecia a ponto de partir para cima dela, mas se conteve, e essa confrontação, como tantas outras no decorrer do julgamento, ficou mal resolvida.

Bailey tinha mais um pedido a fazer antes de retomar o depoimento de Fuhrman. Para ilustrar um ponto, queria usar uma luva de couro marrom, a qual tinha colocado em um saco plástico com fecho hermético. "Como vimos nesse caso, detetives costumam coletar provas em sacos plásticos", explicou Bailey. "É comum que fuzileiros navais transportem objetos nas meias, assim como alguns detetives usam coldres no tornozelo para carregar uma arma reserva. Esse saco poderia facilmente ser escondido dentro da meia por um homem de estatura baixa ou alta. [...] Acho razoável perguntar ao detetive Fuhrman se ele poderia ter colocado uma luva em um saco plástico que estivesse à mão, enfiado o embrulho dentro da meia e retirado posteriormente o embrulho daí, descartando por fim o saco plástico." Esta hipótese (apresentada na ausência do júri) foi o mais perto que a defesa conseguiu chegar de formular uma teoria que explicasse como Fuhrman teria transportado uma segunda luva da Bundy à Rockingham.

Mais uma vez, Clark ficou indignada com a insinuação, que não tinha o menor fundamento probatório. "Essa história de saco plástico é ridícula", disse ela. "Não tem nenhuma ligação com o caso. Uma luva de couro de tamanho, cor, marca e modelo diferentes também não tem qualquer relevância para o caso. [...] Isto não tem nada a ver com a busca pela verdade. É uma fantasia criada pela defesa sem nenhuma base probatória, sem nenhuma conexão lógica ou factual com o caso."

Saindo da apatia em que se encontrava, Ito pediu para examinar a luva que Bailey queria usar na inquirição, depois a devolveu a Clark.

"Gostaria de fazer uma pergunta", disse o juiz. "Qual é o tamanho da luva encontrada na Bundy?"

"Extragrande", disse Clark.

"Essa luva é da marca Brooks Brothers, tamanho pequeno", observou Ito.

"Exato", disse Clark.

"O tamanho extragrande estava em falta!", interveio Bailey. (Foi Pat McKenna quem comprou a luva).

Clark continuou: "Como se não bastasse, a luva encontrada na cena do crime é da Aris, e não da Brooks Brothers. Nem dá para saber se é masculina ou feminina".

Clark manuseou a luva em silêncio. Por fim, disse: "Tamanho pequeno... Esta luva deve ser do sr. Bailey".

Houve um breve silêncio no tribunal quando ficou claro que Marcia Clark se referia ao folclore sobre as inferências a serem feitas com base no tamanho das mãos de um homem. O comentário de Clark era engraçado até, mas era também um ponto baixo, um sintoma da falta de controle do juiz sobre o processo. Ito não disse uma palavra, mas quando Clark se saiu com a tirada, ele chegou a esconder as mãos debaixo da mesa.

A ficha de Bailey demorou alguns instantes para cair. Então, do nada, ele ergueu a mão direita para todo o tribunal (e para as câmeras) e disse: "Gostaria de deixar claro que, se a srta. Clark acha que a minha mão cabe nesta luva, a vista dela é tão ruim quanto a memória".

A situação ilustrava bem como as coisas funcionavam naquele tribunal: havia espaço não só para um comentário aleatório, mas para réplicas e tréplicas engenhosas sobre o tamanho do pênis de F. Lee Bailey.

· · ·

Bailey não conseguiu contradizer o depoimento de Fuhrman sobre seu papel na investigação policial. Tudo o que restava era deixar a palavra "crioulo" ecoando nos ouvidos dos jurados.

Bailey conhecia melhor — em relação à maioria de seus pares — o poder que aquela palavra tinha sobre um júri, ainda mais se este incluía afro-americanos. Em 1973, quando o advogado se defendeu contra acusações de fraude na Flórida, a primeira pessoa arrolada pela acusação a subir ao banco das testemunhas foi um homem chamado Jimmie James, ex-executivo da empresa de Glenn Turner, a Koscot Interplanetary. James declarou que o empreendimento não passava de um esquema de pirâmide financeira. Todos os demais acusados eram brancos, mas Bailey tinha uma maneira infalível de injetar a questão racial no caso: durante a inquirição da defesa, perguntou se James já havia dito "Eu odeio crioulos". Ele negou.

Relembrando a cena no livro *For the Defense* [Para a defesa], Bailey escreveu que o clima da sala de audiência "mudou sensivelmente quando usei a palavra 'crioulos'. Eu pronunciei a palavra de forma bem agressiva, tentando colocar o máximo de maldade e veneno. A palavra pairou no ar, como uma acusação quase palpável".

Na sequência, Bailey perguntou a James: "O senhor diz que não usou essa palavra. Ela não faz parte do seu vocabulário?".

O advogado sabia que aquela era a pergunta perfeita para inquirir uma testemunha da acusação. Conforme explicou no livro: "Eu sabia que, se James negasse ter usado o termo, eu poderia convocar o investigador para contestá-lo, impugnando assim a declaração e colocando sob suspeição o restante do depoimento". James tentou não se comprometer na resposta, mas Bailey nunca mais esqueceu a reação de uma jurada negra ao ouvir aquele depoimento sobre a palavra "crioulo". "A jurada que estava sentada ao lado dela ficou o tempo inteiro dando tapinhas de consolo no joelho da colega, e bastava prestar atenção para ler nos seus lábios: 'Calma, calma'."

Pouco depois do confronto com Clark, no dia 15 de março, Bailey tentou reproduzir com Mark Fuhrman, quase palavra por palavra, a inquirição que fez a Jimmie James. "O senhor usa a palavra 'crioulo' ao descrever as pessoas?"

"Não, senhor", disse Fuhrman.

"O senhor usou essa palavra nos últimos dez anos?"

"Não que eu me lembre."

Bailey era esperto demais para deixar Fuhrman alegar um lapso de memória. "Então quer dizer que, se o senhor tiver chamado alguém de 'crioulo', não se lembra mais?"

"Não sei como responder a essa pergunta nesses termos que o senhor colocou."

Bailey queria arrancar uma negativa categórica de Fuhrman. O que se seguiu foi talvez o trecho de depoimento mais citado de todo o julgamento. "Então, está dizendo que não usou essa palavra nos últimos dez anos, detetive Fuhrman?"

"Sim", disse Fuhrman, com uma ponta de nervosismo. "É isso que estou dizendo."

"O senhor afirma, sob pena de perjúrio, que não se dirigiu a nenhum negro como 'crioulo', nem se referiu a negros como 'crioulos' nos últimos dez anos, detetive Fuhrman?"

"Sim, senhor, é o que estou dizendo."

"Então, quem dissesse, neste tribunal, que o senhor usou essa palavra para se referir a afro-americanos, estaria mentindo, não é mesmo, detetive Fuhrman?"

"Estaria, sim."

"Seja quem fosse, correto?"

"Seja quem fosse."

"Muito bem", disse Bailey. "Obrigado."

Bailey tinha cercado a testemunha por todos os lados.

Marcia Clark só faltou chorar de frustração. No fundo, embora ninguém lhe tivesse *dito* isso, ela *sabia* que era bem provável que Fuhrman tivesse usado a palavra "crioulo" na última década. Àquela altura, não havia nada que pudesse fazer. Depois de ficar do lado do detetive ao inquiri-lo a primeira vez, não podia simplesmente renegá-lo. Quando chegou sua vez de reinquirir o policial, ela procurou — com a sensação de que não adiantaria grande coisa — dirigir a atenção do júri para o que mais importava no depoimento de Fuhrman.

"Quando o senhor saiu pela primeira vez para a passagem sul da South [sic] Rockingham Ave., 360, o senhor sabia a que horas Ron Goldman e Nicole Brown tinham morrido?"

"Não", respondeu Fuhrman.

"Sabia se o sr. Simpson tinha um álibi?"

"Não."

"Sabia se havia testemunhas oculares do crime?"

"Não."

"Sabia se alguém tinha ouvido vozes, barulhos ou conversas na cena do crime, no momento do assassinato?"

"Não."

"Sabia se Kato tinha atravessado a passagem sul antes de o senhor chegar?"

"Não."

"Sabia se alguma fibra do Ford Bronco seria encontrada naquela luva que o senhor acabou descobrindo na Rockingham?"

"Não."

"E a causa das mortes, o senhor sabia qual era?"

"Não."

Essa foi toda a reinquirição de Fuhrman: sete perguntas. Concisão no tribunal é sinônimo de bravura, e Clark demonstrou pulso firme, indo direto ao ponto. Quaisquer que fossem as falhas de caráter de Mark Fuhrman, plantar a luva seria um ato de pura insensatez da parte dele.

$$\bullet\ \bullet\ \bullet$$

Concluído o depoimento do detetive, Shapiro e Bailey estavam livres para voltar a cuidar de suas máximas prioridades: eles mesmos.

Bailey, que por muitos anos vivera sob o selo da aprovação pública, agora recebia uma chuva de críticas de "especialistas", os quais desaprovavam a maneira como conduzira o interrogatório de Fuhrman. Com o orgulho ferido, embora não deixasse transparecer, Bailey começou a tomar medidas um tanto desesperadas para melhorar sua reputação e se autopromover. Como um ator que divulga seu filme, deu uma série de entrevistas elogiando o próprio desempenho. Na sexta-feira, 17 de março, promoveu um elegante jantar na casa de um amigo em Beverly Hills. No momento apropriado, televisores foram trazidos e posicionados diante dos convidados, de modo que todos pudessem assistir a entrevista de Bailey no programa *20/20*, do canal ABC. A correspondente Cynthia McFadden perguntou ao advogado se O.J. tinha gostado da atuação dele no interrogatório de Fuhrman. "Gostou muito", disse Bailey. "Na opinião de Carl Douglas, de Johnnie Cochran e do próprio O.J., a inquirição foi um sucesso pela ótica da reação do júri. Eles acham que os jurados não caíram na conversa de Mark Fuhrman, e é isso o que interessa. Eles não ligam para o que as pessoas acham."

No afã de obter aprovação, Bailey chegou a incluir a adversária Marcia Clark no rol de admiradores de seu trabalho. Afirmou a David Margolick, do *New York Times*, que "recebeu um belo elogio da srta. Clark" pela inquirição. Já para Bryant Gumbel, apresentador do *Today*, disse: "Cumprimos os objetivos a que nos propusemos. Cavamos um buraco para ele [Fuhrman] e o detetive pulou de cabeça". Para a revista *Time*, Bailey se vangloriou: "Johnnie Cochran e O.J. Simpson conhecem esse júri melhor que qualquer advogado branco seria capaz. No segundo e terceiro dia da inquirição de Fuhrman pela nossa equipe, tudo correu muito bem. [...] Norman Mailer me ligou para dizer que foi impecável. Estou muito satisfeito".

Já Shapiro tinha uma estratégia própria para recuperar a reputação. Depois que Fuhrman deixou o banco das testemunhas, no dia 16 de março, o advogado deu uma declaração pública improvisada nas escadas do fórum, na qual essencialmente repudiava a inquirição conduzida pelo colega. Rodeado de câmeras, disparou: "Na minha opinião, este caso não tinha a ver com racismo, e nem deveria ter. Acho lamentável que as coisas tenham chegado a este ponto". Vinda de Shapiro, tal declaração era especialmente cínica, já que fora ele quem lançara a campanha da defesa contra o racismo de Fuhrman em primeiro lugar. Mas os tempos eram outros. Com a defesa de Simpson nas mãos de outro advogado, Shapiro agora estava mais preocupado em conquistar a simpatia de West Los Angeles (isto é, dos brancos). Essa declaração pública foi um passo nesse sentido.

Depois da audiência do dia seguinte, 17 de março, Shapiro passou o resto da tarde de bobeira no quarto em que Larry King estava hospedado, no Beverly Wilshire Hotel. (Obviamente, o advogado e sua família não foram convidados para a *soirée* de Bailey naquela noite.) Shapiro e King tinham se tornado amigos no decorrer do julgamento, e Shapiro confidenciou ao apresentador que estava infeliz. Admitiu que detestava Bailey e Cochran, e que tudo o que mais queria era sair do caso. Quando o apresentador saiu para gravar o programa no estúdio da CNN, na Sunset Blvd., Shapiro foi junto. Os convidados do programa naquela noite eram Alan Dershowitz e Dennis Zine, diretor do sindicato da polícia de Los Angeles. Na semana anterior, Dershowitz tinha causado uma pequena celeuma ao afirmar que muitos policiais eram treinados para mentir no banco das testemunhas. Ao longo da entrevista, o professor reiterou os ataques contra a polícia, especialmente a de Los Angeles. No final do programa, Shapiro, que tinha acompanhado tudo dos bastidores, cumprimentou Dershowitz com um comentário que mostrava o quanto estava afastado da equipe de defesa.

"Você está ficando louco, Alan", disse Shapiro.

Na semana seguinte, a petulância de Shapiro chegou à sala de audiência junto com ele. A inquirição de Philip Vannatter, testemunha da promotoria, foi sua segunda intervenção no caso (a primeira foi na inquirição de Denise Brown). Inquirido pela acusação, Vannatter — que era parceiro de Lange e coencarregado do caso — apenas corroborou o que Phillips, Lange e Fuhrman já tinham dito ao júri. Shapiro conduziu a inquirição com competência, atendo-se às declarações falsas de Vannatter na solicitação de mandado judicial para revistar a casa de Simpson e à decisão do detetive de levar a amostra de sangue do Parker Center até a casa de Simpson, em Brentwood. (Mais que conduta conspiratória, a decisão refletia pura e simples preguiça. Ao entregar a amostra para Dennis Fung na casa de O.J., Vannatter se poupava do trabalho de passar em outro lugar e preencher a papelada da prova.)

O que chamava a atenção em Shapiro naquele dia era o visual. O advogado conduziu o interrogatório usando uma fita azul na lapela. O chefe do DPLA, Willie Williams, tinha iniciado uma campanha pedindo aos cidadãos que usassem um broche na lapela em sinal de apoio à polícia. Explicitou que os broches eram uma mostra de solidariedade aos policiais diante das acusações feitas pelos advogados de O.J. Simpson. Shapiro nunca esclareceu o que o motivara — além, talvez, de pura perversidade — a usar o adereço. (Para zombar de Shapiro, o investigador Pat McKenna também apareceu no escritório de Cochran usando um broche azul. Na braguilha.)

Shapiro quase fez seu cliente perder as estribeiras. Vindo logo depois de seu ataque a Bailey, aquele gesto foi a gota d'água. Simpson colocou Shapiro contra a parede: "Mais uma gracinha e você está fora da equipe".

Aquela seria a oportunidade perfeita para Shapiro pular fora — isso se ele realmente quisesse sair. Acontece que, no fundo, Shapiro adorava a atenção que estava recebendo com o caso Simpson: piscadelas de celebridades, pedidos de autógrafo... Além disso, Shapiro queria escrever um livro sobre o caso, uma ideia que já vinha acalentando desde antes do julgamento. Não dava para jogar tudo para o alto agora. O advogado decidiu que era melhor passar o resto do julgamento como um convidado naquela festa ingrata: sentado à mesa com pessoas que não suportava, mas que não podia evitar.

• • •

Marcia Clark também estava insatisfeita. Como se não bastasse o assédio dos tabloides e do ex-marido vingativo, ela via que o caso Simpson deixava cada vez mais de ser um julgamento de homicídio para se tornar uma peça de moralismo racial. Clark conseguia viver bem dormindo pouco, mas, infelizmente, seus dois filhos também, e nem sempre os três escolhiam as mesmas cinco horas para dormir. Ela aparecia de manhã com os olhos vermelhos, e se queixava: "Na noite passada, foram dois contra um de novo". Tudo isso, mais o excesso de cigarros, resultou em um forte resfriado, com acessos de tosse seca e olhos inchados e lacrimejantes. Isso durou semanas.

E ainda tinha que lidar com Kato Kaelin, cuja vida era o oposto da dela: despreocupada e sem rumo, planos ou responsabilidades. Na verdade, a imagem fofinha de Kaelin escondia uma história pessoal bem mais sombria. Ele podia ter a aparência e a atitude de um adolescente preguiçoso, mas estava mais para os 40 anos do que para os 20. Vivia de favores, o que lhe rendia o desprezo da ex-mulher, mãe de sua filha, para quem ele mandava um dinheiro quando fosse possível. Por esses e vários outros motivos, Marcia Clark o abominava. Mas precisava dele. Fosse como fosse, ele circunscrevia o álibi de O.J.; os dois chegaram da famosa ida ao McDonald's aproximadamente às 21h40 de 12 de junho. Além disso, Kaelin tinha ouvido as pancadas perto do ar-condicionado, e foi isso que levou Fuhrman a averiguar a passagem nos fundos da casa. Clark precisava que Kaelin relatasse tais fatos ao júri.

Quando ele ocupou o banco das testemunhas — irrequieto, sem gravata, de calça jeans preta e, claro, com a cabeleira loira ensebada e revolta — todo o tribunal, inclusive o júri, normalmente impassível, acharam graça do seu jeito atrapalhado. O júri soube que, na noite do crime, Kaelin ficou das 19h45 às 20h30 na Jacuzzi de O.J. — um molho quase sobre-humano, de tão longo. A certa altura, Clark perguntou sobre o relógio no carro de Simpson, o Bentley que usaram para ir ao McDonald's.

"Era um relógio digital?"

"Não", disse Kaelin, e começou a mexer os braços, em uma tentativa patética de imitar os ponteiros de um relógio. "Era um relógio de números. Quer dizer, de numerais." Ele tropeçava nas palavras. "Dígitos também são numerais, mas a senhora sabe o que quero dizer."

Ito acabou com a agonia. "Analógico", emendou.

Clark conseguiu até extrair um fato interessante da testemunha. A promotoria sempre acreditou na tese de que, enquanto planejava o assassinato, Simpson tentou usar Kaelin para criar um álibi. Depois que voltou do recital de dança de Sydney, o jogador fez algo que nunca tinha feito antes: bateu na porta do quarto de Kaelin, dizendo que só tinha notas de 100 dólares e precisava de uma de cinco para dar de gorjeta mais tarde ao carregador de bagagens do aeroporto. Kaelin também estava sem notas de cinco, mas deu uma de vinte a Simpson. Ainda durante a visita, Simpson disse a Kaelin que ia sair para comer algo. Se tudo tivesse saído de acordo com os planos de O.J., Kaelin teria relatado essa conversa para a polícia mais tarde. No entanto, para a surpresa do ex-astro, Kaelin se convidou para ir com ele. Os dois nunca tinham jantado juntos antes. O.J. concordou em levar Kaelin, e os dois fizeram uma rápida viagem ao McDonald's, ocasião em que, de acordo com Kaelin, Simpson ficou reclamando da roupa provocante e inapropriada de Nicole no recital.

A novidade do depoimento estava na descrição do pagamento no *drive-thru*. Kaelin tinha entregado a Simpson uma nota de 20 dólares, que ele usou para pagar o lanche. Depois de pagar, Simpson devolveu *todo* o troco para Kaelin. Portanto, mesmo tendo ido ao quarto de Kaelin para supostamente pegar emprestada uma nota de 5 dólares, Simpson não ficou com a nota que conseguiu no McDonald's — um interessante indício de que teria usado Kaelin para criar um álibi para um assassinato premeditado.

Da cadeia, Simpson enviou um recado com orientações para Shapiro sobre a inquirição de Kaelin, insistindo que o advogado deixasse evidente que, na noite do crime, Simpson "apenas relaxava, estava cansado, e esse era seu estado de espírito". Shapiro seguiu o conselho do cliente, e Kaelin, de fato, descreveu o comportamento de Simpson mais como seco do que tenso. Na audiência preliminar, Kaelin tinha dado a entender que Simpson estava abatido na noite do crime. A mudança no depoimento deixou Clark enfurecida. A promotora demonstrou grande impaciência com ele durante sua reinquirição, e até chegou a pedir a Ito que o declarasse como "testemunha hostil", o que lhe dava o direito de fazer perguntas indutoras, isto é, que já trazem os fatos da resposta na própria formulação. No final das contas, Clark conseguiu arrancar dele o mínimo de que precisava, mas a hostilidade da promotora, aliada à insipidez de Kaelin, fizeram do depoimento um desperdício de tempo para a acusação.

Não foi o caso de Allan Park, um dos raros exemplos em que a sorte sorriu para os promotores. Calmo e inteligente, o motorista da limusine que levou Simpson ao aeroporto tinha um registro de chamadas de celular que corroborava seu relato sobre a noite do crime e acabou se tornando uma testemunha terrivelmente comprometedora.

Park deveria buscar O.J. Simpson às 22h45, mas como estava nervoso, por se tratar de seu primeiro cliente famoso, chegou ao local cerca de vinte minutos mais cedo. Cruzou a Rockingham Ave. às 22h25, e — detalhe importante — *o Ford Bronco de Simpson não estava lá*. O motorista virou à direita, entrando na Ashford St., e aguardou. Lá pelas 22h40, tocou a campainha, mas ninguém atendeu. Ele dobrou a esquina em direção ao portão na Rockingham Ave. e não viu nenhum sinal de vida — nem do Ford Bronco. Park começou a entrar em pânico. Não queria que Simpson perdesse o voo das 23h45 para Chicago. Usando o celular da limusine, ligou para o chefe e até para a mãe. Continuou tocando a campainha com insistência. Espiando pelo portão, viu que a casa estava no escuro, com exceção de uma luz acesa no andar de cima. Às 22h52, o chefe de Park ligou para o celular da limusine. Um ou dois minutos depois, dois vultos chamaram a atenção do motorista. Primeiro, um homem (Kaelin) emergiu por alguns instantes das sombras ao fundo da casa. Depois, uma pessoa negra de mais ou menos 1,80 metro e 90 quilos surgiu diante da casa e entrou pela porta da frente. Park tocou o interfone novamente. Pela primeira vez, as luzes do primeiro andar se acenderam. O.J. Simpson atendeu o interfone e, em seguida, abriu o portão usando o controle remoto.

"Dormi demais", disse Simpson. "Acabei de sair do banho. Desço em um minuto."

Clark, que sabia explorar um momento dramático no tribunal, pediu a Simpson para se levantar de onde estava. "O senhor pode nos dizer", perguntou a Park, "se este homem parece ter o mesmo tamanho da pessoa que o senhor viu entrar pela porta da frente da casa da Rockingham?"

Cochran protestou, mas teve seu protesto negado por Ito, que manteve a pergunta. Simpson fez uma careta de dor.

"Sim, tem mais ou menos o mesmo tamanho", disse Park.

Segundo o motorista, Simpson passou cerca de cinco minutos procurando coisas pela casa, que já estava com todas as luzes acesas, e desceu apressadamente para o térreo com algumas bolsas. Kaelin e Park o ajudaram a carregá-las até o carro, mas Simpson fez questão de levar por conta própria uma pequena bolsa esportiva preta. (Os promotores alegavam que a bolsa continha a roupa usada por Simpson durante o crime.) Ao sair com a limusine e virar à esquerda na Rockingham Ave., Park notou que havia algo diferente. Quando chegou, às 22h25, o acostamento estava livre, mas, naquele momento, pouco depois das 23h, "tinha algo tampando minha visão", à direita — ao que tudo indicava, o Ford Bronco. Em outras palavras, o carro de O.J. Simpson *não* estava estacionado na frente da casa na hora do crime, mas *estava* lá depois que Simpson se materializou em casa novamente. Eram provas espantosas contra o ex-astro. Cochran, por outro lado, não progrediu quase nada na inquirição da defesa.

A próxima testemunha de Clark era James Williams, o carregador que tinha despachado a bagagem de Simpson no Aeroporto Internacional de Los Angeles. Em um breve depoimento, Williams explicou que havia uma grande lixeira na calçada, perto de onde Simpson desceu da limusine. A inferência, que Clark não chegou a formular explicitamente perante o júri, era que Simpson poderia ter usado aquela lixeira para descartar a bolsa preta que insistira em carregar sozinho.

Carl Douglas se levantou cheio de si para a inquirição da defesa. As insinuações de Clark sobre a lixeira tinham sido tão vagas que provavelmente seriam ignoradas por um advogado mais experiente. Douglas, no entanto, não se conteve.

"Sr. Williams", vociferou, "o senhor sequer viu o sr. Simpson perto dessa lixeira no dia 12 de junho, não é mesmo?"

Williams respondeu, sem hesitar: "Vi, sim. Ele estava parado perto da lixeira".

Douglas parecia zonzo, como se atingido por uma paulada no meio da testa. Clark reprimiu um sorriso.

Williams deixou o banco das testemunhas na tarde de 29 de março. Depois daquele raro final feliz para a acusação, Marcia Clark praticamente desapareceu do caso. Só voltou a inquirir outra testemunha no dia 21 de junho, quase três meses depois. Preocupada com o processo de divórcio, raramente chegava ao tribunal no horário. Nas semanas seguintes, Clark muitas vezes irrompia pela porta da sala de audiência às 9h30 ou mais tarde, equilibrando bolsa, pastas e comida, e se acomodava ruidosamente em seu lugar. Os jurados, que, como prisioneiros, eram obrigados a se levantar às 5h30 e não tinham outra opção senão chegar no horário, recebiam-na com olhares compridos e frios.

O MAIS HABILIDOSO DO TRIBUNAL

Barry Scheck tinha um jeito diferente de se vestir e de falar. Juntos, todos os paletós mal-ajustados de seu guarda-roupa provavelmente custavam menos do que um único terno feito sob medida de Cochran ou Shapiro. Em diversos aspectos, Scheck falava uma língua que poucos na sala de audiência entendiam. Para começar, tinha um sotaque nova-iorquino que chamava atenção se comparado à sonoridade mais neutra da Califórnia. Além disso, usava um vocabulário específico: o linguajar da genética forense, com seus "alelos", "autorradiografias" e "íons-produto". Quando Scheck começou a comparecer a algumas audiências no tribunal, durante o verão de 1994, ele e seu sócio, Peter Neufeld, sequer falavam muito com os demais membros da equipe de defesa.

Porém, as câmeras do tribunal não conseguiam captar a principal diferença entre Scheck e os demais advogados de defesa.

Scheck trabalhava. Cochran delegava o trabalho burocrático a Carl Douglas. Shapiro gostava de tirar um cochilo depois das sessões. Já Scheck, tão logo deixava a sala tribunal, ia se debruçar com seu corpo atarracado sobre uma das mesas do escritório de Cochran, examinando as provas científicas contra O.J. Simpson com inédito afinco. Quando Shapiro o contratou na semana seguinte ao crime, seu papel no caso não estava totalmente claro. A ideia era que Scheck e Neufeld instruíssem Shapiro para a audiência em que se julgaria a admissibilidade dos exames de DNA como prova. Na época, imaginar que Barry Scheck faria uma das apresentações de argumentos finais perante o júri seria motivo de risada. Porém, à força de seu valor e empenho, Scheck se mostrou não só o advogado de defesa mais importante depois de Cochram, como também o advogado mais habilidoso do tribunal.

Durante as infindáveis jornadas de trabalho no escritório de Cochram, Scheck construiu uma defesa brilhante. O golpe de gênio foi que essa defesa combinava perfeitamente com a tese de discriminação racial que Shapiro e Cochran vinham desenvolvendo desde o início do processo. A estratégia de Scheck, embora mais elaborada que a dos colegas, também tinha pouco a ver com demonstrar que outra pessoa teria assassinado Ron e Nicole. Longe disso. O que Scheck queria era colocar em xeque a integridade e a competência da polícia de Los Angeles. Os resultados do trabalho do DPLA não eram confiáveis, Scheck dizia ao júri. Enquanto Cochran atacava o coração dos policiais, Scheck ia direto ao cérebro. A meta dele resumia a função niilista de um advogado de defesa: mostrar que a montanha de provas forenses contra o réu não significava nada.

O mais notável é que Scheck realmente conseguiu alcançar seu objetivo. Ao final do processo, tinha uma base científica plausível para contestar qualquer prova material contra Simpson. A bem da verdade, muitas das explicações eram fantasiosas, algumas até sem sentido. De certa forma, elas se contradiziam, retratando um departamento de polícia que era ao mesmo tempo totalmente inepto e brilhantemente traiçoeiro. A argumentação de Scheck pressupunha uma conspiração tão complexa no DPLA que, se analisada de forma objetiva, não parecia factível. Mas o carisma e o talento de Scheck convenciam o júri de que suas teorias eram reais. Por esse motivo, o advogado também foi um dos responsáveis pelo veredicto final.

• • •

Se não fosse por uma diferença de aproximadamente seis anos, Barry Scheck poderia ser Marcia Clark (e vice-versa). Ambos vieram de famílias judias emergentes de classe média que valorizavam a educação e a política liberal. Ambos eram crianças inteligentes e comunicativas que tiravam boas notas na escola. Ambos pareciam destinados a se tornar advogados. Mas Scheck, nascido em 1949, cresceu em uma época em que a principal meta de um advogado liberal era lutar contra o sistema — na pior das hipóteses como advogado criminalista, ou, na melhor delas, prestando assistência jurídica. Alguns anos mais tarde, jovens como ele se tornariam promotores.

Além do mais, Barry não sabia dançar como o pai. George Scheck tinha nascido em uma família pobre de oito crianças no bairro do Lower East Side, em Manhattan. Após largar o ensino fundamental, passava boa parte do tempo em um banco, onde conheceu um zelador que lhe ensinou a sapatear. Tornou-se tão hábil no sapateado que foi um dos poucos homens brancos de sua geração a se apresentar no Apollo Theater, no Harlem. Durante a Segunda Guerra Mundial, George criou um programa de rádio chamado *Swing Shift Follies*, cujo objetivo era descobrir talentos musicais entre as mulheres que trabalhavam nas linhas de montagem, imortalizadas na figura icônica de Rosie, a Rebitadeira. Depois da guerra, George tornou-se gerente de talentos musicais e ajudou a alavancar a carreira de estrelas como o cantor e ator Bobby Darin, a cantora Connie Francis e a pianista de jazz Hazel Scott. Prosperando financeiramente, o casal Scheck e seus dois filhos se mudaram do Queens para uma casa grande em Long Island.

Em 1959, quando Barry tinha 10 anos, a casa pegou fogo. Sua irmã, que na época tinha 7 anos, morreu no incêndio. A família se mudou para um apartamento em Manhattan. É provável que o sofrimento tenha devastado o coração de seu pai: George não podia trabalhar em tempo integral devido a problemas de saúde, e chegou a sofrer doze ataques cardíacos antes de morrer, em 1987. A mãe de Barry se viu obrigada a trabalhar em uma loja de materiais de escritório. Todas as esperanças foram depositadas no filho sobrevivente, que sempre se mostrou muito precoce.

Na década de 1960, a vida de Scheck como estudante da Universidade de Yale lembrava as tirinhas de sátira política *Doonesbury*, o que não era muito surpreendente, visto que seu quarto ficava em frente ao de Garry Trudeau, o criador dos quadrinhos. Ao ingressar na faculdade, Scheck colocou uma gravata e se juntou aos Jovens Democratas de Yale. À época de sua formatura, só podia entrar no Clube de Yale, em Nova York, pela porta lateral, porque suas convicções políticas impunham que usasse camisa social. Durante o curso, Scheck entregou seu certificado de alistamento militar ao famoso capelão de Yale, William Sloane Coffin, para que fosse enviado ao Pentágono em protesto contra a Guerra do Vietnã. Também trabalhou na campanha de Norman Mailer para prefeito de Nova York. Nada disso, porém, o impediu de frequentar a escola de Direito da

Boalt Hall, em Berkeley. Formado, foi prestar assessoria jurídica em um escritório no Bronx.

Scheck passou cerca de cinco anos nesse ambiente competitivo, sindicalizado e impregnado pela política (onde Neufeld também trabalhava), até que conseguiu emprego como professor de uma clínica jurídica — espécie de escritório modelo de advocacia — na faculdade Benjamin N. Cardozo, em Manhattan. O cargo permitia que Scheck se dividisse entre lecionar e advogar nos tribunais. Em 1987, um advogado amigo seu entrou em contato pedindo ajuda em um caso. O cliente desse amigo, Joseph Castro, havia sido acusado de homicídio, e os argumentos contra ele se baseavam sobretudo na ciência ainda jovem da análise de DNA a partir de amostras de tecido ou fluidos corporais. Scheck e Neufeld toparam ajudar.

O que mais impressionou os dois advogados foi o poder hipnotizante da tecnologia de análise do DNA. Ao se aprofundarem naquela nova ciência, eles perceberam que a melhor maneira de atacar era encontrar falhas na fase inicial, isto é, nas técnicas de coleta e preservação das provas utilizadas pela polícia. Os resultados dos exames de DNA eram praticamente incontestáveis, mas também eram muito sensíveis, mais voltados para as condições de laboratório do que para o caos das cenas de crime. Amostras ruins dão resultados ruins, dizia a teoria. Depois de prolongadas audiências, Scheck e Neufeld convenceram o juiz do caso Castro a excluir as provas de DNA por não serem confiáveis. (Não estavam totalmente errados, embora Castro tenha confessado a autoria do crime mais tarde.)

O poder da tecnologia também mexeu com a consciência social dos advogados. Scheck e Neufeld perceberam que a análise genética do sangue ou do sêmen poderia libertar pessoas condenadas injustamente por um crime, e passaram a representar detentos que julgavam inocentes. Juntos, recrutaram alunos de Scheck e batizaram o empreendimento de Innocence Project [Projeto Inocência]. A equipe realizava exames de DNA em provas relegadas ao esquecimento, às vezes muitos anos após a condenação de seus clientes. No espaço de alguns anos, o projeto ajudou a libertar mais de quinze detentos.

Ainda que menos cínicos, Scheck e Neufeld não diferiam tanto de seus colegas na equipe de defesa de Simpson. Havia um conflito nas abordagens de ambos com relação aos exames de DNA: eles desqualificavam os resultados quando comprometedores e os acolhiam quando favoráveis. A dupla negava firmemente qualquer conflito de interesses, assegurando que uma correspondência de DNA é menos confiável que a falta dela. Contudo, mesmo os admiradores de Scheck e Neufeld na comunidade científica — e não eram poucos — achavam tal postura difícil de engolir. De acordo com Richard Lewontin, professor de genética populacional de Harvard, "ao contrário da maioria dos advogados, Barry e Peter sabem do que estão falando quando o assunto é tecnologia. Defendem com brilhantismo seus clientes expondo os problemas dos laboratórios de análise de DNA. Por outro lado, não hesitam em recorrer à tecnologia se esta for útil para a defesa. Afinal de contas, são advogados de defesa, e por isso nem sempre agem de forma consistente".

• • •

A exibição das provas forenses começou com o depoimento de Dennis Fung, o diminuto e afável criminalista de 34 anos que coletou as provas na Bundy Dr. e na Rockingham na manhã após o crime. A inquirição da promotoria estava a cargo de Hank Goldberg, mestre em interpor recursos, mas com a presença de palco de uma secretária eletrônica. Com um empurrãozinho de Goldberg, Fung contou como tinha coletado as gotas de sangue e os fios de cabelo do local do crime, armazenando-os em sacos plásticos para que fossem transportados até a sede da polícia.

A inquirição da defesa, a cargo de Scheck, começou na tarde de 4 de abril. Andrea Mazzola, colega novata de Fung, auxiliou o criminalista a fazer a perícia em ambos os locais do crime. Era apenas a terceira perícia de Mazzola, e sua falta de experiência acabou se tornando motivo de constrangimento para a acusação. Scheck começou a sondar se, no depoimento anterior, Fung teria exagerado seu papel na perícia a fim de minimizar o de sua parceira inexperiente. Em um padrão que se repetiria ao longo do demorado interrogatório, Fung a princípio negou ter dado qualquer testemunho enganoso, mas depois, pressionado por Scheck, admitiu a derrota.

"O senhor não disse ao júri de acusação que foi na verdade Andrea Mazzola quem recolheu a amostra da mancha de sangue na maçaneta do Ford Bronco, correto?"

"Na época..." Fung hesitou.

"Disse ou não disse?"

"Não."

"O senhor disse que *o senhor mesmo* tinha feito isso."

"Sim", admitiu Fung.

"E disse a mesma coisa sobre a mancha número quatro [na Rockingham Ave.]?"

"Sim."

"E a número cinco?"

"Sim."

"E a número seis?"

"Não me lembro", disse Fung suspirando, "mas sim."

Scheck começava assim demonstrando que Fung fizera reiteradas declarações falsas sobre as amostras durante o último depoimento. Goldberg poderia ter antecipado tais problemas para preservar a testemunha, mas deixou Fung se defender sozinho contra o ataque meticulosamente preparado de Scheck.

Destruída a credibilidade de Fung, restava atacar sua competência. Para embasar sua teoria, Scheck usou fotografias da polícia e da imprensa tiradas na cena do crime, ressaltando que Fung tinha deixado de coletar um pedaço de papel junto aos pés de Goldman, que o cobertor que cobria o corpo de Nicole poderia ter transferido fibras de dentro da casa, que a luva e o envelope com os óculos de Juditha Brown foram recolhidos depois que o legista arrastou o corpo de Ron Goldman sobre eles.

O ataque continuou por dias, revelando uma miscelânea de erros, alguns banais, outros nem tanto. Grandes manchas roxas que mais pareciam hematomas começaram a surgir sob os olhos de Fung. Primeiro, ele garantiu que não tinha recolhido nenhuma prova sem luvas; depois, já não tinha certeza. Jurava que não tinha recolhido nenhuma prova antes de os legistas deixarem a cena do crime; porém, depois de assistir a um vídeo, admitiu que o fizera. Não, provavelmente não trocou as luvas de borracha com a frequência devida. Não, não viu nenhum vestígio de terra dentro da casa da Rockingham. Sim, deveria ter coletado amostras maiores de sangue do carro de O.J. Não, não notou nenhum sangue nas meias que recolheu ao pé da cama de Simpson na Rockingham. Algumas falhas podiam ser atribuídas à escassez de recursos e à falta de treinamento no Departamento de Investigação Científica do DPLA, mas, sejam quais fossem as razões, as omissões enfraqueciam os argumentos da acusação contra o réu. Foi uma inquirição brilhante — e também devastadora.

• • •

A intenção de Scheck não era apenas constranger Dennis Fung; ele também usava o interrogatório para apresentar uma visão global das provas. A análise minuciosa do sangue encontrado no portão dos fundos da Bundy Dr, foi uma clássica demonstração do método usado pelo advogado. Após uma verdadeira ginástica intelectual, Scheck conseguiu não só neutralizar parte das provas mais poderosas contra Simpson como também transformá-las em indícios plausíveis da existência de uma conspiração policial contra o réu.

À primeira vista, eram provas devastadoras. Vários dos policiais que primeiro chegaram à cena do crime notaram a mancha de sangue no portão dos fundos; o sangue se via exatamente onde um intruso, após atravessar a lateral da casa, teria colocado a mão esquerda para abrir o portão e deixar o local. Fuhrman mencionou o sangue no portão em três pontos diferentes de seu relatório sobre a cena do crime. Os testes de DNA deram resultados praticamente conclusivos: havia uma probabilidade de um em 57 bilhões de que o sangue não pertencesse a O.J. — que coincidentemente apareceu com um corte na mão esquerda na manhã seguinte ao crime. Com provas muito menos convincentes, já se enviou muita gente ao corredor da morte.

Scheck não se intimidou. Primeiro, frisou que Fung só coletou o sangue no portão no dia 3 de julho de 1994, três semanas após os assassinatos. Durante o interrogatório da acusação, Fung explicou que simplesmente deixou escapar a mancha de sangue enquanto coletava as amostras na Bundy Dr., na manhã seguinte ao crime. Mais tarde, quando voltou ao local com o detetive Lange, se lembrou de verificar se o sangue ainda estava lá. E estava. Foi quando o levou para analisar.

Scheck notou então um detalhe curioso nos resultados dos exames. Em grande parte do sangue coletado por Fung na lateral da casa de Nicole, o DNA estava substancialmente deteriorado. Por isso, essas amostras só podiam ser examinadas pelo método PCR, que produz resultados menos precisos que o RFLP. Porém, o sangue no portão dos fundos quase não se havia deteriorado. Estava tão rico em DNA que a polícia pôde optar por utilizar o método RFLP. Scheck apontou o paradoxo: por que o sangue que ficou exposto ao tempo por três semanas estaria *menos* deteriorado do que o sangue coletado algumas horas após o crime? Ele farejava uma conspiração. Se o sangue tivesse sido plantado no portão dos fundos depois daquele primeiro dia— depois de o réu entregar sua amostra de referência à polícia — isso explicaria por que estava tão pouco deteriorado.

O advogado não parou por aí. Também examinou fotos da cena do crime. Na manhã seguinte aos assassinatos, Fung trabalhou em estreita colaboração com o fotógrafo. Como Fung não deu atenção ao portão dos fundos, o fotógrafo não tirou nenhuma fotografia nítida dessa parte da propriedade na manhã de 13 de junho. As únicas fotos que mostravam a mancha de sangue de perto foram feitas quando Fung finalmente coletou a amostra, no dia 3 de julho. Scheck, no entanto, conseguiu encontrar uma fotografia do dia 13 de junho que mostrava o portão a certa distância. Ele deu bastante zoom na foto. Embora a imagem estivesse desfocada e um tanto ambígua, Scheck podia facilmente sustentar que o sangue não estava lá no dia 13 de junho. Em um momento dramático da inquirição, ele mostrou a Fung uma foto do dia 3 de julho, em que se via claramente a mancha de sangue. Em seguida, mostrou a foto anterior, sem nenhuma mancha visível.

"Onde está o sangue, sr. Fung?", Scheck perguntou em tom de deboche. O criminalista não soube responder. E assim a sessão do dia 11 de abril chegou ao fim. Quando Scheck voltou à mesa da defesa, Shapiro disse: "Perfeito!" — e foi mesmo. (A única outra contribuição de Shapiro à inquirição de Fung foi quando soltou uma piada, durante o recesso, dizendo que estava comendo biscoitos da sorte do "Restaurante Hang Fung". Mais tarde, o advogado fez um meloso pedido público de desculpas a Fung e "a todos os amigos da comunidade asiático-americana".)

No entanto, Scheck não tinha terminado. Focou-se no depoimento de Thano Peratis, o enfermeiro da polícia que tirou o sangue de Simpson na tarde de 13 de junho, na sede do DPLA. Inquirido durante a audiência preliminar, Peratis declarou que havia tirado cerca de 8 mililitros de sangue do réu — uma quantidade padrão. Com base nessa informação, Scheck fez algo provavelmente inédito em um processo criminal: conferiu todos os registros e tomou nota da quantidade de sangue utilizada em cada teste posterior. Mais uma vez, Scheck fez uma estranha constatação. Os exames posteriores respondiam por apenas cerca de 6,5 mililitros de sangue, o que levou o advogado a concluir que parte da amostra colhida de Simpson havia "desaparecido". Scheck também encontrou um perito que afirmou que o sangue proveniente do portão continha EDTA, um conservante usado no tubo de ensaio que guardava a amostra.

Scheck tinha, portanto, toda a matéria-prima de que precisava para embasar sua teoria sobre o sangue encontrado no portão dos fundos da Bundy Dr. A história era a seguinte: no dia 13 de junho, Fung não coletou o sangue no portão porque simplesmente não havia sangue nenhum; as fotos confirmavam isso. Entre os dias 13 de junho e 3 de julho, alguém — provavelmente Vannatter — plantou o sangue de O.J. no local. (Afinal de contas, Vannatter, sabe-se lá por quê, se deslocou do Centro de Los Angeles até Brentwood para entregar a Fung a amostra de sangue de Simpson.) Se as fotos não eram prova suficiente de que o sangue havia sido plantado posteriormente ao crime, os exames de DNA por si sós o eram. O DNA do sangue deixado na cena do crime tinha se deteriorado, enquanto o sangue encontrado no portão produzia resultados definitivos, pois era proveniente da amostra recém-coletada do suspeito. Alguém tinha plantado um pouco do sangue de Simpson que "faltava" no portão dos fundos: C.Q.D.

A resposta da acusação era um tanto complicada, e exigia, em grande parte, que o júri acreditasse na incompetência do DPLA, o que não era o tipo de mensagem que a promotoria normalmente gostaria de passar aos jurados. Para começar, os promotores afirmaram que Fung simplesmente não notou a mancha de sangue na primeira manhã. Naquele dia, ele coletou dezenas de amostras na Rockingham e na Bundy, e aquela acabou passando despercebida. O fato de que vários policiais tivessem visto a mancha no portão dos fundos confirmava que o sangue não foi plantado em uma data posterior. A diferença na qualidade do sangue coletado semanas mais tarde também era resultado de uma falha no trabalho de Fung. Depois que o criminalista finalizou as coletas no dia 13 de junho, as amostras foram colocadas em sacos plásticos e, em seguida, armazenadas por várias horas em um caminhão sem ar-condicionado. Como ficaria claro mais tarde, Fung não deveria ter feito isso, pois o calor e a umidade comprometem a qualidade do DNA. Já o sangue no portão passou três semanas em uma superfície limpa e pintada, no ar fresco de Brentwood. Naturalmente, o DNA ali não se degradou. As fotografias nada provavam a não ser a falta de atenção de Fung e do fotógrafo às manchas no portão. Além disso, um perito da promotoria contestou a afirmação de Scheck sobre a presença de conservante no sangue. Consultado a respeito, um perito do FBI deu um dos pareceres mais técnicos do caso, confirmando, em suma, que o sangue do portão não continha EDTA.

Quanto ao sangue "desaparecido", era tudo produto da imaginação de Scheck. Peratis teria falado sem pensar ao depor na audiência preliminar. O enfermeiro disse que tirou 8 mililitros de sangue, mas se referia à quantidade padrão. No caso de diferenças pequenas, como 1 ou 2 mililitros, os enfermeiros geralmente não atentam à quantidade exata de sangue coletado. Não faz muita diferença: caso haja necessidade de mais sangue, realiza-se posteriormente nova coleta. Peratis, que estava com a saúde muito debilitada para comparecer ao julgamento, gravou uma declaração em que confessava ter sido categórico demais em relação à quantidade de sangue que tirou de Simpson. Era possível que tivesse sido apenas 6,5 mililitros. (Essa importante divergência sobre o depoimento de Peratis na audiência preliminar mostrava o quanto tinha sido essencial a atuação de Dershowitz no sentido de impedir o júri de acusação. Se os promotores tivessem denunciado Simpson perante um júri de acusação, Peratis nunca teria sido interrogado antes do julgamento.) Quanto à afirmação de que Vannatter teria entregado o sangue para Fung em Brentwood, a entrega na verdade ocorreu na casa de O.J. na Rockingham. O vídeo de um telejornal mostra Fung colocando o frasco no caminhão estacionado em frente à casa de O.J. Portanto, o sangue não poderia ter sido plantado na residência de Nicole na Bundy Dr.

Acima de tudo, os promotores queriam que o júri acreditasse que a polícia não plantou o sangue, simplesmente porque eles não fariam uma coisa dessas. Vannatter, Lange, Fung — todos deram sua palavra. Para os promotores, isso devia valer alguma coisa. Porém, com um júri predisposto a nutrir empatia pelo réu e hostilidade pela polícia, os argumentos de Scheck encontraram grande receptividade.

• • •

As teorias de Scheck iam muito além do sangue encontrado no portão. Ele dizia que as gotas de sangue à esquerda das pegadas na Bundy Dr. estavam contaminadas com a amostra fornecida por Simpson. Sem nunca citar nomes, alegava que algum policial inescrupuloso teria espalhado um pouco do sangue de Nicole Brown Simpson nas meias encontradas junto à cama de O.J. Scheck afirmou também que Mark Fuhrman tinha plantado o sangue de Ron Goldman no Ford Bronco de O.J, mas não da forma alegada por Bailey, isto é, esfregando deliberadamente a segunda luva no carro, mas por acidente, enquanto inspecionava ilegalmente o interior do veículo, que se encontrava estacionado em frente à casa do réu nas primeiras horas da manhã de 13 de junho. Como no caso do sangue encontrado no portão dos fundos na Bundy Dr., Scheck forneceu pouco suporte probatório para essas hipóteses. Com a exceção de Fuhrman, Scheck não especificou quem seriam os possíveis autores dos delitos, nem explicou como ou por que tantas pessoas diferentes — incluindo, no mínimo, Fuhrman, Vannatter, Lange, Fung, Mazzola e outros dois criminalistas do DPLA, Collin Yamauchi e Michele Kestler — estariam envolvidos nessa grande conspiração. Ainda assim, os argumentos de Scheck eram mais que mera conjectura, e o advogado os defendeu com seriedade e empenho.

Fung passou nove dias no banco das testemunhas, e sua saída foi marcada por uma das cenas mais bizarras do julgamento. Ao final de todo aquele calvário, a aparência lastimável dele era o melhor argumento em sua defesa. Mesmo que Fung tivesse pretendido incriminar Simpson, ele estava claramente tão abatido que não parecia à altura da tarefa. Enquanto Fung se preparava para descer do banco, Scheck lhe agradeceu duas vezes. Ao passar perto da mesa da acusação, Darden saudou-o com um tímido aperto de mão. Quando chegou à mesa da defesa, foi recebido como um herói. Johnnie Cochran agarrou sua mão. Shapiro o envolveu em um abraço de urso. Por último, O.J. Simpson abriu um largo sorriso e estendeu a mão para cumprimentá-lo — tudo isso para alguém que, segundo Scheck, havia mentido para encobrir seu envolvimento em um esquema para incriminar um homem injustamente por assassinato. (As regras de segurança do tribunal proíbem que os acusados façam tais gestos, mas os oficiais de justiça, como os demais presentes, estavam pasmos demais para intervir.)

De certa forma, a despedida calorosa da equipe de defesa demonstrava uma espécie de espírito esportivo para com um adversário derrotado. No entanto, era possível captar algo mais sinistro por trás daquele gesto. Shapiro, Cochran e o próprio Simpson sem dúvida sabiam que aquela teoria da conspiração era absurda. Porém, em razão do péssimo desempenho de Fung (mal preparado por Goldberg), essa ideia teve certa aceitação perante o júri. Não era de admirar que a defesa fizesse questão de agradecê-lo.

•••

Andrea Mazzola foi a próxima a ocupar o banco das testemunhas e passou por um martírio semelhante ao de seu chefe, embora não tão desastroso. Uma jovem tímida e ingênua, com uma paixão aparentemente genuína pela ciência forense, Mazzola admitiu alguns pequenos erros no manuseio das provas, como por exemplo não trocar as luvas com a frequência devida e outras coisas do tipo. No entanto, a inquirição mordaz de Peter Neufeld não conseguiu retratá-la como conspiradora. Mazzola foi interrogada por mais de uma semana, o que significa que, durante todo o mês de abril, a acusação apresentou apenas duas testemunhas, Fung e Mazzola.

O que se seguiu deveria ter sido o ponto alto da tese da acusação: a apresentação dos resultados dos exames de DNA. Para expor essa parte das provas, Garcetti recrutou dois dos melhores promotores do estado especializados em DNA: Rockne Harmon, de Oakland, e Woody Clarke, de San Diego. No início do processo, os dois propuseram que um dos promotores locais apresentasse as provas perante o júri. No entanto, como estava sem tempo para lidar com tantas testemunhas e queria dividir um pouco os holofotes, Marcia Clark incumbiu Rockne e Woody da tarefa. O resultado, talvez inevitável, foi que essa etapa tardou mais que o esperado. Ao apresentar Robin Cotton, diretor do laboratório da Cellmark — empresa privada de análise de DNA localizada em Maryland e responsável pela maior parte dos exames realizados ao longo do processo —, Woody Clarke passou um dia e meio apenas explicando a tecnologia para o júri. (Em um julgamento posterior, pouco depois do caso Simpson, Cotton passou a apresentar os resultados de DNA depois de apenas uma hora de explicações.) Em um esforço por ser minucioso, Woody Clarke tornou o assunto chato e incompreensível, especialmente para jurados leigos.

Ainda assim, os resultados dos exames mais precisos de DNA, pelo método RFLP, eram surpreendentes. Para uma das gotas de sangue descobertas no quintal na Bundy Dr., a probabilidade de que não fosse de Simpson era de uma em 170 milhões. Para o sangue nas meias encontradas no quarto de Simpson, a probabilidade de que não fosse de Nicole Brown Simpson era de uma em 6,8 bilhões. (A população mundial era de cerca de 5 bilhões de pessoas na época.)[1] Os resultados dos testes menos precisos, pelo método PCR, eram quase tão impressionantes quanto os primeiros, embora não viessem em números tão esmagadores. (Em geral, as probabilidades apresentadas nos exames de PCR eram de uma em vários milhares.)

Em cada um das dezenas de exames de DNA realizados, o resultado confirmava a teoria da promotoria: o sangue à esquerda das pegadas na Bundy Dr. era de O.J., o sangue encontrado no Ford Bronco e na luva da Rockingham era de Ron Goldman, e o sangue encontrado na vestíbulo da casa da Rockingham também pertencia a O.J. Na primeira vez em que trabalharam juntos, Marcia Clark e Phil Vannatter conseguiram condenar o réu com base em uma única gota de sangue, do tamanho de uma unha, encontrada em uma caminhonete. Já o caso Simpson provavelmente incluiu mais provas de DNA que qualquer outro processo penal da história dos Estados Unidos.

---

1   Em 2015, ultrapassou 7,3 bilhões de pessoas, segundo
a Organização das Nações Unidas (ONU). [Nota do Editor]

Porém, a possibilidade de que as provas tivessem sido plantadas lançava uma sombra sobre todos esses números, por mais impressionantes que fossem. Se a polícia tivesse de fato introduzido o sangue de Simpson e das vítimas nas cenas do crime, é claro que os números seriam esmagadores. Barry Scheck conseguiu minar a relevância daquelas provas para o júri.

Seja qual fosse a opinião dos jurados, os resultados dos testes de DNA tiveram um impacto devastador entre os amigos ricos de O.J. Simpson que moravam em West Los Angeles. Naquela fase do julgamento, seus aliados mais fiéis evaporaram — entre os quais Allen Schwartz, atacadista de roupas e talvez o melhor amigo de O.J. em Brentwood, e Alan Austin, proprietário de uma butique e o mais assíduo parceiro de golfe de Simpson. Agora tinham finalmente descoberto o que não queriam: que O.J. havia matado Nicole, uma mulher que conquistara a afeição de muitos daqueles homens ao longo dos anos. As novas provas reduziram o círculo de amigos brancos de Simpson a uma dupla solitária: Don Ohlmeyer, presidente de operações da NBC na Costa Oeste, e Craig Baumgarten, produtor de cinema.

Foi talvez por causa desse abandono que O.J. manifestou tamanha inquietação ao se defrontar no tribunal com as provas de DNA. À medida que Robin Cotton e Gary Sims, o perito em genética forense do Departamento de Justiça da Califórnia, reportavam os resultados, Simpson os recebia com monólogos nervosos direcionados a Cochran ou Shapiro, ou a quem quer que estivesse sentado a seu lado na mesa da defesa. Normalmente impassível, Simpson ouvia aqueles números colossais com a cara amarrada. Embora o júri ainda não tivesse emitido o veredicto, naquele momento o ex-astro percebeu que sua vida nunca mais seria a mesma. Os amigos, os puxa-sacos, os privilégios de ser O.J. Simpson... estava tudo acabado, para sempre.

· · ·

A duração e a complexidade dos depoimentos técnicos levavam o julgamento a um grau vertiginoso de exaustão. Embora Ito tivesse inicialmente dito aos jurados que o processo poderia terminar em fevereiro, agora parecia que a maratona se estenderia verão adentro. Os principais envolvidos aguentavam como podiam. Na época do depoimento de Fung, Marcia Clark mudou seu permanente para um penteado mais natural. A transformação foi tão bem-sucedida que seu cabeleireiro foi parar na *Oprah*. Enquanto isso, Darden transbordava em silenciosa frustração, com um agravante: seu querido irmão mais velho, Michael, ex-viciado em drogas, estava morrendo por complicações relacionadas a imunossupressão causadas pela aids perto da cidade natal deles, Richmond. Para Darden, cada hora no tribunal era uma hora a menos na companhia do irmão. Cochran, alegre como sempre, lia seus e-mails enquanto os outros advogados tagarelavam.

Era um momento difícil para Ito. A disciplina no tribunal oscilava de acordo com a opinião da imprensa sobre o juiz. Quando uma grande matéria publicada no *Los Angeles Times* ou exibida na televisão o censurava por deixar o caso se arrastar, o que ocorria com frequência, o juiz ficava alerta por alguns dias, recusando-se a interromper as audiências para conferenciar com os advogados e buscando acelerar os procedimentos. No entanto, essa atitude resoluta logo desvanecia, até a próxima crítica. Depois que uma foto de Ito apareceu na capa da revista *Newsweek* com os dizeres QUE BAGUNÇA, o juiz descontou a frustração na imprensa, expulsando dois repórteres do tribunal até o fim do processo, por estarem supostamente falando demais durante a audiência. Gale Holland do jornal USA *Today* e Kristin Jeannette-Meyers da Court TV pagaram o pato pelo ressentimento de Ito. Quando o *New York Times* publicou um editorial hostil insinuando que o caso Simpson tinha jornadas de trabalho muito curtas, Ito prolongou as sessões. No entanto, pouca coisa mudou de fato.

As famílias das vítimas lidavam com o estresse de maneiras bastante diversas. Por muitos meses, a família de Goldman apenas testemunhou no tribunal e disse pouco em público. Denise Brown aproveitou o julgamento para abraçar a causa da violência doméstica. Ela e sua família criaram a Fundação de Caridade Nicole Brown Simpson, dedicada a combater o abuso conjugal. A instituição foi inaugurada em uma coletiva de imprensa no restaurante Rainbow Room, em Nova York, patrocinada pela marca de roupa esportiva No Excuses, que se tornara conhecida pelos escândalos envolvendo algumas de suas porta-vozes, como Donna Rice, Marla Maples e Paula Jones. Como primeiro presidente da fundação, a família Brown nomeou Jeff C. Noebel, um empresário de Dallas de 40 anos de idade que aguardava sentença por enganar as autoridades federais em uma fraude financeira relacionada a financiamentos hipotecários, e que fora intimado em uma ordem de restrição por violência doméstica porque constituía um "perigo claro e iminente" à ex-esposa e aos dois filhos. (Noebel deixou o cargo quando esses fatos sobre seu passado se tornaram públicos.)

SÍNDROME DE ESTOCOLMO

A maior humilhação pela qual tinham que passar, segundo lembrariam os jurados, era logo antes de dormir. Todas as noites, às 23h, um dos auxiliares de xerife percorria o quinto andar do hotel InterContinental, batia nas portas dos jurados e requisitava as chaves dos quartos. Essa cerimônia se repetiu todas as noites, durante vários meses, sem que ninguém ousasse perguntar a respeito. Era assim que os jurados se comportavam — incautos, tolerantes, até passivos diante dos muitos constrangimentos a que eram submetidos naquele regime de quase prisão. Por fim, alguém teve a coragem de perguntar por que tinham que ficar sem as chaves por seis horas e meia até que os guardas voltassem para acordá-los.

"É pra vocês não entrarem nos quartos uns dos outros", respondeu o porta-voz do xerife.

Simples assim. Confiava-se nos jurados para decidir se O.J. Simpson tinha assassinado dois seres humanos, mas não para dormir com as chaves dos próprios quartos. Como de costume, ninguém deu um pio, e os jurados continuaram a entregar as chaves até a última noite de confinamento. Era apenas mais uma pequena humilhação entre tantas outras que tinham que engolir no dia a dia.

No verão, a situação beirava o insuportável. No dia 11 de janeiro, doze jurados e doze suplentes haviam se submetido ao regime de isolamento e supervisão contínua, 24 horas por dia, do xerifado de Los Angeles. Tirando as ocasionais saídas de fim de semana — como um agradabilíssimo passeio em grupo a bordo de um pequeno dirigível ou um desastroso passeio de barco à ilha de Santa Catalina, em que quase todo mundo ficou mareado —, o mundo dos jurados estava limitado ao fórum e ao hotel InterContinental, que distavam cerca de 1,5 quilômetro um do outro. Em seus quartos não havia telefones nem televisores. Os auxiliares de xerife realizavam e monitoravam as chamadas de uma espécie de central telefônica instalada no hotel, e faziam a triagem dos jornais, suprimindo todas as referências ao caso. A Blockbuster fornecia um fluxo incessante de filmes para as duas "salas de vídeo", apelidadas pelo juiz Ito de Cinema 1 e Cinema 2. Os jurados faziam as refeições em grupo. Uma noite por semana, das 19h à meia-noite, podiam receber visitas íntimas não supervisionadas de seus cônjuges ou parceiros.

Como era de se esperar, tais arranjos produziram impactos imediatos e duradouros no humor dos jurados. A tensão se manifestava de formas triviais. Como em todo acampamento (ou, mais propriamente, em toda prisão) os jurados queixavam-se da comida. Como Armanda Cooley, que acabou se tornando chefe do júri, disse certa vez durante uma reunião com o juiz: "Não variava, era sempre a mesma comida, cheia de coisinhas suspeitas dentro". A escolha dos filmes gerava conflitos constantes, assim como o comportamento dos espectadores. Ito dedicava um tempo enorme como mediador entre os jurados que gostavam de falar e os que queriam silêncio durante as exibições. Outro problema era o suposto chulé de um dos jurados, Tracy Kennedy. Também havia o que o perplexo juiz chamava de "o famoso incidente das lojas Target/Ross". Uma jurada se queixava de que um grupo de colegas dispunha de uma hora para fazer compras na loja de descontos Ross, e trinta minutos em um empório da Target, enquanto outros dispunham de apenas meia hora em cada.

A freguesa que se sentia lesada era Jeanette Harris, 38, negra, entrevistadora de emprego. Harris semeava a discórdia desde o primeiro dia de trabalho do júri. Tendo em vista suas respostas durante a entrevista de seleção, era desconcertante que os promotores a tivessem admitido no júri. Quando Clark perguntou a Harris sobre a perseguição policial a Cowlings e Simpson no dia 17 de junho, a jurada declarou: "Minha família é composta basicamente de homens, por isso eu sei que as mulheres têm essa verdadeira ânsia, sabe, de proteger os homens mais novos. [...] Meu coração saiu pela boca". Convidada a opinar sobre a decisão de Simpson de não contestar as acusações de violência doméstica em 1989, ela disse: "Acho que se eu fosse celebridade, é bem possível que houvesse situações em que eu preferisse não me manifestar... A mídia às vezes é muito maldosa". Menos de um mês depois do início do regime de isolamento, Harris comunicou a Ito e aos advogados que o clima de tensão entre os jurados estava se agravando por conta de algo bem mais importante que os filmes. No dia 7 de fevereiro, em uma reunião a portas fechadas, poucos dias após iniciada a tomada de depoimentos, Harris afirmou que o júri estava se dividindo por motivos raciais.

Harris solicitou aquela reunião com o objetivo explícito de se queixar sobre o "famoso" incidente das compras e sobre seus desentendimentos com um dos colegas. Disse que um dos guardas tinha deliberadamente dado aos jurados brancos meia hora a mais para fazer compras na Ross, ao mesmo tempo que ficavam apressando os jurados negros. Harris também afirmou, ante o olhar cético de seus interlocutores, que tinha sido empurrada por Catherine Murdoch, secretária forense de 63 anos e a primeira dos muitos jurados que Harris acusaria de tê-la agredido. "Na última semana o júri tem estado bastante dividido", disse ela no gabinete do juiz. As mesas onde faziam as refeições agora estavam separadas por raça, e Murdoch sentava em uma mesa na companhia de "todos os jurados brancos e qualquer outro que não fosse afro-americano". Chocada com a acusação, Murdoch negou qualquer má intenção, e Ito acreditou. No entanto, a própria existência da acusação já chamava a atenção de todos para a fragilidade do júri.

Evitou-se uma crise completa quando Murdoch foi expulsa do júri, em 7 de fevereiro, por um motivo inesperado: o reumatologista dela, que também tratava Simpson, foi arrolado como testemunha de defesa (embora nunca tenha chegado a depor). Vários outros jurados também deixaram o caso nas primeiras semanas: uma porque descobriu-se que encobrira um histórico pessoal de violência doméstica, outro porque trabalhava para a Hertz e teria conhecido Simpson pessoalmente. Depois de Murdoch, Michael Knox foi o próximo a ser dispensado, no dia 1º de março, por omitir a informação de que já tinha sido preso por sequestrar uma ex-namorada. Em seguida, foi a vez de Tracy Kennedy, desligado do júri no dia 17 de março porque Ito acreditava que ele fazia anotações para escrever um livro. (Tanto Knox como

Kennedy conseguiram tirar bom proveito de suas breves experiências como jurados, transformando-as em livros.)

Mas era Jeanette Harris quem continuava a roubar a atenção dos advogados de ambos os lados. Em março, Ito recebeu uma carta anônima sugerindo que Harris tinha sido vítima frequente de violência doméstica. Os auxiliares de xerife começaram a investigar e descobriram que, em 1988, Harris tinha solicitado uma ordem de restrição contra o marido. Tanto na entrevista como no questionário que serviam de pré-requisito para o ingresso no júri, Harris tinha expressamente negado qualquer envolvimento pessoal com violência doméstica. Os promotores sustentavam que ela mentira durante o processo de seleção e queriam que fosse expulsa do júri. Já os advogados de defesa queriam que ela ficasse, argumentando que suas omissões não passavam de erros inocentes. Nas deliberações sobre o destino de Harris, Ito fez uma observação reveladora: "O que acho particularmente interessante é que, olhando com certo distanciamento para este caso, em teoria faria mais sentido que a defesa quisesse o afastamento dela a todo custo, e que a promotoria fizesse questão de conservá-la. Mas o que vejo neste caso é exatamente o oposto".

Era provável que Ito estivesse medindo palavras, pois a essa altura do julgamento já sabia o quanto a questão racial tinha sobrepujado a de gênero. A defesa queria conservar uma jurada negra mesmo que ela tivesse sofrido agressões do marido. Em meio a tantas polêmicas envolvendo o júri, havia uma constante: a promotoria queria proteger os jurados negros enquanto a defesa tentava expulsar os brancos. De qualquer forma, no dia 5 de abril, Ito desligou Harris do júri pela falta de franqueza em relação ao passado de violência doméstica — e ela, por sua vez, logo criou um grande alvoroço em torno do caso.

• • •

Pat Harvey, âncora da KCAL, uma emissora local de TV, tinha um dentista que a vivia provocando com informações instigantes sobre o julgamento, que já durava vários meses. Ele dizia que tinha uma paciente que era jurada no caso Simpson, mas não dizia o nome dela. Quando Harris foi afastada, o dentista finalmente revelou a identidade da paciente misteriosa e providenciou para que a ex-jurada desse uma entrevista a Harvey. Na conversa, ocorrida no dia 5 de abril, poucas horas após ser demitida, Jeanette Harris sentou-se junto de Harvey na bancada dos apresentadores e relatou suas impressões do julgamento até aquele momento.

No fim, ficaria claro que Jeanette Harris era o pior pesadelo da promotoria. "Desde o primeiro dia não me pareceu um julgamento justo", disse Harris. Os promotores, declarou, "não diziam coisa com coisa". Acusou Denise Brown de "fazer encenação" no banco das testemunhas (exatamente como Johnnie Cochran previra que os jurados negros reagiriam). Harris acreditava que Mark Fuhrman era "capaz de qualquer coisa", inclusive plantar provas. Quanto ao réu, Harris mostrou-se "impressionada" com Simpson e sua capacidade de lidar com a dor da perda: "Fico pasma, fico completamente pasma de como ele consegue levar as coisas numa boa desse jeito".

Ainda pior que sua interpretação tendenciosa das provas em favor da defesa, era a sugestão de que as tensões raciais que cercavam o caso poderiam influenciar os votos dos jurados. "Pode ser que alguém, um dos jurados brancos, por exemplo, diga: 'Não posso votar pela absolvição, porque, quando sair daqui, quero voltar a ter uma vida normal'", falou Harris. "Já um jurado afro-americano poderia dizer: 'Não posso votar pela condenação porque quero sair vivo daqui'. Sabe, essas coisas passam pela cabeça." Em outras palavras, os jurados poderiam votar para agradar o grupo racial ao qual pertencem. Além do mais, na cabeça de Harris não havia a menor dúvida de que a equipe do xerife semeava a discórdia racial dentro do júri. "Há questões raciais, e os auxiliares de xerife, alguns deles pelo menos — não é minha intenção ficar falando mal deles —, alguns deles contribuem pra essa situação." O pior de tudo, como Harris disse a um repórter da KCAL em off, os jurados estavam discutindo fatos do caso entre si — em clara violação às ordens dadas pelo juiz Ito.

A conduta de Harris era censurável. Ela tinha mentido sobre seu passado para ser aceita no júri. Uma vez aceita, passou a avaliar todos as provas com um olhar claramente tendencioso em favor da defesa. (Como exatamente poderia esse julgamento ter sido injusto "desde o primeiro dia"?) Ela admitiu ter sido influenciada por pressões políticas externas, e além disso ou mentiu sobre os jurados terem conversado sobre o caso ou cometeu uma falta ao não levar essa conduta imprópria ao conhecimento do juiz no momento em que suas ordens eram desrespeitadas. Em retrospecto, é difícil imaginar o que mais Harris poderia ter feito para trair o juramento prestado ao assumir a função.

Apesar disso, Cochran sabia muito bem como manipular a opinião pública sobre a expulsão de Harris e suas posteriores declarações.

Um dia depois da entrevista com a ex-jurada, um indignado Cochran deu uma coletiva de imprensa no andar térreo do fórum. O advogado, no entanto, não direcionou sua indignação à conduta imprópria de Harris. Em vez disso, sustentou que a acusação tinha empreendido "um esforço concentrado" para alvejar jurados favoráveis à defesa. Criando uma frase de efeito que seria repetidamente veiculada nos dias seguintes, Cochran disse: "Acreditamos que o Grande Irmão está fazendo mais que apenas nos vigiar. [...] Estamos muito preocupados com essa obsessão pela vitória". Mais uma vez, Cochran apresentava o caso Simpson como uma disputa entre a comunidade negra e a classe branca dominante. "Se não pudermos oferecer ao sr. Simpson um julgamento justo", disse muito sério aos repórteres, "estaremos todos encrencados."

Confrontadas com informações específicas e fornecidas de maneira voluntária sobre um jurado, as autoridades conduziram uma investigação discreta por meio de um simples exame de arquivo. Graças às informações levantadas por esse inquérito, ficou comprovado de forma inequívoca que Harris mentira sobre uma questão crucial durante a seleção do júri. Consequentemente, foi removida de sua função. Para Cochran, isso era prova de que existia uma conspiração racista contra O.J. Simpson. O fato de Cochran se prestar a dizer tamanho absurdo em um contexto no qual, de acordo com Harris, informações eram vazadas da imprensa e levadas aos jurados, evidenciava o quanto sua atitude era calculada. Do julgamento de Todd Bridges às investigações sobre Michael Jackson — do caso Simpson à ação civil ajuizada pelo caminhoneiro branco Reginald Denny —, Cochran sempre encontrava uma oportuna vendeta branca para denunciar. Temerosa, como sempre, de ser crucificada tal como a revista *Time* quando estampou, em uma de suas capas, uma foto escurecida de Simpson — em outras palavras, querendo fugir à pecha de racista —, a grande imprensa reproduzia a maior parte das denúncias de Cochran sem fazer nenhum comentário.

• • •

Jeanette Harris também deixou Ito em um grande dilema. Ao declarar que os jurados discutiam o caso, Harris abria uma perspectiva preocupante. E se mais jurados fossem afastados em decorrência de má conduta? Restando apenas seis suplentes (e, ao que tudo indicava, meses de depoimentos), essa não era uma possibilidade nem um pouco animadora para o juiz. Mas ele não jogaria a toalha tão facilmente. Depois de chamar Harris de volta para que detalhasse suas alegações, ele decidiu entrevistar os demais jurados, um por um, em seu gabinete. Para os advogados, era uma oportunidade extraordinária (e rara) de observar os jurados e seu estado de espírito no meio de um julgamento.

A mera realização desses inquéritos perturbava a promotoria, já que as perguntas do magistrado poderiam levantar uma polêmica racial a qual os jurados poderiam estar alheios. No entanto, conforme estes passavam pelo gabinete de Ito ao longo da terceira semana de abril, ficava claro que já vinham pensando um bocado sobre o tema sem a ajuda do juiz.

Os jurados brancos reagiram à questão do racismo com alguma hesitação. Questionada sobre a existência de tensões raciais no júri, Anise Aschenbach, branca, 60 anos, disse: "Bem, não sei. Ninguém falou nada que me levasse a identificar algum problema concreto nesse sentido, então não sei". Quanto aos jurados negros, vários deles declararam que não tinham notado nenhuma animosidade da parte de ninguém. (Enquanto isso, Cochran não parava de fazer média, especialmente no ambiente intimista do pequeno escritório de Ito. Uma jurada negra aproveitou a oportunidade para perguntar ao juiz se não podia providenciar uma cópia de *Os Bad Boys* (1995), filme de suspense estrelado por uma dupla de jovens negros bonitões. "Bom filme", observou Cochran.)

O que essas reuniões trouxeram de novidade foi a constatação de que vários jurados afro-americanos estavam furiosos, especialmente os homens. Não era nem um pouco surpreendente que os homens negros estivessem sofrendo. Embora este não fosse um fato bem conhecido fora da região sul da Califórnia, os xerifes de Los Angeles tinham uma reputação de racistas que rivalizava com a do DPLA. Para piorar, o treinamento a que eram submetidos todos os auxiliares de xerife envolvia um procedimento peculiar em que os recém-chegados, como primeira missão no novo serviço, passavam dois anos como guardas na prisão do distrito. Havia uma crença bem difundida em Los Angeles segundo a qual os xerifes passariam então o resto de suas carreiras tratando civis como prisioneiros. Como os afro-americanos estavam representados de forma desproporcional entre os detentos da prisão do distrito, era compreensível que os jurados negros não estivessem satisfeitos com a postura dos auxiliares no hotel. Willie Cravin, um dos jurados negros, chegou a dizer a Ito que "alguns jurados negros são tratados como condenados".

Mas Cravin era um hóspede feliz comparado com Lon Cryer. Negro, com 43 anos e funcionário de uma empresa de telefonia, Cryer relatou que ficara enfurecido certa vez quando uma auxiliar de xerife mandou-o sair do pátio do hotel ao mesmo tempo que permitia que vários jurados brancos permanecessem no local. Por conta disso, Cryer declarou: "Cheguei num ponto em que não confio em nenhum dos envolvidos neste caso. Não é minha intenção faltar com respeito ao senhor, Meritíssimo, mas nem no senhor confio. Na verdade, eu não confio em ninguém". A experiência com a auxiliar, comentou Cryer, lembrava-lhe de outras coisas.

"Fale mais a respeito", pediu Ito.

"Tem a ver com a polícia e... Bem, eu... O senhor sabe, eu não tenho problemas com polícia, mas isso me lembra por que tantos homens negros nos Estados Unidos não gostam de ser abordados por policiais brancos em certas situações, como quando estão dirigindo, por exemplo, e ficam muito na defensiva quando isso acontece. Agora vejo que essas situações acontecem mesmo, e você não nem precisa estar fazendo nada de errado para eles se acharem no direito de te perseguir e te tratar com hostilidade."

É difícil imaginar um monólogo que pudesse inspirar maior antipatia nos promotores. Entretanto, Clark e Darden não moveram um dedo para afastar Cryer, e Ito concluiu sua avaliação sem razões para dispensar nenhum outro jurado. No fim, a ideia de que havia uma conspiração da promotoria para eliminar jurados hostis era absurda. O que a acusação poderia ter feito, talvez, era adotar uma postura mais firme para deslindar os preconceitos tanto dos jurados em potencial como daqueles já em exercício. (Afinal de contas, vários meses depois, no dia do veredicto, foi Lon Cryer quem mostrou seu apoio ao réu de forma mais dramática.)

As entrevistas com os jurados levaram Ito a implementar uma mudança: em resposta às queixas de Cryer e de Tracy Hampton, uma aeromoça negra de 25 anos, o juiz transferiu três auxiliares que faziam a guarda dos jurados no hotel. Os jurados notaram a ausência dos auxiliares na noite de quinta-feira, 20 de abril, e vários deles ficaram indignados. Tinham se afeiçoado a alguns dos auxiliares, e os julgavam injustiçados. Treze jurados decidiram escrever uma carta de protesto ao juiz Ito — e respaldá-la com uma manifestação ainda mais extravagante.

A manhã seguinte — sexta-feira, 21 de abril — começou com um dos mais curiosos espetáculos públicos na história da jurisprudência americana. Todas as manhãs, os jurados chegavam ao fórum em um ônibus especial e eram conduzidos até um salão no 11º andar do edifício. Alguns minutos antes do início dos depoimentos, eles desciam em um elevador de carga ao nono andar, onde caminhariam em fila única entre os jornalistas e espectadores ali reunidos. Naquela sexta-feira, todos os treze jurados que aderiram ao protesto se dirigiram ao tribunal vestidos de preto, como em um arremedo de cortejo fúnebre. Os demais jurados, remanescentes da panelinha de Jeanette Harris — Lon Cryer, Tracy Hampton e Sheila Woods —, usavam cores brilhantes em uma atitude desafiadora de contraprotesto. Em certa medida, o protesto transpunha fronteiras raciais: todos os jurados brancos e de ascendência latina, além de sete afro-americanos, usavam preto, enquanto seus opositores eram afro-americanos, inclusive os dois homens negros restantes. Porém, mesmo esse sinal era confuso, já que os dois homens negros do júri, Cravin e Cryer, não se aturavam. (O protesto fornecia uma vívida ilustração da síndrome de Estocolmo, segundo a qual os cativos acabam se identificando com seus raptores: a única coisa que tirou os jurados de sua costumeira passividade foi um suposto ataque àqueles que os "protegiam".)

Em resumo, o júri estava um caos, e o julgamento, à beira de um colapso. Ito suspendeu os depoimentos pelo resto do dia, explicou aos jurados que os auxiliares de xerife tinham sido transferidos, não demitidos, e que geralmente dava a todos um fim de semana de folga para relaxar. Funcionou por um tempo, e, na semana seguinte, o juiz aliviou um pouco o clima de tensão no júri ao finalmente dispensar Tracy Hampton. Ela parecia catatônica ao longo de todo o julgamento, e raramente tirava os olhos dos próprios pés durante os depoimentos. Além disso, tinha pedido diversas vezes o desligamento do caso. Em 1º de maio, sem que houvesse objeções de nenhuma das partes, Ito assentiu. (Alguns meses depois, Hampton já tinha se recuperado o suficiente para fazer um ensaio especial para a *Playboy*.)

• • •

Ficou claro, conforme os enfadonhos depoimentos de peritos em DNA tomavam conta do tribunal, qual era o membro do júri que mais preocupava Cochran e a equipe de defesa: Francine Florio-Bunten. Branca, de 38 anos e funcionária de uma empresa de telefonia, Florio-Bunten acompanhava o trabalho da promotoria com grande interesse. Era provavelmente a integrante mais instruída e experiente do júri, a única que se queixou de não poder visitar livrarias. Jeanette Harris, simpatizante declarada da defesa, tratava-a com desprezo. Durante o protesto do júri em abril, Florio-Bunten trazia uma expressão desafiadora e um longo e ondulante vestido negro.

Em 25 de maio, Ito convocou os advogados a seu gabinete para dizer que tinha recebido uma carta pelo correio no dia anterior. Ele leu a missiva em voz alta. "Caro juiz Ito", começava o texto.

Tenho me questionado muito sobre o que fazer com esta informação. Porém, vendo o senhor ontem à noite no noticiário falando do sofrimento que sua família passou durante a guerra e o que minha família suportou na Alemanha, me senti tocada no fundo do coração e profundamente grata por viver em um país com diretos civis tão sólidos, garantidos por uma constituição igualmente sólida. Acho que é por isso que sinto tanta vergonha das informações que venho trazer.

Trabalho para um agente literário. Sou apenas uma recepcionista. É verdade que sou muito jovem, mas estou ciente do que está acontecendo entre este escritório e uma das juradas no caso Simpson. É um segredo muito bem guardado, mas posso dizer com toda certeza que meu chefe entrou em um acordo com uma das juradas e o marido dela. O título provisório do projeto de livro é: *Standing Alone: A Verdict for Nicole* [A empreitada solitária: Um veredicto para Nicole]. É óbvio para mim que a mulher e seu marido chegaram à conclusão de que o sr. Simpson é culpado e venderam a ideia do livro por meio desse acordo com a editora. Não o procurei antes porque também acho que o sr. Simpson é culpado. No entanto, depois de ver o senhor na televisão ontem à noite, e ver como o que aconteceu com sua família e a minha levou-o a abrir o coração para o público, senti-me profundamente comovida. [...]

Eu me vejo em um dilema moral que uma recepcionista de 20 anos não deveria ter que enfrentar. Sobre a jurada, só sei dizer que já foi suplente, que o marido dela ficou doente, que tem uns 40 anos de idade e que é branca. Ela não queria estar no júri, mas é o marido que está à frente de tudo. Ela está muito apreensiva e preocupada que isso se torne público. O marido quer que ela fique, mas ela quer sair.

Meu chefe se encontrou com o marido no hotel Inter-Continental, que eu suponho que seja onde os membros do júri estão hospedados. Sei que o senhor é um homem e um juiz muito justo e decente, de modo que tenho fé de que usará essas informações da forma que julgar mais apropriada. [...]

A carta, que estava com um carimbo postal de Los Angeles, estava assinada como "Anônimo". Não era mistério para ninguém quem era a pessoa citada na carta: Florio-Bunten tinha 38 anos, e no final de abril tinha pedido para ser dispensada do júri porque o marido estava com pneumonia. (Na época, Ito a convencera a permanecer.) Ainda assim, buscando ser meticuloso, Ito resolveu cumprir o ritual — a esta altura já familiar — de chamar os jurados ao gabinete, um por um, para questioná-los a respeito da carta. Estavam escrevendo algum livro? Tinham falado com algum agente literário? Todos os jurados — inclusive Florio-Bunten — responderam que não.

De forma casual, no decurso dessas entrevistas em seu escritório no dia 25 de maio, Ito pediu a cada um dos jurados que não discutisse o assunto ali tratado com os jurados que ainda não tinham sido entrevistados. Mas Yolanda Crawford, negra, 25 anos, disse a Ito que achava que dois jurados tinham violado a instrução. Contou que quando Farron Chavarria, latina, 29 anos, chegou à sala do júri após sair do gabinete do juiz, "escreveu algo em um jornal" e chamou Florio-Bunten para ler a anotação. "Parecia que estavam tentando disfarçar, sabe", disse Crawford.

Ito mandou sua escrivã à sala do júri para recolher todos os jornais, e de fato encontrou uma cópia do *Wall Street Journal* na qual estava rabiscada a frase: "Me perguntaram sobre um jurado que está escrevendo um livro". Convocada, Chavarria voltou ao gabinete de Ito. A princípio, negou que tivesse escrito um bilhete secreto, mas, quando o juiz pôs o jornal rabiscado diante dela, a mulher desmanchou-se em lágrimas e confessou que tinha escrito a mensagem para Florio-Bunten. Trabalhar no júri era claramente uma dura provação para Chavarria. Sua pele estava irritada e cheia de manchas, aparentemente por conta do estresse, e se queixava ao juiz de que Willie Cravin a encarava e intimidava em várias ocasiões. Chavarria lia um livro de autoajuda atrás do outro — *The Dance of Intimacy* [A dança da intimidade], depois *The*

Dance of Anger [A dança da raiva], e muitos outros. Disse ao juiz que havia escrito o bilhete à mulher no intuito de lembrá-la sobre um incidente em que a namorada de outro jurado comentara sobre escrever um livro. Ito mandou chamar Florio-Bunten.

"Antes de a senhora entrar nesta sala, algum outro jurado lhe escreveu um bilhete falando do que discutimos aqui dentro?"

"Não", disse Florio-Bunten.

O juiz mostrou-lhe a nota. "Essa anotação foi mostrada à senhora, depois de ser rabiscada por outro jurado?"

"Não."

"Tem certeza?"

"Absoluta."

"Tem alguma ideia de por que outros dois jurados diriam que essa anotação foi mostrada à senhora?", indagou Ito.

"Não faço ideia", respondeu Florio-Bunten.

Todos os que estavam no gabinete do juiz — Ito, os advogados de defesa e até Marcia Clark — acharam que Florio-Bunten estava mentindo. Ito chamou Florio-Bunten uma terceira vez e confrontou-a com a carta anônima sobre o livro. "Ridículo", ela disse revoltada. "Estou aqui com um único propósito: ser jurada." Claramente indignada com toda a linha de questionamento, Florio-Bunten disse por fim: "Eu... Não é possível, meu Deus. Eu quero sair, me deixe ir embora. Isso é completamente ridículo". Com o consentimento de Marcia Clark, foi exatamente isso que Ito fez: expulsou Florio-Bunten do júri por mentir sobre a anotação de Chavarria, mas não especificamente pelas acusações da carta anônima. Restavam apenas quatro suplentes.

A origem da carta anônima sobre Florio-Bunten endereçada a Ito continuou sendo (e é até hoje) um grande mistério. A autora dispunha de uma bocado de informações específicas e privilegiadas, inclusive a idade aproximada de Florio-Bunten, o estado clínico de seu marido e o nome do hotel onde os jurados estavam hospedados. Ainda assim, Florio-Bunten e o marido continuaram a negar que já tivessem discutido o projeto de um livro com alguém, e ela de fato não escreveu um livro. Um levantamento de todos os agentes literários estabelecidos em Los Angeles realizado pelo programa jornalístico *60 Minutes* em março de 1996 não encontrou ninguém que batesse com a autodescrição fornecida na carta — o que também corrobora a afirmação de Florio-Bunten de que tais conversas nunca aconteceram. Membros da equipe de defesa, que tinham motivos para querer o desligamento de Florio-Bunten, negaram categoricamente qualquer envolvimento com a carta, e não veio à tona nenhum indício que os ligasse à missiva. No final das contas, era bem possível que tudo não passasse de uma iniciativa isolada de alguém com informações privilegiadas, no intuito de ajudar a causa de Simpson, ou mesmo uma vingança pessoal contra Florio-Bunten.

Sem destoar do interesse obsessivo da mídia pelo caso, Florio-Bunten se tornou uma consultora paga do programa *Today*, da NBC, na fase final do julgamento. De sua posição especial como ex-jurada, cabia a ela analisar os últimos desdobramentos no julgamento. Pelo que se viu, a correspondente anônima fez um grande favor a O.J. Simpson, já que Florio-Bunten afirmou mais tarde que certamente teria votado pela sua condenação.

•••

Tanto dentro e fora do tribunal como na pouca vida privada que lhes restava, diversos jurados mostraram sinais de depressão. Um jurado, Tracy Kennedy, tentou se matar depois de ser dispensado, e outra, Tracy Hampton, foi levada às pressas ao hospital, acometida de um aparente ataque de ansiedade um dia depois de deixar o júri. Os jurados ficaram ainda mais abalados ao saberem que no dia 19 de julho, um dos auxiliares responsáveis por custodiá-los no tribunal, Antranik Geuvjehizian, foi assassinado ao tentar impedir uma invasão seguida de roubo à casa de um vizinho. O isolamento dos amigos e dos familiares, as esperas intermináveis enquanto Ito ouvia os advogados altercando entre si e os monótonos depoimentos sobre complicados tópicos científicos eram razões mais que suficientes para que os jurados se sentissem infelizes. Ver os colegas serem convocados um após o outro ao gabinete de Ito para serem dispensados logo em seguida — sem que pudessem sequer se despedir dos companheiros e sem uma explicação do juiz para a dispensa — só contribuía para aumentar a tensão. Tendo o acesso a bebidas alcoólicas negado pelos auxiliares de xerife, vários jurados buscavam conforto na comida. Familiares, lutando para encontrar algum ponto de contato com seus entes queridos, cada vez mais distantes, começaram a trazer guloseimas para o hotel durante as visitas: biscoitos, bolos e sobremesas de todo tipo. O jurados remanescentes ganhavam peso a um ritmo extraordinário, o que apenas aumentava seu desespero.

Embora Ito não tenha dispensado Farron Chavarria logo após o episódio do bilhete, o tempo dela no júri estava contado. No dia 5 de junho, Ito decidiu dispensá-la por violar suas ordens ao revelar à amiga Florio-Bunten informações confidenciais sobre a inquirição que fazia aos jurados. Mas a outra medida tomada pelo juiz naquele dia foi mais surpreendente. O juiz dispensou Willie Cravin porque o tribunal vinha recebendo "inúmeras queixas de conflitos pessoais entre [ele] e os outros jurados", que apontavam "contato físico agressivo e deliberado e ameaça de contato físico". Apesar da declaração, Ito apresentou uma lista pouco convincente das "transgressões" cometidas por Cravin; havia, basicamente, queixas de que ele teria empurrado alguns colegas no elevador e encarado outros de forma intimidadora.

Pelo visto, Ito também andava monitorando a composição racial do júri. Depois de alguma reflexão, Ito pode ter reconhecido que tinha afastado Florio-Bunten de forma muito precipitada, mas ao fazê-lo, percebeu que teria que desligar Chavarria basicamente pelo mesmo motivo. Quer dizer, estava dispensando consecutivamente dois jurados que não eram negros. É difícil não concluir que o juiz decidiu remover Cravin, que era negro, para calar a boca da promotoria. (Os advogados de ambos os lados viram a situação dessa forma.) A questão racial tomou conta de tal forma do julgamento que, lamentavelmente, até o juiz parecia compartilhar da visão mesquinha dominante. O inesperado afastamento de Cravin fez com que Marcia Clark saísse do tribunal literalmente dando pulos de alegria.

Para os quatorze sobreviventes — doze jurados e agora apenas dois suplentes — as mudanças não trouxeram grandes vantagens. Depois que Chavarria e Cravin foram expulsos, os jurados restantes ouviram o depoimento do dr. Lakshmanan Sathyavagiswaran, legista do distrito de Los Angeles. Embora não tivesse sido ele a examinar as duas vítimas, o patologista encarregado da tarefa, Golden Irwin, tinha cometido tantos erros e testemunhado de forma tão deficiente na audiência preliminar que a promotoria decidiu convocar o chefe dele em seu lugar. O dr. Lakshmanan, como costumava ser chamado, não podia fazer muito mais que conjecturar como os assassinatos tinham ocorrido, mas fez isso de forma dramática.

Lakshmanan acreditava que um único assassino com uma única faca poderia ter infligido todas as feridas em ambas as vítimas. Em sua visão, Nicole foi inicialmente deixada inconsciente por um golpe na parte de trás da cabeça. O assassino, então, debruçou-se sobre seu corpo inconsciente, puxou seu cabelo para trás, e cortou sua garganta. A pedido do promotor Brian Kelberg, Lakshmanan demonstrou o movimento postando-se atrás dele e usando uma régua para simular a faca. Jurados e espectadores se encolheram horrorizados diante do espetáculo macabro.

Esse método de execução tinha chamado a atenção dos promotores ainda na fase inicial da investigação. Quem tivesse experiência militar reconheceria que a técnica utilizada guardava grande semelhança com a forma como os SEALS da Marinha americana eram treinados para dar cabo dos adversários. Semanas antes dos assassinatos, Simpson estivera filmando um piloto da NBC, *Frogmen* ("homens-rã", como são chamados os mergulhadores de elite da Marinha), no qual diversos ex-SEALS tinham dado consultoria técnica. Teria O.J. sido treinado para matar dessa forma? Os promotores fizeram um tímido esforço para ligar os pontos, mas os consultores técnicos não foram muito cooperativos e a questão se perdeu em meio a outros assuntos mais prementes.

Havia, na verdade, uma quantidade relativamente pequena de assuntos em discussão no julgamento que eram da alçada do médico-legista, mas Kelberg manteve Lakshmanan no banco das testemunhas por excruciantes oito dias de inquirição. Kelberg, que largara a faculdade de medicina pela de direito, possuía um conhecimento sofisticado de patologia, mas não advogara muito em tribunais nos últimos anos. Conduziu o interrogatório da acusação de modo claramente autoindulgente, forçando os jurados a encararem horrendas fotos de autópsia por dias a fio. Nas imagens, o ferimento no pescoço de Nicole aparecia escancarado, tão grande quanto uma bola de beisebol, seus olhos abertos em turva compreensão; o tronco mutilado de Goldman, perfurado por facadas. O macabro espetáculo de Kelberg também custou à acusação a posição de vantagem no quesito da concisão. Anteriormente, a maior parte dos atrasos no julgamento decorrera de longas e sinuosas inquirições da defesa. Agora, os advogados de defesa viam-se no direito de censurar (e de fato censuravam) esse excesso da promotoria.

A bem da verdade, os colegas de Kelberg não sabiam quando ele daria fim àquela maratona, então quando ela finalmente terminou, eles foram pegos de surpresa. No final da tarde de terça-feira, 13 de junho, Richard Rubin recebeu uma ligação desesperada dizendo que tinha que pegar um avião de Nova York para Los Angeles na manhã seguinte. Rubin nem sabia direito porque estava sendo convocado para depor. Afinal de contas, ele era um reles especialista em luvas.

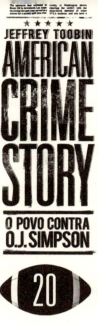

20

MUITO APERTADA

Em um julgamento que expunha um grande número de trabalhos investigativos malfeitos, os investigadores também tiveram seus momentos de sucesso, como no caso do famoso par de luvas de couro marrom — a mão esquerda recolhida da cena do crime, e a direita encontrada na estreita passagem nos fundos do quarto de Kato Kaelin, na mansão de Simpson na Rockingham.

Os detetives queriam descobrir onde e quando — e, se possível, por quem — as luvas foram compradas, e começaram com uma única pista: as próprias luvas. Ambas traziam uma etiqueta com a marca (Aris), o tamanho (extragrande) e o número do modelo (70263). Um telefonema para a fabricante revelou que a promotoria tinha tirado a sorte grande. Embora a Aris Isotoner fosse a maior empresa fabricante de luvas do mundo (cerca de 4 milhões de pares vendidos por ano), esse modelo específico compunha apenas uma pequena fração de seu estoque. Melhor ainda: pelo que os promotores sabiam, o modelo era vendido em apenas uma rede de lojas nos Estados Unidos: a Bloomingdale's. Quando Phil Vannatter conseguiu entrar em contato com Richard Rubin, que ocupara o cargo de diretor-geral da Aris Isotoner no início da década de 1990, este lhe disse: "O senhor não faz ideia de como essas luvas são raras".

Os investigadores deram então um passo além. Pediram aos pais de Nicole Brown Simpson que localizassem as antigas faturas de cartão de crédito da filha. Os Browns não demoraram a entregá-las aos detetives, que se puseram a examiná-las cuidadosamente em busca de algum lançamento referente à compra de uma luva na Bloomingdale's. Para o espanto e alegria dos dois, havia sim um lançamento registrado perto da época do Natal de 1990.

Os detetives pediram então ajuda ao FBI, que enviou agentes à Bloomingdale's em Nova York para localizar o recibo de venda propriamente dito. Tiveram sorte outra vez. De acordo com o recibo, em 18 de dezembro de 1990, Nicole Brown Simpson tinha comprado dois pares de luvas de couro "Aris Lights" na loja conceito da Bloomingdale's em Nova York. Investigando mais a fundo, os detetives descobriram que, embora a Bloomingdale's tivesse recebido cerca de 12 mil pares da Aris Lights em 1990, apenas trezentas eram da cor marrom e de tamanho extragrande — e apenas duzentas delas haviam sido vendidas.

Salvo as amostras de DNA, esse recibo de venda era provavelmente a prova mais incriminadora de todo o processo. Quem mais em Los Angeles além de O.J. Simpson teria acesso a essas luvas extremamente raras? Quem além de O.J. Simpson as usaria para assassinar a ex-mulher? Mesmo se a teoria da defesa de que Fuhrman havia plantado uma das luvas na Rockingham fosse aceita, o registro de compra no cartão de Nicole fornecia um indício convincente da implicação do ex-marido em seu assassinato. Por essa razão, causa tanto espanto que o dia em que os promotores apresentaram essa prova ao júri tenha se tornado o melhor dia de todo o julgamento — para seus adversários.

• • •

A conclusão do terrível (e interminável) depoimento de Lakshmanan deixou todos os presentes com uma sensação quase vertiginosa de exaustão. Até a equipe de defesa acolheu a exposição de novas provas pela promotoria como um descanso merecido do bizarro desfile de artérias rompidas e jugulares transecionadas de Lakshmanan. Era quinta-feira, 15 de junho, e faltava pouco para a hora do almoço quando o médico concluiu o depoimento, de modo que os advogados de defesa passaram a maior parte do intervalo examinando as luvas — e brincando com elas. Não houve um advogado que não as experimentasse. Quando Richard Rubin, o especialista em luvas arrolado pela promotoria, chegou ao tribunal e submeteu as peças a um exame que de tão meticuloso beirava o cômico, o investigador da defesa Pat McKenna gracejou: "Quem é esse sujeito? O dr. Lee da Bloomingdale's?".

Toda essa galhofada no almoço teve um importante desdobramento. Shapiro e Cochran notaram que as luvas, embora identificadas como GG, não eram tão grandes assim — ao contrário das mãos de Simpson. Na cadeia do distrito, os advogados de defesa tinham passado meses cumprimentando Simpson com o costumeiro aperto de mão das prisões: o contato de palma com palma contra o vidro à prova de bala. Eles viam as mãos do ex-jogador todos os dias. Agora, de repente, perceberam que as luvas podiam não servir.

A questão do ajuste das luvas também preocupava os promotores naquela tarde. Bill Hodgman estava em seu escritório preparando material para a inquirição de Simpson, caso ele decidisse depor. Mais cedo, os promotores tinham examinado as luvas e percebido o quanto eram justas. Phil Vannatter, que tinha um punho grosso e largo, experimentou as peças e notou que ficavam apertadas, mas confortáveis. O efeito era intencional por parte da fabricante, já que a Aris Lights era um modelo bastante incomum. Feitas de um couro extremamente fino, com um estilo mais feminino, davam a impressão de ser leves demais para uma luva masculina revestida de caxemira. Tinham sido projetadas para ter um encaixe justo, quase como uma luva de corrida.

No almoço, Clark e Hodgman discutiram se deviam pôr as luvas do crime nas mãos de Simpson. Decidiram que o risco não valia a pena. As luvas tinham anos de idade, haviam passado por testes minuciosos de DNA e pequenas amostras do couro tinham sido recortadas em vários pontos. A dupla de advogados calculou que todo esse desgaste poderia tê-las feito encolher. Para piorar, Simpson teria que usar luvas de borracha por baixo, o que com quase toda certeza modificaria o caimento. Sobretudo quando as luvas de borracha eram levadas em conta, havia variáveis demais em jogo para arriscar uma demonstração. O que os promotores mais temiam, entretanto, era que o próprio Simpson assumisse o controle do experimento. Logo depois do almoço, Clark transmitiu a decisão a Darden:

"Não faça a demonstração."

Darden anuiu. Embora tivesse tido oito dias — que foi o tempo que durou o depoimento de Lakshmanan — para preparar sua próxima testemunha, Darden não tinha falado com Richard Rubin antes de sua chegada a Los Angeles, na véspera. Quando os dois enfim se falaram, Darden não fez ao ex-executivo da empresa de luvas uma única pergunta sobre o tamanho, o ajuste ou o estado de conservação das luvas.

Em outras palavras, Darden estava praticamente no escuro quando chamou Rubin ao banco das testemunhas.

Na manhã daquele dia, Darden chamara Brenda Vemich — a funcionária da Bloomingdale's que comprara as luvas — para depor sobre o recibo de compra emitido para Nicole em 1990. Cochram não tinha muito que perguntar a Vemich, então Darden estava se sentindo bastante confiante quando Rubin tomou seu lugar no banco das testemunhas.

O depoimento de Rubin foi bem rápido — não durou mais que dez minutos — e não teve nada a ver com o tamanho das luvas. Seu depoimento serviu apenas para explicar que, em 1990, a Aris tinha entregado à Bloomingdale's somente cerca de trezentos pares da Aris Lights de tamanho extragrande e na cor marrom. Cochran fez meia dúzia de perguntas sem propósito, e estava prestes a dispensar Rubin, quando um assistente jurídico chegou do escritório central da promotoria no 18º andar trazendo um novo par de luvas. Como Darden fez menção de usá-las para uma demonstração durante o depoimento de Rubin, Cochran pediu para se aproximar da mesa do juiz. Ali, Darden sussurrou para Ito: "Gostaria de estabelecer as bases para demonstrar que elas são exatamente do mesmo tamanho, e de marca e modelo similares, de modo que talvez solicitemos ao sr. Simpson que as vista em algum momento para determinar se as luvas encontradas no local do crime servirão ou não nele".

Cochran protestou, e Ito teve uma reação compreensível: "Acho que seria mais apropriado se ele experimentasse as luvas de verdade, quer dizer, as que foram encontradas".

Clark tinha uma resposta pronta (e apropriada), a mesma que tinha discutido mais cedo com Hodgman e Darden: "O único problema", ela disse ao juiz, "é que ele teria que usar luvas de borracha por baixo, devido ao risco biológico, e elas alterariam o caimento".

Ito decidiu dispensar o júri por um momento para que Rubin pudesse examinar as luvas novas e avaliar se eram do mesmo modelo que as recolhidas pela polícia. Conforme o júri se retirava da sala do tribunal, F. Lee Bailey aproximou-se furtivamente de Darden e sussurrou-lhe no ouvido: "O senhor tem os colhões de um camundongo". Quase tanto como Cochran, Bailey sabia como provocar Darden. "Se o senhor não o fizer colocar as luvas, eu vou." Bailey tinha fisgado a isca. Depois que os jurados saíram, Rubin concluiu que as luvas novas não eram do mesmo modelo que aquelas ligadas ao crime, por isso Ito proibiu que fossem usadas no tribunal. (Darden, é claro, não tinha discutido nada disso com Rubin de antemão). Aturdido, Darden virou-se para Ito e disse: "Antes de o júri voltar" — ou seja, na *ausência* do júri — "gostaríamos que o sr. Simpson vestisse os itens originais do conjunto de provas".

Ito, no entanto, distraiu-se por um instante com outro assunto e chamou o júri de volta antes que Darden realizasse a demonstração com as luvas. Constrangido com a própria falta de preparo e incitado por Bailey, Darden resolveu seguir em frente — agora diante do júri.

"Meritíssimo", começou Darden, "neste momento, a promotoria gostaria de pedir ao sr. Simpson que desse um passo à frente e vestisse a luva encontrada na Bundy Dr., bem como a encontrada na Rockingham." Sentada ao lado de Darden, Marcia Clark arregalou os olhos. Aquilo já tinha sido discutido. Darden dissera que não faria a demonstração, e um minuto antes tinha ressalvado que só o faria na ausência do júri. Clark pensou em intervir, em mandar que parasse, arriscando expor seu colega à humilhação, mas não se mexeu.

A escrivã de Ito depositou uma caixa de luvas de borracha na mesa da defesa. Simpson passou longos e angustiantes minutos tentando calçar as finas luvas de borracha — e não conseguiu colocá-las. A luz atravessava a luva entre os dedos do ex-jogador. Assim, antes mesmo que Darden entregasse ao réu as luvas do crime, era evidente que estas não caberiam sobre as de borracha.

Darden aproximou-se de Simpson e disse: "Estou entregando ao sr. Simpson a luva esquerda, da Rockingham". (Isso também estava errado — a luva esquerda vinha da Bundy, a direita da Rockingham.)

Darden pediu a Simpson que se aproximasse dele e do júri, e tanto Cochran como um dos auxiliares de xerife acompanharam o réu, criando um congestionamento em frente à ala dos jurados. Enquanto andava, Simpson já tentava vestir a luva esquerda.

O tempo todo, Simpson mantinha o polegar dobrado para fora, perpendicular ao punho, o que também tornava impossível que a luva encaixasse direito na mão. O.J. fez uma careta e, voltando-se para Cochran — embora visasse na verdade o júri, declarou: "Tá muito apertada".

"Meritíssimo", disse Darden com a voz trêmula, "parece que o sr. Simpson está com dificuldades em colocar a luva."

Contendo o riso, Johnnie Cochran com toda a razão se opôs à narração que Darden dava ao evento. Simpson atrapalhou-se enquanto vestia a luva da mão direita, e depois começou a bater entre os dedos como se estivesse de fato tentando fazer com que as luvas servissem. Mas o volume extra de borracha limitava a profundidade que os dedos podiam alcançar, e Simpson em nenhum momento tentou ajustar as luvas entre o polegar e o indicador, onde o ângulo realmente impedia que entrassem por completo nas mãos.

Darden notou o polegar erguido de Simpson e disse: "Podemos pedir ao réu que endireite os dedos e os estique para dentro da luva, como faria qualquer pessoa ao vestir uma luva?".

Ito assentiu, mas Cochran interveio de novo: "Meritíssimo, protesto contra essa instrução em nome da defesa". No entanto, como a demonstração estava completamente sob o controle de Simpson, o réu simplesmente ignorou o pedido para endireitar os dedos.

Percebendo a catástrofe que tinha provocado, Darden ainda fez uma última tentativa de salvar a situação. "Meritíssimo, podemos pedir ao réu que agarre algum objeto, uma caneta Pilot, talvez?" Simpson pegou uma caneta Pilot e segurou-a como faria um bebê, com o polegar ainda voltado para fora. Em pânico, Darden pediu ao réu que simulasse golpes de faca, mas Cochran repeliu a ideia com um protesto indignado.

Ito mandou Simpson de volta ao seu lugar. O ex-jogador tirou as luvas em um piscar de olhos, o que não teria sido possível se de fato estivessem apertadas demais.

Hesitante, Darden pediu para se aproximar da mesa do juiz. Nesse meio-tempo, Alan Dershowitz, em uma de suas raras aparições no tribunal, teve que cobrir a boca para não rir às gargalhadas do fiasco. Darden conseguiu autorização para que Rubin posicionasse a mão dele contra a de Simpson a fim de determinar se as luvas deveriam ter servido. Ito consentiu, e Rubin colocou a palma de sua mão contra a do réu.

De volta à tribuna, Darden perguntou a Rubin: "Em sua opinião, as luvas que lhe foram mostradas hoje aqui no tribunal deveriam ter servido no sr. Simpson?".

"Em algum momento do passado", respondeu Rubin, "acho que essas luvas estariam grandes na mão do sr. Simpson."

Impelido por Clark, Darden perguntou: "O senhor saberia dizer se ele estava ou não entortando o polegar deliberadamente no intuito de dificultar a colocação das luvas?".

Como se tratava de uma pergunta argumentativa e especulativa, Ito vetou-a e deu o dia por encerrado.

De volta ao 18º andar, Darden — sob o efeito da experiência traumatizante — afundou-se em sua cadeira. Hodgman veio procurá-lo e disse: "Acalme-se, Chris, o tribunal é a nossa praia, vamos dar um jeito". No livro que escreveu mais tarde, Darden fez um relato autocomplacente do que teria ocorrido após a demonstração malsucedida — "Passei pelos meus colegas no corredor e eles não diziam nada" —, mas os outros membros da promotoria recordariam que várias pessoas se aproximaram dele para oferecer apoio. Era bem verdade que Hodgman chamou Rubin para o escritório de Darden, e, minutos depois de encerrada a sessão, estavam todos procurando uma solução para aquela bagunça.

Também era verdade, no entanto, que Clark tinha parado de falar com Darden. Depois de sair do fórum, enquanto dirigia de volta para casa, a promotora ligou para a amiga Lynn Reed Baragona do telefone do carro. "Você acha que agora já era?", perguntou Clark, sem querer de fato ouvir a resposta. "Acha que está tudo acabado?"

• • •

A demonstração com as luvas foi um típico exemplo das deficiências de Darden como advogado de tribunal, revelando sua impetuosidade, sua imaturidade, sua incapacidade de preparar a si mesmo e às suas testemunhas de maneira apropriada. Embora alguns jurados acreditassem que Simpson estava dando uma de bobo e fazendo um esforço consciente para garantir que as luvas não coubessem, outros viam a demonstração como o momento decisivo no caso. Os promotores fizeram, então, o que podiam: tentar controlar os danos.

Darden pediu a Rubin que permanecesse em Los Angeles durante o fim de semana, e na segunda-feira dirigiu-lhe uma série de perguntas ansiosas no tribunal, na tentativa de consertar os estragos da demonstração. As luvas poderiam ter encolhido? Sim — algo que teria sido mais óbvio para um júri numa região de clima frio. A luva de látex poderia ter afetado o caimento da outra luva? Claro. Rubin trouxera ao tribunal um par de luvas novas exatamente da mesma marca e modelo que as encontradas no local do crime e essas, colocadas na mão de Simpson sem a camada de borracha para atrapalhar, claramente serviram. A operação de controle de danos foi bem-sucedida sobretudo em deixar claro que os próprios promotores consideravam a manobra da semana anterior um desastre. A segunda inquirição de Rubin pela defesa, que Cochran conduziu com um riso afetado no rosto, deu ênfase a como a promotoria estava perturbada após o depoimento da semana anterior.

Mais uma vez, o embaraço da promotoria eclipsou algumas provas altamente comprometedoras que foram apresentadas em seguida.

William Bodziak era o anti-Fung, o perito criminal exemplar a serviço do Estado. Bodziak havia dedicado mais de vinte anos ao estudo das impressões deixadas por pés descalços ou calçados nas mais variadas superfícies. Depois de realizar uma análise bastante minuciosa do rastro de pegadas que se estendia da cena do crime à parte lateral da casa de Nicole Brown Simpson, Bodziak afirmou que as impressões plantares foram produzidas por um sapato tamanho 44, da grife italiana Bruno Magli, conhecido como Lyon ou Lorenzo — um modelo que era vendido no varejo por cerca de 160 dólares. Com base no comprimento dos passos e no tamanho dos calçados, Bodziak concluiu que o autor das pegadas tinha provavelmente pouco mais de 1,80 metro de altura. (Simpson tinha 1,89 metro, e, como apenas 9% da população, usava sapatos tamanho 44). Além disso, Bodziak encontrou uma fraca impressão produzida por um calçado do mesmo tipo no tapete do Ford Bronco de Simpson — o veículo que teria supostamente sido usado na fuga —, e, talvez o mais importante de tudo, a análise que o perito fez das fotografias da cena do crime mostrava um único conjunto de pegadas no local — o indício mais convincente de que tinha havido apenas um assassino.

Finalmente, na macabra (ainda que especulativa) conclusão de seu depoimento, Bodziak indicou que as marcas de calçado nas costas de Nicole e em seu vestido também eram compatíveis com os Bruno Magli tamanho 44. Em outras palavras, completando a cena já descrita por Lakshmanan, Bodziak sugeria que Simpson empurrou com um pé as costas de Nicole — então inconsciente —, depois a agarrou pelo cabelo com a mão esquerda, e, com a direita, cortou sua garganta — um ato de assombrosa brutalidade.

Bodziak testemunhou em uma segunda-feira, 19 de junho. F. Lee Bailey tinha passado o fim de semana dando uma festança bem ao seu estilo para celebrar com alguns dias de atraso seu aniversário de 62 anos. Em uma inquirição bizarra e desconexa, Bailey chegou a sugerir que dois assassinos pudessem ter tramado de usar os mesmos sapatos no intuito de despistar a polícia:

"Seria possível que duas pessoas tivessem combinado, sabendo que a marca deixada por um calçado — especialmente para quem está no mundo do crime — pode ser quase tão perigosa quanto uma impressão digital, seria possível que duas pessoas tivessem combinado de chegar à cena do crime com a mesma marca e modelo de calçado?"

Bodziak respondeu com ceticismo: "Na minha opinião, não acredito que algo assim possa acontecer".

Bailey, porém, insistiu nessa teoria original. Depois de chamar William Bodziak pelo nome errado, perguntou: "O senhor acha que esses caras chegam a bater um papinho quando vão parar no xilindró?".

"Com certeza."

"E a maioria deles tem perfeita consciência dos erros que cometeu?"

"Sim."

O advogado continuou: "Assassinos profissionais raramente são pegos, certo?".

Hank Goldberg protestou contra a estranha pergunta, e Bailey pulou para outro assunto. Durante o intervalo, Cochran acompanhou Bailey e Simpson até o interior da cadeia e disse ao colega para se recompor. "Mantenha o foco", falou em tom de repreensão. "Você está tentando mostrar o quanto é esperto, mas só está conseguindo mostrar que o esperto é ele."

Horas mais tarde, o próprio Simpson mostrou-se irritado com as divagações de Bailey sobre o "xilindró" e outras coisas irrelevantes. O ex-jogador nunca tinha se decidido a respeito de Bailey; ainda que admirasse seu jeito ao mesmo tempo agressivo e brejeiro, temia sua personalidade instável. "Já chega", disse Simpson após a sessão daquele dia de junho. "Não quero mais ver esse cara no tribunal. Ele não vai mais falar com nenhuma testemunha."

● ● ●

Depois de quase três meses sem inquirir uma testemunha, Marcia Clark retornou ao julgamento quase cega de indignação com os recursos de fundo racial interpostos pela defesa, porém estava perdida demais para reagir de forma efetiva. Quando Dershowitz acusou formalmente a promotoria de visar o afastamento de certos jurados negros — uma alegação sem dúvida bastante frívola —, Clark respondeu fazendo uma verdadeira arenga perante o tribunal. "De todas as petições apresentadas pela defesa, essa me parece a mais ofensiva, improcedente e infundada", disse a promotora, à guisa de introdução. "Essa ação foi ajuizada com o propósito deliberado de criar um efeito incendiário. Não se apoia em nenhuma lei, em nenhum fato concreto. É uma tentativa insidiosa de inflamar a comunidade, ou mesmo o próprio júri. A livre expressão pode até ser garantida pela constituição, Vossa Excelência, mas isso não significa que essa expressão seja moral, ética ou verdadeira. E as alegações improcedentes, infundadas e incendiárias contidas nessa petição constituem as táticas mais sórdidas que eu já vi neste processo." Ito julgou improcedente o pedido da defesa, mas não era difícil perceber como Clark estava à beira do desespero. (Esses discursos bombásticos davam a impressão de que ela tinha um papel mais importante no julgamento do que de fato tinha. As acusações que dirigia à equipe de defesa davam audiência na TV, e não raro alimentavam as principais chamadas com uma ou outra frase de efeito, mesmo quando ela não estava inquirindo nenhuma testemunha.)

A promotoria nunca se refez totalmente do incidente da luva. Pouco depois de Bodziak concluir seu depoimento, Peter Neufeld demostrou que Bruce Weir — perito em DNA indicado pela promotoria — cometera erros ao calcular algumas das probabilidades de correspondências genéticas no caso. A variação em si era pouco significativa; porém maculava ainda mais o caráter de incontestabilidade que a promotoria tentava dar às provas de DNA. Clark tinha apenas mais uma testemunha importante para apresentar ao júri: Douglas Deedrick, perito do FBI especializado na análise de cabelos e fibras, cujo depoimento também começaria com uma trapalhada da promotoria.

Embora tivesse tido quase três meses para preparar o depoimento de Deedrick, Clark só entregou à defesa todas as fotografias que seriam usadas por Deedrick na noite anterior ao dia em que ele ocuparia o banco das testemunhas. Como era de se esperar, e com alguma razão, a defesa queixou-se ao juiz de ter sido embarreirada por essa divulgação tardia. Quando Ito deu aos advogados de defesa uma noite a mais para examinar as fotografias e interrogar Deedrick, eles toparam com outro item que a acusação parecia ter omitido: um extenso relatório sobre as provas assinado por Deedrick. (Clark disse que nunca tinha visto o relatório.) Mais uma vez, como os advogados de Simpson faziam questão de observar, a promotoria cometia o mesmo tipo de lapso na divulgação de informações pelo qual tanto denunciavam a defesa. "Não se trata de um simples erro", disse Cochran. "Foi um ato calculado. [...] Essa violação flagrante vem à tona justamente enquanto o júri aguarda e a acusação fica sem argumentos."

Como uma sanção contra a promotoria, a defesa pediu ao juiz que rejeitasse o depoimento inteiro de Deedrick — ou pelo menos boa parte dele — e Clark quase chorou de frustração quando implorou ao juiz que a deixasse prosseguir. "Excluir indícios que são importantes como elementos probatórios do delito sujeitaria à injusta punição não só as vítimas, mas o povo do estado da Califórnia — e também, como gostaria de frisar diante deste tribunal, as famílias de Ronald

Goldman e Nicole Brown Simpson", Clark disse a Ito. "Caso Vossa Excelência julgue que fomos negligentes, gostaria então de pedir que puna os promotores responsáveis, ou a mim individualmente. No entanto, peço-lhe, por favor, que não sacrifique as provas do processo."

Esse discurso de Clark — em especial o modo como se fez de vítima — representava uma aposta arriscada. No lugar de Ito, muitos juízes teriam se ofendido com a tentativa de Clark de fazê-lo se sentir culpado por prejudicar o trabalho da promotoria. Um jurista mais desapiedado que Lance Ito teria convidado Marcia Clark a explicar pessoalmente às famílias das vítimas por que seus próprios erros (e não os do juiz) tinham colocado em risco as provas e os argumentos contra O.J. Simpson. Porém, Ito, que era calmo até demais, deixou Clark ir embora sem a reprimenda que merecia. Além disso, em sua decisão, buscou o meio-termo, o que era coerente com a simpatia que nutria pela escola da verdade. Ito consentiu que Deedrick prestasse depoimento, mas proibiu-o de discutir alguns dos detalhes mencionados no relatório tardiamente descoberto.

• • •

E então, mais uma vez, provas devastadoras contra Simpson surgiam depois de um preâmbulo desanimador para a promotoria. Ainda assim, Deedrick apresentou um catálogo impressionante das provas que ligavam Simpson aos assassinatos. Eis algumas de suas descobertas:

- O gorro de lã azul encontrado junto aos pés de Goldman continha cabelo compatível com o de Simpson;
- o cabelo encontrado na camisa de Ron Goldman era compatível com o de Simpson, e provavelmente tinha sido ali depositado por "contato direto", quando Simpson agarrou Goldman pela parte de trás do pescoço;
- a luva da mão esquerda manchada de sangue que foi encontrada na Rockingham continha cabelo compatível com o de Nicole — o que condizia com a teoria de Lakshmanan e Bodziak de que Simpson a agarrara pelo cabelo antes de cortar sua garganta;
- fibras azuis-escuras de algodão — a cor da roupa que Simpson usava quando foi ao McDonald's com Kaelin — foram encontrados na luva da Rockingham, em meias no quarto de Simpson e na camisa de Goldman;

- fibras colhidas da camisa de Goldman eram compatíveis com as encontradas em cada uma das luvas;
- fibras no carpete do Ford Bronco de Simpson eram compatíveis com as encontradas no gorro de lã e na luva da Rockingham.

Foi nesta última categoria que Clark pagou o preço por sua negligência na exibição de provas. Como Deedrick observava em seu laudo, as fibras em questão eram de um tipo sintético raro, e só poderiam ter vindo de um Ford Bronco ano 1993 ou 1994. (O de Simpson era um modelo de 1994.) Porém, dadas as restrições que Ito impusera ao depoimento de Deedrick, os jurados puderam ouvir apenas que as fibras eram compatíveis, não que eram tão incomuns.

Bailey, que tinha voltado a cair nas graças de Simpson, sustentou na inquirição da defesa que a análise comparativa de amostras de cabelos, pelos e fibras não produzia resultados tão conclusivos quanto a análise de impressões digitais ou de DNA. Mesmo assim, analisadas objetivamente, as combinações encontradas deviam ter servido como provas quase concludentes da culpa de Simpson — ou, pelo menos, como uma indicação clara de que Fuhrman não havia plantado provas. Como, por exemplo, Fuhrman teria introduzido fibras da caminhonete na luva ou no gorro encontrados nas cenas investigadas? Como teria plantado cabelos de Simpson na camisa de Goldman?

De um modo perverso, ter tantos dados comprometedores contra Simpson era, para a promotoria, quase uma maldição. Em muitos casos de homicídio, é raro encontrar uma única correspondência entre cabelos e fibras coletados no local do crime e as amostras de referência de um suspeito, mas, no caso em questão, o grande número de associações entre Simpson e os indícios examinados fazia com que as provas parecessem demasiado complexas, quando, na verdade, simplesmente demonstravam o quão Simpson era culpado.

No final, entretanto, tudo levava a crer que essas provas residuais tiveram muito pouco impacto sobre os já exaustos jurados. Não foram sequer mencionadas durante as deliberações do júri. A falta de tato demonstrada por Clark durante a inquirição de Deedrick não ajudou. Enervada com as repetidas objeções de Bailey, ela acabou fazendo uma apresentação vaga e desconexa dessas provas tão importantes.

Deedrick concluiu seu depoimento em 5 de julho, quase um ano após o fim da audiência preliminar presidida pela juíza Kennedy-Powell. Scott Gordon, o perito em violência doméstica arrolado pela promotoria, defendia obstinadamente que a equipe convocasse mais algumas testemunhas para levantar um histórico mais detalhado dos abusos praticados pelo réu contra a vítima. Diante de um júri fragilizado, com apenas dois suplentes restantes — e sem nenhuma testemunha à mão para depor sobre os embates físicos entre Simpson e Nicole —, Clark, Hodgman e Darden chegaram à conclusão de que novas testemunhas consumiriam muito tempo para pouco resultado.

• • •

Os promotores já tinham há muito decidido abster-se de apresentar quaisquer provas relacionadas à fuga de Simpson no Ford Bronco de seu amigo Cowlings no dia 17 de junho de 1994. De fato, a perseguição que se seguiu já era um indicativo de fuga — e o dinheiro e o disfarce encontrados na caminhonete sugeriam a existência de um plano premeditado. Cowlings, no entanto, alegou que o dinheiro era dele, e este lhe foi devolvido pelos detetives, de forma um tanto precipitada, após a rendição de Simpson horas mais tarde. Quanto ao disfarce, Simpson tinha testemunhas que confirmariam que ele pretendia usá-lo para levar os filhos a um parque de diversões sem ser assediado. Ainda que a explicação de Simpson soasse forçada, os promotores não estavam convencidos de que ele estava realmente tentando fugir. Em resumo, como disse Hodgman, apurar os fatos relativos à perseguição era como abrir uma caixa de Pandora. Seria necessário chamar uma série de testemunhas — como a secretária de Simpson, Cathy Randa e, claro, seu amigo Al Cowlings —, cujos depoimentos sem dúvida teriam um matiz favorável ao acusado, inclusive enfatizando seu luto pela morte da ex-mulher, o que poderia amolecer o júri. E o que era pior: para ter um quadro completo da perseguição, podiam ser necessárias várias semanas adicionais de depoimentos. Depois de quase seis meses apresentado argumentos e provas, os promotores já não tinham mais o mesmo pique — e é difícil censurá-los por isso. "Se o júri não foi persuadido pelos indícios de violência doméstica e pelos resultados dos testes de DNA", diria Hodgman, "não creio que há algo na perseguição que os faria mudar de ideia."

E assim, em 6 de julho de 1995, depois de 92 dias de depoimentos, 58 testemunhas, 488 provas produzidas e 34.500 páginas de transcrições, dirigindo-se ao juiz e ao júri, Marcia Clark declarou: "Com isso, a promotoria encerra o caso".

"VOZ DE PRETO"

A presunção na sala de audiência não era exclusividade dos promotores. Obrigada a responder às investidas da promotoria durante meses, a equipe de defesa não via a hora de apresentar sua causa ao júri. Como sempre, o ego dos advogados tinha muito peso nas considerações. Cada membro da equipe de defesa era responsável por uma parte dos argumentos de defesa, e eles mal podiam esperar para apresentar suas "próprias" provas. Cochran ficou com a família de Simpson; Bailey e Pat McKenna encontraram testemunhas que poderiam depor sobre a hora do crime e o comportamento do ex-astro no dia 12 de junho; Shapiro interrogaria Robert Huizenga, médico de Simpson, e o patologista Michael Baden; Scheck se encarregaria do interrogatório de Henry Lee, perito criminal. Todos queriam seu momento sob os holofotes.

    Simpson botava pilha nos advogados. Como era de se esperar, falava do julgamento usando metáforas do futebol americano. Durante meses, nas conversas com amigos, cantou de galo sobre o grande momento da defesa, quando sua equipe estaria com a bola, quando marcaria os pontos. Na verdade, a analogia com o futebol americano não foi muito feliz. Muitas vezes, em processos penais, o ideal é que o réu não faça nada. Sem o ônus da prova, o melhor que o réu (e a defesa) têm a fazer é explorar as falhas na tese da acusação, sem apresentar nenhuma prova. Tomar a iniciativa de provar alguma coisa acarreta riscos. Em caso de assassinato, por exemplo, o réu que apresenta provas dá a entender aos jurados que descobrirá o verdadeiro assassino.

No entanto, os advogados de defesa, movidos pela insistência do cliente e pela própria vaidade, esqueceram-se do essencial: que o réu era culpado. Assim, no que diz respeito aos acontecimentos do dia 12 de junho de 1994 propriamente ditos — e não à investigação policial do crime —, as provas só corroboraram as suspeitas sobre Simpson. Incrivelmente, a arrogância e a falta de traquejo da acusação durante a argumentação da defesa conseguiram ainda sim falar mais alto que as patacoadas dos advogados de O.J.

• • •

Cochran começou jogando com cautela. Convocou três mulheres da família de Simpson para depor: Arnelle, a filha; Carmelita Durio, a irmã; e o caso mais dramático: Eunice, a mãe. Todas aprumadas, vestidas de amarelo e ostensivamente leais a O.J., as três serviram mais para fazer coro aos que pediam sua absolvição do que propriamente como testemunhas, já que não tinham nada de substancioso a dizer sobre as provas. (O fato mais curioso, ainda que irrelevante, foi que todas insinuaram que Ron Shipp estava bêbado na noite em que dizia ter conversado com O.J. sobre seus "sonhos" de matar Nicole.) Durante todo o julgamento, Cochran tentou dissociar O.J. — ora retratado como pai, irmão e filho amoroso — do conturbado mundo de mulheres brancas como Nicole e Faye Resnick. O testemunho verbal e não verbal daquelas três cativantes mulheres afro-americanas foi mais uma maneira de comover as oito mulheres negras de classe média que integravam o júri.

Depois da família de Simpson, Cochran chamou para o banco das testemunhas algumas pessoas que se encontraram com O.J. nos dias que antecederam o crime: uma convidada do jantar beneficente em que ele esteve no dia 11 de junho, uma decoradora de interiores com quem se encontrou no dia 6 de junho e um homem com quem jogou golfe no dia 8 de junho, em um evento da Hertz em Virgínia. Todos disseram que Simpson tinha se comportado normalmente, de forma amistosa e cordial. Difícil imaginar depoimentos mais inócuos (e dispensáveis): Simpson foi educado com aquelas pessoas, e daí? Clark, mais uma vez, descontou sua frustração nas testemunhas, interrogando-as como se fossem marginais. Levantou a voz para o parceiro de golfe de Simpson, Jack McKay, o tímido diretor financeiro da

Associação Americana de Psicologia: "Depois das duas horas que passou com ele, o senhor sequer se lembrava de como ele estava, não é mesmo?". McKay concordou.

"O senhor não o viu no dia 9 de junho de 1994, correto?"

"Correto."

"E no dia 10?"

"Não."

"E no dia 11?"

"Não."

"E no dia 12?"

"Não", admitiu McKay, aterrorizado. A hostilidade de Clark foi um exagero para uma testemunha que poderia ter sido dispensada com apenas uma ou duas perguntas. E com o pobre McKay, Clark estava só afiando as garras.

Pulando rapidamente de uma testemunha a outra (foram doze em dois dias), Cochran chamou em seguida Ellen Aaronson e Danny Mandel. Na noite dos assassinatos, o jovem casal estava no primeiro (e único) encontro, um jantar no Mezzaluna. Aaronson morava perto da casa de Nicole e, após a refeição, ela e Mandel passaram a pé bem em frente ao local do crime. A questão-chave do depoimento era que horas isso tinha acontecido.

Não poderia haver duas testemunhas mais idôneas. Aaronson era produtora de vídeos infantis e Mandel trabalhava no departamento financeiro da Sony Pictures. Bem informados e articulados, não tinham nada a ganhar com o julgamento em jogo, não buscavam publicidade e haviam agido da maneira correta desde a noite do crime, ligando para a polícia imediatamente para contar tudo o que lembravam. No recibo eletrônico da conta do restaurante constava o horário em que tinha sido impresso: 21h55. Aaronson e Mandel ficaram conversando mais um tempo depois que ele pagou a conta, e calculam ter saído do restaurante por volta das 22h15. Portanto, como afirmou Aaronson, os dois teriam passado pela casa de Nicole "pouco depois das 22h25". No depoimento, Mandel e Aaronson disseram que não tinham notado nada incomum na Bundy Dr.: nenhum cachorro latindo e certamente nenhum cadáver.

Marcia Clark estava com um pepino nas mãos. Em sua declaração inicial e durante o depoimento de Pablo Fenjves, a promotora fixou 22h15 como a hora do crime, quando Fenjves afirmava ter ouvido o "choro lamentoso" do cachorro. No entanto, se Mandel e Aaronson não viram nem ouviram nada às 22h25, como ficava a tese de Clark? Era por isso que a defesa queria trazer os dois para o banco das testemunhas.

Na verdade, Clark podia abordar o casal de diversas maneiras. Uma vez que Fenjves morava atrás da casa de Nicole, e Aaronson e Mandel passaram em frente ao edifício, Clark poderia ter sugerido que as testemunhas simplesmente não ouviram os mesmos barulhos. Ou que tinham calculado mal a hora. Ou ainda, o que era mais provável, que Fenjves tinha se confundido e o crime na verdade só ocorreu por volta das 22h30, quando o akita começou a latir. Simpson ainda teria tido tempo suficiente para fazer o trajeto de cinco minutos de volta para casa e se materializar diante de Allan Park, o motorista da limusine, às 22h55. Portanto, em princípio, o depoimento de Aaronson e Mandel não eliminava de forma alguma as suspeitas sobre o réu. Clark poderia ter encaixado tranquilamente a versão que eles deram dos acontecimentos na tese geral da acusação.

Porém, a promotora resolveu seguir outra linha de abordagem na inquirição do casal. A explicação que encontrou para o relato de Aaronson e Mandel foi que só podiam estar mentindo — e que, ainda por cima, estavam *bêbados* na ocasião.

"Só quero fazer uma pergunta", começou Clark, encarando Aaronson com frieza. "Sobre o recibo do cartão de crédito no valor de 47,50 dólares. [...] Vocês não beberam nada?"

"Não", disse Aaronson.

"Só jantaram?"

"Não bebemos álcool", respondeu com firmeza a depoente, confirmando o que Mandel havia dito.

"Não está um pouco caro demais para dois pratos e um cappuccino?"

Cochran protestou contra a digressão, mas Clark continuou pressionando Aaronson, forçando-a a explicar tim-tim por tim-tim tudo o que comeram e como a conta poderia fechar em 47,50 dólares. Na verdade, se Clark tivesse telefonado para o Mezzaluna — ou qualquer um dos caros restaurantes que se espalhavam por Brentwood —, saberia que era fácil gastar 50 dólares sem comer muita coisa. Ela, entretanto, nem se deu ao trabalho. Em vez disso, simplesmente acusou Aaronson de encher a cara antes de voltar a pé para casa. Quase cuspindo marimbondos, Clark exigiu saber quantas pessoas estavam no restaurante, o caminho exato percorrido por Aaronson, o nome de todas as pessoas com quem ela tinha falado sobre o incidente, o momento em que ela ligou para a polícia pela primeira vez e até o que estava vestindo no dia.

"A senhora por acaso está sentada neste banco para tentar nos convencer de que não havia nenhum corpo junto às escadas exteriores da casa situada na South Bundy Dr., 875?", bradou Clark.

Ito pediu que a promotora reformulasse a pergunta.

"Srta. Aaronson", disse Clark, ainda com hostilidade, "a senhora está dizendo ao júri que não havia nenhum corpo junto às escadas exteriores da casa situada na South Bundy Dr., 875 quando passaram pelo local?"

"Não faço a mínima ideia", disse Aaronson, que já olhava para Clark como se a promotora estivesse louca.

Mais três mulheres da vizinhança disseram em depoimento que os arredores da Bundy Dr. estavam silenciosos às 22h15, e uma delas falou que o cachorro só começou a latir por volta das 22h35. Mais uma vez, as informações não inocentavam Simpson, mas também não condiziam com a tese da promotoria.

· · ·

A distância de apenas um quarteirão entre a casa de Robert Heidstra e a de Nicole mostrava como era diferente o novo bairro de Nicole em comparação com o bairro onde ela havia morado quando estava casada com O.J. Heidstra ganhava a vida com uma atividade característica do sul da Califórnia: a ultralimpeza de automóveis, que consistia em ir até a casa de pessoas ricas e fazer uma limpeza especialmente meticulosa dos carros da família. Como ferramentas de seu ofício, Heidstra usava cotonetes e escovas de dente. Em outras palavras, a empresa fazia uma espécie de limpeza da limpeza de automóveis em uma sociedade obcecada por carros. (Entre seus clientes estavam os Salinger, que eram vizinhos de Simpson e patrões de Rosa Lopez.) Não era um trabalho muito lucrativo. Heidstra, imigrante de meia-idade proveniente da França, morava em um apartamento de cômodo único em um pequeno edifício nas imediações da Bundy Dr.

Cochran chamou Heidstra para depor sobre o que tinha ouvido enquanto levava seus cachorros para passear na noite do crime. Durante o interrogatório da defesa, Heidstra declarou que estava caminhando em uma ruazinha paralela à Bundy Dr. por volta das 22h40 do dia 12 de junho de 1994. Na ocasião, teria ouvido uma movimentação vinda da casa de Nicole Brown Simpson — duas vozes, uma bem clara, dizendo: "Ei, ei, ei!", e outra ininteligível. Com isso, Heidstra reforçava a tese da defesa, segundo a qual o crime teria ocorrido por volta das 22h30. (Como um amargo lembrete de que o caso envolvia pessoas de carne e osso, Patti Goldman, madrasta de Ron Goldman, disse-me em um intervalo durante o depoimento de Heidstra que tinha certeza de que a testemunha se referia à voz de Ron. "É o que Ron diria ao se deparar com uma cena como aquela: 'Ei, *ei*, EI!'")

As testemunhas chamadas para confirmar a cronologia da defesa foram identificadas e preparadas por Bailey, McKenna e Peter Neufeld. Cochran, que raramente dedicava muito tempo à preparação das testemunhas, tinha apenas uma noção geral do que diria Heidstra. A acusação, por outro lado, estava bem informada a respeito do depoente. Heidstra tinha sido entrevistado diversas vezes, e os promotores só não o convocaram como testemunha porque seu depoimento contrariava a intenção de Clark de provar que o crime aconteceu às 22h15. No entanto, quando Darden começou a inquirição, ficou evidente que o depoimento de Heidstra poderia ser favorável à acusação. Para começar, Heidstra admitiu que costumava passear com os cachorros às 22h. Se tivesse saído à mesma hora na noite do crime, os assassinatos poderiam ter ocorrido precisamente no horário defendido pela acusação. Ela também disse que viu um carro branco, que poderia ser um Ford Bronco, saindo do local — outro fato condizente com a tese da promotoria. Cochran se remexia inquieto na mesa da defesa, e ia perdendo o habitual sangue-frio à medida que Darden transformava Heidstra em uma valiosa testemunha de acusação. Na sequência, Darden perguntou: "A outra voz que o senhor ouviu, parecia a voz de um homem negro, correto?".

Cochran quase pulou da cadeira. "Protesto, Meritíssimo!", bradou. "Protesto!" A defesa causou tamanha comoção que o juiz Ito teve que dispensar o júri e pedir que a testemunha se retirasse por um momento. Com toda a paciência, Darden relatou ao juiz que uma conhecida de Heidstra, Patricia Baret, disse ao detetive Tom Lange que o francês ouviu "gritos enfurecidos de um homem mais velho, que, pela voz, parecia ser negro". Por isso, explicou Darden ao juiz, a promotoria tinha todo o direito de fazer a pergunta.

Cochran, porém, não sossegou. "Estou indignado com essa declaração", esbravejou. "Não dá para saber se uma pessoa é negra pela voz. Não sei quem foi que disse isso, se foi Baret ou Lange, mas é racismo." E o sermão continuou: "Especular se alguém é negro ou branco pela voz é racismo — e isso eu não admito. Por esse motivo me levantei e protestei. É um absurdo ter de ouvir e aturar esse tipo de coisa, neste país, em pleno 1995".

Darden parecia abismado. O contraste físico entre os dois homens nunca foi tão grande: Cochran, os olhos em brasa, cheio de tempestuosa indignação; Darden, com o olhar baixo, sumido por debaixo do largo paletó transpassado, pisando torto atrás da tribuna. Quando

Cochran terminou, Darden replicou, sem nenhuma alteração na voz, que estava apenas questionando Heidstra sobre uma declaração que ele próprio teria dado em um momento anterior. Em seguida, em um gesto inédito de quase revide, dirigiu-se ao advogado com calma dignidade: "Suas insinuações de cunho racial sobre a minha pessoa já causaram problemas demais para mim e para minha família, sr. Cochran". Ito anunciou um recesso para acalmar os ânimos.

A reação explosiva de Cochran dizia muito sobre sua personalidade e sua postura como advogado de defesa. Em primeiro lugar, ele estava errado. Muitos afro-americanos têm um jeito de falar e um sotaque característicos. Mas o cinismo de Cochran tinha raízes profundas. O acesso de indignação aconteceu justamente quando o depoimento de uma de suas testemunhas estava a ponto de se voltar contra a defesa. Afinal, que melhor maneira de interromper uma boa inquirição do que descarregando uma bomba fedorenta de ressentimento racial bem no meio da sala do tribunal? Quando ficavam sem argumentos, os advogados de Simpson sempre apelavam para a questão racial.

•••

Shapiro não desapareceu completamente do caso. Embora tivesse poucas atribuições, permaneceu de cara amarrada na bancada da defesa até o fim do julgamento. Quando chegou a hora do depoimento de Michael Baden, Barry Scheck, como um ventríloquo, entregou a Shapiro as principais perguntas que precisava fazer. No depoimento de Baden, Shapiro não resistiu, e à sua própria maneira — desajeitado porém cordial — também jogou a carta do racismo.

Ao ser chamado por Shapiro, Michael Baden — ex-legista-chefe da cidade de Nova York, de cabelos encaracolados e jeito comunicativo — só faltou correr para ocupar o já conhecido banco azul das testemunhas. Como fazia com todo perito, Shapiro começou apresentando as qualificações profissionais de Baden, que eram notáveis. Perante o júri, Baden informou que se formara pela City College de Nova York em 1955 e pela Faculdade de Medicina da Universidade de Nova York em 1959. Shapiro perguntou sobre as honrarias recebidas na primeira faculdade. Baden respondeu que foi representante e orador da turma de formandos, e membro da fraternidade Phi Beta Kappa.

Shapiro continuou: "E onde fica exatamente essa faculdade?".

Baden ficou sem saber o que responder. Claramente não entendia como a localização da City College poderia trazer qualquer luz aos jurados sobre a culpa ou a inocência do cliente de Shapiro. Arriscou uma resposta, ainda titubeante. "Fica na região norte de Manhattan, em Nova York", disse ele. Quando a ficha caiu, completou às pressas: "Na área do Harlem, em Nova York".

Shapiro começou bem: agora os nove jurados negros sabiam que o especialista em defesa branco se formou no local que era informalmente considerado a capital negra dos Estados Unidos.

Usando um exemplo descarado após o outro, o advogado tentou transformar Baden em uma espécie de Abraham Lincoln da medicina forense. A testemunha tinha trabalhado em alguma comissão estadual? "Sim", respondeu Baden, "na Comissão Estadual de Nova York que investiga todas as mortes em penitenciárias e sob custódia da polícia do estado de Nova York" — uma entidade que, segundo Baden, foi criada "após as mortes no presídio de Attica".[1] A testemunha tinha trabalhado em alguma comissão federal? Sim, informou Baden, "na comissão parlamentar formada para investigar a morte do presidente John F. Kennedy e do dr. Martin Luther King". Em seguida, Shapiro arrancou uma análise detalhada sobre "o propósito da autópsia do dr. Martin Luther King". Questionado sobre os "destaques" de seus anos de carreira ao lado da promotoria, Baden respondeu: "Fui recentemente arrolado como testemunha técnica da [...] promotoria da cidade de Jackson, no Mississippi, na nova investigação sobre a morte de Medgar Evers, líder da luta por direitos civis morto em 1963". Já havia investigado casos para a Promotoria de Justiça de Los Angeles? Sim. "Participei da investigação sobre a morte — e também da segunda necrópsia — de um jovem atleta, um jogador de futebol americano do distrito de Los Angeles chamado Ron Settles, que morreu em uma delegacia de polícia em Signal Hill." E se apressou em acrescentar: "O primeiro contato foi feito pelo advogado da família, o sr. Cochran, Johnnie Cochran". Quanto ao caso Simpson em si, Baden tinha pouco a acrescentar a não ser sua opinião de que o dr. Lakshmanan tinha se apoiado demais em conjecturas ao fazer a reconstituição do crime. Quanto ao fato de os detetives não terem chamado o médico-legista imediatamente após encontrarem os corpos — uma questão que os advogados de defesa ficaram discutindo com os depoentes da polícia por horas a fio —, Baden teve a integridade de admitir na inquirição

---

1   Em 1971, estourou uma rebelião na penitenciária de segurança máxima de Attica, estado de Nova York, por melhores condições para os presos, muitos dos quais eram negros. Violentamente reprimida, a rebelião culminou na morte de 39 pessoas, incluindo dez agentes penitenciários e civis tomados como reféns e 29 detentos.

da promotoria que isso não teria feito a menor diferença na determinação da hora da morte.

Várias testemunhas depois, mesma história: Henry Lee, outro perito da defesa com um currículo espetacular, mas pouco a contribuir com as provas. No interrogatório de Scheck, a parte mais importante do depoimento de Lee foi quando especulou que os criminalistas do DPLA poderiam ter deixado escapar uma pegada na cena do crime que não era de um sapato Bruno Magli. Portanto, segundo Scheck, havia um segundo assassino na cena do crime. No entanto, essa hipótese foi descartada após uma inspeção mais apurada. Havia mais de uma dúzia de pegadas produzidas por sapatos Bruno Magli, tamanho 44 — todas dispostas em uma progressão lógica ao longo da lateral da casa de Nicole. O único indício da suposta presença de um segundo assassino era uma pegada — cuja existência era questionada. Mas mesmo que esse segundo assassino tivesse existido, seria possível que tivesse pulado para dentro da cena do crime, permanecido em um pé só no mesmo lugar durante todo o embate e saído de cena com outro pulo? A ideia de que a pegada implicava o envolvimento de um segundo assassino era descabida. Mesmo assim, Lee ainda conseguiu uma pequena vitória para a defesa. Quando lhe perguntaram se, ao analisar as provas, acreditava na possibilidade de adulteração, Lee murmurou vagamente, em um tom sombrio: "Tem alguma coisa errada".

• • •

À primeira vista, Robert Huizenga era apenas mais uma testemunha de defesa cujo depoimento saiu pela culatra. Porém, para surpresa geral, os três dias em que o médico de Beverly Hills esteve no banco das testemunhas ficaram entre os mais marcantes do julgamento. Não se registrava, desde a patética visita de Ron Shipp ao banco azul, um lembrete tão vívido do mundo fútil de O.J. Simpson.

A pedido de Shapiro, Huizenga examinara Simpson no dia 15 de junho de 1994, apenas dois dias depois que O.J. voltou da viagem que fizera a Chicago, logo após o crime. A ideia da defesa (sobretudo do réu) era que o médico falasse dos vários problemas de saúde de Simpson para convencer o júri de que ele não estava em condições físicas de cometer o crime. Como qualquer um poderia perceber, a afirmação era absurda. Apesar das lesões que ainda trazia do futebol, Simpson era maior, mais forte e mais saudável do que a maioria dos americanos. Na verdade, o depoimento de Huizenga serviu para demonstrar até onde ia a autopiedade do ex-astro. O mesmo traço de caráter que levou O.J. a dizer que era maltratado pela esposa na suposta carta de "suicídio" também o levou a cooptar Huizenga para depor a seu favor. Qualquer que fosse a situação, Simpson sempre se via como vítima. Por isso, apesar do ceticismo de Cochran e de outros membros da equipe de defesa, a vontade de Simpson e Shapiro (vontade de aparecer, no caso de Shapiro) prevaleceu, e Huizenga foi chamado para depor.

"Garotão" era pouco para descrever o ar curiosamente juvenil que Huizenga trazia no rosto, aos 42 anos de idade. Podia até passar por estudante universitário. Bonitão sem sal, loiro e sarado, era quase um Dan Quayle da Costa Oeste.[2] Suas credenciais eram impecáveis: formado com louvor pela Universidade de Michigan; graduado na Faculdade de Medicina de Harvard; ex-residente-chefe do Cedars-Sinai Medical Center, em Los Angeles; ex-médico do time de futebol americano Los Angeles Raiders. Foi justamente em vista do currículo impressionante que o depoimento e o comportamento do médico pareciam tão chocantes. Assim que foi chamado por Shapiro para o banco das testemunhas, ficou evidente que Huizenga era completamente fascinado por O.J. Simpson. Ao que tudo indicava, as celebridades de Los Angeles não eram bajuladas somente por puxa-sacos e interesseiros como Ron Shipp. Até Rob Huizenga, do alto de seu currículo invejável, estava disposto a sacrificar sua objetividade, sua honestidade e até sua dignidade para cair nas graças de um famoso que estava sendo julgado por assassinato.

Huizenga estava tão ansioso para falar que frequentemente cortava Shapiro antes mesmo que o advogado pudesse terminar a pergunta. De acordo com os exames de Simpson realizados por Huizenga nos dias 15 e 17 de junho (na casa de Kardashian, pouco antes da fuga de O.J. e Cowlings), Simpson sofria de uma "série de síndromes tipicamente derivadas de lesões sofridas na carreira como jogador da NFL": tinha os dois joelhos comprometidos, o tornozelo direito imprestável, e um diagnóstico de artrite. "No dia em que o vi, ele estava com a mobilidade bem reduzida", disse Huizenga. "Se tivesse que andar rápido ou correr devagar, seria bem difícil, se não impossível." Em outro momento, Huizenga mostrou ao júri as fotos de Simpson tiradas durante a consulta de 17 de junho. As fotos mostravam um tronco enorme e musculoso, mas Shapiro ressaltou a falta de escoriações para sugerir que O.J. não poderia ter se atracado com alguém menos de uma semana antes.

---

2   Vice-presidente dos Estados Unidos no governo de George H. W. Bush, de 1989 a 1993.

Com seu jeito descontraído, Shapiro perguntou se as fotos não mostravam "um homem em plena forma".

Huizenga discordou, como esperava a defesa. "Curiosamente, algumas pessoas aparentam um ótimo porte físico, e, no entanto, não estão em boa forma aeróbica. Pela minha experiência, acredito que ele não andava fazendo muito ou nenhum exercício na época. Algumas pessoas têm sorte de ter uma aparência que engana, como é o caso dele. Ele parece o Tarzan, mas o jeito de andar estava mais para o avô do Tarzan."

Brian Kelberg, ex-estudante de medicina que já havia interrogado Lakshmanan com extraordinário rigor, conduziu o que foi talvez a melhor inquirição cruzada de todo o julgamento. Começou explorando a questão da parcialidade. Huizenga confirmou que tinha sido contratado por Shapiro em circunstâncias bem incomuns, e Kelberg perguntou se o médico achava que seu papel era "ajudar na preparação de uma possível defesa caso o sr. Simpson fosse acusado".

Huizenga fez cara feia e discordou. "Entendi que se tratava dos problemas mentais, da insônia e das dificuldades de lidar com uma carga de estresse incalculável que talvez nenhum outro ser humano, a não ser Jó, tenha sofrido."

Houve uma pausa na sala de audiência. Os advogados de ambas as partes se entreolhavam, incrédulos, como que para se assegurar de que era aquilo mesmo que tinham ouvido. (Até os jurados mais sonolentos se endireitaram nas cadeiras com a referência a Jó.)

Kelberg sabia exatamente como prosseguir. "Quero que sua resposta fique bastante clara", disse ele. "O senhor está dizendo que o sr. Simpson está em uma situação que, na sua visão, só pode ser comparada ao sofrimento de Jó?"

"Acho que a pressão sobre ele, qualquer que fosse o motivo, era um fardo imenso. Ele passou por uma mudança de vida pela qual, na minha opinião, ninguém ou quase ninguém já passou", respondeu Huizenga.

"E se ele tivesse assassinado dois seres humanos, Nicole Brown Simpson e o amigo dela Ronald Goldman? Seria o tipo de coisa que poderia colocar um fardo imenso sobre os ombros de alguém?"

Shapiro protestou, em vão, e Huizenga teve que responder: "Hipoteticamente falando, quem mata outra pessoa certamente terá um grande fardo sobre os ombros".

A cada pergunta que Kelberg fazia, Huizenga se esforçava para reverter a resposta em favor de Simpson. Kelberg revelou que Huizenga, em teoria um especialista independente, tinha escrito uma série de cartas em que ajudava Shapiro a montar uma estratégia de defesa. Além disso, expôs o ego e a vaidade de Huizenga perante o júri ao mostrar como o médico usava as entrevistas que havia concedido na TV para incrementar o currículo. A cada resposta, Huizenga buscava dar aos fatos um matiz favorável à defesa. Era um espetáculo chocante e pavoroso.

Entretanto, Kelberg conseguiu tirar proveito de Huizenga mesmo ao abordar pontos centrais do caso. Repassando meticulosamente as fotografias das mãos de Simpson, tiradas no dia 17 de junho, o advogado mostrou ao júri que Simpson estava com *sete* escoriações distintas na mão esquerda, além de três cortes. A mão direita estava sem marcas. (Esse dado condizia com a tese da acusação de que Simpson perdeu a luva esquerda durante a luta na Bundy, cortou a mão depois disso, e só perdeu a luva direita após retornar à Rockingham.)

Kelberg, no entanto, estava só começando. Ele mostrou um vídeo de uma palestra motivacional ministrada por Simpson em 31 de março de 1994 — pouco mais de dois meses antes do crime — sobre um produto para aliviar as dores da artrite chamado Juice Plus. (Entre outras coisas, o episódio demonstrava a trajetória decadente de Simpson no mundo do entretenimento: se antes ele aparecia em rede nacional nos comerciais da Hertz, agora tentava vender um medicamento questionável em uma convenção de quinta categoria em Dallas.) Fazendo caras e bocas para os distribuidores eufóricos, Simpson dizia no vídeo: "Comecei a tomar Juice Plus regularmente e me senti... Não sei se foi o poder da mente, se foi um troço psicológico... Mas de repente me senti bem melhor. Comecei a ganhar umas dez jardas a mais na minha tacada!". Confrontado com o vídeo, Huizenga não teve escolha senão especular que Simpson teria mentido para vender o produto ou de fato tinha sentido um alívio nos sintomas da artrite.

Porém, o auge da inquirição de Kelberg foi a reprodução das imagens não editadas de um vídeo de exercícios com setenta minutos de duração, que foi lançado mais tarde com o título *O.J. Simpson Minimum Maintenance for Men* [Exercícios básicos de manutenção para homens, com O.J. Simpson]. Simpson gravou as séries de exercícios no fim de maio de 1994, apenas duas semanas antes do crime. Na gravação, de camiseta e bermuda de lycra, o ex-jogador parecia em boa forma e saudável. Batendo papo com o treinador que orientava os exercícios, Simpson exibia um físico exemplar para um homem de meia-idade. Fazia alongamento, marchava, dobrava os joelhos, fazia flexões e abdominais. As imagens desmentiam de uma vez por todas a ideia de que não teria condições físicas de assassinar a ex-mulher e o amigo dela.

A parte mais marcante do vídeo era tão rápida que, à primeira vista, podia passar despercebida. Em um dos exercícios, os participantes deviam simular sequências de socos: direita, esquerda, direita, esquerda. Como o treinador que aparece no vídeo viria a declarar, Simpson improvisou na narração daquela parte do exercício. "Não se esqueça de deixar uma distância segura se estiver fazendo os exercícios com a esposa", disse ele para a câmera, enquanto socava o ar com os braços fortes e musculosos. Em seguida, deu uma risada e acrescentou: "Qualquer coisa, a culpa é do exercício, se é que você me entende". Ou seja, se o marido acerta um soco na mulher, pode colocar a culpa no exercício.

Um homem condenado por violência doméstica fazendo piada sobre bater na mulher. Poderia haver vislumbre mais arrepiante do subconsciente de O.J. Simpson? (Soube-se, em conversas posteriores, que os jurados não repararam nessa fala. Na verdade, mal falaram dos argumentos da defesa, de tão exaustos e apáticos que estavam quando chegou o verão. Àquela altura, pelo jeito, já tinham se decidido.)

Em suma, a argumentação da defesa estava repleta de depoimentos pungentes (a família de Simpson), patéticos (Huizenga), irrelevantes (Baden e Lee) e mesmo incriminatórios (Heidstra e o vídeo dos exercícios). O que várias testemunhas da defesa tinham em comum foi o fato de que, para elas, depor tinha sido uma experiência dolorosa, constrangedora ou até degradante.

Na verdade, embora Nicole Brown Simpson e Ronald Goldman fossem as principais vítimas do crime, não foram as únicas. Havia também a família de Simpson, as respeitáveis e leais mulheres de amarelo que suportaram aquele longo julgamento por um homem que amavam, e, claro, os dois filhos de O.J., que cresceriam sem a mãe. Havia os amigos de Simpson, muitos dos quais perceberam como haviam ficado cegos em relação ao narcisismo e à brutalidade de O.J. Havia ainda os figurantes do caso, como Shipp e Huizenga, que se curvavam diante da celebridade em seu pedestal. (Shipp, pelo menos, caiu em si mais tarde.) E havia também o público, cujos ânimos e opiniões se exaltaram pelos acontecimentos provocados por Simpson. Nada disso importava para O.J., que, como sempre, só pensava em si mesmo.

Os depoimentos de Huizenga e Heidstra deram uma pequena, mas inegável vantagem à acusação. Com isso, os advogados de defesa se recolheram ao porto seguro que sempre buscavam quando as provas se voltavam contra eles: a polêmica racial.

22
CAIU DO CÉU

Por volta das 15h do dia 7 de julho — um dia depois de concluída a apresentação das provas e argumentos da promotoria —, uma secretária do escritório de Johnnie Cochran avisou que ia transferir uma ligação para a mesa de Pat McKenna. Segundo a secretária, o autor da chamada não queria se identificar.

Principal investigador particular da defesa, McKenna raramente ia ao tribunal. Em vez disso, trabalhava do escritório de Cochran, correndo atrás de testemunhas, seguindo pistas e cuidando do infindável número de informantes que ligavam dizendo que tinham informações sobre o caso. As anotações que McKenna fazia sobre a maioria desses telefonemas iam parar em uma pasta grossa de papel pardo em cujo cabeçalho se lia "MALUCOS".

O autor da chamada nesse dia parecia mais lúcido que os demais, e oferecia informações mais específicas. Disse que advogava em São Francisco e que um de seus clientes tinha uma amiga chamada Laura. Segundo o informante, Laura tinha em seu poder cerca de uma dúzia de fitas de áudio nas quais se podia ouvir Mark Fuhrman falando do trabalho na polícia. Enquanto escutava, McKenna ia anotando tópicos que, segundo o informante, Fuhrman abordava nas fitas:

— *Plantar provas*
— *Pegar crioulos*
— *Então. África — Crioulos — Apartheid*

O advogado de São Francisco deu a McKenna o número de Laura com o código de área 910, da Carolina do Norte. McKenna, como às vezes fazia com os informantes mais confiáveis, criou um codinome para o advogado, caso ele quisesse voltar a entrar em contato. "Você será chamado de Brian", disse McKenna à voz do outro lado da linha.

O detetive desligou o telefone e discou o número de Laura. Quem atendeu foi um homem, que informou que Laura tinha saído, mas que voltaria em quinze minutos. McKenna deixou nome e telefone, mas não disse para quem trabalhava. Laura retornou a ligação meia hora depois.

"Aqui é a Laura Hart McKinny."

"Sou detetive particular. Trabalho para O.J. Simpson", disse McKenna, com uma ponta de agonia na voz. "Acreditamos que nosso cliente é inocente, e ficamos sabendo que a senhora tem umas fitas de Mark Fuhrman que poderiam ser de grande ajuda para nós." Educada, mas evasiva, McKinny disse que seu advogado entraria em contato. Quinze minutos depois, um advogado chamado Matthew Schwartz, de Los Angeles, ligou para McKenna. Schwartz confirmou a existência e a autenticidade das fitas. Explicou que McKinny havia entrevistado Fuhrman para a elaboração de um roteiro de cinema. E acrescentou que, mediante uma intimação, poderiam providenciar a entrega das fitas.

Às 17h08, menos de duas horas depois de tomar conhecimento do material, McKenna enviou a Schwartz, por fax, uma carta formal com a solicitação. Só então o investigador se deu conta de que, enquanto falava ao telefone, tinha sublinhado e ressublinhado as mesmas palavras das anotações:

— *Plantar provas*
— *Pegar crioulos*

• • •

Na disputa pelas fitas, o último grande drama do julgamento de Simpson, era como se houvessem irrompido os instintos mais primitivos do caso. Toda a emoção, a raiva e o ressentimento reprimidos vieram à tona. As fitas deram à defesa a oportunidade que vinham buscando desde o dia do crime para mudar o foco da culpa do réu para as falhas do DPLA. Mas agora era diferente. Cochran e a equipe de defesa sempre exploraram as tensões raciais com cinismo inescrupuloso, mas a polêmica das fitas pôs nas mãos da defesa um trunfo de que não dispunham antes: a verdade. Quando se tratava do caráter de Mark Fuhrman, era a defesa que estava certa, e a acusação, errada. Assim, as gravações obrigaram a promotoria a encarar as consequências da própria arrogância. Mesmo devidamente avisada da índole perversa de Fuhrman, Clark tinha tomado o partido do policial. Com as fitas de McKinny, ela e a equipe de acusação pagaram o preço.

A origem dessa derradeira crise remontava a mais de uma década. Laura Hart McKinny conheceu Mark Fuhrman no fim de uma agradável manhã de fevereiro de 1985, em um café ao ar livre no bairro de Westwood. McKinny tomava algo enquanto trabalhava no laptop, uma novidade na época. Fuhrman se aproximou querendo saber mais sobre o aparelho. Os dois, jovens atraentes na casa dos trinta, começaram a conversar. Fuhrman perguntou o que ela escrevia. Ela disse que era um roteiro sobre mulheres policiais. "Que coincidência", disse ele, explicando que era policial do DPLA.

No início da década de 1980, sob pressão política e jurídica, o DPLA havia aumentado consideravelmente o efetivo de mulheres. McKinny disse que estava escrevendo sobre as dificuldades que essas profissionais enfrentavam. Fuhrman sorriu. Sabia esbanjar charme, principalmente na presença de uma mulher atraente, por isso decidiu provocá-la um pouquinho e, ao mesmo tempo, flertar. Disse que, na opinião dele, as mulheres não deviam ser policiais, pois não davam conta do recado, e que qualquer tentativa de recrutá-las seria um desastre. Confidenciou inclusive que fazia parte de uma organização clandestina dentro do DPLA chamada MAW, Men Against Women [Homens contra as mulheres], que resistia à intrusão feminina naquele território tradicionalmente masculino. McKinny logo se deu conta que Fuhrman poderia ser uma boa fonte, trazendo uma perspectiva privilegiada para o roteiro, já que pertencia ao quadro da polícia e fazia o típico policial conservador, hostil e sexista do DPLA. Nesse mesmo dia, os dois ficaram de falar mais sobre o assunto em outra ocasião.

Esse primeiro encontro marcou a dinâmica de uma relação que duraria quase uma década. De certo modo, a história deles era o retrato de Los Angeles, a cidade dos roteiros engavetados. Fuhrman e McKinny se encontraram de novo no dia 2 de abril de 1985. Dessa vez, ela levou um gravador para registrar os discursos machistas — e racistas — do policial. Combinaram que Fuhrman receberia 10 mil dólares a título de consultoria técnica caso o filme fosse produzido. Como o roteiro de McKinny era de ficção, ela e Fuhrman não chegaram a discutir se tudo o que ele dizia — as opiniões que expressava, as histórias mirabolantes que contava — era de fato verdade. É claro que o policial se baseava nas próprias experiências, mas também dava uma floreada para deixá-las mais com cara de cinema. Além disso, havia o lado pessoal do relacionamento dos dois. Sonhadora com ideais remanescentes da década de 1960, McKinny gostava de políticas liberais e comida natural — um contraponto perfeito para Fuhrman, que era de direita e adorava contar vantagem e chocá-la com seus preconceitos, aos quais dava por vezes uma ênfase exagerada.

McKinny trabalhava com afinco: transcrevia tudo que era dito, enviava cópias para Fuhrman e chegava ao encontro seguinte com uma nova lista de perguntas. No total, encontraram-se doze vezes e produziram cerca de doze horas de entrevista. McKinny participou ainda de rondas com policiais mulheres, e aproveitava para entrevistá-las. De acordo com um produtor que a conhecia, "Laura fez tudo o que um escritor deve fazer. Ela se aprofundou no assunto e fez o dever de casa. Só tinha um problema: o roteiro não era muito bom".

McKinny finalizou o primeiro esboço do roteiro no final dos anos 1980. O título era *Men Against Women*, em referência à organização descrita por Fuhrman. A história de McKinny era sobre uma policial novata que se apaixona pelo parceiro e acaba descobrindo que ele é membro da MAW. Oferecido para vários estúdios, o trabalho de McKinny, como a maioria dos roteiros em Hollywood, não achou ninguém interessado em bancá-lo. Com o passar dos anos, McKinny se tornaria um exemplo drástico de como a indústria cinematográfica era fechada para novos roteiristas. Durante toda a sua carreira, não conseguiu vender um único roteiro, mas continuou batalhando: trabalhava meio período dando aulas na UCLA e na rede escolar de Malibu, e, nas horas vagas, dava prosseguimento à pesquisa sobre a polícia. Entretanto, não se encontrou com Fuhrman entre 1988 e 1993, época em que se afastou do trabalho para se dedicar aos dois filhos pequenos.

Foi durante esse período de inatividade que o roteiro quase saiu do papel. Os filhos de McKinny estudavam em uma escola progressista de Santa Monica chamada PS 1 — sigla que significa "Escola Pluralista número um" —, e eram colegas dos filhos de um produtor, John Flynn, que se interessou pelo projeto de McKinny. Obviamente, em 1992, depois de todos aqueles anos, não havia outros interessados, então Flynn pagou a McKinny a quantia simbólica de 1.000 dólares pelos direitos de venda do roteiro a alguma produtora pelo prazo de dois anos.

O início dos anos 1990 foi uma época difícil na vida de McKinny. O marido, Daniel, era cinegrafista, mas às vezes conseguia trabalho como contrarregra em sets de filmagem. Laura trabalhava meio período dando aulas particulares para atletas da UCLA. Em 1993, com uma dívida de 80 mil dólares em contas de cartão de crédito e impostos atrasados, a família McKinny declarou falência. Decidiram então fazer as malas e foram trabalhar como professores na incipiente NCSA [Escola de Artes da Carolina do Norte]. Mesmo tendo fracassado na área, Laura dava aulas de elaboração de roteiros, e nunca desistiu de *Men Against Women*. Em meados de 1994, com o prazo de Flynn prestes a expirar, finalmente apareceu alguém interessado no projeto. Flynn tinha falado com um representante de Fred Dryer, famoso ex-jogador de futebol americano que estrelou a série de televisão *Tiro Certo*, baseada no DPLA. Antes de se encontrar com Dryer, Flynn chamou McKinny e Fuhrman para uma reunião estratégica com o objetivo de preparar o terreno.

A reunião ocorreu no dia 28 de julho de 1994 — seis semanas após o assassinato de Nicole Brown Simpson e Ronald Goldman e dez dias depois da publicação da minha matéria sobre Fuhrman na *New Yorker*. No encontro, gravado por McKinny, Fuhrman ainda estava furioso com a matéria, e jurava que ia processar Shapiro, que na cabeça dele era quem tinha vazado as informações. O policial contou que tinha falado com um advogado que poderia representá-lo. "O pior de toda essa história", disse a McKinny e Flynn, "é que, como meu advogado falou: 'Você vai ficar conhecido pelo resto da vida como o Fuhrman da luva ensanguentada. [...] Por que não toma uma atitude? Toda essa dor de cabeça que está passando tem que valer alguma coisa. Dá logo um sacode no Shapiro, aquele filho da puta'." Porém, no fundo, Fuhrman estava confiante de que o DPLA ficaria do lado dele em meio à crescente polêmica sobre suas opiniões racistas. "Sou a principal testemunha no maior caso do século", vangloriou-se o detetive. "Se eu cair, eles perdem. A luva é tudo que eles têm. Sem a luva, já era."

...

Dryer não se interessou pelo projeto. No entanto, já antecipando o resultado das negociações com a empresa de Dryer, McKinny contratou um agente, Jim Preminger, filho do famoso diretor Otto Preminger e também pai de um aluno da PS 1. Jim não chegou a ouvir as fitas, mas sabia por alto do que se tratavam. Quando o julgamento esquentou, na primavera seguinte, ele ligou para McKinny e a aconselhou a contratar um advogado. McKinny pediu uma indicação a um colega da Carolina do Norte, que recomendou Matt Schwartz, um jovem advogado com quem havia recentemente estudado na faculdade de cinema da UCLA. (Em Los Angeles, todo mundo escreve roteiros, mas o que todos querem fazer mesmo — inclusive os advogados — é dirigir filmes.) No final de maio de 1995, McKinny ligou para Schwartz, descreveu o conteúdo das fitas e explicou como tinham sido gravadas.

McKinny estava dividida: o que ela mais queria era que alguma empresa comprasse e produzisse o roteiro, mas, segundo Schwartz, eram as fitas com a voz de Fuhrman que estavam em alta. Com a anuência de McKinny, Schwartz ficou de sondar o terreno, isto é, averiguar o quanto as fitas valiam no mercado. Em junho, Schwartz procurou diversos veículos da indústria sensacionalista — jornais de Londres, revistas e programas de fofoca e até a Dove Books, a editora de Faye Resnick. Diversos veículos manifestaram interesse, e Schwartz enviou aos potenciais compradores, por fax, acordos de confidencialidade que os autorizavam a examinar as fitas, mas apenas para determinar o preço que estavam dispostos a pagar. Mais tarde, Schwartz revelou que chegou a receber uma oferta de 250 mil dólares pelas fitas, a qual McKinny rejeitou.

Como era de se esperar, boatos sobre a sondagem de Schwartz começaram a circular no meio jurídico, provocando outra rixa dentro da equipe de defesa. No início de julho, bem na época em que McKenna recebeu o telefonema de "Brian", Bill Pavelic, o detetive rival de McKenna no grupo de Shapiro, também tomou conhecimento das entrevistas gravadas com Fuhrman por meio de um amigo, um advogado com a licença cassada que residia perto de Oakland. Ele contou a Pavelic que Schwartz estava tentando vender as fitas de Fuhrman para os tabloides, cobrando 10 mil dólares pela simples escuta de alguns trechos. (Mais tarde, Schwartz desmentiu a informação.) Assim, tanto Pavelic quanto McKenna reivindicaram a "descoberta" das fitas. Na verdade, foi McKenna quem tinha feito o primeiro contato direto com McKinny, mas Shapiro (que detestava McKenna, bem como seus aliados, Bailey e Cochran) queria levar o crédito pela descoberta. Shapiro chegou a pedir que Skip Taft, gerente de negócios de Simpson, enviasse 1.500 dólares (do dinheiro de O.J.) ao amigo de Pavelic pelos "notáveis serviços prestados na descoberta das fitas" — só para deixar registrado que tinha desempenhado um papel naquilo tudo.

Contudo, foi sem dúvida o leilão improvisado de Schwartz que suscitou, em primeiro lugar, tanto o telefonema de "Brian" para Pat McKenna quanto a pista recebida por Pavelic. Em todo caso, a equipe de defesa entrou em êxtase quando ficou sabendo das fitas, na segunda semana de julho. "Se for verdade", Barry Scheck declarou em uma reunião da equipe, "tem absolvição vindo aí, pode escrever!" Por sua vez, Gerry Uelman disse a McKenna: "Essa notícia caiu do céu".

Quem ficou mais comovido, no entanto, foi Cochran. Saboreava a descoberta com uma alegria quase mística, e embora na teoria estivesse estarrecido com o conteúdo das gravações, em dado momento disse ao juiz Ito que as fitas eram "que nem as batatinhas Lay's. Não dá para parar, é impossível comer uma só". Cochran tinha passado toda a carreira lutando contra o racismo do DPLA e explorando o tema nos tribunais. Agora havia, pelo visto, uma prova concreta desse racismo, justamente no caso mais importante de sua carreira. Cochran podia ser atrevido, irreverente e desbocado, mas no íntimo, também tinha um lado espiritual genuíno. Falando com toda a sinceridade, ele confidenciou a pelo menos um colega da equipe de defesa que acreditava que tinha sido Deus quem colocara as fitas de McKinny em seu caminho. O advogado não falava nem pensava em outra coisa.

Acontece que ele ainda não tinha colocado as mãos nelas. No dia 12 de julho, quando Cochran teve um chilique com a história da "voz de negro" durante o depoimento de Robert Heidstra, ele e Shapiro foram ao escritório de Matthew Schwartz para tentar garantir o acesso às fitas. Na reunião, Schwartz desconversou. McKinny estava de férias na época, e ele queria concluir a "sondagem" a que se propusera. (Posteriormente, Schwartz e McKinny fizeram questão de frisar a diferença semântica — provavelmente irrelevante — entre "sondar o terreno" e vender as fitas de fato.) Schwartz ao menos prometeu aos advogados de Simpson que McKinny não destruiria as fitas. Uma semana se passou, e por fim Schwartz anunciou que McKinny não entregaria as fitas de mão beijada. Desta vez, alegou que ela considerava os encontros que tivera com Fuhrman como uma pesquisa "jornalística" e não pretendia dividir os frutos de seu trabalho. Frustrado, Cochran pediu que Carl Douglas comparecesse em segredo perante o juiz Ito no dia 20 de julho e lhe explicasse a situação. Ito reconheceu que as fitas eram relevantes para o caso Simpson e assinou uma intimação. Agora caberia à equipe de defesa garantir seu cumprimento na Carolina do Norte, estado onde residia McKinny.

• • •

Como não podia deixar de ser, todos os advogados de defesa queriam viajar à Carolina do Norte para batalhar pelas fitas. Cochran iria — isso já estava decidido. Shapiro, por sua vez, manifestou seu desejo de que Gerry Uelman se encarregasse das questões jurídicas. Bailey observou que Uelman era gente boa, mas perdia todas as causas, e por isso julgava que a pessoa mais indicada para a tarefa era... ele mesmo. Por fim, Cochran decidiu que Bailey iria com ele. Em geral, uma secretária de Cochran assinava o nome dos advogados nas numerosas petições protocoladas pela defesa ao longo do processo. Contudo, só para se ter uma ideia da espantosa seriedade com que a questão das fitas era tratada pela defesa, cada um dos advogados fez questão de assinar o próprio nome no documento. (Ironicamente, os verdadeiros autores da intimação, Ken Fishman e Dan Leonar, sócios de Bailey em Boston, preferiram ficar nos bastidores e não tiveram seus nomes incluídos nela.)

Assim, na sexta-feira, 28 de julho, Cochran e Bailey compareceram perante o juiz William Z. Wood Jr., no distrito de Forsyth, na Carolina do Norte, e lhe pediram que desse cumprimento à intimação. Como Lance Ito, o juiz que presidia o julgamento, já tinha determinado que o material era relevante, a aprovação de Wood não deveria passar de uma mera formalidade. Em seu gabinete, Wood deixou que Cochran lesse trechos transcritos das fitas pela primeira vez. Elas eram piores (quer dizer, melhores, na perspectiva de Cochran) do que o advogado tinha imaginado. Nelas, Fuhrman proferia os insultos mais grosseiros que se possa imaginar e usava repetidas vezes a palavra "crioulo". Quando McKinny se apresentou perante o juiz da Carolina do Norte (e da imprensa, que já estava à espera), Cochran mal podia esperar para citar trechos das fitas, como ficou claro em uma de suas perguntas a McKinny: "Gostaria de saber se o detetive Fuhrman disse as seguintes palavras durante a primeira entrevista, enquanto a senhora registrava as opiniões dele: 'Tem mulheres, crioulos tapados e um bando de mexicanos que não sabem nem o nome do carro que dirigem. E você acha que eu tô brincando? Tem gente no departamento que nem cidadania tem'. Ele disse isso à senhora?". McKinny confirmou.

Mesmo assim, por alguma razão inexplicável, a decisão do juiz Wood não favoreceu Cochran e Bailey. As fitas, segundo o magistrado, não eram relevantes para a defesa de Simpson. Foi um golpe devastador. Bailey não perdeu tempo, e pediu a seus sócios em Boston que preparassem um recurso de emergência. Embora arrasado com a decisão, Cochran sabia que expor pelo menos algumas palavras de Fuhrman na audiência com Wood havia sido um avanço importante. O episódio gerou um interesse público ainda maior pelas fitas — que eram uma atração à parte no espetáculo maior do caso Simpson —, sobretudo depois da longa e entediante sucessão de depoimentos dos peritos arrolados pela defesa. Diante da crescente obsessão do público pelas fitas, Cochran resolveu mudar de tática. No último mês de julgamento, faria uma campanha pela absolvição de O.J. não apenas no tribunal, mas no país inteiro — e não só como advogado, mas como líder autoproclamado na luta pelos direitos civis.

• • •

No dia 7 de agosto, depois do trabalho incansável dos sócios de Bailey, o Tribunal de Justiça da Carolina do Norte anulou em segunda instância a decisão claramente equivocada do juiz Wood. As fitas gravadas por McKinny chegaram enfim ao escritório de Cochran no dia 9 de agosto. A mídia cobiçava o material mais do que nunca.

Ainda que posteriormente revertida, a derrota da defesa na Carolina do Norte inquietava Cochran. Confiante desde o início de que poderia ganhar a causa com um júri indeciso, o advogado sentia que as fitas lhe davam a munição de que precisava para virar o jogo de vez e obter uma absolvição completa. No nível mais básico, as fitas provavam que Fuhrman havia mentido ao responder às perguntas cuidadosamente formuladas por Bailey sobre se o policial havia usado a palavra "crioulo" nos últimos dez anos. Contudo, mais que isso, as fitas ainda permitiam que Cochran usasse o preconceito inegável de Fuhrman como símbolo máximo do racismo no DPLA. Assim, a decisão do júri acabaria sendo pautada por uma escolha entre dois posicionamentos, exatamente como Darden previra sete meses antes, na primeira discussão com Cochran sobre a palavra "crioulo": "De que lado o senhor está? [...] Ou estamos do lado dos brancos ou dos negros".

Cochran, porém, desconfiava que Ito pudesse frustrar seus planos no último momento, como fizera o juiz Wood. Como a maioria dos advogados de ambas as partes, Cochran presumia que algumas notícias sobre o julgamento acabavam chegando aos ouvidos dos jurados em isolamento. Também julgava que a sanha pública pelas fitas contribuía para alimentar o pânico e a insegurança entre os promotores. Por isso, precisava dar um jeito de torná-las públicas. Em outras palavras, precisava que o conteúdo das fitas vazasse para a imprensa.

Os promotores, por sua vez, sabiam o que Cochran estava tramando, e tentaram impedi-lo. Se conseguissem calar a polêmica gerada por McKinny e limitar a exposição pública das fitas, seria possível evitar que o caso se transformasse em um referendo sobre o racismo da polícia. Foi por essa razão que os promotores vibraram quando Schwartz, o advogado de McKinny, insistiu perante o juiz Ito que uso das fitas deveria estar sujeito aos termos de uma ordem protetiva rigorosa. (Schwartz ainda tinha esperança de vendê-las.) No dia 10 de agosto, Ito determinou que as fitas deveriam permanecer em sigilo até segunda ordem. A decisão permitia que apenas os advogados envolvidos no processo e seus auxiliares diretos tivessem acesso às fitas e transcrições. Com isso, ergueu-se uma cortina de silêncio em torno das fitas — até que o próprio juiz ordenasse que fossem reproduzidas no tribunal.

Pelos termos da ordem protetiva, Cochran não podia simplesmente entregar as transcrições a algum repórter conhecido. O mesmo valia para os outros advogados de defesa; era arriscado demais. Restava saber quem da equipe de defesa tomaria a iniciativa. Quem não se importaria em violar de forma direta uma decisão judicial? Quem tinha contatos entre os repórteres de diferentes veículos? Quem tinha preceitos éticos flexíveis o suficiente para se prestar a um papel como esse? Todos os sinais apontavam para um único homem: Larry Schiller.

O agente literário de O.J. Simpson e coautor do livro *I Want to Tell You* passou todo o julgamento procurando a amizade de jornalistas e coletando material junto à equipe de defesa para a próxima obra biográfica de Simpson, ainda em gestação. Schiller, que adorava estar no centro dos acontecimentos, achou ótimo compartilhar o presentinho de McKinny com amigos jornalistas, e eles ficaram igualmente satisfeitos com o furo. Nas semanas seguintes, Schiller vazou trechinhos das fitas carregados de ódio. (Ele nega que tenha feito isso.) Assim, os protestos da opinião pública contra Fuhrman se somaram de forma dramática à pressão para que Ito acolhesse as fitas como prova, exatamente como Cochran previra.

• • •

Quando os advogados de ambos os lados finalmente se sentaram para ouvir as fitas, depararam-se com algo mais além do preconceito de Fuhrman. Eram claras as referências a Margaret York, esposa de Lance Ito, que já tinha sido comandante de Fuhrman na divisão de West Los Angeles. York foi uma das primeiras mulheres recrutadas no DPLA (e, no estilo típico de Los Angeles, serviu de inspiração para a série de televisão *Cagney & Lacey*). Fazendo jus a seu papel no projeto de McKinny, Fuhrman execrava as mulheres policiais em geral, e York em particular. Entre outras coisas, Fuhrman disse na fita que a esposa do juiz "chupou e fodeu muito pra chegar no topo".

Os advogados levaram o assunto ao gabinete de Ito no dia 14 de agosto. Outro fator de complicação era que, no início do processo, York tinha protocolado uma declaração na qual afirmava que pouco se lembrava de Fuhrman, tirando o fato de que ele já tinha sido um dos policiais sob seu comando. Como Cochran gentilmente observou, dirigindo-se a Ito: "Trata-se de uma questão muito delicada. [...] Envolve credibilidade, até porque a declaração dela... Esse cara, a não ser que esteja mentindo de forma descarada — e creio que Marcia vai concordar comigo neste ponto —, as ligações que ele tem com a tenente York o tornam um sujeito difícil de esquecer". Em outras palavras, como alguns advogados de ambos os lados passaram a acreditar, York poderia ter mentido em sua declaração juramentada ao afirmar que não se lembrava de Fuhrman.

Com isso, a questão das fitas logo se revestiu de uma complexidade intimidante — assim como os motivos das partes envolvidas. O juiz foi direto ao ponto ao perguntar aos advogados, no gabinete: "Essa questão pode gerar um conflito de interesses para mim?".

"Pode", confirmou Clark.

"Então, constitui um problema jurídico importante", continuou Ito, "porque pode acarretar a anulação do julgamento."

Com as fitas em mãos, a defesa achava que seria mais negócio continuar com o mesmo juiz e os mesmos jurados até o veredicto. Os promotores, por sua vez, temiam que uma possível anulação inviabilizasse a realização de um novo julgamento, devido ao princípio constitucional que proíbe que um réu seja julgado duas vezes pelo mesmo crime. Ao mesmo tempo, Clark tinha passado a detestar Ito com todas as forças. Por coincidência, nessa mesma época, ela estava conversando comigo no corredor e começou a descer a lenha no juiz: "É o pior juiz com quem já trabalhei; não podiam ter escolhido pior juiz para assumir este caso. Morre de medo de Johnnie, paga pau para celebridades. [...]" Mas ela e os demais promotores sabiam que era praticamente impossível que se designasse um novo juiz para um caso de tamanha complexidade e já em um estágio tão avançado.

Mas e quanto a Ito? Homem decente, ele só queria fazer o que era certo de acordo com lei (seja lá o que isso fosse). O juiz chegava a reagir de forma quase esquizofrênica à atenção midiática que recebia por conta do caso. É verdade que às vezes se esbaldava, mas também sofria com as críticas cada vez mais ásperas ao seu desempenho. Agora, para piorar, sua esposa também estava metida na confusão. A pressão, para ele, beirava o insuportável.

No dia seguinte, 15 de agosto, depois de passar a manhã quase inteira ouvindo em silêncio os argumentos rancorosos de Clark e Cochran sobre a forma como devia lidar com o envolvimento da esposa no processo, Ito tomou uma decisão. Com o olhar fixo nas anotações, declarou: "Quando se questiona o senso de justiça e a imparcialidade do juiz, a questão não é mais a existência concreta da parcialidade ou da imparcialidade. É a aparência". Ito fez uma pausa para se recompor, e o silêncio fazia lembrar o quanto aquela experiência vinha sendo massacrante para ele. Quando voltou a falar, estava com a voz embargada: "Amo muito minha esposa", disse, lutando para manter a compostura. "Me dói muito vê-la ser criticada, como doeria em qualquer cônjuge. É razoável assumir que esse sentimento possa gerar alguma interferência. Como já disse, as mulheres que trabalham em meios de presença majoritária masculina aprendem a lidar com isso. E as bem-sucedidas, como podemos todos observar, são mais fortes do que a maioria." (Em sua fala cativante, Ito dava a entender que as mulheres também são mais fortes que os próprios maridos.) Ito não se afastou do caso — pelo menos não naquele momento. Na opinião dele, outro juiz deveria ouvir as fitas e decidir se ele ainda podia presidir o julgamento.

Em uma espécie de caravana desconjuntada, todos os presentes subiram dois lances de escada rumo à sala de audiência do juiz James Bascue, juiz chefe da vara criminal. Bascue encaminhou o caso ao juiz John Reid, da sala ao lado. (Houve um momento revelador na breve participação de Bascue. Embora fosse conhecido pelo rigor com que punia criminosos em circunstâncias normais, ele não resistiu à tentação de puxar papo com Simpson sobre futebol americano — prova espantosa e lamentável do fascínio que têm os homens de meia-idade pelas celebridades do mundo esportivo.) O juiz Reid, por sua vez, concordou em examinar as fitas. Feito isso, decidiu que Ito podia prosseguir com o julgamento. Esse inusitado carrossel — três juízes passando pelo caso no espaço de uma hora, enquanto os jurados esperavam, sem nada para fazer — evidenciava a situação geral de anarquia.

Na manhã seguinte, em uma reunião extraoficial no gabinete do juiz Ito, as frustrações da promotoria vieram à tona. Sentado junto da mesa de Ito com os advogados de defesa ao redor, Darden disse: "Meritíssimo, já há algum tempo não faço um desabafo, e tenho um para fazer". Reclamou então que o juiz tinha interrompido e constrangido os advogados de acusação na frente do júri. "Não gostamos disso." Com a questão da desqualificação de Ito ainda em aberto, parecia que Darden estava tentando intimidar o juiz. Depois da crítica dele, os advogados de defesa se retiraram às pressas do gabinete e solicitaram uma audiência pública. Na audiência, Shapiro relatou o episódio e disse que denunciaria Darden à ordem de advogados do estado. Apesar da reação exagerada, a queixa de Shapiro era sem dúvida procedente.

Agora era a vez de Darden perder as estribeiras. "Meritíssimo", disse o promotor, com a voz trêmula, "Estou muito ofendido com os comentários do sr. Shapiro — comentários que certamente foram incitados pelo sr. Cochran. Minha ofensa é tamanha que prefiro nem me dirigir à mesma tribuna que ele acabou de ocupar." Como uma criança com medo de pegar uma doença, Darden manteve distância do púlpito de madeira. "Se o sr. Shapiro ou o sr. Cochran quiserem me denunciar para a ordem de advogados do estado, tudo bem. Porque quando este processo chegar ao fim, vou denunciar os advogados de defesa à Procuradoria da República." Cochran riu alto diante da ideia absurda. "Ele está rindo agora, mas será que vai continuar rindo depois? Aposto que não vai achar tanta graça. Eles não sabem de tudo o que eu sei."

Difícil imaginar um comportamento mais leviano por parte de um representante legal do que o de Darden, que ameaçava futilmente denunciar um adversário com base em informações secretas. A defesa nem sequer prestou queixa — era patente que aquilo não passava de blefe. (Obviamente, Darden não apresentou nenhuma denúncia à Procuradoria da República. Apesar da conduta ética questionável dos advogados de defesa ao longo desse processo, não se podia afirmar que tivessem cometido algum crime federal.) Todo esse alvoroço ocorreu antes mesmo que o juiz decidisse quando — ou se — reproduziria as fitas publicamente.

• • •

Cochran não arredava o pé. Por experiência própria, sabia que não bastava a pressão política pela divulgação das fitas; era preciso provocar a indignação pública. Quando Michael Jackson, um de seus clientes, estava sendo investigado, em fevereiro de 1994, Cochran organizou uma coletiva de imprensa com pastores negros para pressionar Gil Garcetti a concluir a investigação. No dia 28 de agosto de 1995, reuniram uma coligação bem parecida — desta vez para pedir ao juiz Ito que tornasse públicas as entrevistas gravadas com Fuhrman. Muitos jornalistas compareceram à coletiva encabeçada por Danny Bakewell, presidente da Brotherhood Crusade, organização de direitos civis de Los Angeles. (Menos de um ano antes do episódio, o mesmo Bakewell tinha agraciado Cochran com o prêmio anual da organização, exaltando o advogado como um "guerreiro incansável contra os que não querem justiça para todos".) Em sua fala, Bakewell previu consequências terríveis caso as fitas não fossem divulgadas: "Nossa comunidade é um barril de pólvora. Estamos prontos para repetir as ações de 1992". O ativista se referia às revoltas que eclodiram com a absolvição dos policiais do DPLA que espancaram Rodney King. Seu discurso, como se via, não passava de chantagem racial: divulgue as fitas ou vai se arrepender.

O turbilhão político deixou Ito sem saída quando a demanda lhe foi finalmente apresentada no dia seguinte, 29 de agosto. A promotoria nutria uma vã esperança de que o juiz resolveria a questão das fitas sem antes reproduzi-las publicamente. Porém, o clamor gerado pelas fitas pesou na decisão do juiz. "Penso que existe um interesse público generalizado quanto à natureza do pedido apresentado pelos senhores", disse Ito à equipe de defesa em audiência televisionada, porém com o júri ausente, "e não quero que pensem que este tribunal seria capaz, sob quaisquer circunstâncias, de omitir informações que são de vital interesse público." O juiz permitiu então que a defesa reproduzisse os trechos das fitas que queriam expor ao júri. A decisão compensou todo o trabalho da defesa, da participação de Schiller às ameaças de Bakewell.

Os primeiros trechos reproduzidos no tribunal aquele dia eram bastante claros — fragmentos de frases com a já familiar voz de Fuhrman: "Faz o que te mandam, entendeu, crioulo?". Sobre as mulheres policiais, ele dizia: "Elas não fazem nada. Não sabem chegar num crioulo de dois metros de altura que passou sete anos levantando peso na cadeia". Dizia ainda: "Preto corre que nem coelho". Não bastassem esses trechos pavorosos, ao final da sessão matutina, Uelman reproduziu uma fita em que Fuhrman parecia narrar um incidente ocorrido enquanto estava em serviço. De acordo com Fuhrman, foi "uma investigação pesada [...] sessenta e seis denúncias de uso excessivo de força [...] agressão e abuso de autoridade. E ainda tortura e tudo quanto é coisa". Então, a voz de Fuhrman, sobrepondo-se ao silêncio da sala de audiência, começou a descrever os acontecimentos:

> Dois parceiros levaram tiro e estavam encurralados. Ainda tavam vivos, e a minha unidade foi a primeira a chegar no local. Quatro suspeitos correram pro segundo andar de um apartamento. A gente arrombou a porta e agarrou uma garota que morava lá, namorada de um deles. Pegamos ela pelos cabelos e metemos uma arma na cabeça dela, usando ela como escudo. A gente

foi subindo e falou: "Tô com a garota! Vou explodir os miolos dela se alguém sair com arma". Seguramos ela assim, empurramos a vagabunda escada abaixo e trancamos a porta. "Vai começar a brincadeira, rapaziada."

Na fita, McKinny interrompia Fuhrman para perguntar se podia usar o incidente no filme.

"Não passou sete anos; ainda não prescreveu", advertiu Fuhrman. "Tem umas trezentas e poucas páginas de investigação da corregedoria só sobre esse incidente — fora os outros. Deve ter umas 3 ou 4 mil páginas de investigações sobre mim." Fuhrman retomou então o relato:

Enfim, a gente basicamente torturou os caras. Éramos quatro policiais, quatro homens. Quebramos todos na porrada. Vários ossos de cada um. A cara deles virou papa. Ficaram com a imagem estampada nas paredes. Tinha sangue até no teto, com um monte de marca de dedo, como se tivessem tentando sair rastejando dali. Mostraram pra gente fotos do quarto. Era inacreditável, tinha sangue nas paredes, nos móveis, no chão. Tinha sangue em tudo que era lugar. Os caras tiveram que raspar muito cabelo, um deles teve que raspar tudo. Levou uns setenta pontos na cabeça. Era um tal de joelho quebrado... Ficaram lá jurando que nunca mais iam entrar pra quadrilha, implorando misericórdia. Com 66 alegações contra mim, fizeram uma manifestação em frente à estação de Hollenbeck, e todo mundo gritava meu nome. O capitão teve que registrar todas as queixas, e foi aí que a investigação da corregedoria começou. Durou dezoito meses. Tiraram minha foto, me botaram numa fila de identificação de suspeitos. Doze pessoas me reconheceram. Deu orgulho. Fui o último a ser interrogado. O principal suspeito é sempre o último. Não puniram nenhum dos 38 policiais da nossa unidade. Não descontaram nem um dia de ninguém. Também não me descontaram nada, mas do carcereiro da equipe do xerife descontaram cinco dias, porque ele bateu num dos caras bem no final. [...]

Logo depois da surra que demos nos caras, a gente desceu a escada e foi lavar a mão com a mangueira do jardim nos fundos. A gente tava com sangue nas pernas e no corpo todo. Não dava para ver direito porque o uniforme era azul-marinho e tava escuro. Mas no claro parece que a gente tinha levado um banho de tinta vermelha. Também tivemos que jogar água nos distintivos, de tanto sangue que tinha. Tínhamos sangue no rosto. Tivemos que limpar tudo. Cada um deu uma conferida no outro, depois fomos para fora, tínhamos que desviar o trânsito. Tinha delegados chegando, e mais uma galera, por causa dos dois policiais baleados — "Cadê os suspeitos?" [...] Aí levaram eles pra delegacia. Ninguém sabe direito quem fez a prisão. A gente algemou eles e jogou eles lá de cima, dois lances de escada. Foi assim que eles desceram. Um monte de gente tava lá e viu... "Cuidado! Tá vindo um! Meu Deus, cuidado, ele tá caindo!" É que em policial não se atira. E ponto final. [...]

Quando a reprodução desse trecho da fita terminou, a sala de audiência foi tomada por um silêncio nunca visto antes. De repente, ouviu-se um som. Era Kim Goldman chorando.

Por fim, Gerry Uelman perguntou a McKinny: "A senhora se lembra bem dessa história?"

"Claro", disse ela.

"Por quê?"

"Hum... Foi narrada com riqueza de detalhes."

Ito suspendeu a sessão para o almoço.

•••

A reação de Cochran ao ver o fax de dez páginas com a decisão de Ito, no dia 31 de agosto, foi uma surpresa para seus colegas. O advogado ficou perturbado, atônito, desesperado. Ito decidiu que permitiria a reprodução de apenas dois trechos breves das gravações: "Não tem crioulo onde eu cresci" e "É onde os crioulos moram". Era um golpe traumático para a defesa. Em vez de reproduzir as fitas, o juiz permitiria que McKinny dissesse ao júri que Fuhrman tinha empregado a palavra "crioulo" 41 vezes. Na opinião do juiz, o restante das fitas era irrelevante para o caso Simpson ou excessivamente prejudicial para a acusação.

Cochran convocou uma coletiva de imprensa improvisada no térreo do prédio de seu escritório na Wilshire Boulevard. Vestindo um paletó azul sobre uma camisa preta abotoada até o pescoço e um broche com pedrarias, Cochran condenou Ito de forma muito pessoal. Rodeado por quase uma dúzia de integrantes da equipe de defesa (Shapiro não estava), Cochran descreveu a decisão de Ito como "uma das decisões mais cruéis e injustas já tomadas em um tribunal penal". E acrescentou: "O acobertamento continua. [...] Essa decisão inexplicável e indefensável dá razão a quem diz que o sistema de justiça criminal é corrupto". Em seguida, fazendo uma referência velada às ameaças bombásticas de Bakewell no início da semana, Cochran disse: "Os cidadãos de Los Angeles devem manter a calma".

Mesmo tendo afrontado Cochran no papel, Ito ainda não conseguia peitá-lo pessoalmente. Na sessão do dia seguinte, sexta-feira, 1º de setembro, Cochran basicamente iniciou uma greve. A defesa deveria dar prosseguimento à inquirição das testemunhas, mas o advogado se recusou a mover um dedo, em protesto contra a decisão do juiz a respeito das fitas. Um juiz mais severo poderia simplesmente dar por encerrada a apresentação dos argumentos da defesa e passar à contradita da acusação, mas Ito não tinha coragem para tanto. Todo sem graça, limitou-se a informar ao júri — que, aliás, não tinha examinado praticamente nenhuma prova em uma semana por causa da pendenga das fitas — que a audiência terminaria mais cedo por causa do Dia do Trabalho.

A essa altura, Fuhrman já tinha contratado um advogado, que sensatamente o aconselhou a lançar mão da Quinta Emenda para não responder a nenhuma outra pergunta no tribunal. As fitas davam margem a que o policial fosse processado por falso testemunho, ou até pelos crimes revelados a McKinny. Quando Fuhrman voltou a ocupar o banco das testemunhas, respondeu a cada uma das perguntas de Uelman invocando seu direito de permanecer em silêncio. (Como de praxe, Ito não permitiu que o júri presenciasse Fuhrman invocando a Quinta Emenda.) Darden e seus escrivães aprendizes, os únicos negros no time da acusação, não estavam presentes quando Fuhrman voltou a comparecer perante o juiz Ito.

Finalmente, no dia 6 de setembro, o júri ouviu McKinny e os dois pequenos trechos das fitas. Ironicamente, o destaque do dia para a defesa não foram as gravações — que os jurados ouviram impassíveis —, mas a inépcia demonstrada por Darden ao inquirir McKinny. O promotor subestimou as credenciais da depoente, questionou seus motivos e a tratou como se ela — e não Fuhrman — tivesse feito algo de errado. Em dado momento, ofendida com a hostilidade de Darden, McKinny disparou: "O que o senhor tem contra mim?". Vários jurados assentiram, aparentemente se perguntando a mesma coisa.

Após o julgamento, a maioria dos jurados disse que as fitas de McKinny tiveram pouco impacto sobre o veredicto. Ainda que fosse verdade, as gravações não deixaram de ter uma enorme influência no julgamento. Toda a dinâmica do caso mudou. As fitas mostraram de uma vez por todas que Fuhrman mentiu sobre o uso da palavra "crioulo", e a acusação teve que desistir de defendê-lo com unhas e dentes. Isso era verdade mesmo depois da decisão de Ito restringindo com rigor excessivo a reprodução das fitas perante o júri. Com a credibilidade de Fuhrman abalada, ficou ainda mais difícil para a equipe de acusação argumentar que os demais policiais do DPLA diziam a verdade. Na dinâmica do tribunal, os danos causados à promotoria pelas gravações eram análogos àqueles causados por Darden com a demonstração da luva.

As fitas também serviram como um importante registro histórico, cujo significado extrapola as trocas verbais dentro do tribunal, ainda que talvez seja impossível descobrir o quanto da narrativa de Fuhrman era de fato verdade. Findo o processo, o DPLA e o procurador da República em Los Angeles abriram inquéritos com base nas gravações. O extraordinário relato de Fuhrman sobre o espancamento de suspeitos depois que dois policiais foram baleados parecia vagamente inspirado em um fato real ocorrido em 1978, mas a versão dele estava igualmente repleta de nuances ficcionais. Entretanto, as fitas também apontavam para algumas verdades maiores. A MAW realmente existiu. Mark Fuhrman e outros como ele deitavam e rolavam no DPLA. Em última análise, não é de estranhar que os jurados negros tenham decidido punir a polícia pelo seu lamentável passado. O resultado foi que O.J. Simpson acabou sendo o indigno beneficiário dessa sórdida história.

• • •

Depois do breve depoimento de McKinny, a defesa rematou sua participação com outras três testemunhas que declararam ter ouvido Fuhrman usar a palavra "crioulo". Como se não bastasse, a equipe de defesa decidiu passar uma última mensagem não verbal aos jurados. Quando Ito informou que não diria ao júri que Fuhrman havia se recusado a prestar novos depoimentos, Cochran providenciou que toda a equipe de defesa usasse gravatas de tecido kente africano como forma de protesto — na frente do júri, é claro.

Ito tinha autoridade para impedir o protesto. Logo no início do julgamento, proibira que os promotores usassem broches em formato de anjo para demonstrar solidariedade às vítimas do crime. Ao contrário das gravatas, porém, os broches não passavam nenhuma mensagem provocativa. Ainda assim, ao primeiro advogado que viu com a gravata, Ito disse apenas: "Bela gravata".

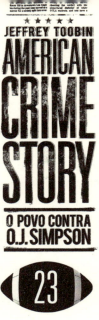

"LIBERTEM O.J.!"

Certa noite, já pelo fim da polêmica em torno de Fuhrman e suas fitas comprometedoras, várias personalidades da comunidade negra de Los Angeles lotaram o grande Auditório Cívico de Santa Monica por ocasião do Soul Train Lady of Soul Awards, uma premiação anual que homenageia o trabalho de mulheres negras na indústria do entretenimento. No auge da cerimônia, transmitida em rede nacional, Gladys Knight, a cantora que apresentava a edição daquele ano, disse que tinha um anúncio especial: "Para apresentar o Prêmio Lena Horne pelo conjunto da obra, gostaria de chamar um homem que tem se revelado um grande amigo de todos nós... alguém que há muito defende tudo o que há de bom e positivo em nossa comunidade. Com vocês, o sr. Johnnie Cochran!"

Por detrás de uma cortina surge Cochran, trajado de forma impecável com um smoking perfeitamente alinhado e uma faixa vermelha de cetim na cintura. Os cerca de 3 mil presentes aplaudiram com entusiasmo, e não demorou para que ficassem todos de pé, dando ao advogado a recepção mais calorosa da noite. Um coro se ouviu entre algumas pessoas da plateia, que em poucos segundos se espalhou por toda a multidão:

"Libertem O.J.!"
"Libertem O.J.!"
"Libertem O.J.!"

Do centro do palco, Cochran retribuiu o clamor com um aceno quase papal, dizendo: "Prometo fazer tudo que estiver ao meu alcance". Em seguida, apresentou um vídeo com os destaques da carreira da vencedora do prêmio, a atriz e dançarina Debbie Allen. Com um sorriso de cumplicidade, o advogado disse à plateia que aqueles, sim, eram "o que eu chamaria de indícios físicos e *concretos*". Ou seja, provas reais, ao contrário das que Cochran passou a semana de trabalho examinando.

Quando o julgamento chegou à reta final, Cochran já tinha se tornado porta-voz de O.J. Simpson, e aproveitava toda oportunidade que tinha para promover a causa de seu cliente fora do tribunal. Nas últimas semanas, quase todas as sextas-feiras depois da sessão, Cochran tinha voos agendados a diversas partes do país, onde dava palestras: Flórida, Carolina do Sul, Louisiana, Pensilvânia, Washington, e na própria Califórnia. Em seus discursos, descrevia o caso Simpson como o maior debate de direitos civis do momento. No dia 20 de agosto, na Filadélfia, por exemplo, Cochran impeliu a Associação Nacional de Jornalistas Negros a "lutar contra as injustiças do país. Se o fizerem, estarão usando o jornalismo para o bem... mas se fugirem dessa luta vão nos deixar desamparados, e a batalha pelos direitos civis estará perdida". Para Cochran, as vítimas estavam recebendo cobertura demais no julgamento. "O próprio Simpson é uma vítima", disse à plateia de 1.500 pessoas. "Acreditamos que ele foi acusado injustamente, e que ele também se tornou uma vítima, mas disso ninguém fala." Parafraseando o escritor Richard Wright, Cochran disse aos repórteres ali reunidos: "Nós, os negros, somos história, e nos resta assumir o já conhecido papel de consciência deste país".

Cochran foi ainda mais explícito após a última semana de depoimentos, quando discursou em Washington a uma multidão de admiradores na conferência legislativa anual da Bancada Negra do Congresso. Em sua fala, o advogado descreveu o julgamento de Simpson como o marco mais recente na luta pelos direitos civis dos afro-americanos — uma série de eventos que incluía, segundo ele, o caso Plessy contra Ferguson, o caso Brown contra o Conselho Escolar, o julgamento de Rodney King, e, "sim, também o caso Simpson".

É difícil determinar com precisão o impacto dos discursos de Cochran sobre o júri. Em entrevistas após o julgamento, os jurados disseram que não tomaram conhecimento de nenhuma declaração específica de Cochran sobre o caso. No entanto, o comportamento do advogado no tribunal, e principalmente em público, durante a reta final do julgamento, mostrava uma tentativa de limitar o processo à discussão racial, de modo que, ao final, todos os jurados tinham consciência de que o caso já ocupava o centro de uma polêmica nacional em torno dos direitos civis. Pode-se dizer, portanto, que a estratégia de Cochran ao levantar a bandeira ensanguentada da luta contra o racismo foi um sucesso. Quando Jeanette Harris, a jurada dispensada do caso, traduziu os temores do júri — "Um jurado afro-americano poderia dizer, 'não posso votar *culpado* porque quero sair vivo daqui'" — ela refletiu a intensa agitação política em torno do caso, que Cochran só ajudou a instigar.

As aparições públicas do advogado também produziam outro efeito: tiravam Robert Shapiro do sério. Em parte, a reação não passava de ciúmes da atenção dada a Cochran, sobretudo se contraposta com o papel cada vez mais insignificante de Shapiro na defesa. Além disso, conforme as percepções raciais sobre o caso se agudizavam, a posição de Shapiro em seu próprio mundo (branco) ficava cada vez mais desconfortável. Cochran, por sua vez, fazia pouco caso do mal-estar de Shapiro. "Sei qual é o problema dele", disse Cochran a aliados na equipe de defesa, "mas, na minha comunidade, eu sou um herói."

Tive a chance de acompanhar de perto o dilema de Shapiro. Em maio de 1995, Mark Fuhrman entrou com um processo por difamação contra mim, Shapiro e a *New Yorker* em razão da matéria que eu tinha publicado na revista no ano anterior. (Fuhrman acabou desistindo do processo na semana do veredicto.) Embora Shapiro mantivesse certa distância de mim desde que saíra a matéria na revista, o processo por difamação estimulou o espírito competitivo do advogado, e acabamos conversando muitas vezes sobre o assunto no corredor do tribunal. Mas Shapiro logo transformava nossas conversas em ataques aos colegas da defesa, sobretudo a Cochran (ainda mais do que a Bailey). Uma vez, durante a exposição dos argumentos da defesa, Shapiro contou, por exemplo, que foi interrompido por Cochran quando conversava com o advogado de uma das testemunhas. "Estou eu cumprimentando esse advogado, e sabe o que ele me diz?", relatou Shapiro. "Ele disse: 'Não temos tempo pra conversa fiada. Temos que trabalhar'." Shapiro continuou: "Nunca fui tratado assim em toda a minha vida. É como se quisessem me desacreditar. Na frente do júri eles sempre me dão as piores perguntas". No entanto, as reclamações de Shapiro sempre recaíam na questão da publicidade. "Johnnie fica de olho em todos os programas em que aparecemos. Ele assiste a tudo. Não deve nem trabalhar. É inacreditável." Shapiro não deixava de ter razão quanto à obsessão de Cochran com a mídia (que, é claro, rivalizava com a dele mesmo). No dia 7 de setembro, por exemplo, Cochran enviou um memorando a todos os advogados da defesa: "Conforme solicitado pelo sr. O.J. Simpson, a partir de agora toda aparição pública em qualquer meio de comunicação deverá passar pelo meu crivo, sem exceções".

Cochran e seus aliados, por sua vez, retribuíam à altura o desprezo com que Shapiro os tratava, talvez até com mais motivos para tal. Outro dia, durante uma reunião com Simpson na cela do tribunal, os demais membros da equipe de defesa flagraram Shapiro com um gravador no bolso. O advogado admitiu mais tarde que estava documentando em segredo as reuniões para incluí-las em um livro que planejava escrever sobre o processo. Scheck e Neufeld, defensores ferrenhos da confidencialidade entre advogado e cliente, ficaram enojados. Nas raras ocasiões em que Shapiro se dignava a participar das reuniões da equipe de defesa, a atmosfera era tóxica.

Verdade seja dita, os promotores não se voltaram uns contra os outros nos dias finais do julgamento. Por outro lado, não nutriam grandes esperanças de vitória. De modo geral, se sentiam ameaçados até pelos poucos trechos das fitas de McKinny cuja reprodução fora permitida por Ito. Ainda assim, os promotores abriram a sucinta contradita com o pé direito, apresentando argumentos impactantes que o júri, cada vez mais apático, parecia nem notar (e sobre os quais pouco comentariam após o julgamento). A contradita da promotoria começou explorando o único efeito colateral positivo do fiasco de Darden na demonstração com as luvas. Fotógrafos amadores de todo o país vasculharam seus arquivos em busca de fotos que mostrassem Simpson usando luvas de couro em partidas de futebol americano. Vários exemplos foram encontrados e enviados à promotoria. A primeira foto, tirada em 29 de dezembro de 1990, em um jogo do Chicago Bears, é a mais marcante. Nela, as luvas não só apresentam características idênticas às das luvas Aris Lights recuperadas em 1994, como também parecem apertadas na mão de Simpson. Richard Rubin, o especialista em luvas, voltou ao banco das testemunhas para dizer que tinha "certeza absoluta" de que as luvas que se viam nas fotos eram exemplares da rara Aris Lights, modelo 70263.

Nenhum dos lados queria que o outro tivesse a palavra final, então o processo foi perdendo o ritmo, como um metrônomo gasto, à medida que as partes chamavam uma última leva de testemunhas. A defesa rematou de maneira quase cômica, chamando dois informantes do crime organizado, os irmãos Larry e Tony Fiato, vulgo "Animal". De cabelos pintados e brincos, a dupla parecia ter saído do quadro de figurantes de um filme policial de baixo orçamento, mas acabou sendo de grande valia para a defesa.

Os irmãos Fiato já haviam sido informantes em outro processo, decorrente de um crime investigado pelo detetive Tom Lange, parceiro de Phil Vannatter. Em janeiro de 1995, no início do julgamento de Simpson, os irmãos se preparavam para depor nesse outro processo quando começaram a conversar com Vannatter. O papo acabou caindo no caso Simpson e na polêmica decisão dos detetives de deixar a cena do crime e ir à casa de O.J. na Rockingham. De acordo com os irmãos, Vannatter teria dito, em aparente tom de sarcasmo: "Não fomos lá com intenção de salvar vidas. Fomos porque ele era suspeito".

Em uma das últimas sessões de depoimentos, no dia 19 de setembro, a defesa chamou quatro testemunhas para prestar declarações sobre essa conversa: Vannatter; Michael Wacks, um agente do FBI que estava presente na ocasião; e os irmãos Fiato. Todos confirmaram a fala de Vannatter, e todos basicamente concluíram que o detetive estava brincando. No entanto, o quadro pintado deixou uma impressão ruim de Vannatter em particular e da polícia em geral. A defesa conseguiu, no último momento, levantar uma série de questões embaraçosas. Era mesmo verdadeira a controversa justificativa que Vannatter tinha apresentado para ir à Rockingham? O que disse de fato aos irmãos Fiato? Por que um dos detetives coencarregados das investigações discutia o caso com informantes da máfia? Todas essas perguntas pairavam constrangedoras no ar às vésperas das deliberações do júri.

No entanto, os promotores não podiam perder a chance de melhorar (ou piorar) a situação. Em vez de ignorar o depoimento dos irmãos Fiato, decidiram convocar uma testemunha *final* — a última de todo o julgamento —, que representaria de forma emblemática as manobras frívolas da acusação.

Na manhã de 20 de setembro, Marcia Clark convocou Keith D. Bushey, o policial linha-dura do DPLA que, em junho de 1994, foi encarregado de administrar toda a região oeste da cidade. Bushey testemunhou que recebeu uma ligação do detetive Ron Phillips por volta das 2h30 do dia 13 de junho informando que Nicole Brown Simpson tinha sido encontrada morta. Bushey disse que, ao ouvir a notícia, se lembrou de quando vários parentes de John Belushi souberam da morte do ator pela mídia. Bushey julgou o incidente lamentável e mandou Phillips "localizar O.J. Simpson o mais rápido possível e notificá-lo da morte da ex-mulher". O que Clark queria era usar o depoimento de Bushey para convencer o júri de que Vannatter e os outros detetives estavam dizendo a verdade desde o princípio, isto é, de fato foram à Rockingham comunicar a morte de Nicole a seu ilustre ex-marido.

No entanto, o arrogante Bushey caiu em cheio no jogo da defesa durante a inquirição cruzada. Johnnie Cochran conhecia o DPLA melhor que qualquer um dos promotores, e sabia que a polícia bajulava as celebridades. A sinistra genialidade de sua inquirição — e, aliás, de toda sua tática de defesa — estava em fazer com que o tratamento preferencial dispensado a Simpson parecesse uma forma diferente, porém mais nefasta, de incriminação. Cochran sabia que Bushey teria que mentir, pois não poderia admitir que as celebridades recebessem favores especiais do DPLA. Cochran usou então essas mentiras a favor de seu cliente.

"O senhor está dizendo que o DPLA, neste caso, deu tratamento preferencial a O.J. Simpson ao enviar quatro detetives à casa dele naquela madrugada?", perguntou Cochran.

"Não", respondeu Bushey. "Pra começar, não gosto da expressão 'tratamento preferencial'."

"Certo. É que foi a expressão usada pela acusação", rebateu Cochran.

"Enfim, tanto faz...", respondeu Bushey.

"O senhor não gosta da palavra 'preferencial' porque as palavras 'proteger e servir' na lateral das viaturas se referem a todas as pessoas?"

"Correto."

"Todos devem receber o mesmo tratamento da polícia, não é?"

"É o que tentamos fazer", respondeu Bushey com irritação.

"E de forma justa? É o que tentam fazer?"

"Com certeza", disse Bushey.

Alguns instantes depois, Cochran chegou ao cerne da questão: "No desempenho de suas atribuições naquela manhã, pode-se dizer que o senhor estava mais preocupado com a imagem do departamento que com a investigação daqueles homicídios brutais?".

"Claro que não", disse Bushey, embora a verdade fosse exatamente o contrário.

Assim, inexplicavelmente, a apresentação dos últimos argumentos da acusação no processo terminava dando destaque a um fiel representante da hipocrisia que vicejava no mais alto escalão do DPLA. E não era só isso. Para piorar, Keith Bushey era a cara do homem mais odiado pela comunidade negra da cidade: o ex-chefe do Departamento de Polícia de Los Angeles, Daryl Gates.

· · ·

Desde o dia em que foi contratado para o caso, Cochran instigava a mídia com a possibilidade de que Simpson depusesse em sua própria defesa. O advogado sempre dizia que *queria* que O.J. testemunhasse, e que O.J. *queria* testemunhar, mas, com esses comentários, visava apenas a fazer média com a opinião pública. À exceção de Bailey, que realmente achava que Simpson deveria depor, ninguém na equipe de defesa levava a ideia muito a sério. Bailey acreditava, com bons motivos, que Simpson não teria nenhuma chance de retomar uma vida normal a menos que contestasse as acusações do banco das testemunhas. Cochran e Shapiro estavam mais preocupados em ganhar a causa, e foi o ponto de vista deles que prevaleceu.

No entanto, mesmo na prisão, Simpson continuava obcecado como nunca pela própria imagem, e Cochran encontrou uma oportunidade para que se redimisse. Como parte das formalidades finais do processo, no dia 22 de setembro, Ito teve que perguntar ao réu se renunciava ao direito de testemunhar. Cochran, por sua vez, pediu ao juiz que permitisse a Simpson fazer "uma breve declaração" como parte de sua resposta. Mesmo sem a presença do júri, Clark protestou: "Trata-se claramente de uma tentativa da defesa de introduzir informações admissíveis em visitas conjugais, mas não neste tribunal. [...] Peço encarecidamente a Vossa Excelência que negue o pedido".

Cochran respondeu com indignação: "Parece que há um medo muito grande da verdade neste caso. Ainda estamos nos Estados Unidos. Temos voz. Podemos falar livremente. Ninguém pode nos impedir". (Uma queixa um tanto estranha em nome de um cliente que já tinha escrito um best-seller da prisão.) Ito cedeu. Simpson se levantou e fez um discurso que seria um prato cheio para o noticiário da noite.

"Bom dia, Meritíssimo", disse ele. "Por mais que eu quisesse desfazer algumas percepções equivocadas sobre meu relacionamento com Nicole, estou ciente da disposição incansável deste júri. Confio na integridade dos jurados, pelo jeito muito mais do que a srta. Clark, e sei que reconhecerão — como mostram os autos — que não cometi, não cometeria e não poderia ter cometido esse crime. Tenho quatro filhos

— dois que não vejo há um ano. Eles me perguntam toda semana: 'Pai, quanto tempo falta?'."

A fala foi demais até para Ito, que cortou Simpson bruscamente: "Pois bem".

Simpson concluiu: "Só quero que este julgamento termine".

Ainda que breve, o monólogo revela traços importantes da personalidade de Simpson. Durante o julgamento, suas maiores obsessões eram as "percepções equivocadas" sobre seu relacionamento com Nicole, sobretudo quando se dizia que ele implorava para reatar. Além disso, O.J. atribuiu sua decisão de não testemunhar à "disposição incansável" do júri, quando a verdadeira razão tinha mais a ver com o fato de seus principais advogados o considerarem culpado. Em suma, a declaração foi outro retrato instantâneo do narcisismo de Simpson.

• • •

O dia 26 de setembro de 1995, uma terça-feira, amanheceu friorento e chuvoso. No outono e no inverno do ano anterior, o sul da Califórnia registrou níveis recordes de frio e chuva, seguidos de uma primavera normal e um verão quente e seco. Porém, no dia em que teria início a rodada de argumentos finais, parecia que as estações do ano mudavam mais uma vez. A seleção do júri havia começado 365 dias antes. O julgamento de O.J. Simpson já durava um ano.

Mesmo antes de proferir as primeiras palavras ao júri, Marcia Clark estava exausta, com olheiras arroxeadas e profundas no rosto. Parecia bem mais magra sob a discreta jaqueta bege que usava. As saladas de frango entregues em seu escritório na hora do almoço muitas vezes permaneciam intocadas. O mesmo não se podia dizer de seu isqueiro de prata, no qual estavam gravados os dizeres "VERDADE E JUSTIÇA". Durante todos aqueles meses, Clark viveu à base seus classudos Dunhills — para ela, uma fonte inesgotável de combustível.

Primeiramente, Clark agradeceu ao júri, o que era gesto usual, mas no caso dela, não muito sincero. Desde a promissora conclusão da seleção do júri, muito havia mudado na postura adotada pela acusação. Ao longo do julgamento, Clark não sentiu receptividade no corpo de jurados — nem compaixão pelas vítimas, nem sinal de repulsa pelos assassinatos. No entanto, a promotora ainda não tinha perdido o instinto para avaliar júris, ainda que a iluminação viesse tarde demais. Chegou à conclusão de que os jurados estavam intimidados, mais preocupados com a reação do público ao veredicto que com o veredicto em si. Faziam poucas anotações, não sorriam nem franziam a testa, e faziam de tudo para não trair as próprias percepções, por medo das consequências. Conforme a questão racial tomou conta do julgamento, os promotores perceberam que precisavam, acima de tudo, de um júri corajoso, e pressentiram — com razão, como se veria mais tarde — que não era o caso.

As primeiras palavras de Clark sobre os fatos do caso incluíram um ato falho revelador: "Gostaria de voltar a falar de Mark Fuhrman", ela disse. Na verdade, a promotora não tinha mencionado o policial antes, portanto não estava voltando a falar dele. Mas era o que parecia, tamanho era o êxito da defesa em colocar Fuhrman no centro do caso. Gostando ou não, todos naquele julgamento sempre voltavam a falar de Mark Fuhrman.

"Ao testemunhar neste tribunal que não usou epítetos racistas nos últimos dez anos, estava mentindo?", Clark continuou. "Estava. Ele é racista? É. Ele é o pior que o DPLA tem a oferecer? É. Não gostaríamos todos que uma pessoa assim nunca tivesse sido contratada pelo DPLA? Gostaríamos. Ele deveria ter sido contratado pelo DPLA? Não. Inclusive, não seria melhor que não existissem pessoas como ele no mundo? Seria."

"Sim, Mark Fuhrman é racista e mentiu sobre isso no banco das testemunhas, mas tal constatação não implica que não tenhamos provado, sem margem para dúvida razoável, que o réu é culpado. Seria uma tragédia se, a despeito das provas contundentes que apresentamos aos senhores, jurados e juradas, o réu fosse absolvido por causa das atitudes racistas de um único policial."

Condenar Fuhrman de forma imediata e categórica foi provavelmente a melhor coisa que Clark poderia ter feito diante das circunstâncias, mas também evidenciava até que ponto a questão racial havia paralisado a acusação. Sim, Fuhrman era racista, mas ainda assim Simpson era culpado. A formulação "sim, mas" foi o tema dominante dos argumentos finais da promotoria ao longo das cinco horas seguintes. Sim, a investigação teve suas falhas; sim, os criminalistas cometeram erros; mas todas as provas apontavam unicamente para o réu. Clark tentou conectar todos os complexos elementos probatórios de forma um tanto apressada e dispersa, mas ainda assim fez uma exposição adequada e profissional — e convincente, para um júri disposto a escutá-la.

Em uma parte do arrazoado, Clark inspirou-se nas mudanças que o julgamento tinha acarretado em sua própria vida. Pensava que os jurados poderiam estar se perguntando o que Simpson fazia na estreita passagem atrás do quarto de Kaelin, onde bateu no ar-condicionado e largou a luva. "Os senhores devem estar pensando: 'Por que ele não jogou a luva em uma lixeira no caminho de casa?'", indagou, sugerindo em seguida que isso não seria possível: "Ele não podia. Ele é muito famoso. Se alguém o tivesse visto perto de uma lixeira justo naquela noite, ele seria reconhecido, e haveria uma testemunha". Clark criou essa teoria porque, àquela altura, ela também era reconhecida em todos os lugares, e acreditava que Simpson, que era famoso havia muito mais tempo, tinha levado a própria fama em consideração ao planejar o crime.

• • •

Enfurecida com Darden após a demonstração da luva, Clark tinha decidido que o promotor não apresentaria nenhuma parte dos argumentos finais, que ficariam inteiramente por sua conta. Porém, a raiva de Clark foi arrefecendo, e decidiu que Darden ficaria com a parte sobre violência doméstica. Ito determinou que haveria sessões noturnas durante as declarações finais. Assim, Darden se levantou para se dirigir ao júri pouco depois das 19h.

É verdade que a televisão transmitia o julgamento para o mundo todo, mas aquela primeira sessão noturna mergulhava o tribunal em um estranho clima de intimidade. Afinal, éramos praticamente as únicas pessoas a ocupar aquele edifício enorme, e o caráter único da experiência conferia uma aura distinta à sala de audiência. Chris Darden capturava a atmosfera daquele momento. O promotor estava visivelmente desgastado pelo caso — sobretudo pela forma com que Cochran manipulara a questão racial. Também estava mortificado com a exposição pública de suas deficiências como advogado. Ele recebeu considerável ajuda para preparar os argumentos finais; a maior parte de sua apresentação tinha sido escrita por Scott Gordon, também promotor, e Gavin de Becker, especialista em violência doméstica e perseguição. Assim como Darden merecia a culpa por diversos fracassos naquele tribunal, também merecia o crédito por aquele triunfo.

Darden usou uma metáfora perfeita para o casamento de Simpson: um pavio aceso. Salientou que a defesa tinha argumentado que "só porque" havia problemas conjugais, "isso não quer dizer nada. [...] Bem, não é uma questão de 'só porque'. É uma questão de 'porque'. Porque O.J. batia nela desde antes. Porque a esbofeteava e a jogava para fora de casa aos chutes e socos, agarrando-a pelo pescoço. [...] Porque usou um taco de beisebol para quebrar o para-brisa do carro dela em

1985. Porque arrombou a porta da casa dela em 1993. [...] Porque escreveu uma carta. [...] no dia 6 de junho, ameaçando denunciá-la à Receita. Porque a perseguia insistentemente." Em seguida, Darden listou todos os incidentes de violência doméstica em ordem cronológica, pontuando-os com a frase: "E o pavio foi queimando..." Reproduziu as duas chamadas de emergência de Nicole — aquela em que se ouve o som de bofetadas em 1989, e a dos gritos aterrorizados de "Ele vai me matar!", de quatro anos mais tarde.

Darden encerrou a noite recordando um dos depoimentos mais breves do julgamento, apresentado pelo investigador da promotoria que, depois do crime, abriu o cofre particular que Nicole mantinha em um banco. Não havia muita coisa lá dentro: o testamento, cartas de desculpas enviadas por O.J. após a condenação de 1989 e fotos das lesões no rosto de Nicole após o incidente. Para Darden, Nicole tinha um propósito maior ao guardar aqueles itens daquela maneira. "Ela não guardou aquelas coisas ali à toa", disse Darden baixando a voz. "Estava deixando pistas para identificar quem viria a matá-la. Ela já sabia, desde 1989. Ela sabia. E queria que a verdade fosse descoberta."

• • •

A equipe de defesa se reunia semanalmente em torno de uma grande mesa no conjunto de escritórios de Cochran. Nesses conclaves, Cochran assumia ares de pregador e declamava com fingida solenidade as tarefas de cada advogado. Certo dia, já perto do fim do julgamento, o advogado revelou a Bailey seus planos para a vitória: "Vou congregar os irmãos e as irmãs em torno da mesa santa da absolvição, mas você fica responsável pelo Demônio".

"Demônio" era o apelido da equipe de defesa para a jurada número três, Anise Aschenbach, de 60 anos, uma das duas pessoas brancas que restavam no júri. Equilibrada e segura de si, Aschenbach comentou durante a seleção do júri que certa vez, em outro caso, depois de expor seus argumentos aos onze colegas no júri, conseguiu mudar a opinião de todos eles. Desde o início do julgamento, a defesa temia que Aschenbach se tornasse um empecilho à absolvição. Com o tempo, Cochran e Bailey ficaram com a impressão de que ela admirava o estilo de Bailey no tribunal, o que explicava a estratégia de Cochran. (Na verdade, a defesa não soube interpretar bem os sinais. "Eu não suportava aquele homem asqueroso", ela me confidenciou depois do julgamento, referindo-se a Bailey.)

Ainda assim, a recomendação dada a Bailey ilustrava qual era o papel que Johnnie Cochran acreditava ter no caso. Dos nove jurados negros — "os irmãos e as irmãs" — cuidaria ele, e um dos advogados brancos podia se incumbir do resto. Nos últimos dias do julgamento, Shapiro tentou convencer Simpson a deixá-lo apresentar a segunda parte dos argumentos finais da defesa, mas Cochran e os demais advogados da equipe descartaram a ideia. Shapiro não estava suficientemente a par dos fatos, e acabaria lendo o que Barry Scheck tinha preparado para ele. Simpson também achava que Scheck era o advogado branco mais indicado para a tarefa. (Bailey tinha desempenhado um papel pequeno demais para ser sequer considerado.)

Na quarta-feira, 27 de setembro, Cochran começou sua exposição de forma bem convencional. Atacou a cronologia apresentada pela promotoria, sobretudo a teoria de que Simpson teria assassinado as vítimas às 22h15. Discorreu longamente sobre a demonstração da luva e usou um bordão sugerido por Gerry Uelman: "Se a luva não coube, culpa não houve". Cochran continuou a ignorar e minimizar a questão da violência doméstica: "Ele não é perfeito. Ele não se orgulha de tudo o que fez", disse o advogado. "Mas isso não significa que seja um assassino." Cochran teve até um momento pateta, quando colocou um gorro preto na cabeça para sugerir quão ridículo seria alguém famoso como O.J. Simpson usando um disfarce. "Quando coloco esse gorro, os senhores sabem quem sou eu?", perguntou Cochran. "Continuo sendo Johnnie Cochran, mas com um gorro na cabeça." (Na verdade, usar um gorro à noite pode ser um disfarce eficaz — é inclusive um dos preferidos dos SEALS, soldados de elite da Marinha americana, que haviam sido tutores de Simpson no set de filmagem de *Frogmen*, pouco antes do crime.)

Cochran, no entanto, só estava aquecendo antes de expor seu argumento central sobre o DPLA: "Se não pode confiar nos mensageiros, cuidado com as mensagens: Vannatter, o homem que transportou o sangue; Fuhrman, o homem que encontrou a luva". Cochran percebeu que o papel de Fuhrman no caso foi bem pequeno, então decidiu jogar Vannatter na fogueira junto com o policial. Cochran chegou a elaborar um cartaz para apresentar ao júri, com o título: "As grandes mentiras de Vannatter", e chamou os dois policiais de "dupla mentirosa", depois "demônios mentirosos", e finalmente "dupla *diabólica* de mentirosos". Obviamente, eram alegações terrivelmente injustas contra Vannatter, cujos erros provinham mais da preguiça que da falta de caráter.

Era, no frigir dos ovos, uma conclusão bem ao estilo Johnnie Cochran, requentada de outras ocasiões. O advogado afirmou que o processo dizia respeito à polícia, não a seu cliente. A única diferença neste caso eram as implicações, muito mais graves. "O veredicto vai muito além das portas deste tribunal", disse Cochran. "Não quero pressioná-los, apenas dizer o que realmente se passa lá fora." Quanta gentileza a de Cochran, ao alertar os jurados como poderia ser a vida deles caso decidissem votar pela condenação do réu.

Então o que o júri deveria fazer? "Acabem com essa farsa. Acabem com essa farsa. Se os senhores não o fizerem, quem fará? Acham que será o departamento de polícia? Acham que será a promotoria? Acham que podemos nós mesmos acabar com essa farsa? Quem tem que dar um basta nela são os senhores. [...] Quem, então, policia a polícia? São os *senhores*. A polícia é policiada através do veredicto dos senhores. São os senhores que mandam o recado." Em diversas ocasiões, Cochran se referiu a Fuhrman como "racista genocida", de modo que restava uma única e inevitável comparação a fazer. "Em um passado não muito distante, havia outro homem no mundo que compartilhava dessas mesmas visões. [...] Esse homem, esse flagelo, tornou-se um dos piores indivíduos na história da humanidade, Adolf Hitler, porque as pessoas não se importaram ou não tentaram impedi-lo. Ele tinha o poder que precisava para disseminar o racismo e o antissemitismo. Ninguém queria detê-lo, e assim acabamos na Segunda Guerra Mundial." Depois de uma breve pausa, Cochran suspirou e murmurou com desgosto: "A conduta desse homem" — e não era claro a quem se referia, se a Hitler ou a Fuhrman.

Em seguida, Scheck tomou a palavra e fez um rápido apanhado das questões periciais do processo, por vezes de forma excessivamente técnica: "O sistema de tipagem EAP analisa os antígenos fora dos glóbulos vermelhos". Mas deixou clara a posição da defesa sobre a polícia, que teria sido ao mesmo tempo astuta o suficiente para plantar o sangue nas meias da Rockingham e no portão dos fundos da Bundy Dr., e inepta ao contaminar o sangue no quintal da Bundy. Para encerrar, amarrando tudo, o advogado citou Henry Lee: "Nas palavras do dr. Lee, 'há algo errado. Há algo de muito errado com as provas deste caso'".

Naquela noite, a última do caso, os promotores se reuniram no 18º andar a fim de traçar uma estratégia para refutar a defesa. Atormentada havia anos por problemas dentários, Clark estava sentindo uma dor excruciante. Marcou uma consulta de emergência às 18h30 e descobriu que tinha um abscesso dentário. Tomou uma anestesia geral, passou por uma cirurgia, voltou ao tribunal por volta das 22h, onde ficou até pouco antes das 4h do dia seguinte, 29 de setembro.

Cinco horas depois, os promotores se pronunciaram pela última vez. Exausta e sem forças, Clark tomou a imprudente decisão de contestar cada uma das afirmações de Scheck. Foi interrompida por mais de quarenta objeções. Ito rejeitou a maioria delas, mas a defesa conseguiu acabar com o ritmo da fala de Clark. Dessa vez, a promotora não teve energia suficiente nem para reagir.

O que ocorreu depois foi um sinal do que estava por vir. Bill Hodgman havia passado boa parte do mês anterior formulando um gráfico intitulado "Provas incontestáveis", que resumia todas as provas que não tinham relação com os exames de DNA nem com Fuhrman. O diagrama tinha formato de pirâmide, e Clark o reservara para sua conclusão. Era impressionante, e mencionava coisas como a compra das luvas por Nicole, o momento em que Park tocou a campainha da casa de Simpson e ninguém atendeu, o sangue à esquerda das pegadas, e o corte na mão esquerda de Simpson. Dada a complexidade do gráfico, Clark não conseguiu abordar todos os tópicos contidos nele, por isso fez a seguinte sugestão aos jurados:

"Se quiserem fazer alguma anotação, posso deixar [o gráfico] aqui por mais um tempinho."

Os jurados não escreveram nada.

• • •

Quando eu saí da sala de audiência, no dia 29 de setembro, e parei diante do bufê no refeitório do Fórum Central, só pensava uma coisa: louvado seja — o último almoço (pelo menos antes das deliberações). A aparência abatida de Clark refletia o estado de espírito de todos os envolvidos no julgamento. Pedi um burrito de frango pela enésima vez e me arrastei até uma mesa onde estava Sally Ann Stewart, repórter do *USA Today*. O refeitório estava atipicamente deserto para o horário. Aproveitamos a tranquilidade para trocar impressões sobre o fim do julgamento e o retorno a nossas vidas normais.

Porém, fomos logo surpreendidos pela chegada de Johnnie Cochran, Barry Scheck, Carl Douglas e Larry Schiller. Sentaram-se em uma mesa no centro do refeitório, e seis guarda-costas do Fruto do Islã [FOI, unidade militar da Nação do Islã, grupo islâmico afro-americano fundado em 1930] — usando as clássicas gravatas-borboleta — puseram-se ao redor dela, de costas para os advogados de defesa e com os olhos treinados observando atentamente o ambiente para detectar qualquer movimento em falso. A primeira aparição dos guardas ocorreu no início da última semana do julgamento, e contribuiu para acentuar ainda mais o clima de desconforto que se instalara no tribunal. Na realidade, Cochram fazia mais o perfil pão-duro que *provocateur*. Ele tinha de fato recebido ameaças, mas o que mais chamou sua atenção sobre os guarda-costas do Fruto do Islã foi que ofereceram seus serviços sem cobrar nada. Pelo visto, as fitas de Fuhrman e os discursos inflamados por todo o país não bastavam: o advogado trouxe ainda, para dentro do fórum, os maiores símbolos do patriotismo negro de Louis Farrakhan, líder da Nação do Islã. Naquele almoço, no entanto, a presença das sentinelas mal-encaradas não deixava de ser cômica, pois as únicas pessoas no perímetro eram dois repórteres e Rose, a moça do caixa.

Então, minutos depois, Robert Shapiro adentrou o refeitório. Houve um tempo em que era talvez o advogado mais famoso dos Estados Unidos, mas, naquela última sexta-feira de julgamento, já não restava nada de sua antiga eloquência e visibilidade. Embora os demais advogados da defesa andassem juntos, Shapiro chegava e saía sozinho. Depois de acertar a conta com Rose, lançou um olhar demorado na direção dos companheiros de equipe e suas sentinelas, mas resolveu se sentar sozinho em uma pequena mesa próxima à nossa.

Eu e Sally, com um pouco de pena— e sempre ávidos de informações privilegiadas —, perguntamos se não gostaria de se sentar conosco. Shapiro pegou a bandeja e se juntou a nossos devaneios sobre os rumos que a vida tomaria após o caso Simpson. Seu maior desejo, disse, era tirar um mês de férias e se matricular no centro de treinamento de boxe Oscar De La Hoya, em Big Bear Lake, Califórnia. Aos 53 anos de idade, Shapiro praticava boxe amador. Era um lutador habilidoso, levava o esporte a sério, e disse que não via a hora de dar uns socos em um saco de pancadas. Como sempre acontecia com Shapiro, porém, o assunto logo descambou para seu ressentimento em relação aos colegas da defesa. Disse que ficou estarrecido quando Cochran aceitou os serviços do FOI e que os argumentos finais do advogado, no dia anterior, tinham deixado a desejar. "Só ficou falando de racismo, racismo, racismo... E por que os jornais não mostram isso? Só ouço elogios sobre a exposição dele. Não se fala outra coisa! Por quê?", questionou Shapiro. A bem da verdade, alguns jornalistas criticaram o apelo de Cochran pela absolvição com base em solidariedade racial, mas Shapiro estava tão amargurado que só tinha olhos para os comentários elogiosos sobre o colega.

Naquela mesma sexta-feira, Marcia Clark saiu para tomar algo com a família Goldman depois da contradita final da promotoria. Em seguida, decidiu passar um tempo fora de Los Angeles. Levou os dois filhos para a costa de Santa Barbara, onde ficou hospedada na casa da amiga Lynn Reed Baragona. Chegando lá, Clark finalmente conseguiu dormir em paz, brincar com os filhos e, pela primeira vez em mais de um ano, fazer palavras cruzadas. No domingo, Clark e Baragona foram passear no shopping. Em meio às lojas de grife naquele elegante cenário litorâneo, Clark começou a se dar conta do quanto tinha ficado famosa: enquanto fazia compras, era surpreendida por aplausos espontâneos de outros fregueses.

Já no fim do dia, Clark e a amiga andavam por um longo corredor, quando duas mulheres negras vieram na direção delas. Parecia que eram as únicas clientes negras do local, e reconheceram imediatamente a promotora do caso Simpson. Quando se cruzaram, uma das mulheres inclinou o corpo para frente e disse uma única palavra, alto o suficiente para que Marcia Clark ouvisse:

"Inocente."

• • •

Os jurados elegeram o chefe do júri na tarde de sexta-feira, 29 de setembro, logo depois dos argumentos finais de Clark, os últimos do julgamento. A função coube à jurada número um, Armanda Cooley, negra, de 51 anos, que trabalhava como assistente administrativa para a prefeitura de Los Angeles. Sensata e simpática, Cooley manteve distância da maioria dos atritos entre os jurados durante o julgamento. Ambos os lados já imaginavam que ela seria a escolhida. No entanto, Ito não permitiu que o júri começasse as deliberações sobre as provas no mesmo dia. Eleita a jurada chefe, o juiz mandou todos os jurados de volta ao hotel; as deliberações teriam início na segunda de manhã.

Pouco antes dos argumentos finais, os auxiliares de xerife que supervisionavam os jurados no hotel InterContinental disseram aos seus protegidos que se preparassem para o fim do isolamento. Depois de oito meses morando no hotel, os jurados tinham acumulado muitos objetos pessoais em seus quartos. Os auxiliares avisaram que até o início das deliberações todos os pertences deveriam caber no máximo em duas malas.

No último fim de semana, os auxiliares deram mais um aviso aos jurados. A partir de segunda-feira, os jurados teriam que guardar os pertences restantes e levá-los ao tribunal a cada dia de deliberação. Era uma imposição pesada, e não fazia sentido, já que Ito tinha decidido que quando os jurados chegassem ao veredicto, o anúncio só seria feito no dia seguinte. Embora abatidos depois de tantos meses de confinamento, os jurados não protestaram. Aceitaram acordar todos os dias de madrugada, fazer as malas e correr para chegar ao tribunal no horário de sempre, 7h45, até que tivessem o veredicto. Entretanto, aquela regra rígida e despropositada anunciada pelos auxiliares servia no mínimo como uma sugestão subliminar para que os jurados fossem rápidos na decisão.

Na segunda-feira, 2 de outubro, às 9h16, os doze membros do júri se acomodaram nas cadeiras da sala de deliberação, no lado oposto do corredor que dava para os fundos da sala de audiência de Ito. Vinte e cinco minutos depois, a escrivã de Ito, Deirdre Robertson, entrou na sala empurrando um carrinho repleto de documentos do processo organizados em fichários pretos. Robertson fechou a porta e disse aos jurados que podiam começar a discutir o caso.

Armanda Cooley, a chefe dos jurados, pediu conselho aos colegas sobre como proceder. Ela nunca tinha servido como jurada antes. Sugeriram uma pesquisa informal de opinião, mas Cooley lembrou que um manual que lhe haviam entregado dava a entender que os jurados não deviam votar levantando as mãos. Depois de um breve debate, os jurados acordaram que Cooley conduziria uma votação secreta, só para ter uma ideia do que todos estavam pensando.

"É só escrever 'culpado' ou 'inocente' no papel e colocar na tigela", disse ela. Instantes depois, a tigela de vidro — que nos meses anteriores os escrivães mantiveram abastecida de doces — foi passando de um a um ao redor da mesa. Quando a tigela voltou para as mãos de Cooley, sua amiga Carrie Bess — também negra, solteira, mãe de filhos adultos e funcionária pública — se ofereceu para tabelar as respostas em um quadro negro. Cooley dizia os votos e Bess ia anotando:

Dez a favor da absolvição, dois pela condenação.

Manifestando-se pela primeira vez sobre os fatos do caso, Anis Aschenbach (o "demônio" branco da defesa) anunciou que tinha algo a dizer. Algo que tinha passado o fim de semana inteiro ruminando. Aschenbach ficou tão irritada durante os argumentos finais de Cochran que quase se levantou e mandou o advogado calar a boca. "Fiquei muito indignada com o que ele falou", disse aos colegas jurados. "Ele quer que a gente mande um recado ao DPLA. Será que ele acha que somos uns idiotas para mandar recado em vez de tomar uma decisão com base em tudo que ouvimos? Espero não ter sido a única ofendida com a fala dele."

Os demais jurados responderam aos comentários com um silêncio sepulcral.

Armanda Cooley decidiu distribuir os fichários com a documentação probatória. Os jurados começaram a folheá-los e a fazer comentários sobre as provas. Era mais uma série de observações aleatórias do que propriamente uma conversa.

Por que não havia mais sangue ao redor da luva que Fuhrman dizia ter encontrado na Rockingham?

Goldman tinha escoriações nas articulações dos dedos. Se eram resultantes de uma luta com o assassino, por que O.J. não tinha nenhuma contusão no corpo? (A promotoria argumentou que Goldman havia machucado as mãos ao se debater contra a cerca atrás dele.) Os jurados sabiam que Dave Aldana, o jurado latino que ocupava a cadeira número quatro, era especialista em artes marciais. Ele se levantou e demonstrou como se defender usando tae kwon do. Na opinião dele, Goldman tinha dado trabalho ao assassino.

Se a luva saiu da mão de Simpson durante a luta, por que não estava virada do avesso?

Aschenbach revelou aos demais que um dos dois votos pela condenação era dela. (A outra pessoa nunca se pronunciou.) Ao ouvir aquilo, Sheila Woods lançou um olhar fulminante na direção de Aschenbach. Woods era a última sobrevivente da panelinha de Jeanette Harris. Desde o afastamento de Harris, Woods teve pouco contato com os demais jurados. Ela interpelou Aschenbach: "Por que a polícia tratou ele como suspeito desde o início? Eles insultaram a gente com aqueles depoimentos. Eles perseguiram aquele homem".

Alguém mencionou a demonstração da luva. Para Brenda Moran, Gina Rosborough e Lon Cryer, ela não cabia na mão de Simpson.

Houve apenas uma menção aos exames de DNA. Dave Aldana e Sheila Woods achavam estranho que o único DNA encontrado na Bundy Dr. fosse o do portão dos fundos. Era um dado muito importante na opinião deles. (Obviamente, era uma noção inteiramente equivocada. Embora o peso molecular do DNA no portão dos fundos fosse maior que o das outras amostras, vários outros exames aplicados ao sangue na cena do crime o ligavam a Simpson.)

Após cerca de uma hora de discussão, o assunto mudou para o depoimento de Allan Park, o motorista da limusine. Carrie Bess observou que Park não sabia ao certo quantos carros estavam estacionados em frente à garagem de Simpson. Alguns jurados divergiam sobre se Park tinha visto um homem negro na porta da casa ou cruzando a entrada da garagem. Outros estavam confusos em relação aos horários dos acontecimentos descritos por Park. O grupo decidiu, por consenso, dar mais uma olhada no testemunho de Park.

Pouco antes do meio-dia, Cooley enviou um recado solicitando o testemunho de Park. Ela supunha que o juiz se limitaria a enviar ao júri uma transcrição, mas Ito mandou avisar que o testemunho seria lido no tribunal a partir das 13h. Com isso, os jurados fizeram uma pausa para almoçar.

• • •

Como ex-promotor, sempre odiei a leitura de depoimentos. Mesmo em meus próprios casos, era difícil ficar acordado enquanto os escreventes se ocupavam das recitações monótonas. Aquele dia não foi diferente. Sentei-me no lugar de sempre e tentei ficar atento ao que era dito. Desde quando ouvi o depoimento de Park pela primeira vez, fiquei com a impressão de que ele era a testemunha mais forte da promotoria. O motorista deixou muito claro que o Ford Bronco não estava na Rockingham quando chegou para buscar Simpson. A ausência do carro, a meu ver, condenava O.J. Além disso, Park tinha certeza quase absoluta de que o Ford Bronco estava estacionado na rua quando partiu para o aeroporto — um fato ainda mais incriminador.

No entanto, quando Ito fez uma pausa, depois de 75 minutos de leitura, para dar um descanso à voz do escrevente, eu sabia que tinha que aproveitar a deixa para dar o fora. Com certeza ainda haveria muita leitura pela frente, e eu não queria passar vergonha ao cochilar no tribunal.

Aproveitei para dar uma volta no 18º andar e fazer uma visita a Scott Gordon, o simpático ex-policial de Santa Monica e principal especialista em violência doméstica da promotoria. Conversávamos por uns dez minutos quando o telefone tocou. Ouvi apenas o seu lado da conversa: "Tá de sacanagem, né? Para de sacanagem. [...] Tá de sacanagem, só pode. [...] Sério? [...] *Sério?*", e desligou.

"Parece que o veredicto saiu", ele disse.

• • •

De volta à sala do júri, Cooley tinha aproveitado a pausa para perguntar aos colegas se as dúvidas sobre o depoimento de Park já tinham sido sanadas. Todos disseram que sim. De uma hora para a outra, ninguém tinha mais nada a dizer. Em vez de voltar para a sala de audiência e ouvir o restante do testemunho, ela solicitou a Ito os formulários do veredicto. Antes de recebê-los, Cooley realizou outra votação secreta, dessa vez com resultado unânime. Só para garantir, a jurada chefe pediu que cada jurado repetisse o veredicto, e todos disseram: "Absolvido". Cooley preencheu os formulários e tocou três vezes a campainha que soava no tribunal — o sinal de que os jurados já tinham o veredicto.

Era pouco antes das 15h. Os jurados levaram cerca de duas horas para discutir os méritos do processo contra O.J. Simpson — menos tempo do que a maioria dos americanos que acompanhavam o caso.

• • •

Cochran estava dando um discurso em São Francisco. Bailey estava participando de uma convenção de distribuidores de lanches em Laguna Beach. Clark estava no escritório. Embora Simpson fosse representado por onze advogados, apenas Carl Douglas estava a seu lado quando Armanda Cooley entregou ao juiz Ito o envelope com os formulários do veredicto preenchidos.

"Anunciaremos o veredicto dos jurados amanhã de manhã às 10h", disse Ito. "Até amanhã, às 10h."

Ninguém — da acusação, da defesa ou da mídia — previa um veredicto tão rápido. Todos no prédio pareciam zonzos. Depois de tantos meses de debate sobre provas, estratégias, decisões e rumores, só restava uma pergunta: qual foi a decisão dos jurados?

Passei a maior parte do julgamento achando que o júri ou votaria pela absolvição ou não chegaria a um consenso, mas a leitura do testemunho de Park me deixou confuso. Se o depoimento do motorista era só o que os jurados precisavam ouvir, pensei, então eles tinham decidido pela condenação.

Os jurados voltaram ao InterContinental para a 266ª e última noite no hotel, onde foram recebidos com champanhe na suíte presidencial do 19º andar e surpreendidos com um farto churrasco em lugar da janta de sempre. Todos beberam um pouquinho, o que deixou as línguas mais soltas. Reyko Butler, um dos dois suplentes, não resistiu e perguntou a um dos jurados qual tinha sido a decisão. O homem também não se conteve e respondeu "I", de inocente.

Os auxiliares de xerife também estavam curiosos, e, ao perguntarem, receberam a mesma resposta.

Enquanto isso, na cadeia do distrito, os advogados da defesa se reuniram com Simpson pela última vez. Cochran chegou tarde demais para o encontro, mas Bailey, Kardashian e Skip Taft sentaram-se do outro lado da janela de vidro para uma última conversa. Simpson estava de bom humor. "Os guardas aqui estão todos pedindo meu autógrafo", disse o réu aos advogados. "Eles ouviram dos camaradas que estão lá com os jurados que essa é a última chance que eles vão ter para pegar."

Foi o último vazamento de informações no caso — dos auxiliares de xerife que vigiavam os jurados para seus colegas que vigiavam Simpson: O.J. sairia livre.

• • •

Na manhã de terça-feira, 3 de outubro, o fórum mais parecia um parque de diversões assombrado. Ao longo do julgamento, o DPLA tratou de isolar cada vez mais o edifício. Primeiro, para evitar carros-bomba, os policiais proibiram carros de estacionar nas ruas adjacentes. Depois, impediram que circulassem na faixa principal da Temple Street, bem em frente ao edifício. Por fim, no último dia do julgamento, a polícia interrompeu todo o tráfego nas imediações do tribunal. Multidões perambulavam pelas ruas vazias. À exceção do julgamento, parecia que todo o movimento no Centro de Los Angeles tinha cessado bruscamente.

Faltando meia hora para as 10h, mais de cem pessoas lotavam o corredor do lado de fora da sala de audiência. Representantes de diferentes programas de auditório praticamente acampavam no corredor havia semanas. Naquele dia em especial, até alguns dos apresentadores estavam presentes. A NBC tinha quarenta equipes de filmagem a postos para registrar as reações ao veredicto. Já a ABC deixou quatro produtores a cargo de cada jurado.

Às 9h49, Darden entrou sozinho na sala de audiência. Três minutos depois, chegou Clark com uma comitiva de quatro guarda-costas da polícia. Às 9h55, Johnnie Cochran e as irmãs de Simpson chegaram escoltados pelos guarda-costas da Nação do Islã, completando o elenco no tribunal.

Faltando um minuto para as 10h, os auxiliares de xerife escoltaram Simpson da cela ao tribunal. O.J. acenou para a família como vinha fazendo todos os dias.

Talvez pela primeira vez em todo o julgamento, Ito começou a sessão precisamente no horário.

"Senhores advogados, há mais alguma coisa que precise ser esclarecida antes de convocarmos os jurados?", o juiz perguntou.

Pela primeira vez, a resposta foi não.

Os jurados ocuparam seus respectivos lugares, inexpressivos como sempre, mirando o nada. Nenhum deles olhou na direção de Simpson.

Ito pediu a Deirdre Robertson que entregasse o envelope com os formulários do veredicto para um dos auxiliares de xerife, que os levou até Armanda Cooley. "Senhora chefe dos jurados", disse Ito, "pode por gentileza abrir o envelope e verificar se os formulários de veredicto estão corretos?"

Cooley fez conforme solicitado.

"São os mesmos formulários que a senhora assinou, e estão todos em ordem?"

"Sim, está tudo ok."

Ito advertiu os presentes: "Se houver qualquer interrupção durante a leitura dos veredictos, os oficiais de justiça deverão retirar os responsáveis do recinto".

O juiz fez uma pausa e depois instruiu: "Sr. Simpson, peço que se levante e fique de frente para o júri". De maneira espontânea, Cochran e os demais advogados da equipe de defesa se levantaram também. "Sra. Robertson..?" Ito deu a deixa.

A escrivã hesitou um pouco ao ler o título do processo, mas se recompôs quando chegou ao veredicto.

"Nós, o júri instituído no processo acima intitulado, absolvemos o réu, Orenthal James Simpson, do crime de homicídio em violação à seção 187A do Código Penal, cometido contra Nicole Brown Simpson, um ser humano, conforme a acusação apresentada."

Ao ouvir "absolvemos", Simpson suspirou fundo e sorriu com o canto da boca. Parecia a ponto de chorar, mas segurou as lágrimas. Cochran estava atrás dele, de frente para o júri, e, ao ouvir as mesmas palavras, ergueu o punho rapidamente, colocou as mãos no ombro de Simpson e, em um inesperado gesto de intimidade, pousou a bochecha na parte de trás dos ombro de O.J. Robert Shapiro parecia abalado, desolado. Naquele momento, ficava mais claro do que nunca o quanto tinha se afastado de seus colegas e de seu cliente.

Em seguida, Robertson passou à leitura da segunda sentença, relativa ao assassinato de Ronald Lyle Goldman. Ao ouvir "absolvemos" pela segunda vez, Kim Goldman soltou um gemido trêmulo. Ela passou as mãos pelos cabelos e buscou consolo no ombro do pai.

Eu estava sentado bem atrás de Kim, na segunda fila. Petrificado, olhei para Simpson e só consegui pensar em uma coisa: ele vai para a casa. Depois da absolvição, não há burocracia. Saem as algemas, e o réu está livre.

Enquanto Robertson concluía as formalidades e Ito confirmava o veredicto com os integrantes do júri, o burburinho no tribunal foi aumentando de volume. Todas as famílias envolvidas estavam chorando — de alegria, de tristeza, e por estarem livres de toda aquela tensão.

"Tendo sido absolvido das duas acusações", declarou Ito sem a menor alteração na voz, "ordeno que [...] o réu seja posto imediatamente em liberdade. Pois bem. Declaro suspendida a sessão."

Os jurados deixaram a sala de audiência em silêncio, como de costume. O jurado número seis, Lon Cryer, foi o que mais demorou a chegar à porta, caminhando de cabeça baixa a maior parte do percurso. De repente, ele se voltou para a mesa da defesa e ergueu o punho em uma saudação *black power*, deixando o tribunal logo em seguida.

• • •

De volta à sala de deliberação, a maioria dos jurados caiu em lágrimas. Abraçaram-se e choraram, buscando apoio uns nos outros. Depois de alguns minutos, dois guardas chegaram para escoltá-los até o salão do 11º andar, para onde eram mandados com frequência durante o julgamento. Ao chegarem, a maioria das lágrimas já tinha cessado. Os jurados sentaram-se nos sofás e poltronas em silêncio, ainda sob o efeito da comoção. Por fim, Carrie Bess declarou, como se pensasse em voz alta:

"Precisamos proteger os nossos."

"AGORA JÁ POSSO DIZER A VERDADE"

O empresário do ramo literário Larry Schiller já estava com tudo pronto para faturar com a absolvição de O.J. Simpson. Menos de uma hora depois do veredicto, uma van branca levou Simpson do tribunal, no centro da cidade, até a casa em que morava, em Brentwood. Ele estava acompanhado de Robert Kardashian, Schiller e sua câmera.

Schiller e a namorada, Kathy Amermann, tinham anos de experiência como fotógrafos. Por isso, ele sabia que as fotos exclusivas da festa de comemoração valeriam uma nota. Nas semanas anteriores ao veredicto, vendeu os direitos de publicação das fotos por mais de 400 mil dólares para a revista de fofoca *Star*. (Simpson e Schiller racharam os lucros. As fotos traziam as marcas de direitos autorais das empresas de ambos: Orenthal Productions e Polaris Communications.)

O veredicto foi anunciado em uma terça-feira, que era o dia de fechamento da publicação semanal, mas o engenhoso Schiller elaborou um plano de contingência para que as imagens fossem publicadas ainda naquela edição. Enquanto o júri deliberava, Schiller já havia transformado a garagem da casa de Simpson em um laboratório de fotografia e o quarto da empregada em uma central de transmissão de dados via satélite. Durante toda a noite que se seguiu ao veredicto, quando os amigos e familiares se reuniram para comemorar a liberdade de

Simpson, Schiller e Amermann tiraram dezenas de fotos, que corriam para revelar na garagem e, dos antigos aposentos de Gigi Guarin, as enviavam para a revista *Star*. Na manhã seguinte, Schiller despachou para a Alemanha, por avião, um CD-ROM repleto de fotos da festa. Por uma soma adicional, Schiller e Simpson também venderam as fotos para a *Stern*, revista semanal de notícias.

A noite de comemoração na Rockingham foi até tranquila. O pequeno grupo que ficou ao lado de Simpson durante o longo julgamento foi cumprimentá-lo. A família estava lá, é claro, representada pela mãe, as duas irmãs e os filhos mais velhos, Jason e Arnelle. A.C. Cowlings e Skip Taft, o gerente de negócios de Simpson, também estavam presentes. Os desfalques é que chamaram mais atenção: companheiros de golfe, amigos de Nicole, dezenas de amigos que frequentavam a festa anual de Simpson no feriado de Quatro de Julho. Todos eles tinham escolhido o outro lado no julgamento. Os que compareceram se reuniram ao redor de um piano e ficaram cantando hinos. Na maior parte do tempo, Simpson ficou no quarto, recebendo pequenos grupos de convidados. No entanto, houve uma pessoa que não desgrudou de Simpson durante toda a noite: Peter Burt, repórter da *Star*, cuja presença estava prevista no contrato de Schiller.

Depois da festa, foi a vez de Schiller seguir Simpson por todos os lados. Com a câmera sempre pronta, Schiller documentou a vida de O.J. nos dias que se seguiram, para depois leiloar as fotos. No dia 6 de outubro, três dias após o veredicto, o agente literário de Schiller, Ike Williams, enviou um fax para várias editoras oferecendo a continuação do *I Want to Tell You*. Segundo Williams, a próxima obra seria intitulada *Now I Can Tell You* [Agora já posso dizer a verdade], e seria "o relato pessoal de Simpson sobre o julgamento, da prisão ao veredicto que o absolveu e o reencontro com a família". Como o primeiro livro, este seria "organizado e editado por Larry Schiller", mas com uma vantagem: no pacote, Schiller e Simpson ofereceriam também as fotos "originais e exclusivas" do encontro de Simpson com os filhos, Sydney e Justin, no dia 4 de outubro.

Contudo, tais empreendimentos literários nem se comparavam à menina dos olhos da equipe financeira de Simpson depois do veredicto. Durante o verão de 1995, Skip Taft e Larry King acertaram os detalhes de um programa especial em *pay-per-view* que seria exibido após a decisão do júri. No especial, que teria duas horas, King entrevistaria Simpson ao vivo, e os telespectadores poderiam participar por telefone. (A entrevista seria realizada quer Simpson fosse absolvido ou condenado, mas não se o julgamento terminasse sem um consenso do júri.) A empresa Turner Broadcasting, controladora da CNN, compraria os direitos de Simpson por 25 milhões de dólares. Em vez de receber cachê pela entrevista, King doaria cerca de 1 milhão para sua instituição de caridade favorita, a Cardiac Foundation, que auxilia pacientes no tratamento de doenças cardíacas. Simpson receberia pessoalmente cerca de 4 milhões. Segundo os planos de King e Taft, os lucros (que líquidos somavam mais de 15 milhões de dólares) seriam revertidos à criação do "O.J. Simpson Boys Clubs", uma rede de escolinhas com filiais em várias cidades dos Estados Unidos voltada à inclusão social e à promoção de atividades esportivas entre meninos em idade escolar.

• • •

As fotos da festa de comemoração foram publicadas nas revistas *Star* e *Stern*, conforme o previsto, mas as outras negociações não vingaram. O livro de Simpson não teve continuação. Assim que vazou a notícia do especial com Larry King, os executivos da Turner Broadcasting anunciaram que o projeto não se realizaria. Os planos de Simpson de aparecer em *pay-per-view* caíram por terra quando operadoras de televisão a cabo em todo o país se recusaram a veicular um programa que aumentasse a fama e a fortuna do ex-réu. A ideia tragicômica de criar uma entidade educativa em seu nome também nunca se concretizou.

Todos esses projetos foram minados pela forte repercussão negativa da decisão do júri na opinião pública da maioria branca. O país inteiro assistiu ao anúncio do veredicto de Simpson pela televisão — uma comoção comparável àquela gerada, por incrível que pareça, pelo assassinato de John F. Kennedy. Nos dias que se seguiram ao término do julgamento, as cenas do veredicto foram dando lugar às imagens das pessoas que acompanhavam o anúncio final. Muitas cenas mostravam afro-americanos comemorando o resultado em diversos lugares, de *campi* universitários a abrigos para mulheres vítimas de violência doméstica. Por outro lado, vários espectadores brancos ouviram a decisão calados, em estado de choque. As reações foram rapidamente substituídas por opiniões sobre as reações, seguidas de comentários sobre as opiniões, e assim por diante. Como definiu Henry Louis Gates Jr.: "Os negros ficaram indignados com os brancos por ficarem com raiva dos negros por comemorem a absolvição de Simpson".

Em vez de curar as feridas do racismo, os meses seguintes só fizeram aumentar a cicatriz.

Ponderar o "significado" do caso Simpson virou lugar-comum, e é assim até hoje. No entanto, para avaliar o legado do caso, é muito importante, até necessário, entender os acontecimentos por trás dele — ou seja, o que realmente aconteceu no quintal da casa de Nicole Brown Simpson na noite de 12 de junho de 1994. O caso Simpson nunca foi um apanhado de ideias soltas, passíveis das mais diversas e igualmente válidas interpretações. Era resultado, isso sim, de um conjunto de fatos, e esses fatos faziam diferença.

Quanto à questão central do caso, acredito que Simpson tenha matado a ex-mulher e o amigo dela, Ron Goldman, na noite de 12 de junho. É o que se conclui a partir de uma análise fria dos fatos e das provas, quer consideremos também as provas não apresentadas ao júri — como os resultados do teste do polígrafo a que Simpson foi submetido e sua fuga com Al Cowlings no dia 17 de junho — ou apenas aquelas acolhidas pelo juiz. Mesmo com todos os erros da promotoria, as provas contra o réu eram esmagadoras. Simpson tinha um relacionamento violento com a ex-mulher, e a animosidade entre eles só aumentava nas semanas anteriores ao crime. Ele não tinha álibi, e seu carro não estava estacionado em casa no momento do crime. Além disso, apareceu com um corte na mão esquerda no dia seguinte ao do crime, e os exames de DNA confirmaram que era dele o sangue encontrado à esquerda das pegadas deixadas pelo assassino ao abandonar a cena do crime. O sangue de Nicole foi encontrado em uma meia no quarto do acusado, e o sangue de Goldman — bem como o de Simpson — foi encontrado no Ford Bronco. Também havia fios de cabelo compatíveis com o de Simpson no gorro do assassino e na camisa de Goldman. Por fim, as luvas que Nicole comprou para O.J. em 1990 eram com quase toda certeza as mesmas usadas pelo assassino.

Em tese, é até possível que Simpson tenha matado as duas vítimas, mas que a polícia também tenha plantado as provas contra ele — ou seja, que O.J. fosse culpado *e também* tivesse sido vítima de armação. Porém, estou convencido de que isso não aconteceu, nem poderia ter acontecido. Nos argumentos finais, Cochran e Scheck aventaram que a polícia, na tentativa de incriminar Simpson, tinha plantado ao menos os seguintes itens: 1. o sangue de Simpson no portão dos fundos da casa da Bundy Dr.; 2. o sangue de Goldman no Ford Bronco de Simpson; 3. o sangue de Nicole na meia encontrada no quarto de Simpson;

4. o sangue de Simpson na mesma meia; e 5. a famigerada luva encontrada na Rockingham, que reunia, como disse Clark em seu discurso final, "todas as provas do caso: fibras da camisa de Ron Goldman; cabelo de Ron Goldman; cabelo de Nicole; sangue do réu; sangue de Ron Goldman; sangue de Nicole e fibras do Ford Bronco". A defesa nunca explicou exatamente como toda essa nefasta trama teria sido urdida, mas sua execução exigiria satisfazer alguns complicados requisitos. Obviamente, o cerne da tese da defesa era que Fuhrman tinha transportado a luva da cena do crime até a casa do réu sem que ninguém visse. Para isso, o policial teria não apenas que transportar a luva com vestígios da cena do crime, mas ainda conseguir um pouco do sangue de Simpson (a partir de sabe-se lá quais fontes) para colocar na luva, além de esfregar a luva no interior do carro do suspeito, que estava trancado (usando sabe-se lá quais meios) — tudo isso sem saber se O.J. tinha um álibi convincente para a hora do crime. A meu ver, essa possibilidade não é nada plausível, por mais racista que Fuhrman fosse.

Os demais policiais envolvidos na conspiração (que, flagrantemente, nunca foram identificados pela defesa) teriam de ser tão hábeis quanto o detetive e ainda mais determinados. Muitos dos policiais que vistoriaram a cena do crime na Bundy Dr. notaram o sangue no portão dos fundos; alguém teria que ter limpado o sangue que já estava lá e colocado o de Simpson no lugar. O sangue das vítimas foi coletado durante as autópsias, que só foram realizadas no dia 14 de junho, mais de 24 horas depois do crime. Alguém teria que pegar um pouco do sangue de Goldman e colocá-lo dentro do Ford Bronco, que se encontrava sob custódia da polícia. E alguém (a mesma pessoa ou outro envolvido?) teria que pegar um pouco do sangue de Nicole e aplicá-lo sobre a meia, que estava no laboratório da polícia. (Quando se dirigiu a Brentwood com o frasco de sangue, Vannatter tinha em seu poder apenas a amostra de Simpson, não a de Nicole.) Para complicar ainda mais, todos esses ardis teriam de ludibriar a mais implacável vigilância midiática da história do direito americano — tudo para acobertar um assassino desconhecido que, como apenas 9% da população, por um acaso calçava o mesmo número de sapato que O.J. Simpson, 44.

Após o julgamento, os jurados defenderam o veredicto com unhas e dentes, insistindo que a decisão foi baseada no conjunto das provas, e não apenas em solidariedade racial. Brenda Moran e Yolanda Crawford acreditavam que o teste da luva foi o que arruinou a tese da promotoria. "Digamos que o teste não caiu como uma luva", disse Moran. Gina Rosborough afirmou que "acreditava que O.J. era inocente desde o início", e que o julgamento confirmou sua opinião. Sheila Woods criticou o desleixo da DPLA nos procedimentos laboratoriais. Lon Cryer suspeitava de contaminação das provas e desconsiderou o depoimento de Allan Park porque o motorista se enganou quanto ao número de carros estacionados na entrada da garagem. Quanto às razões que o levaram a saudar Simpson erguendo o punho fechado ao final do julgamento, Cryer declarou: "Era como se eu dissesse: 'É isso aí, Simpson. Bola para frente. Vai ficar com seus filhos, vai ser feliz. Vira a página'". As três juradas que escreveram um livro sobre o caso, Armanda Cooley, Carrie Bess e Marsha Rubin-Jackson, atribuíram a decisão a uma combinação de todos esses fatores. Anise Aschenbach, a jurada branca que em princípio votou pela condenação, afirmou com certo pesar que poderia ter insistido mais se tivesse percebido alguma possibilidade de apoio por parte dos demais. Em todo caso, Aschenbach declarou que estava profundamente abalada com o depoimento de Mark Fuhrman e os dados que atestavam seu racismo.

Todos os jurados negros negaram que a questão da cor tivesse tido algum peso nas deliberações ou na decisão final. Na minha opinião, isso é inconcebível. A avaliação superficial de provas e depoimentos acumulados ao longo de nove meses, o foco em partes secundárias e até mesmo irrelevantes desses dados, o entendimento incorreto de outros e o foco constante no tema da discriminação racial, tanto dentro como fora do tribunal — todos esses fatores me levam a concluir que a questão racial teve um peso muito maior no veredicto do que os jurados admitiram. Como deixou escapar Carrie Bess após o veredicto, os jurados estavam protegendo seus semelhantes. Isso não é nada incomum. Os jurados americanos têm uma tradição antiga e ainda corrente de levar questões raciais em consideração em suas decisões, mas negar que isso aconteça. Em Simi Valley, no ano de 1992, os jurados do caso Rodney King — dez brancos, um asiático e um latino — absolveram os policiais do DPLA e negaram que a questão racial tivesse influído no veredicto. O mesmo aconteceu em 1990, quando dez jurados negros e dois brancos absolveram Marion Barry, político negro que cumpriu vários mandatos como prefeito de Washington, de treze das quatorze acusações de posse de drogas levantadas contra ele. Em 1955, os dois homens brancos acusados de assassinar Emmett Till, garoto negro de 14 anos (após este ter supostamente assobiado para uma mulher branca), foram absolvidos por um júri composto apenas por homens brancos do Mississippi, depois de cerca de uma hora de deliberações. Segundo um porta-voz dos jurados, a decisão se pautou pela "convicção de que o cadáver não fora identificado como sendo o de Emmett Till". E esse fenômeno vai além dos casos mais repercutidos. No distrito do Bronx, em Nova York, onde os júris são compostos em mais de 80% por negros e latinos, os réus negros são absolvidos dos crimes de que são acusados em 47,6% das vezes, número cerca de três vezes maior do que o índice nacional de absolvição para réus de todas as raças, que é de 17%. Em todos os casos mencionados, a cor pesou na decisão dos jurados — e no caso Simpson não foi diferente.

Não é de se estranhar que a questão racial desempenhe um papel tão importante na opinião dos jurados afro-americanos. O racismo têm prevalecido ao longo de muitas décadas nos órgãos de segurança pública dos Estados Unidos. Os cidadãos negros e, consequentemente, os jurados negros aguentaram injustiças por muito tempo. A polícia — e o DPLA em particular — está colhendo o que plantou. Mas o rancor legítimo dos negros, que culminou na cultura de hostilidade contra as autoridades, também alimentou certo tipo de teoria conspiratória que foge à realidade. Em 1990, um estudo da Universidade de Emory com mil negros que frequentavam a igreja em cinco grandes cidades dos Estados Unidos revelou que mais de um terço deles acreditava que o HIV era uma estratégia de genocídio propagada por cientistas brancos, crença corroborada por 40% dos estudantes universitários negros de Washington, D.C. Entender a origem dessas crenças é uma coisa; defendê-las é outra. Seria adotar uma atitude meramente paternalista, passar a mão na cabeça dos que são incapazes de aceitar a realidade. O melhor a fazer é tratar a todos da mesma maneira e dizer a verdade: os brancos não forjaram o HIV. E O.J. Simpson não era inocente.

• • •

A reação negativa contra o júri e o próprio O.J. Simpson foi catalisada por Robert Shapiro, que, para variar, colocou seus interesses à frente dos de seu cliente mal saiu o veredicto. Shapiro deixou o fórum no dia 3 de outubro e foi para um estúdio da ABC, onde deu uma entrevista havia muito prometida a Barbara Walters. Durante a conversa, Shapiro, visivelmente amargurado e irritado, falou sobre o trabalho da defesa no caso: "Nós não apenas jogamos a carta do racismo, como a tiramos de dentro da manga". Observou ainda que, daquele momento em diante, não falaria mais com Bailey nem trabalharia com Cochran.

No dia seguinte, o comentário de Shapiro sobre a jogada suja da defesa foi destaque nas notícias sobre o veredicto.

A conduta de Shapiro era vergonhosa em diversos aspectos. Em primeiro lugar, o desprezo pela "carta do racismo" não era legítimo, porque foi o próprio Shapiro quem construiu uma tese centrada em argumentos de teor racista, e foi também o primeiro a defendê-la nos meios de comunicação. Em segundo lugar, a declaração reforçou a opinião pública de que O.J. Simpson foi absolvido pela solidariedade racial dos jurados, não por ser inocente. Com isso, o advogado praticamente enterrou qualquer chance que Simpson poderia ter de retomar uma vida minimamente normal. Na minha opinião, a análise de Shapiro estava mais ou menos correta, mas Simpson tinha o direito de supor que o próprio advogado não retrataria o caso, em essência, como a história de um assassino que escapou impune. Além disso, Shapiro fez pouco caso do trabalho dos colegas Barry Scheck e Peter Neufeld, que haviam construído uma defesa sólida baseada no conjunto de provas, e não na questão racial.

No entanto, Shapiro estava mais preocupado em cair novamente nas graças daquela alta sociedade de West Los Angeles que tanto significava para ele. Após a entrevista com Barbara Walters, ligou para o velho amigo Larry Feldman, advogado que o defendeu no processo por difamação movido por Mark Fuhrman. Shapiro se gabou da declaração que tinha acabado de fazer na entrevista. "Tá brincando", disse Feldman, chocado. "Não, tô falando sério", disse Shapiro, e caiu na gargalhada, cheio de si.

Apesar da fama e, em alguns casos, da fortuna que fizeram com o caso Simpson, a maioria dos principais envolvidos lembra da experiência com certa amargura. O episódio mais bizarro ocorrido após o julgamento diz respeito a F. Lee Bailey. Em 1994, Shapiro e Bailey compartilharam outro cliente além de O.J. Simpson: Claude Duboc, um dos maiores traficantes de maconha do mundo. Em uma transação penal realizada no norte da Flórida um mês antes do crime da Bundy Dr., Duboc comprometeu-se a entregar praticamente todos os bens para o governo dos Estados Unidos. Entre eles, havia ações de uma empresa canadense chamada BioChem Pharma, avaliadas em 6 milhões de dólares na época do acordo. Também naquela época, Duboc acreditava que as ações teriam uma grande valorização no mercado, e por isso ficou acordado com os promotores que Bailey cuidaria delas até sair a sentença.

Dois anos mais tarde, após o veredicto do caso Simpson, o valor das ações de Duboc tinha aumentado em mais de 20 milhões de dólares. Bailey disse aos promotores da Flórida que o valor referente à valorização das ações pertencia a ele, e não ao governo federal. Como o acordo não tinha sido formalizado por escrito, o juiz decidiu convocar uma audiência em fevereiro de 1996 para definir os termos do acordo. A principal testemunha da promotoria era Robert Shapiro, que declarou que, em seu entendimento, o acordo dava o direito sobre a valorização das ações ao governo federal, e não ao advogado. Como Bailey se recusou a entregar os certificados das ações ou o equivalente em dinheiro, o juiz colocou o advogado de 62 anos de idade na cadeia.

Ele passou 44 dias no centro de detenção federal de Tallahassee. Foi solto no dia 19 de abril, depois de empenhar quase todos seus bens como garantia. No entanto, após um mês em apuros financeiros por causa da penhora, Bailey decidiu abrir mão das ações. Toda aquela confusão só serviu para azedar ainda mais o clima entre ele e Shapiro. Bailey saía do sério à menor menção da "traição" de Shapiro. Este, por sua vez, mais controlado, limitava-se a comentar que nunca mais pretendia trocar uma palavra com Bailey. No entanto, confessou a amigos mais próximos, achando graça, que pagou do próprio bolso para ir à Flórida depor contra Bailey.

Barry Scheck e Peter Neufeld voltaram para Nova York logo após o julgamento de Simpson. A fama alcançada com o caso não reverteu em apoio financeiro para a organização Innocence Project, que ajuda a libertar pessoas condenadas injustamente por meio de exames de DNA. Quando mencionaram a ideia de realizar um evento beneficente em Los Angeles, Shapiro resmungou, talvez com certa razão: "Nenhum judeu vai querer dar um centavo para o projeto nesta cidade". Os dois nova-iorquinos também se tornaram "especialistas" em dissecar livros sobre o caso Simpson escritos por membros da equipe de defesa. No início de 1996, os dois reagiram com choque a um esboço do livro de Shapiro, *The Search for Justice* [A busca pela justiça], o qual, em diversos momentos, violava o sigilo entre advogado e cliente, citando conversas privadas com Simpson sem sua autorização. Quando os advogados comunicaram essas inquietações ao autor, Shapiro não mudou o conteúdo do livro, mas colocou Scheck e Neufeld na lista de ex-colegas com quem nunca mais falaria.

Ao contrário dos demais advogados de defesa, Johnnie Cochran fez muito sucesso. Na semana após o veredicto, Cochran participou, na qualidade de porta-voz nacional dos direitos civis, do programa *Meet the Press*, da NBC. Nos meses seguintes, viajou pelo país e pelo mundo dando discursos. No entanto, até Cochran carregou uma mácula devido à sua associação com o caso — e seu cliente. Seu livro, *Journey to Justice* [Jornada pela justiça], foi um fracasso de crítica e vendas, e a vitória no julgamento não se traduziu em maior prosperidade para o seu escritório de advocacia. No começo de 1997, Cochram praticamente abandonou a advocacia para se tornar coapresentador de um programa noturno na Court TV. O canal de TV a cabo recebeu severas críticas por contratá-lo e o programa — assim como a carreira de Cochram — enfrentam um futuro incerto.

Lance Ito conduziu outro processo penal na semana seguinte ao término do caso Simpson. Nunca falou publicamente sobre o veredicto, mas amigos dizem que o juiz tem consciência de que o julgamento de Simpson não foi dos melhores para sua reputação. Seu segundo julgamento mais notável também teve uma conclusão amarga. No dia 4 de abril de 1996, um juiz federal de Los Angeles anulou a decisão do estado pela condenação do financista Charles Keating por considerar que o juiz Ito instruíra o júri de maneira equivocada.

Após o veredicto, Marcia Clark e Christopher Darden pediram licença da Promotoria de Justiça de Los Angeles. Ambos renunciaram mais tarde. Darden escreveu um livro de sucesso sobre o julgamento e em breve começará a lecionar na Escola de Direito da Southwestern University, em Los Angeles. Dará aulas de técnicas de atuação no tribunal. Seu irmão Michael morreu por complicações relacionadas a imunossupressão causadas pela aids em 29 de novembro de 1995.

Os planos profissionais de Clark são incertos. Desde o término do julgamento, a promotora deu uma série de discursos nos Estados Unidos e no Canadá. Também começou a escrever um livro, pelo qual recebeu um adiantamento de mais de 4 milhões de dólares. Acredita-se que o valor seja o terceiro maior adiantamento da história do mercado editorial de livros de não ficção, perdendo apenas para os adiantamentos recebidos do ex-Secretário de Estado Colin Powell e do ex-general H. Norman Schwarzkopf. No dia 12 de novembro de 1995, o pai de Marcia deixou uma mensagem na secretária eletrônica informando que o avô, Pinchas Kleks, falecera em Israel, aos 95 anos de idade. Ela não retornou a ligação. Seu livro atrasou consideravelmente a data original de publicação. No começo de 1997, ela anunciou que planejava comandar um programa de TV chamado *Lady Law*, sobre mulheres que atuam na aplicação da lei. Poucas emissoras demonstraram interesse em exibi-lo.

O.J. Simpson ainda mora na North Rockingham Ave., 360, em Brentwood. Os filhos, Sydney e Justin moram com ele. O principal empreendimento comercial de Simpson desde o julgamento, uma entrevista filmada de duas horas sobre os assassinatos, foi um fracasso de vendas. Pelo preço de 19,95 dólares cada fita, foram vendidas menos de 40 mil cópias, o que rendeu a Simpson cerca de 300 mil dólares. Os contratos com a Hertz e com a NBC não foram renovados. Ele ainda joga golfe de vez em quando, mas não mais no antigo campo, o Riviera Country Club. (Embora não tenha sido formalmente expulso do clube, membros da diretoria disseram a Skip Taft que Simpson não era mais bem-vindo.) Simpson mantém contato com poucos amigos de antes dos assassinatos, mas fez amizade com vários dos auxiliares de xerife que o custodiavam na cadeia. A eles, Simpson diz que segue confiante de que, com o tempo, poderá retomar sua antiga carreira de ser O.J. Simpson.

"FEIOS PRA BURRO"

Na tarde de 3 de outubro de 1995, o dia da absolvição de Simpson no caso criminal, a equipe de defesa do ex-jogador concedeu uma coletiva de imprensa na sala de audiência do juiz Ito. Naquela hora, Simpson estava voltando para casa em Brentwood, então quem presidiu a coletiva foi Johnnie Cochran. Várias mesas reservadas para os advogados haviam sido colocadas uma ao lado da outra no meio do salão, de modo que todas as trinta e tantas pessoas ali dentro pudessem se sentar em fila única de frente para os repórteres nos bancos da plateia. A equipe de defesa se dispôs como o Politburo soviético costumava fazer para os desfiles do Primeiro de Maio em Moscou: o líder — Cochran — no centro com seus apaniguados, todos enfileirados de cada lado, em ordem decrescente de importância.

Cochran deu, na maior parte das vezes, respostas banais às perguntas, mas os comentários mais surpreendentes vieram de Jason Simpson, filho do primeiro casamento de Simpson. O.J. nunca demonstrara muita consideração pelo seu filho mais velho, tímido e gorducho. Sua carreira atlética fora quase inexistente, e ele ganhava a vida como chef. Nos dois anos que antecederam o assassinato, Jason trabalhou num restaurante da moda em Los Angeles, mas O.J. nunca foi provar uma só vez a comida do filho. Mesmo assim, no dia do veredicto, O.J. permitiu que Jason fizesse uma declaração de três parágrafos em seu nome.

"Estou aliviado que esta parte do incrível pesadelo que ocorreu em 12 de junho de 1994 tenha acabado", Jason anunciou em nome de seu pai. "Minha primeira obrigação é com meus filhos mais novos, que serão criados da maneira que Nicole e eu sempre planejamos."

"Minha segunda obrigação é para com minha família e os amigos que nunca deixaram de manifestar seu apoio. E quando as coisas tiverem se ajeitado, eu perseguirei, como meu objetivo principal na vida, o assassino ou assassinos que trucidaram Nicole e o sr. Goldman. Eles estão por aí, em algum lugar. Usarei de todos os meios que estiverem ao meu alcance para identificá-los e trazê-los à justiça."

"Só espero que, um dia — apesar de todas as coisas prejudiciais que foram ditas publicamente a meu respeito, tanto dentro quanto fora do tribunal — as pessoas venham a entender e acreditar que eu não matei, não poderia matar e jamais mataria alguém."

Em espírito, esta carta de 3 de outubro de 1995 refletia os mesmos temas da "carta de suicídio" de Simpson lida por Robert Kardashian em 17 de junho de 1994. Em primeiro lugar, obviamente, ela era desonesta, e não só porque em ambas as cartas Simpson negou ter cometido os assassinatos. Antes da morte de Nicole, Simpson havia sido um pai que claramente não se envolvia com Sydney e Justin. Ele não era abusivo, mas dava às crianças uma atenção apenas esporádica. A ideia de que ele havia participado na criação de "planos" específicos para seus filhos simplesmente não era verdade. Mesmo assim, a carta antecipava o esforço determinado que ele faria para recuperar a custódia dos filhos dos pais de Nicole após o julgamento na esfera criminal. Era raiva dos Brown, tanto quanto qualquer desejo de ser um pai em tempo integral, que motivou Simpson nessa missão.

Entretanto, ainda mais do que a desonestidade de Simpson, essa carta revelava seu narcisismo. Para Simpson, não era o bastante simplesmente agradecer ao júri e passar para o próximo capítulo de sua vida. Ele tinha que fazer a afirmação absurda de que não só iria perseguir o verdadeiro assassino, como também fazer dessa missão seu "principal objetivo na vida". Por incrível que pareça, ele procurou manter sobre si os holofotes públicos mesmo sabendo que não conseguiria cumprir a promessa. Contudo, nos meses seguintes, Simpson finalmente pagaria um preço pela sua arrogância.

• • •

Poucas semanas após os assassinatos, em 1994, Sharon Rufo dera entrada no primeiro processo de homicídio doloso contra Simpson. Havia uma certa ironia nisso. Rufo era mãe de Goldman, mas estava afastada de seu filho Ron, e sua filha, Kim, havia mais de uma década — cerca de metade das vidas deles. Infelizmente, a iniciativa de Rufo foi apenas uma das muitas tomadas por personagens periféricos no decorrer do caso Simpson na tentativa de capitalizar em cima de seus relacionamentos com os principais envolvidos. Sua pressa, entretanto, fez dela a principal figura de acusação quando seu ex-marido, Fred, e os pais de Nicole (como representantes do espólio dela) se juntaram a ela no processo. Rufo et al. versus Simpson seria um caso bem diferente de Califórnia versus Simpson.

Era praticamente sem precedentes que um processo por homicídio doloso na esfera cível se seguisse tão rapidamente a uma absolvição de assassinato. Casos de homicídio doloso após *condenações* criminais são extremamente raros; nunca consegui encontrar um único exemplo de ação cível após uma absolvição criminal por homicídio. Em parte, essa ausência deriva do fato de que assassinos raramente têm dinheiro para que as famílias de suas vítimas achem que valha a pena levar o caso adiante. Mas também é verdade que a ação cível das famílias das vítimas contra Simpson passava a impressão de um apelo condenatório. É certo que a cláusula da dupla incriminação da Constituição dos Estados Unidos não oferecia impedimento ao segundo julgamento, pois Simpson não enfrentava ameaça de castigo oficial — ou seja, prisão — na esfera cível. No entanto, o clamor público em torno ao veredicto no caso criminal foi o combustível que impulsionou a ação cível e a levou ao tribunal.

Pode-se dizer que o momento mais importante do caso cível veio bem antes do começo do segundo julgamento. Em outubro de 1995, um dos irmãos Marciano, donos da empresa de roupas Guess, ligou para seu advogado Daniel Petrocelli e pediu permissão para recomendá-lo a Fred Goldman. Petrocelli e Goldman se deram bem, e o advogado obteve permissão de sua firma para investir uma grande soma de dinheiro e tempo em uma ação que poderia jamais vingar. Petrocelli era sobretudo um advogado especializado em litígios na esfera cível, e a maior parte da comunidade jurídica de Los Angeles nunca tinha ouvido falar dele, quanto menos o público em geral. Porém, sua habilidade e paixão se destacavam na esfera cível.

Ele também contava com vantagens importantes. A mais significativa: o ônus da prova em um processo cível é uma preponderância das provas — ou seja, é mais provável que as alegações da acusação sejam verdadeiras — ao passo que as alegações em casos criminais devem ser provadas para além da possibilidade de uma dúvida razoável. Além disso, como Simpson havia sido absolvido dos homicídios, ele não tinha mais o privilégio da Quinta Emenda de se recusar a testemunhar sobre eles. Portanto, Petrocelli podia levar o depoimento de Simpson a juízo e chamá-lo para testemunhar diante do júri cível. Mesmo assim, apesar dessas vantagens inerentes, o julgamento cível também deixava claro que a equipe de Petrocelli era simplesmente um grupo mais habilidoso de advogados que aquele reunido por Gil Garcetti. A preparação exaustiva de Petrocelli, combinada com sua aguda competência no tribunal, faziam Darden e Clark parecerem bem inferiores em comparação.

Petrocelli também teve outra coisa a seu favor que os advogados da acusação certamente não tiveram: sorte. O exemplo mais importante disso remontava a um incidente no julgamento criminal do qual pouca gente se lembrava. No final do caso criminal, William Bodziak, especialista do FBI em impressões plantares de pés e sapatos, fizera um depoimento contundente para o júri. Bodziak havia estudado as pegadas sangrentas que o assassino havia deixado na cena do crime. Concluiu que haviam sido produzidas por um sapato tamanho 44, da grife italiana Bruno Magli, conhecido como Lyon ou Lorenzo. Simpson, é claro, vestia sapatos desse tamanho, mas a acusação jamais poderia provar que ele tinha realmente adquirido aquele modelo. Em um momento excruciante para a acusação, Samuel Poser, vendedor de sapatos da Bloomingdale's em Nova York, testemunhou que vendia o modelo Bruno Magli em questão, que Simpson era um cliente assíduo, e que geralmente comprava seus sapatos com dinheiro vivo (o que significava que não havia nenhum recibo de cartão de crédito). Portanto, teria Simpson comprado aqueles raros Bruno Magli? Poser não se lembrava — e dessa forma, seu depoimento não teve o impacto esperado. A incapacidade dos promotores em ligar Simpson a um par específico de sapatos Bruno Magli continuaria a ser um grande motivo de frustração para eles.

Porém, vários meses após o julgamento, o destino sorriu para os autores da ação. O jornal *National Enquirer* publicou uma fotografia de Simpson em um jogo dos Buffalo Bills em 26 de setembro de 1993, cerca de nove meses antes dos assassinatos. Seus pés calçavam, sem sombra de dúvidas, sapatos Bruno Magli. Um fotógrafo freelancer, Harry Scull, topara com as velhas fotos após o julgamento criminal e então os vendeu a quem pagou mais. Enfim, Simpson era ligado aos sapatos do assassino.

A fotografia colocava Simpson diante de um dilema, que ele resolveu à sua típica maneira. Em depoimento prévio ao julgamento do caso, Petrocelli, logicamente, perguntou ao ex-jogador se ele já havia possuído um par de Bruno Magli. O que o ex-astro deveria ter dito? Simpson foi e é um grande consumidor de roupas. Seu vasto closet em Rockingham tinha mais de quarenta pares de sapatos na época dos assassinatos. Uma resposta lógica para Simpson — na verdade, para muita gente — seria que ele não conseguiria se lembrar de cada par de sapatos que havia comprado nos últimos anos. Mas ele era arrogante demais para essa abordagem. Confrontado durante o depoimento, Simpson disse que certamente nunca possuíra aquele modelo de Bruno Magli. Como se não bastasse, afirmou que jamais calçaria sapatos como aqueles, porque eram "feios pra burro".

• • •

Todas as manhãs durante o julgamento cível, pouco depois das 8h30, um meirinho anunciava ao microfone que os jurados estavam ocupando seus lugares. O juiz Hiroshi Fujisaki ordenava então que começassem os trabalhos; às vezes não parava nem para dizer "bom dia". Havia duas pausas pela manhã, uma para o almoço e outras duas à tarde. As sessões, sempre produtivas, eram suspensas todos os dias exatamente às 16h30.

Fujisaki era o anti-Ito — disciplinado, lacônico, sem disposição para ouvir argumentos (mesmo quando provavelmente deveria fazê-lo). O juiz original do caso era Alan B. Haber, um jurista efusivo e intelectual, mas os advogados de Simpson haviam exercido sua prerrogativa de rejeitá-lo e pediram ao juiz principal que designasse um novo juiz. Segundo o folclore jurídico de L.A., quando você impugna um juiz, corre o risco de acabar com um ainda mais antipático do que aquele que decidiu eliminar. Assim ocorreu com a defesa em relação a Fujisaki. O julgamento civil de Simpson acabou sendo o último do juiz antes de se aposentar. Ele não estava preocupado em preservar ou criar uma reputação. Tudo o que parecia querer naquele tribunal era a justiça nua e crua — e, dadas as provas cada vez mais devastadoras contra Simpson, a justiça nua e crua não favorecia a defesa.

No começo do julgamento, a figura que se destacou com mais clareza foi Robert Baker, o principal advogado de Simpson. Com seu topete grisalho perfeitamente esculpido e trajando ternos impecáveis, Baker parecia o tipo de ator que sempre faz papel de senador no cinema. Vinha sempre acompanhado de seu filho, Philip, advogado júnior na firma de Baker e uma cópia jovem do pai. Juntos, sussurravam e davam risinhos, pai orientando filho na arte do desprezo pelo adversário. Como é comum na esfera cível, um dos verdadeiros adversários de Baker era o juiz Fujisaki. Magro e fatigado, com sessenta anos mas aparentando mais idade, Fujisaki não tinha nada da fome nervosa de afeto público exibida por Ito, e menos ainda da deferência deste aos advogados contratados para defender Simpson. Fujisaki mal virava a cabeça ao dizer "negado" a um dos muitos protestos da equipe de Simpson. Ao Baker pai, por sua vez, faltava a suave versatilidade de Johnnie Cochran quando defrontado com reveses momentâneos do gênero. De fato, em pouco tempo, Baker abandonou até mesmo a pretensão de deferência para com o homem que tornava sua vida tão difícil. Confrontado com um protesto recusado atrás do outro, Baker respondia, debochado: "Obrigado pela consideração, Meritíssimo".

Para o julgamento criminal, naturalmente, os predecessores de Baker haviam elaborado uma estratégia de defesa notória pela sua ousadia, baseada na alegação de que O.J. Simpson fora falsamente incriminado como assassino por uma conspiração de policiais racistas. No entanto, desde o começo do segundo julgamento, estava claro que Baker teria que procurar outra tática. Em parte, tal circunstância se devia a decisões tomadas previamente ao julgamento pelo juiz Fujisaki, que considerava o racismo do detetive Mark Fuhrman irrelevante para o caso, a menos que a defesa pudesse demonstrar que as visões de Fuhrman provocaram um impacto considerável na investigação — algo que os advogados de Simpson não conseguiram fazer. Havia também a composição racial da sala do tribunal de Fujisaki em Santa Monica. Durante a maior parte do julgamento, só se viam três rostos negros: o réu, um jurado e um suplente. (Na atmosfera de recenseamento obsessivo que acabou envelopando a saga jurídica de Simpson, também se costumava notar que um dos jurados era hispânico e outro "um imigrante jamaicano metade negro, metade asiático".) A "carta-da racial" também estava ausente por causa do homem que teria sido chamado a jogá-la. Como membro do Los Angeles Country Club, que era na prática só para brancos, Robert Baker teria problemas de credibilidade caso resolvesse se arvorar, como fizera Cochran, de defensor da Los Angeles negra contra as ações destrutivas do DPLA.

Porém, Baker forjou uma defesa que, à sua maneira, não foi menos audaciosa que aquela elaborada por Cochran e Robert Shapiro. Assim, no lugar do mártir negro, entrava o astro. A teoria de Baker (e de Simpson) era que o réu era célebre demais — irresistível demais às mulheres — para ter sofrido com a partida da ex-mulher. Tentava-se virar o tema da violência doméstica do avesso. O.J. não estava perseguindo Nicole, dizia a teoria; era ela quem estava atrás dele.

• • •

Baker era especializado em defender companhias de seguro em casos de erro médico, então estava acostumado a usar argumentos incômodos perante o júri. Advogados como ele diziam coisas do tipo "o bebê não ficou com um dano cerebral *tão* grande por culpa do hospital", e naquele caso não parecia ter grandes escrúpulos em falar mal da falecida. Em sua declaração inicial ao júri, em 24 de outubro de 1996, Baker contou a história de um casamento que era basicamente a história de um predador e sua presa, de Nicole perseguindo O.J. Segundo o relato altamente seletivo de Baker, Nicole e O.J. se separaram pela primeira vez em 1992, após sete anos de casamento, e posteriormente O.J. se tornou "confidente" de Nicole. Baker disse que Simpson orientou sua ex-mulher em meio a uma série de problemas — principalmente "problemas com namorados", incluindo uma gravidez indesejada, que ela interrompeu após procurar o conselho do ex-marido. Em 1993, disse Baker, Nicole havia começado a perseguir Simpson, em uma tentativa de reatar o casamento. Baker leu para o júri uma carta que Nicole havia escrito para O.J., que dizia: "Eu te amo, eu te adoro, e quero fazer você sorrir". Simpson concordou em tentar uma reconciliação, mas Nicole teria tornado as coisas difíceis. "Nicole estava dando festas, visitando pessoas... que eram prostitutas, convidando traficantes de drogas para a casa dela na presença dos filhos", disse Baker, que chegou até mesmo a fazer uma promessa ao júri: "Vocês vão ouvir o nome Heidi Fleiss, vão ouvir 'prostituta', vão ouvir 'drogas'. Está tudo lá".

A implicação da fala de abertura de Baker era que o assassino saiu do mundo sórdido de Nicole (mesmo quando evidências de tal ligação não tivessem emergido nos quase três anos desde os assassinatos). O subtexto de Baker, porém, era ainda mais vergonhoso — uma distorção da outrora comum defesa do consentimento em casos de estupro.

O.J. era um pai preocupado, Nicole era uma vagabunda. Ele era um astro, ela era uma *groupie*. Ele jogava com segurança, ela se arriscava. Resumindo, a piranha estava pedindo.

O ponto fundamental da estratégia de Baker era o próprio depoimento de Simpson — da mesma forma que seu silêncio tinha sido fundamental para o sucesso da cartada racial no caso criminal. Sentado à mesa da defesa, com a cabeça baixa, Simpson podia ser transformado por Johnnie Cochran no símbolo de toda a vitimização negra. Se O.J. tivesse subido ao banco das testemunhas, Cochran não poderia ter escondido a vida de privilégios e facilidades de seu cliente. No entanto, a vida de Simpson em Brentwood era indispensável para a tática de Baker. Simpson precisaria de bastante exposição como testemunha — ao vê-lo tão charmoso e desejável, o júri seria impelido a abandonar sua imagem de amante desprezado e vingativo.

A estratégia de Baker tinha mais uma vantagem em relação a de Cochran: não requeria de Simpson mais do que se mostrar como realmente era. Em uma coisa Baker tinha razão: Simpson era um astro, mesmo depois do julgamento criminal. Nos arredores do fórum de Santa Monica, os frequentadores regulares — advogados locais, policiais de folga, escriturários entediados — mantinham-se perto dos detectores de metal na esperança de ter um vislumbre de Simpson conforme ele ia passando. Simpson era famoso por tanto tempo que tinha se tornado mestre em dar aquela piscadela rápida de cumplicidade, fingir intimidade com estranhos, rabiscar um autógrafo. Ele cativava todo mundo, até mesmo os meirinhos sérios como estátuas que guardavam a sala do tribunal. Roger Cossack, um dos apresentadores do programa *Burden of Proof*, da CNN, havia falado com Simpson apenas de passagem antes de o ex-jogador se aproximar dele durante um intervalo no início do julgamento. "A primeira coisa que ele me disse foi: 'E aí, quando é que vamos jogar golfe?'", lembrou Cossack. "É inevitável pensar por um segundo, 'Nossa, jogar golfe com O.J. Simpson!'" Entretanto, Cossack nunca chegou a aceitar a oferta.

● ● ●

Nos poucos dias do depoimento de Simpson, o caso provocou um frenesi da mídia semelhante ao do primeiro julgamento. Das ruas tranquilas de Santa Monica, os caminhões de externa transmitiam notícias para as emissoras locais de TV ainda de madrugada, e os técnicos voltaram a fazer serão na cobertura do caso. Na confusão do lado de fora do tribunal depois que Simpson deixou o banco no primeiro dia de depoimento, Kim Goldman, irmã de Ron, foi atingida na cabeça por um câmera mais afoito e sofreu escoriações. Do lado de dentro do tribunal, o clima era de tensão.

Os adversários de Simpson fizeram de tudo para deixá-lo nervoso no banco das testemunhas. Fred Goldman, o pai de Ron, conhecido pela sua franqueza, ficou sentado com seus advogados bem atrás da tribuna, de modo que Simpson tinha que olhar para Goldman durante boa parte de seus três dias de depoimento. Petrocelli, que era o principal interrogador do réu, era imune ao carisma de Simpson. Tinha uma aparência absolutamente mediana — não era jovem nem velho, nem bonito nem feio, nem alto nem baixo. Destrinchou os detalhes mórbidos e familiares do caso Simpson — as fotografias de Nicole esparramada sobre uma poça de sangue, seus apelos apavorados para a atendente do 911 — com a frieza de um advogado em um caso de litígio comercial. Nas semanas que decorreram até o depoimento de Simpson, a persistência de Petrocelli estava obviamente compensando. As provas da acusação raramente enfrentavam um confronto decente, e testemunhas que haviam passado dias, semanas até, no banco perante o juiz Ito esgotaram seus depoimentos em uma pequena fração daquele tempo em Santa Monica. Naturalmente, o que estava em jogo para Simpson desta vez nem se comparava ao que ele havia enfrentado no julgamento criminal: se fosse condenado, ele teria de pagar indenização por perdas e danos, mas não seria preso. Ainda assim, ao fazer uma defesa meramente *pro forma* diante dos exames de DNA e outras provas materiais apresentadas pela acusação, Baker estava relegando quase todas as suas chances ao depoimento de seu cliente.

Petrocelli fez suas perguntas a Simpson com precisão agressiva, porém profissional. Sua tarefa era fazer com que o júri visse o outro lado do estrelato: o narcisismo, o egocentrismo perverso que, segundo a tese da acusação, teriam levado Simpson a matar o que não podia ter. Petrocelli bateu bastante na tecla de que o relato de Simpson sobre a noite do crime (e sobre sua vida com Nicole) tinha pouca relação com a realidade. A "história" do réu, como Petrocelli repetidamente a chamava, não batia com os registros de ligações telefônicas, as lembranças de outras testemunhas e os próprios depoimentos anteriores de Simpson. A inquirição também revelou como era surreal a vida de celebridade de Simpson. Quando retornou de Nova York para Los Angeles, dois dias antes de cometer o crime, contou o réu, com a maior naturalidade, que levava consigo "pelo menos

7 mil dólares em dinheiro"; e quando viajou para Chicago, na noite do crime, havia deixado 4 ou 5 mil dólares em dinheiro "embaixo do meu suéter" no closet. Petrocelli retorquiu com uma passagem de uma pequena autobiografia publicada em 1970, chamada *O.J.: The Education of a Rich Rookie* [*O.J.: A educação de um novo-rico*]. Primeiro, porém, ele perguntou se Simpson tinha ciência de sua "imagem" aos olhos do público.

"Tenho", respondeu Simpson. "Eu sei como as pessoas gostam de mim."

"Quando iniciou sua carreira no futebol americano, o senhor disse, no primeiro livro de sua autoria: 'Já fui alvo de elogios, críticas e deboche por me preocupar demais com minha própria imagem. Confesso que há um fundo de verdade nisso'. É verdade?"

"Na época, sim", respondeu Simpson.

"E o senhor escreveu que, abre aspas, 'Já experimentei todo tipo de imagem'. Fecha aspas. É verdade?"

"Não me lembro disso."

"Está no seu livro", insistiu Petrocelli.

"Não fui eu que escrevi o livro", Simpson disse, já impaciente.

Petrocelli tentou esclarecer. O livro levava o nome de O.J. Simpson. Será que o ex-astro estava dizendo que não acreditava no que o livro dizia que ele acreditava? Quanto de Simpson havia no livro?

"De modo geral, concordei com o que está no livro", Simpson explicou, enfim. "Acho que li as provas do livro antes de ele ir para a gráfica."

Petrocelli interpelou Simpson a respeito de uma entrevista que o ex-jogador tinha dado à ESPN a respeito do incidente de 1989, depois do qual ele não contestou a acusação de bater em Nicole. "Nós dois fomos culpados", disse Simpson no programa de 1989. "Ninguém se machucou, não foi nada de mais. Bola pra frente."

Petrocelli afirmou que o relato que Simpson deu da agressão era "absolutamente falso".

"Discordo de você quanto a isso", respondeu a testemunha.

"Nicole se machucou?"

"Ficou com uns hematomas", admitiu Simpson.

No fim, Petrocelli conseguiu que Simpson admitisse ter minimizado a agressão na entrevista que deu para a ESPN. Por que não dissera a verdade?

"Era um programa esportivo", explicou Simpson.

• • •

Talvez Simpson tenha seguido a estratégia de Baker à risca demais em seu depoimento. Queria se exibir. Durante um recesso no começo do depoimento, disse ao advogado de defesa de Erik Menendez, Leslie Abramson, que estava sentado na área dos repórteres: "Queria poder falar mais". Como era de se esperar, Simpson negou categoricamente que tivesse cometido o crime. Mas também negou *qualquer* conduta que arranhasse sua imagem perante o júri. Apresentava-se como se fosse praticamente infalível — como se fosse a celebridade criada por sua imaginação. "Gosto de pensar que eu era o tipo de cara [...] que deixava as pessoas chegarem perto", Simpson chegou a dizer, a certa altura do depoimento. "Gostava de tratar todo mundo do jeito que queria ser tratado. Minha filosofia de vida era: 'Faça para os outros aquilo que você quer que façam para você'." Logo que lhe perguntaram sobre violência conjugal, a primeira coisa que ele mencionou foi que Nicole tinha batido nele. E negou que Nicole tivesse ficado com medo dele na noite de 1993 em que ligou para a polícia. "Podem perguntar quantas vezes quiserem, vou continuar dizendo que ela não ficou com medo de mim naquela noite", disse. Chegou até a negar ter batido em Nicole. A única coisa que Simpson admitiu foi que havia "se atracado" com ela — ou, como disse em outra ocasião, "erradamente partido para cima dela".

O estilo fleumático de Petrocelli funcionou bem ali. Simpson chegou a levantar a voz uma vez durante o depoimento. O.J. e Nicole se divorciaram em meados de 1992, e tentaram uma reconciliação cerca de um ano mais tarde. Petrocelli perguntou a Simpson quem havia voltado atrás. "Ela me perseguia incessavelmente [*sic*]", disse Simpson.

O réu voltou ao assunto diversas vezes, até que Petrocelli resolveu perguntar:

"Tem certeza de que não foi o senhor que correu atrás dela?"

"Não. Acho que todos, inclusive nossa família, sabem que era ela que me perseguia."

"Tem certeza disso?"

"Acho que todo mundo sabe disso."

"Só estou perguntando se o senhor tem certeza."

"Mil por cento de certeza", insistiu Simpson.

"Quantos por cento?", perguntou Petrocelli, percebendo que a veemência das negativas de Simpson poderia transmitir o oposto do que ele pretendia.

"Mil por cento de certeza", repetiu Simpson.

Pouco depois, Petrocelli mencionou uma matéria da *National Enquirer* do final de 1993 que afirmava que O.J. havia implorado para voltar com Nicole. "Isso o irritou?"

"Sim", disse Simpson, bem alto. "Irritou, sim, e muito."

"E o irritou porque não era verdade, certo?"

"Exatamente. Foi por isso que me irritou."

Petrocelli sabia aonde Simpson ia chegar, e tratou de abrir caminho. "Ela implorou? Não foi o senhor quem implorou?", perguntou.

"Isso mesmo", foi a resposta curta e grossa de Simpson.

A diferença era gritante. Simpson nem se abalava diante da acusação de bater em Nicole, mas ficava furioso quando lhe perguntavam se ele havia implorado a ela que o aceitasse de volta. Ele era famoso havia trinta anos; era autor (ou assim constava) de uma autobiografia com apenas 22 anos. Não tolerava a ideia de passar por um coitado com o rabo entre as pernas. Ele não tinha implorado — não era homem de implorar.

Baker não fez nenhuma pergunta a Simpson depois que Petrocelli o chamou pela primeira vez para depor, em novembro. Em vez disso, deixou para apresentar a história completa da vida de seu cliente quando a defesa fosse se apresentar em janeiro, após o recesso de Natal. Entretanto, ao final da primeira rodada de depoimentos de Simpson, parecia que ele não tinha muito mais a oferecer do que sua imagem pública idealizada para refutar as provas contra ele. A defesa se resumia a "Vai por mim". Como foi que Simpson cortou a mão na noite do crime? Ele não sabia dizer — só sabia que não foi atacando Ron e Nicole. Mas e aquela foto, tirada meses antes do crime, em que usava os mesmos sapatos Bruno Magli que o assassino havia usado? Simpson disse que era isso que aparecia na foto — mas era montagem. Não era dele o sangue na cena do crime, em seu Bronco, na entrada de sua casa? Simpson admitiu que sim — e não deu maiores explicações de como aquilo foi parar lá. Em determinado momento, Petrocelli acusou Simpson de encenação ao responder às perguntas. Ele não havia sido ator de filmes e programas de televisão? "Acho que nunca me considerei ator de verdade", Simpson respondeu. "Eu sempre disse que era uma personalidade."

• • •

O processo deu uma guinada no decorrer das duas semanas do recesso de Natal. Primeiro, a Juíza do Tribunal Superior de Orange County,

Nancy Wieben Stock, determinou que Simpson, como pai biológico de Sydney e Justin, tinha o direito de reaver imediatamente a guarda deles. Essa decisão já era mais ou menos o que determinava a legislação vigente. A família de Nicole precisaria apresentar provas "claras e convincentes" de que Simpson não era um bom pai — de que era violento, negligente ou incapaz de cuidar dos filhos. No processo de disputa pela guarda, a família Brown tentou emplacar o argumento de que o histórico de agressão a Nicole tornava Simpson inapto a reconquistar a guarda. Porém, a juíza não tinha razões para constatar que Simpson representasse perigo para os filhos. Além disso, a família Brown também não tinha se comportado de maneira exatamente exemplar nos meses que se seguiram ao crime. Louis Brown, o pai de Nicole, aceitou 162.500 dólares do programa de fofocas *A Current Affair* para narrar o vídeo de casamento de O.J. e Nicole na TV. Ele também vendeu os diários da filha para a *National Enquirer* por 100 mil dólares. Dominique, irmã de Nicole, que ainda morava com os pais, vendeu fotos de *topless* para a *Enquirer* por 32,5 mil dólares e contou para um fotógrafo que os sobrinhos estavam colocando flores no túmulo da mãe. A decisão sobre a guarda subverteu o cálculo financeiro do caso. Agora, em vez de simplesmente tirar dinheiro de um único réu endinheirado, pleitear indenização significava pedir para o júri tirar dinheiro do bolso de Sydney e Justin também.

No entanto, o recesso também trouxe boas notícias para a acusação. No começo da argumentação da defesa, Baker havia convocado Robert Groden, um pretenso especialista em fotografia, para testemunhar a respeito da única foto de Simpson usando sapatos Bruno Magli, que havia sido tirada por Harry Scull. A conclusão de Groden foi que a fotografia era uma montagem feita para colocar os sapatos nos pés de Simpson. Groden era uma testemunha desqualificada e nada confiável. Obcecado pelo assassinato de John Kennedy e desprovido de qualquer treinamento formal em fotografia, foi massacrado na inquirição da acusação. Mas, pelo menos desta vez, a defesa tinha trazido um especialista (ou qualquer coisa que o valha) para questionar a autenticidade daquela prova crucial.

Entretanto, durante o recesso, a acusação recebeu a notícia de que havia outras fotos de Simpson calçando os sapatos — várias outras. Outro fotógrafo *freelancer* de Buffalo, E.J. Flammer, havia vasculhado seus arquivos e encontrado trinta fotografias diferentes que mostravam Simpson usando os sapatos em 26 de setembro de 1993. Além disso, ele havia publicado uma das fotos em uma newsletter do Buffalo

Bills em novembro de 1993, meses antes do crime. Aquilo era uma prova extraordinária para a acusação, sob diversos aspectos. Primeiro, porque mostrava, de uma vez por todas, que Simpson tinha usado os mesmos sapatos raros (somente 299 pares do modelo no tamanho 44 foram vendidos nos Estados Unidos entre 1991 e 1993) que o assassino. Segundo, porque as novas evidências provavam que Simpson tinha mentido — tanto no depoimento gravado quanto na frente do júri — ao dizer que não tinha daqueles sapatos. Por fim, a prova comprometia a credibilidade de Baker perante o júri — e também a dos outros advogados de defesa — porque eles haviam usado o depoimento de Groden, que as novas fotos jogavam por terra. (Neste último aspecto, dá até pena de Baker, embora ele tenha pecado pela ingenuidade ao acreditar nas declarações de seu cliente.)

A descoberta das fotos de E.J. Flammer provocou uma reviravolta no processo. A acusação não poderia ter imaginado maneira mais contundente de provar que Simpson havia mentido — nem tema mais importante. (E depois que as fotografias de Flammer vieram à tona, outros *freelancers* apareceram com novas fotos de Simpson usando os sapatos Bruno Magli em 26 de setembro de 1993. A acusação, que não tinha tempo a perder, nem chegou a apresentar essas outras fotos.) Ao retornar ao banco das testemunhas, Simpson continuou a negar que já tivera aqueles sapatos, mesmo em face das fotos de Flammer — o que complicou ainda mais sua situação. Nos argumentos finais, Petrocelli deixou de lado seu habitual comedimento de advogado e zombou das mentiras e evasivas de Simpson no banco das testemunhas. E, mais do que isso, mostrou como a versão que Simpson deu dos acontecimentos chocava-se completamente com as outras provas do processo. Ele mostrou ao júri um diagrama relacionando sessenta pontos nos quais o júri tinha de decidir se acreditava em Simpson ou em outras testemunhas mais confiáveis.

A polêmica racial, que havia praticamente desaparecido do processo cível, voltou à tona nos últimos dias. A única jurada negra do caso foi dispensada a pedido da defesa depois que a Promotoria de Justiça de Los Angeles informou ao juiz Fujisaki que a filha da jurada trabalhava como auxiliar jurídica dos promotores. Quando isso aconteceu, duas juradas negras do processo criminal, Brenda Moran e Gina Rosborough, escreveram para pelo menos dois dos jurados cíveis recomendando que fechassem contrato com o mesmo agente que as representava. Os jurados denunciaram a abordagem altamente repreensível ao juiz, e ele, por sua vez, deflagrou uma investigação criminal das ex-juradas, com direito a busca na casa de Brenda Moran. O resultado de tamanho rebuliço na véspera da decisão do júri foi que o júri cível acabou ficando sem um único jurado negro, e essas duas juradas negras do primeiro julgamento corriam o risco de sofrer um processo criminal. Esses acontecimentos deixaram claro como a polêmica racial ainda rondava o caso.

• • •

O júri deliberou por quase uma semana. Como se estivessem repreendendo propositalmente os jurados criminais por terem se detido tão pouco sobre o caso, os jurados cíveis pediram para examinar várias provas do caso, especialmente as relacionadas aos exames de DNA. Na tarde de terça-feira, 4 de fevereiro de 1997, o representante dos jurados acionou a campainha para indicar ao juiz que o júri havia chegado ao veredicto.

O juiz Fujisaki deu às famílias algum tempo para se reunir; só pouco depois das 19h, ele convocou os jurados de volta à sala da audiência. Em um desfecho surreal para a estranha história de Simpson, o júri retornou exatamente no momento em que o presidente Clinton encerrava seu discurso sobre o Estado da União, que abre o ano legislativo. O presidente estava apertando as mãos dos políticos na Câmara do Congresso às 19h12 quando o veredicto foi lido no tribunal.

Eu estava sentado a postos para a transmissão externa do canal ABC, em frente ao fórum, quando o veredicto contra Simpson foi anunciado. Como estava de frente para a câmera, não podia ver o que estava se passando atrás de mim, e não sabia exatamente o que estava acontecendo lá dentro até a notícia do veredicto ser transmitida. Naquele momento, ouvi um estrondoso grito de desforra, carregado de fúria. Uma multidão de centenas de pessoas havia se reunido, e o grupo, quase inteiramente branco, resolveu dar o troco aos afro-americanos que haviam comemorado o veredicto de inocência de Simpson no primeiro julgamento. Agora eles iam à forra — a cena foi de uma baixeza indescritível. A bem da verdade, foi um desfecho à altura daquela experiência que rachou o país.

O júri fixou indenização de 8,5 milhões de dólares por danos à família Goldman pela morte de seu filho. A família de Nicole não pleiteou indenização por danos porque para isso seria necessário que Sydney e Justin testemunhassem contra o pai. O julgamento terminou de forma tragicômica. Fujisaki realizou uma audiência de dois dias sobre as condições financeiras de Simpson para que o júri pudesse decidir se determinaria o pagamento de indenização punitiva por perdas e danos pelo crime, e, em caso afirmativo, qual seria o valor. Ironicamente, já no fim do caso, tudo levava a crer que os advogados de Simpson finalmente teriam argumentos para levar a melhor. O cerne da divergência entre as partes era sobre as condições que Simpson teria de ganhar dinheiro no futuro. A acusação convocou um especialista, que disse que Simpson poderia ganhar até 2,5 milhões de dólares por ano com vendas de autógrafos e cachês publicitários nos 25 anos seguintes — o que daria um valor líquido atual de cerca de 25 milhões de dólares.

Para mim, esse depoimento foi até cômico, de tão absurdo. O especialista disse que Simpson certamente havia tentado ganhar dinheiro com a fama, e chegou até a registrar seu nome como marca comercial, junto com algumas frases de efeito do tipo "Equipe O.J.: Justiça para Todos". E é verdade que Simpson e Larry Schiller faturaram tudo o que puderam na esteira do julgamento. Porém, o veredicto cível só confirmou que Simpson havia se tornado um pária na opinião pública hegemônica dos Estados Unidos. Skip Taft, gerente de negócios dele, garantiu que Simpson não tinha nenhuma oferta em vista. Isso sem dúvida era verdade. O fato de que o júri aceitou a estimativa do potencial de capitalização de Simpson aparentemente sem questionar revela a ojeriza que os jurados tinham a ele. Da mesma forma, o júri não parece ter se preocupado muito com a forma como Simpson iria sustentar Sydney e Justin. Concedeu indenização de 12,5 milhões de dólares para cada autor do processo, metade do dinheiro que a acusação afirmava que Simpson poderia ganhar nos vinte anos seguintes. Simpson ficou devendo um total de 33,5 milhões de dólares, uma quantia fora de suas possibilidades.

Nos comentários que se seguiram ao julgamento, o júri deu motivos plausíveis para a decisão que havia tomado: Simpson não tinha sido uma testemunha confiável; havia negado fatos que outras provas do processo haviam deixado incontestes; os exames de DNA eram contundentes. A história era familiar e convincente. O que quase se perdeu no turbilhão de acontecimentos do dia foram as considerações da única outra afro-americana em cena no último dia do julgamento. No fim das contas, a suplente negra, uma senhora de meia-idade, pensava diferente de seus colegas que haviam deliberado sobre o caso. Ela teria votado a favor do réu.

O POVO CONTRA O.J. SIMPSON

1. BETTMANN/CORBIS/LATINSTOCK
2. LATINSTOCK/© BETTMANN/CORBIS/ BETTMANN BY CORBIS

1. O.J., NA ÉPOCA EM QUE FOI ELEITO UM DOS MELHORES JOGADORES DE FUTEBOL AMERICANO DA NATIONAL COLLEGIATE ATHLETIC ASSOCIATION (NCAA), EM 1967
2. O ENTÃO *RUNNING BACK* DA UNIVERSIDADE DO SUL DA CALIFÓRNIA, DE LOS ANGELES, EM 1967

469

O POVO CONTRA
O.J. SIMPSON

LATINSTOCK/© BETTMANN/CORBIS/
BETTMANN BY CORBIS

CORRENDO PARA MAIS UM *TOUCHDOWN*, QUANDO JOGAVA PELO BUFFALO BILLS, EM 1975

O POVO CONTRA O.J. SIMPSON

LATINSTOCK/© BETTMANN/CORBIS/
BETTMANN BY CORBIS

SIMPSON NA ÉPOCA DA FACULDADE, EM 1968

O POVO CONTRA O.J. SIMPSON

O.J. SIMPSON COM A PRIMEIRA ESPOSA, MARGUERITE, E OS FILHOS ARNELLE E JASON, EM 1974

O POVO CONTRA O.J. SIMPSON

LATINSTOCK/© BETTMANN/CORBIS/
BETTMANN BY CORBIS

O *QUARTERBACK* DO NOTRE DAME TERRY HANRATTY, O ENTÃO PRESIDENTE RECÉM-ELEITO NIXON E O.J. SIMPSON, NA ÉPOCA *HALFBACK* DA USC, EM DEZEMBRO DE 1968

O POVO CONTRA O.J. SIMPSON

1. O.J. SIMPSON EM SUA ÚLTIMA PARTIDA COMO PROFISSIONAL, PELO SAN FRANCISCO 49ERS, EM DEZEMBRO DE 1979
2. O ASTRO CERCADO PELOS FÃS EM BUSCA DE AUTÓGRAFO, EM 1975

1.2. LATINSTOCK/© BETTMANN/CORBIS/BETTMANN BY CORBIS

O POVO CONTRA O.J. SIMPSON

LATINSTOCK/© BRANIMIR KVARTUC/
ZUMA PRESS/CORBIS/CORBIS
WIRE BY CORBIS

A PERSEGUIÇÃO A O.J. SIMPSON
QUE PAROU OS EUA EM 17 DE JUNHO DE 1994   **481**

O POVO CONTRA O.J. SIMPSON

1. RUE DES ARCHIVES/LATINSTOCK
2. LATINSTOCK/© BILL NATION/SYGMA/CORBIS/SYGMA BY CORBIS

1. A CLÁSSICA MUG SHOT DO EX-JOGADOR DE FUTEBOL AMERICANO
2. O.J. SIMPSON DURANTE SEU JULGAMENTO

483

O POVO CONTRA O.J. SIMPSON

REUTERS/REUTERS/LATINSTOCK/
© SAM MIRCOVICH

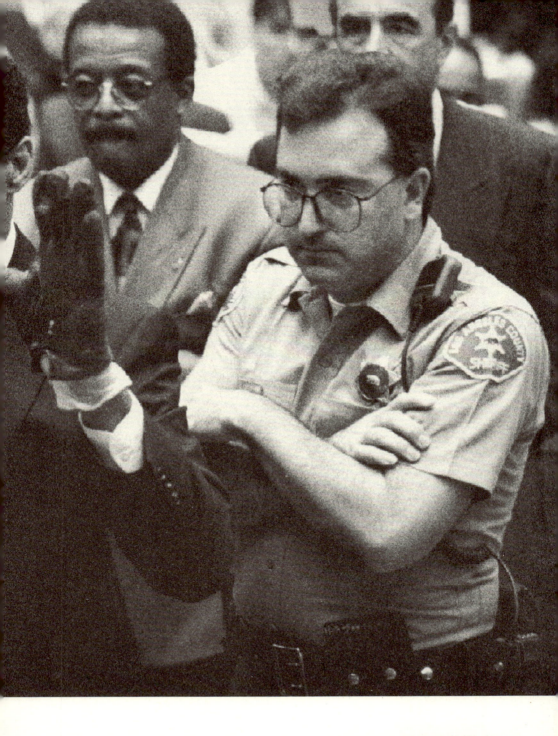

O.J. SIMPSON, DURANTE O JULGAMENTO EM LOS ANGELES, EXPERIMENTA AS LUVAS ENCONTRADAS NA CENA DO CRIME E EM SUA RESIDÊNCIA

O POVO CONTRA O.J. SIMPSON

EVAN HURD/ALAMY/LATINSTOCK

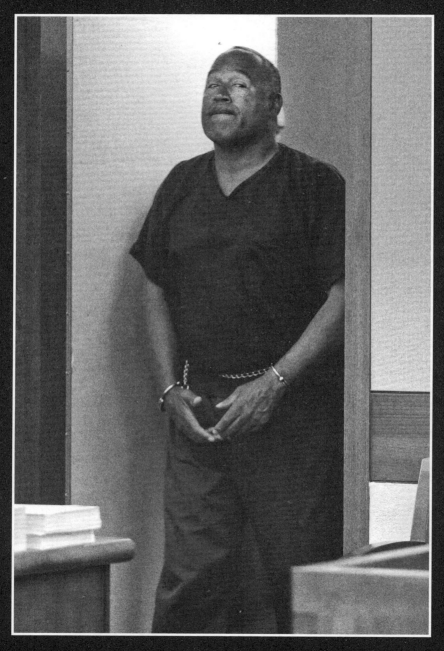

REUTERS/JULIE JACOBSON/POOL

SIMPSON CHEGA PARA SUA AUDIÊNCIA PROBATÓRIA NA CORTE DO DISTRITO DE CLARK, EM LAS VEGAS, NEVADA, EM 13 DE MAIO DE 2013. ELE FOI CONSIDERADO CULPADO PELO ASSALTO A UM HOTEL-CASSINO EM 2007 E CONDENADO A 33 ANOS DE PRISÃO

FONTES E BIBLIOGRAFIA

Este livro baseia-se principalmente em minhas observações e nas entrevistas realizadas durante os dois anos em que cobri o caso Simpson. Durante esse tempo, entrevistei mais de duzentas pessoas para este livro. Muitos dos entrevistados pediram que suas declarações não fossem divulgadas até o fim do julgamento. Todos os trechos de conversas privadas vêm diretamente de quem fez o comentário ou de alguém que o escutou. Todas as citações do processo foram reproduzidas no original em inglês conforme a transcrição oficial. No Capítulo 2, todas as declarações dos policiais foram retiradas dos depoimentos fornecidos ao júri de acusação, na audiência preliminar, ou no julgamento, mas minha narrativa também teve por base as entrevistas que fiz com os envolvidos e os relatórios policiais internos da investigação.

Além de meus próprios esforços, aprofundei-me na abundante cobertura da mídia sobre o caso. Gostaria de agradecer imensamente a meus colegas de imprensa que trabalharam no caso Simpson. Além das obras mencionadas abaixo, acompanhei a cobertura dada por diversos jornalistas. O *Los Angeles Times* serviu como o jornal de referência sobre o caso. Aprendi muito com o trabalho de Jim Newton, Andrea Ford, Henry Weinstein, Tim Rutten, Stephanie Simon, Ralph Frammolino e, especialmente, Bill Boyarsky, em sua inestimável coluna "The Spin". Também me beneficiei da análise cuidadosa e atenciosa do caso feita no mesmo jornal pelos professores Peter Arenella e Laurie Levenson, além de nossas conversas. Meu trabalho como escritor de revista foi desafiado pela cobertura brilhante e espirituosa de David Margolick no *New York Times*; por isso, meus agradecimentos a ele. Também gostaria de expressar meu apreço a Linda Deutsch e Michael Fleeman, da Associated Press; Mark Miller e Donna Foote, da *Newsweek*; Elaine Lafferty e Jim Willwerth, da *Time*; Michelle Caruso, do *New York Daily News*; Ann Bollinger, do *New York Post*; Sally Ann Stewart, do *USA Today*; Shirley Perlman e Joe Demma, do *Newsday*; Lorraine Adams, do *Washington Post*; e a incomparável Dominick Dunne, da *Vanity Fair*.

Também assisti a muitos programas de televisão. Aprendi muito com meus amigos Dan Abrams e Kristin Jeannette-Meyers e os demais profissionais da Court TV, sem falar de Jack Ford, da NBC, Cynthia McFadden, da ABC, e Bill Whitaker, da CBS. Obrigado, também, a Jim Moret e à equipe de cobertura do caso Simpson da CNN. Por me ajudarem a encontrar vídeos e transcrições da cobertura televisiva do caso, agradeço a Tracy Day, da ABC, Stacie Griffith, da NBC, Tom Mazzarelli, da CNN, e Sybil MacDonald, da KCBS de Los Angeles.

A seguir, a lista de livros e matérias que tomei como base em minha análise do caso e seu contexto.

LIVROS

ABRAMSON, Jeffrey, ed. *Postmortem*. Nova York: Basic Books, 1996.

BAILEY, F. Lee. *To Be a Trial Lawyer*. Nova York: John Wiley and Sons, 1994.

_____, com Harvey Aronson. *The Defense Never Rests*. Nova York: Signet, 1972.

_____, com John Greenya. *For the Defense*. Nova York: Atheneum, 1975.

BARICH, Bill. *Big Dreams: Into the Heart of California*. Nova York: Vintage Books, 1994.

BERRY, Barbara Cochran, com Joanne Parrent. *Life After Johnnie Cochran*. Nova York: Basic Books, 1995.

BUGLIOSI, Vincent, com Curt Gentry. *Helter Skelter*. Nova York: Pocket Books, 1975.

_____. *Outrage*. Nova York: W. W. Norton & Co., 1996.

COOLEY, Armanda; BESS, Carrie; RUBIN-JACKSON, Marsha. *Madam Foreman*. Beverly Hills: Dove Books, 1995.

DARDEN, Christopher, com Jess Walter. *In Contempt*. Nova York: Regan Books, 1996.

DAVIS, Mike. *City of Quartz: Excavating the Future in Los Angeles*. Nova York: Vintage Books, 1992.

DERSHOWITZ, Alan M. *The Abuse Excuse*. Boston: Little, Brown & Co., 1994.

_____. *The Best Defense*. Nova York: Random House, 1982.

_____. *Reasonable Doubts*. Nova York: Simon & Schuster, 1996.

DEUTSCH, Linda; FLEEMAN, Michael. *Verdict*. Kansas City: Andrews and McMeel, 1995.

DIDION, Joan. *After Henry*. Nova York: Vintage International, 1992.

_____. *Slouching Towards Bethlehem*. Nova York: Farrar, Straus and Giroux, 1968.

_____. *The White Album*. Nova York: Farrar, Straus and Giroux, 1979.

DOMANICK, Joe. *To Protect and to Serve: The LAPD at War in the City of Dreams*. Nova York: Pocket Books, 1994.

DUTTON, Donald G., com Susan K. Golant. *The Batterer: A Psychological Profile*. Nova York: Basic Books, 1995.

ELIOT, Marc. *Kato Kaelin: The Whole Truth*. Nova York: Harper Paperbacks, 1995.

FOX, Larry. *The O.J. Simpson Story: Born to Run*. Nova York: Dodd, Mead & Co., 1974.

GEBHARD, David; WINTER, Robert. *Los Angeles: An Architectural Guide*. Salt Lake City: Gibbs-Smith Publisher, 1994.

GEORGE, Lynell. *No Crystal Stair: African-Americans in the City of Angels*. Nova York: Anchor Books, 1994.

HORNE, Gerald. *Fire This Time: The Watts Uprising and the 1960s*. Charlottesville: University Press of Virginia, 1995.

KENNEDY, Tracy; KENNEDY, Judith; ABRAHAMSON, Alan. *Mistrial of the Century*. Beverly Hills: Dove Books, 1995.

KNOX, Michael, com Mike Walker. *The Private Diary of an OJ Juror*. Beverly Hills: Dove Books, 1995.

LARDNER, JR., George. *The Stalking of Kristin*. Nova York: Atlantic Monthly Press, 1995.

Los Angeles Times staff. *In Pursuit of Justice*. Los Angeles: Los Angeles Times, 1995.

MCWILLIAMS, Carey. *Southern California Country: An Island on the Land*. Freeport, Nova York: Books for Libraries Press, 1970.

OVNICK, Merry. *Los Angeles: The End of the Rainbow*. Los Angeles: Balcony Press, 1994.

REID, David (ed.). *Sex, Death and God in L.A.* Berkeley: University of California Press, 1994.

RESNICK, Faye, com Mike Walker. *Nicole Brown Simpson: The Private Diary of a Life Interrupted*. Beverly Hills: Dove Books, 1994.

SCHATZMAN, Elias, Tom e Dennis. *The Simpson Trial in Black and White*. Los Angeles: General Publishing Group, 1996.

SHAPIRO, Robert L., com Larkin Warren. *The Search for Justice*. Nova York: Warner Books, 1996.

SIMPSON, O.J. *I Want to Tell You*. Boston: Little, Brown & Co., 1995.

_____, com Pete Axthelm. *OJ: The Education of a Rich Rookie*. Nova York: Macmillan, 1970.

SONENSHEIN, Raphael J. *Politics in Black and White: Race and Power in Los Angeles*. Princeton, Nova Jersey: Princeton University Press, 1993.

STARR, Kevin. *Endangered Dreams: The Great Depression in California*. Nova York: Oxford University Press, 1996.

_____. *Material Dreams: Southern California Through the 1920s*. Nova York: Oxford University Press, 1990.

TURNER, Patricia A. *I Heard It Through the Grapevine: Rumor in African-American Culture*. Berkeley: University of California Press, 1993.

UELMAN, Gerald F. *Lessons from the Trial: The People v. O.J. Simpson*. Kansas City: Andrews e McMeel, 1996.

VERNON, Robert. *L.A. Justice: Lessons from the Firestorm*. Colorado Springs: Focus on the Family Publishing, 1993.

WELLER, Sheila. *Raging Heart*. Nova York: Pocket Books, 1995.

ARTIGOS

COLVIN, Richard Lee; DAUNT, Tina. "Shapiro Now Faces His Defining Moment," *Los Angeles Times*, 26 de jun.1994, p. A1.

DUNNE, John Gregory. "The Simpsons," *The New York Review of Books*, 22 de set.1994, p. 34.

GATES, JR., Henry Louis. "Thirteen Ways of Looking at a Black Man," *The New Yorker*, 23 de out.1995, p. 56.

GOODMAN, Michael J. "For the Defense, Johnnie Cochran," *Los Angeles Times Magazine*, 29 de jan.1995, p. 10.

HANCOCK, LynNell, et al. "Putting Working Moms in Custody," *Newsweek*, 13 de mar.1995, p. 54.

HOLDEN, Benjamin A., et al. "Race Seems to Play an Increasing Role in Many Jury Verdicts," *The Wall Street Journal*, 4 de out.1995, p. A1.

JERVEY, Gay. "Michael and Reggie's Magician," *The American Lawyer*, maio 1994, p. 56.

JONES, Tamara. "The Silent Persuader: Johnnie Cochran," *The Washingtonton Post*, 3 de out.1995, p. B1.

KATZ, Jon. "Guilty," *Wired*, set.1995, p. 130.

KRIKORIAN, Greg. "Co-Workers Paint Different Portrait of Mark Fuhrman," *Los Angeles Times*, 8 de nov.1995, p. A1.

LAFFERTY, Elaine, et al. "The Simpson Verdict," *Time*, 16 de out.1995, p. 48.

LOPEZ, Robert J.; KATZ, Jesse. "Nicole Brown Anti-Abuse Charity Beset by Problems," *Los Angeles Times*, 10 de jul.1995, p. A1.

MARGOLICK, David. "Trial Lawyer Now Forced to Fight His Fame While Battling for His Client," *The New York Times*, 20 de jan.1995, p. A12.

_____. "Prosecutor of Distinction," *The New York Times*, 22 de jan. 1995, p. A17.

NEWTON, Jim. "Jackson Being Persecuted, Ministers Say," *Los Angeles Times*, 19 de fev.1994, p. A5.

NOBLE, Kenneth B. "A Showman in the Courtroom, for Whom Race Is a Defining Issue," *The New York Times*, 20 de jan.1995, p. A13.

PARLOFF, Roger. "How Barry Scheck and Peter Neufeld Tripped Up the DNA Experts," *The American Lawyer*, dez.1989, p. 50.

PERLMAN, Shirley. "Judge Ito Steals the Show," *Newsday*, 13 de nov.1994, p. A7.

REIBSTEIN, Larry, et al. "Disorder in the Court," *Newsweek*, 17 de abr.1995, p. 26.

SCHAEFFER, Danna Wilner. "How to Be Marcia Clark," *Mirabella*, jan./fev.1996, p. 30.

SHAPIRO, Robert L. "Using the Media to Your Advantage," *The Champion*, jan./fev. 1993, p. 7.

SILVERMAN, Ira; DANNEN, Fredric. "A Complicated Life," *The New Yorker*, 11 de mar.1996, p. 44.

SIPCHEN, Bob. "Schiller's Twist," *Los Angeles Times*, 3 de fev.1995, p. E1.

SIMPSON, O.J. "The Playboy Interview," *Playboy*, dez.1976, p. 77.

TUROW, Scott. "Simpson Prosecutors Pay for Their Blunders," *The New York Times*, 4 de out.1995, p. A 31.

WEATHERS, Diane. "The Other Side of Johnnie Cochran," *Essence*, nov.1995, p. 87.

Antes de se tornar escritor fixo da revista *The New Yorker*, em 1993, JEFFREY TOOBIN trabalhou como procurador adjunto da República no Brooklyn, em Nova York, e como advogado associado no escritório de advocacia independente de Lawrence E. Walsh — experiências que serviram de base para o livro *Opening Arguments: A Young Lawyer's First Case — United States v. Oliver North* [Argumentos iniciais: O primeiro caso de um jovem advogado — os Estados Unidos contra Oliver North]. É autor de *The Oath*, *The Nine*, *Too Close to Call* e *A Vast Conspiracy*, além de *O Povo Contra O.J. Simpson*. Vive com a família em Nova York. Saiba mais em jeffreytoobin.com.

AGRADECIMENTO

Minha dívida começa com meus colegas da *New Yorker*. Devo toda minha carreira no jornalismo a Tina Brown, que há quatro anos apostou suas fichas em mim e nunca parou de me incentivar. Agradeço a Pat Crow por editar minhas matérias sobre o caso Simpson para a revista, e a Elizabeth Dobell pelas pesquisas editoriais hábeis e diligentes. Durante todo o caso, me beneficiei dos conselhos sábios de Maurie Perl, Jill Bernstein e Melissa Pranger. Agradeço ainda a Pam McCarthy e Dorothy Wickenden. Sou grato a David Remnick pela amizade, pela sensibilidade na leitura dos originais, e, acima de tudo, por seu trabalho exemplar como escritor. A meus colegas de Los Angeles, Caroline Graham e Charlotte Reynolds, que me trataram como parte da família. No decorrer do processo, parece que todos os envolvidos precisaram de um advogado. Mas posso dizer que tive os melhores: Devereux Chatillon, da *New Yorker*; e Bradley Phillips, Michael Doyen e Steven Weisburd, da Munger, Tolles and Olson.

Este livro foi escrito durante uma pesquisa custeada pelo Freedom Forum Media Studies Center, da Universidade de Columbia. Sou grato a todos os meus colegas, especialmente aos dirigentes: Everette Dennis, Nancy Hicks Maynard e Nancy Woodhull. Matt Dallek me forneceu uma assistência inestimável nas pesquisas e um companheirismo muito bem-vindo. Minha gratidão também a Nancy Grimes, pela ajuda nas fase inicial do projeto. Agradeço à West Publishing Company por oferecer o acesso virtual às transcrições do julgamento.

Não conseguiria encontrar uma editora que me desse mais apoio. Na Random House, Ann Godoff dirigiu o projeto e me orientou com confiança, habilidade e bom humor. A equipe de copidesque comandada por Beth Pearson e Veronica Windholz aprimorou sobremaneira os originais. Obrigado, Elsa Burt, Enrica Gadler, Ivan Held, Carol Schneider e o presidente da editora, Harry Evans, pelo entusiasmo. Agradeço à minha agente, Esther Newberg, que esteve (e está) sempre três passos à frente dos demais.

Devo ter feito alguma boa ação para merecer amigos como Michael Lynton, Jamie Alter e Eloise Lynton, que me fizeram sentir como o segundo hóspede mais famoso em Los Angeles.

Obrigado, também, a Wendy Gray e a Pirate.

Cobri o caso Simpson por quase metade da vida de minha filha e cerca de dois terços da vida de meu filho. Nesse tempo, Ellen contribuiu com uma análise sofisticada do caso ("Acho que o O.J. Simpson tinha que ficar de castigo por um bom tempo!") e Adam trouxe um ceticismo saudável a toda a empreitada ("O.J. não, papai!"). Apesar da ausência frequente do pai, as crianças cresceram felizes com a ajuda da mãe, Amy McIntosh. Além das tarefas de casa, minha querida McIntosh também prosperou na própria carreira profissional durante esse período e ainda encontrou tempo para editar esta obra com carinho. Sou muito grato pela vida de aventuras que temos juntos.

Nova York, julho de 1996

BK4013970 061794
LOS ANGELES POLICE   JAIL DIV

★ ★ ★ ★ ★

JEFFREY TOOBIN

AMERICAN CRIME STORY

O POVO CONTRA O.J. SIMPSON

CRIME SCENE®
DARKSIDE

JEFFREY TOOBIN

AMERICAN CRIME STORY

O POVO CONTRA O.J.SIMPSON

CRIME SCENE®
DARKSIDE

1ª REIMPRESSÃO — INVERNO DE 2017

On June 15, O.J. Simpson becomes a star again

O.J. Simpson, with lawyer Johnnie Cochran at his

San Francisco Chronicle
NORTHERN CALIFORNIA'S LARGEST NEWSPAPER

WEDNESDAY, OCTOBER 4, 1995   415-777-1111   50 CENTS

'my primary goal in life the killer or killers who slaughtered Nicole and Mr. Goldman'
— O.J. SIMPSON

AND BACK HO...

Jury United, But Nat...

By Kenneth J. Garcia
Chronicle Staff Writer

The riveting Technicolor drama called the O.J. Simpson case came to a stunning conclusion yesterday. But the nation's trial, framed in stark black and white images, continues to play on.

Rarely in America's history has the country's racial divide seemed clearer or the cultural abyss deeper than the spectacle that unfolded in Room 103 in downtown Los Angeles. During the past year served as a mirror for a society split into ever drifting segments. And yesterday, one side screamed in ecstasy while the other stared in shocked silence.

Beyond the pop sensationalism and general salaciousness of the trial, the O.J. Simpson case raised fundamental questions about justice in America and how it is viewed differently depending on the color of one's skin. Contrast the black students from Howard University in Washington shouting, cheering the verdict with the stone-faced disbelief of white UCLA students, and you have a

VANITY FAIR / AUGUST 1995

DESPERATE CHASE

'I CAN'T GO

O.J.'s LAST RUN

J. SET

Freedom Sure to Carry Its Own Kind of Weight

whole world ks on, he is nd not guilty